Denis Pelletier, Raymonde Bujold
et collaborateurs

POUR UNE APPROCHE ÉDUCATIVE EN ORIENTATION

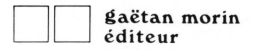

gaëtan morin
éditeur

Hommage de l'Éditeur
GAETAN MORIN, éditeur
"l'éditeur des universitaires Québécois"

gaëtan morin éditeur
C.P. 965, CHICOUTIMI, QUÉBEC, CANADA
G7H 5E8   TÉL.: (418) 545-3333

ISBN 2-89105-133-5

Dépôt légal 1er trimestre 1984
Bibliothèque nationale du Québec
Bibliothèque nationale du Canada

TOUS DROITS RÉSERVÉS
© 1984, Gaëtan Morin éditeur
123456789 GME 987654

On peut se procurer nos ouvrages chez les diffuseurs suivants :

Algérie

Entreprise nationale du livre
3, boul. Zirout Youcef
Alger
Tél. : (213) 63.92.67

Espagne

DIPSA
Francisco Aranda n° 43
Barcelone
Tél. : (34-3) 300.00.08

Portugal

LIDEL
Av. Praia de Victoria 14A
Lisbonne
Tél. : (351-19) 57.12.88

Algérie

Office des publications
  universitaires
1, Place centrale
Ben-Aknoun (Alger)
Tél. : (213) 78.87.18

Tunisie

Société tunisienne
  de diffusion
5, av. de Carthage
Tunis
Tél. : (216-1) 255000

et dans les librairies universitaires des pays suivants :

Algérie	Côte-d'Ivoire	Luxembourg	Rwanda
Belgique	France	Mali	Sénégal
Cameroun	Gabon	Maroc	Suisse
Congo	Liban	Niger	Tchad

Table des matières

projets — Solutions insuffisantes — Importance de la formation de buts et de projets — Construction cognitive-dynamique — Projet, structure moyen-fin et perspective temporelle — Motivation intrinsèque et extrinsèque — Motivation intrinsèque, auto-développement et conception de soi — Motivation intrinsèque et travail.

Origine de l'inventaire — Considérations théoriques — Présentation matérielle de l'inventaire — Utilisations possibles de l'inventaire — Expérimentations et observations — Conclusion.

SEPTIÈME PARTIE

RÉFLEXIONS MAJEURES SUR LES PRATIQUES ÉDUCATIVES EN ORIENTATION

HUITIÈME PARTIE

L'IDENTITÉ DU CONSEILLER D'ORIENTATION

Liste des collaborateurs

DENIS PELLETIER

Denis Pelletier a obtenu un doctorat en psychologie de l'Université de Paris. Il est professeur titulaire au Département de counseling et orientation de l'Université Laval (QUÉBEC). Il s'intéresse particulièrement aux questions touchant la représentation de soi, la croissance personnelle et le développement vocationnel. Il est coauteur du livre *Activation du développement vocationnel et personnel (**A.D.V.P.**)* et de la collection « *Éducation au choix de carrière* ».

Il est reconnu, sur le plan international, pour sa contribution majeure dans l'approche A.D.V.P. Il a formé des étudiants et des professionnels aux Universités du Luxembourg, de Bruxelles, Lyon, Strasbourg, Bordeaux et Rio de Janeiro.

RAYMONDE BUJOLD

Raymonde Bujold a obtenu un Ph. D. (orientation) de l'Université Laval. Elle est également accréditée comme psychothérapeute. Professeur agrégé à l'Université Laval (QUÉBEC), ses recherches portent sur l'empathie, l'Activation du développement vocationnel et personnel (**A.D.V.P.**) et la pratique de la supervision en counseling.

Sur le plan international, elle s'est impliquée dans la formation à l'approche A.D.V.P. dans les Universités de Lauzanne, Bordeaux, Lyon, Paris, Bahia et Cali, de même qu'au Centre psycho-médico-social de Liège.

GENEVIÈVE LATREILLE

1929-1982

BERNADETTE DUMORA

Bernadette Dumora est assistante en psychologie à l'Université de Bordeaux II. Elle s'occupe activement de la formation en Activation du développement vocationnel et personnel (**A.D.V.P.**) auprès des conseillers d'orientation en France. Ses intérêts de recherche portent plus particulièrement sur le développement vocationnel et personnel et la pratique de l'orientation.

JOSEPH NUTTIN

Joseph Nuttin est professeur à l'Université de Louvain (BELGIQUE). Il est directeur du Laboratoire de psychologie expérimentale et du Centre de recherches sur la motivation et la perspective temporelle à cette même université.

Il est reconnu, sur le plan international, pour ses travaux sur la motivation humaine. Nous lui devons entre autres un ouvrage important sur *La structure de la personnalité* et une *Théorie de la motivation humaine* fort éclairante.

CHARLES BUJOLD

Charles Bujold a obtenu son D. Ed. (Counseling Psychology) de l'Université Columbia et est professeur titulaire au Département de counseling et orientation de l'Université Laval (QUÉBEC). Ses champs d'intérêt sont la psychologie vocationnelle, le counseling personnel et vocationnel et l'éducation psychologique. Il est coauteur du livre *Activation du développement vocationnel et personnel* (**A.D.V.P.**).

Au niveau national, il est membre du conseil de direction de la Société canadienne d'orientation et de consultation. Il est également membre de l'équipe canadienne de recherche dans le cadre du projet de recherche internationale *Étude sur l'importance du travail*. Sur le plan international, il a donné des cours sur l'approche A.D.V.P. à l'Université Fédérale de Rio de Janeiro.

LUC BÉGIN

Luc Bégin est professeur à l'Université du Québec à Montréal. Il détient une maîtrise en psychologie de l'Université Laval (QUÉBEC) et rédige une thèse de doctorat ayant pour titre : *Effet de l'information professionnelle sur la différenciation et la discrimination cognitives des sujets*. Il est coauteur d'un *Inventaire canadien d'intérêts professionnels* (**CEIC**) et prépare une publication qui s'intitule : *Du développement cognitif au développement vocationnel*.

JEAN-YVES GUINARD

Jean-Yves Guinard est diplômé en psychologie de l'Université de Bordeaux II (FRANCE). Il est directeur du Centre d'information et d'orientation de Châteaulin (FRANCE). Il s'intéresse de façon particulière à la psychologie cognitive.

ALAIN RUFINO

Alain Rufino possède un doctorat de 3e cycle en sciences de l'éducation de l'Université de Lyon II. Il est directeur du Centre de formation des conseillers d'orientation de Marseille. Il a publié *L'épanouissement intellectuel de notre enfant* et s'intéresse de façon particulière aux représentations du monde social et professionnel chez les enfants d'âge scolaire. Il contribue à perfectionner une pédagogie de l'information en orientation.

ROBERT SOLAZZI

Robert Solazzi est directeur du Centre d'application en orientation à l'Université de Lyon II (FRANCE). Psychosociologue, il s'occupe activement de la formation des conseillers d'orientation en France, en particulier en ce qui a trait à l'A.D.V.P. Il a de plus publié un volume sur l'enfant musicien.

JACQUES NUOFFER

Jacques Nuoffer est diplômé en psychologie de l'Université de Fribourg (SUISSE). Il est conseiller d'orientation à l'Office régional d'orientation de Bienne (SUISSE). Il s'intéresse particulièrement aux applications de l'approche d'Activation du développement vocationnel et personnel (**A.D.V.P.**) en Suisse. Il a publié plusieurs articles sur le sujet.

JACQUES AUDET

Jacques Audet est licencié en orientation scolaire et professionnelle de l'Université Laval (QUÉBEC). Il est conseiller d'orientation à la Polyvalente Hyacinthe-Delorme (QUÉBEC) où, avec des collègues de travail, il réalise un ensemble de programmes favorisant le cheminement vocationnel des étudiants. Il est membre du Conseil des enseignants de la polyvalente et fait partie d'un comité chargé d'étudier le vécu scolaire des élèves. Il est également très actif au sein de la Corporation professionnelle des conseillers d'orientation du Québec.

RENÉ BENOIT

René Benoit est licencié en orientation scolaire et professionnelle de l'Université Laval (QUÉBEC). Conseiller d'orientation à la Polyvalente Hyacinthe-Delorme (QUÉBEC), il a effectué des recherches en vue d'améliorer les structures d'accueil des élèves du premier cycle secondaire en difficulté d'apprentissage. Il est également consultant dans une maison de transition pour mésadaptés socio-affectifs.

RAYMOND PICARD

Raymond Picard est licencié en orientation scolaire et professionnelle de l'Université Laval (QUÉBEC). Conseiller d'orientation à la Polyvalente Hyacinthe-Delorme (QUÉBEC), il est responsable de la mise en application du programme A.D.V.P. Il est également consultant en éducation des adultes.

MARTHE LAMOTHE

Marthe Lamothe détient une maîtrise en counseling et orientation de l'Université Laval (QUÉBEC). Elle est conseillère en orientation au Collège Notre-Dame-de-l'Assomption de Nicolet (QUÉBEC) et travaille de façon particulière aux applications pratiques de l'approche A.D.V.P.

LÉO BLANCHET

Léo Blanchet est licencié en orientation scolaire et professionnelle de l'Université Laval (QUÉBEC). Il est conseiller d'orientation au Collège d'enseignement général et professionnel (C.E.G.E.P.) de Maisonneuve (QUÉBEC). Il s'intéresse de façon particulière aux applications pratiques de l'approche A.D.V.P. Il a publié un *Inventaire d'intérêts, d'aspirations et de situations scolaires* (**I.A.S.**) que les praticiens utilisent avec profit.

CHANTAL TREMBLAY

Chantal Tremblay détient une maîtrise en counseling et orientation de l'Université Laval (QUÉBEC). Sa thèse de doctorat, actuellement en cours, porte sur l'intégration en tant que processus sous-jacent à l'existence. Elle est membre de la Corporation professionnelle des psychologues du Québec.

HÉLÈNE BOULAY

Hélène Boulay est étudiante de maîtrise en counseling et orientation à l'Université Laval (QUÉBEC). Elle s'intéresse particulièrement à l'étude de la nature du lien relationnel, à l'expression et à l'animation de groupe.

JEAN-GUY OUELLETTE

Jean-Guy Ouellette détient une maîtrise en sciences de l'éducation de l'Université de Moncton (Nouveau-Brunswick). Il rédige une thèse de doctorat en vue de l'obtention d'un Ph. D. en orientation de l'Université Laval (QUÉBEC). Il est professeur agrégé à l'Université de Moncton et directeur du Département d'orientation. Ses intérêts d'enseignement et de recherche sont : le développement vocationnel et personnel, l'identité, la communication interpersonnelle et l'animation de groupe.

GILLES NOISEUX

Gilles Noiseux, Ph. D., est professeur agrégé au Département de counseling et orientation à l'Université Laval. Comme consultant contractuel auprès du ministère de l'Éducation, il est responsable de la conception et de l'élaboration du programme *Éducation au choix de carrière* et du guide pédagogique. Ses intérêts de recherche en psychologie cognitive et en éducation psychologique l'amènent à contribuer au développement de la pédagogie expérientielle. Il est aussi coauteur de la collection *Éducation au choix de carrière*.

LOUISE FRÉCHETTE

Louise Fréchette détient un baccalauréat en orientation de l'Université de Montréal (QUÉBEC) et une maîtrise en psychologie de la même université. Elle travaille au service de psychologie du Collège Ahuntsic (QUÉBEC). Elle est coauteur d'un guide d'orientation professionnelle pour les étudiants de niveau collégial. Elle a également publié, chez Leméac, un ouvrage de création littéraire intitulé *L'Insurgée*.

JACQUES LIMOGES

Jacques Limoges a obtenu un doctorat en éducation de l'Université de Boston. Il est professeur agrégé à l'Université de Sherbrooke (QUÉBEC). Ses intérêts de recherche portent sur le développement vocationnel, le développement du moi, l'intervention et la formation en orientation.

Il a publié deux ouvrages récents : *S'entraider,* aux Éditions de l'Homme (1982) et *Le développement du moi,* aux Éditions Prolingua (1981).

JACQUES PERRON

Jacques Perron, Ph. D. est professeur titulaire et rattaché au programme d'études supérieures en counseling au Département de psychologie de l'Université de Montréal (QUÉBEC). Son champ principal de recherche concerne les valeurs en rapport avec le développement vocationnel, la personnalité et l'intervention. Il est l'auteur d'un récent ouvrage intitulé : *Valeurs et choix en éducation*.

PIERRETTE DUPONT

Pierrette Dupont est professeur titulaire à l'Université de Sherbrooke (QUÉBEC). Elle a obtenu un doctorat en sciences de l'éducation de l'Université de Caen (FRANCE). Ses principales recherches sont axées sur la psychologie vocationnelle, la didactique de l'information scolaire et professionnelle. Elle s'intéresse également à l'éducation à la carrière et s'implique activement dans le développement professionnel des conseillers d'orientation et des professeurs en information scolaire et professionnelle.

GENEVIÈVE FOURNIER

Geneviève Fournier a obtenu une maîtrise en éducation (mention orientation) à l'Université Laval (QUÉBEC) en automne 1979 et poursuit actuellement ses études de doctorat en orientation à cette même institution.

Ses principaux champs d'intérêts se situent au niveau de la prise de décision individuelle, du développement de l'identité, de la formation du concept de soi, de la créativité, ainsi que des aspects irrationnels qui sous-tendent le comportement humain.

CONRAD LECOMTE

Conrad Lecomte est professeur agrégé au Département de psychologie de l'Université de Montréal (QUÉBEC). Il a obtenu un Ph. D. en psychologie à l'Université de Californie. Il s'occupe de la formation professionnelle et académique du psychologue depuis plus de douze ans. Son enseignement et ses recherches ont constamment porté sur l'intervention psychologique et la formation du psychologue. Ses contributions pratiques, théoriques et scientifiques sont reconnues autant au Canada, aux États-Unis et en Europe qu'en Amérique latine.

MICHEL HUTEAU

Michel Huteau a obtenu un doctorat d'État de l'Université de Paris (FRANCE). Il est maître assistant à l'Université René Descartes, Paris, et chargé de cours à l'Institut national d'études sur le travail et l'orientation professionnelle (**I.N.E.T.O.P.**). Il s'intéresse particulièrement aux mécanismes psychologiques de la formation et de l'évolution des attitudes et des préférences vis-à-vis des professions. Outre ses travaux relatifs à l'orientation, il a publié un guide de l'étudiant en psychologie et prépare un ouvrage sur *Les conceptions cognitives de la personnalité*.

Geneviève Latreille, la Lyonnaise

1929 - 1982

« Toute vie véritable est rencontre. » (Martin Buber)

« Quand on te mènera à Loyasse* t'auras beau avoir ramassé tout et plus et même davantage tu n'emporteras que ce que t'auras donné. » (La plaisante sagesse lyonnaise)

Geneviève Latreille nous a quittés le 11 août 1982 à Lyon et brusquement le soleil et les plaisirs de l'été se sont obscurcis pour tous ceux qui ont eu la chance, au cours de leur vie, de partager avec elle, ne fût-ce que quelques minutes, une partie de leurs luttes, de leurs interrogations et de leurs espoirs.

Que dire à ceux qui ne l'ont pas rencontrée ?

Son histoire professionnelle qui la mènera de conseillère d'orientation à professeur et chercheur en psychologie sociale ? Son élection à la tête de l'Unité d'Enseignement et de Recherches en psychologie et sociologie en 1968 (1re femme directrice d'UER en France !) ? Ses fonctions de vice-présidente de l'Université de Lyon II chargée de la pédagogie ? Sa direction d'Études à l'École internationale d'enseignement infirmier supérieur ? Sa création d'un Centre de formation de conseillers d'orientation à Lyon, et des Cellules d'orientation universitaires ?

Ou bien l'histoire singulière d'une femme fidèle à ses engagements syndicaux, politiques et religieux tout au long de sa vie, et respectueuse de ceux des autres ? Mais je l'entends partir d'un grand éclat de rire et faire sien ce vers de Marie Noël dont elle aimait tous les poèmes : « Je suis ce que tu crois et suis tout le contraire » !

Très attachée à son quartier de la Croix-Rousse, peut-être au fond était-elle, à l'image de Lyon, une et multiple, tout en contrastes ? La première fois, du haut de ses collines, la ville m'apparut accessible, transparente et compréhensible ; synthèse de la plaine et de la montagne, du climat du Nord et de celui du Midi, immense carrefour de voies romaines, puis d'autoroutes, d'eaux vives, de peuples, nés sur place, ou venus d'un peu partout.

« Découvrir Lyon, c'est remonter aux sources de la vie urbaine en Gaule, c'est retrouver les origines de la vie municipale en Occident, c'est revivre l'exceptionnelle aventure industrielle des 18e et 19e siècles » (Michel Laferrière)...

Pourtant ce n'est qu'au fil des années que j'ai pris conscience du caractère paradoxal de cette ville : chaleureuse et réservée, douce et violente, réaliste et mystique, combative et généreuse, calme et tourmentée, enracinée et voyageuse, conservatrice et inventive... comme celle qu'elle a façonnée.

Au cœur de cette histoire lyonnaise écrite par des bâtisseurs, des chercheurs, des hommes d'affaires et des inventeurs (de l'aérostat à l'électrodynamique, du métier à tisser au cinéma), mais aussi par des martyrs religieux et laïques (de Ste Blandine à Jean Moulin) les travaux de Geneviève Latreille se colorent d'une lumière particulière comme les quais de la Saône au soleil levant : s'orienter, c'est inventer son histoire personnelle, lui donner un sens, dans une histoire collective d'où la lutte et le rêve ne seraient jamais exclus.

---

* Loyasse : le cimetière de Lyon.

Tu naîtras du peuple aujourd'hui comme alors
Aujourd'hui tu sortiras du charbon et de la rosée
Tu parviendras à ébranler les portes
Avec tes mains abîmées
Avec les morceaux de ton âme encore vivante
Avec les regards innombrables
Que la mort n'atteint pas.

. . . .

Je ne vais pas mourir
Je reste avec mes paroles et les villages
Et les chemins qui m'attendent de nouveau
Et qui frappent de leurs mains étoilées
À ma porte.

(Pablo Neruda)

Robert Solazzi

GENEVIÈVE LATREILLE

Professeur de psychologie sociale,
Université Lyon II,
Directrice de l'Institut de formation de
conseillers d'orientation de Lyon de
1967 à 1982.

PARUTIONS DE L'AUTEUR

OUVRAGES :

Orientation professionnelle et système scolaire, CNRS, Paris, 1966.
La naissance des métiers en France 1950-1975, Presses universitaires de Lyon, 1980.
La naissance des métiers dans la France contemporaine 1950-1975, étude psychosociale (Thèse de doctorat d'État), Paris V, Sorbonne, octobre 1979.

ARTICLES :

Influence d'un centre d'orientation professionnelle, *Efficacité*, **n° 53 :** Économie et Humanisme, Lyon, 1954.
Enquête d'application : l'intégration des jeunes dans le marché du travail, *Bulletin de l'école pratique de psychologie et pédagogie*, Lyon, 1956.
Dans la Drôme, quels débouchés sont offerts aux adolescents ? *Journal « Peuple libre »*, **478,** Valence, le 21 février 1957.
Analyse locale du marché du travail et orientation professionnelle, *Bulletin de l'Institut national d'orientation professionnelle (BINOP)*, Paris 1, 1958.
Confrontations, affrontements : Orientation professionnelle et planification, *Économie et Humanisme*, **122,** Lyon, 1959.
Les aspects sociologiques de l'orientation des jeunes, *ACOF*, Congrès Colmar, 1961, *SIEDN*, Colmar, 1962.
Aspects sociologiques et économiques de l'orientation en fin de classe de 3ᵉ, *BINOP spécial*, Paris, 1963.
Les conditions du travail de demain, *L'École des parents*, **n° 1,** Paris, 1965.
Problèmes français d'orientation scolaire et professionnelle, *Droit social*, **7, 8,** Paris, 1966.
La famille des psychologues, *Bulletin Binet Simon*, **498,** Lyon, 1967.
L'orientation en danger, *Économie et Humanisme*, **181,** Lyon, 1968.
Pour un essor de l'orientation, *Chronique sociale de France*, Lyon, février 1970.
L'orientation scolaire et professionnelle : une profession qui se cherche, *Économie et Humanisme*, **202,** Lyon 1971.
Orientation et prévisions d'emploi, *Après-demain*, **135, 136,** Paris, 1971.
Métiers et professions, *Sociologie du travail*, Paris, novembre 1971.
Une orientation orientée : pourquoi l'orientation ne corrige-t-elle pas les inégalités sociales, *Chronique sociale de France*, Lyon, mai 1972.
Les disparités dans les chances d'accès à l'enseignement en France, *Orientations*, **41,** Paris, 1972.
Les conseillers d'orientation en France, 60 ans d'activité et de recherche, *Bulletin Binet Simon*, **534,** Lyon, 1973.
Du nouveau dans le monde des métiers et des professions, l'orientation scolaire et professionnelle, **4,** Paris, 1973.
L'évolution du counseling d'orientation en France, 1945-1974, art. du *Congrès mondial de psychologie appliquée*, Montréal, 1974.
Images et représentations du monde du travail en France, *Bulletin de l'ACOF*, **252,** Paris, 1975.
La spécification des choix dans le second cycle technique, *Bulletin de l'ACOF*, **257,** Paris, 1976.
Faut-il ou peut-on inventer un nouveau modèle pour le recrutement et la formation des conseillers ? *Bulletin de l'ACOF*, **262,** Paris, 1977.
Turnover et pénurie des personnels soignants comme signe et conséquences de l'inadéquation entre projets et réalités du conflit que doivent vivre ces personnels, *L'ARBRESLE, Centre Thomas MORE*, **13,** document 77/2, 1977.
Des informations pour l'orientation des filles (analyse de contenu de la revue « Avenirs ») *Économie et Humanisme*, **244,** Lyon, 1978.
Orientation scolaire et professionnelle et conjoncture socio-économique, *Économie et Humanisme*, **250,** Lyon, 1979.
Familles et orientation professionnelle : le cas de la coiffure à Lyon, Préface du rapport de M. BUISSON (A.T.P. sur les stratégies des familles au niveau de l'entrée dans l'enseignement professionnel court.) *IRISH*, Lyon II, 1979.
Une action de formation créatrice d'emplois — Préface du rapport de O. CARRÉ pour l'E.P.R. Rhône-Alpes, *IRISH laboratoire de psychologie sociale*, Lyon II, mars 1981.
Les paradoxes du métier collectivement trouvé-créé en psychologie sociale du changement, *Chronique sociale*, Lyon, 1982.
Les nouvelles professions, *Encyclopedia Universalis, Supplément annuel*, Paris, 1982.

Avant-propos

Dépuis cinq ans environ se sont implantées un peu partout dans le monde des pratiques d'orientation à caractère éducatif. On parle en France d'éducation des choix, aux États-Unis et au Canada d'éducation à la carrière, au Québec d'activation du développement vocationnel. C'est pourquoi s'impose selon nous la nécessité de publier un ouvrage sur les aspects fondamentaux et appliqués d'une approche éducative en orientation.

Le premier mot du titre indique qu'il s'agit d'une tentative de redéfinition. Ce livre veut montrer qu'une autre conception et qu'une autre approche de l'orientation sont possibles.

Il comporte une double originalité : 1) celle de réunir des universitaires et des praticiens pour assurer un juste équilibre entre la réflexion théorique et les exigences de la pratique professionnelle ; 2) celle de faire appel à la collaboration de chercheurs et de conseillers de divers pays francophones.

Le caractère collectif de cette publication correspond à l'expansion même que connaît la démarche éducative en orientation. Celle-ci semble répondre simultanément aux besoins des individus de s'affirmer comme sujets se réappropriant la responsabilité de leur choix et à des besoins sociaux de corriger des déficits d'apprentissage liés particulièrement à certains milieux défavorisés.

Nous avons fait en sorte d'introduire dans cet ouvrage une diversité qui évite le dispersement. Pour cela, toutes les contributions s'organisent autour de l'idée qu'au-delà de la procédure institutionnelle qu'assume traditionnellement le conseiller, l'orientation s'avère pour le sujet un processus à vivre ; il importe donc de mettre en œuvre les conditions qui favorisent le développement de ce processus.

Lorsqu'ils décrivent les objectifs d'une orientation éducative, Ivey et Alschuler (1973)[1] affirment que l'intentionnalité est le premier à poursuivre pour qui se préoccupe de développement. Ces auteurs définissent l'intentionnalité comme une compétence générale dans laquelle l'individu prend l'habitude de concevoir de nombreuses possibilités pour atteindre les objectifs qu'il s'est fixés. L'individu intentionnel n'est jamais réduit à n'avoir pas le choix. Il pense à sa situation à partir de plusieurs perspectives et trouve de nouvelles manières d'envisager ses problèmes.

---

[1] IVEY & ALSHULER : Psychological Education, An introduction to the field. *The Personal and Guidance Journal,* **51**, (9), 1973.

L'apport important de ces auteurs, c'est de relier l'intentionnalité à une multitude de moyens, de sorte que la personne puisse toujours avoir une solution actuellement acceptable et qui ait des chances de respecter les données de son vécu. Nous ajouterons que l'être intentionnel se définit comme ayant une conscience potentielle de ses déterminismes et un pouvoir virtuel de se déterminer. Il détient la capacité de comprendre sa conduite de l'intérieur, du point de vue qui l'anime. La personne est d'abord un projet qui se vit subjectivement. Elle a besoin, pour se réaliser comme projet, de comprendre les données impliquées dans son devenir.

Favoriser le développement de l'intentionnalité, c'est donc habiliter la personne à entrer en contact avec l'intention implicite qui la fait agir. En ayant une vision plus claire de ses motivations profondes, elle pourra choisir parmi l'ensemble des moyens qui s'offrent à elle, ceux qui la traduiront davantage comme personne, qui respecteront sa finalité et lui feront découvrir son propre sens.

Pour un conseiller d'orientation, éduquer l'intentionnalité, c'est offrir à l'individu des situations d'apprentissage dans lesquelles il pourra faire l'expérience de sa propre subjectivité, des mobiles qui le font agir de même que des buts qu'il poursuit. C'est s'engager avec l'individu dans la recherche du sens qui sous-tend ses choix et ses actions. C'est faire en sorte que la personne qui s'interroge sur son avenir puisse conserver un lien harmonieux entre ses besoins et les possibles. C'est renvoyer la personne à son intention pour l'aider à clarifier les ambiguïtés et les contradictions qu'elle vit. C'est affirmer que la personne a un sens, une direction qu'elle peut respecter dans la mesure où elle y a accès.

*
**

Présenter une approche éducative en orientation, c'est également poser le problème de sa nécessité. En regardant le développement de cette profession au cours des dernières décennies, tant au Québec qu'en France, nous en arrivons vite à l'évidence que les conseillers se sont souvent interrogés sur leur rôle. L'identité du conseiller semble se soumettre et s'accommoder facilement du poids d'un courant théorique ou d'une nécessité qui émerge. Sans vouloir la cristalliser dans une nouvelle philosophie, nous nous demandons si les professionnels du choix n'auraient pas avantage à se définir comme des éducateurs psychologiques. C'est à l'étude de cette question que sera consacrée la première partie de ce volume. Dans un premier temps, Geneviève Latreille et Raymonde Bujold feront une analyse succincte de l'évolution de l'orientation en France et au Québec. Ensuite, Denis Pelletier et Bernadette Dumora présenteront les fondements et les postulats d'une conception éducative de l'orientation.

Nous pouvons difficilement parler de démarche éducative en orientation sans poser la question de la motivation qui sous-tend le choix. Joseph Nuttin, en décrivant le fonctionnement et le développement de la motivation humaine, montrera comment le développement vocationnel s'inscrit dans le développement d'un processus motivationnel plus général, soit celui de l'intervention intentionnelle dans le cours des choses et dans la vie personnelle. Pour Nuttin, l'être vivant n'est pas simplement un fonctionnement de fait, mais un dynamisme fonctionnel. Ce dynamisme est inhérent à son fonctionnement, en particulier sur le plan psychologique, car l'être humain est en relation nécessaire avec certains éléments du milieu, d'où le caractère relationnel de la motivation dans un monde interpersonnel et social.

S'il est vrai que la motivation incite la personne à se définir des objectifs, à se déterminer des projets, nous en déduirons que, pour y arriver, elle doit s'engager dans un processus de recherche, dans une démarche susceptible de transformer ses désirs en buts ou en projets. La partie consacrée à l'orientation en tant que processus de recherche propose une telle démarche et en fait l'analyse opératoire.

Denis Pelletier et Charles Bujold ont avancé l'hypothèse qu'en joignant les tâches développementales décrites par Super, spécialiste en développement vocationnel, avec les habiletés cognitives présentées par Guilford dans ses recherches multidimensionnelles de l'intelligence, nous saurions davantage comment s'effectue un choix. Tel fut le premier pas de ce que nous appelons aujourd'hui l'A.D.V.P. L'idée de base étant établie, il importe maintenant de la clarifier, de la préciser, de la rendre opérationnelle et significative.

L'approche A.D.V.P. puise largement dans les tâches développementales et les composantes psychologiques reliées au choix. Afin de mieux cerner les processus en cours dans les dynamiques impliquées, elle analyse les comportements vocationnels à la lumière des données de la psychologie cognitive. Une étude exploratoire a été menée afin de déterminer s'il existe des rapports entre certaines habiletés intellectuelles et certaines attitudes. Cette étude voulait vérifier si l'analyse opératoire faite entre les tâches développementales et certains modes de pensée pouvait être soutenue empiriquement. C'est ce qu'on retrouve dans le dernier chapitre de la troisième partie.

Il importe, pour un meilleur approfondissement et une meilleure analyse des possibilités d'éduquer le développement vocationnel, d'explorer diverses approches cognitives. Luc Bégin, dans une analyse des comportements vocationnels dans le contexte de la théorie piagétienne, en arrive à déterminer que le problème vocationnel, bien que tributaire de l'ensemble du fonctionnement psychologique, ne peut être résolu qu'en faisant appel aux données conscientes de l'expérience. Selon l'auteur, toute théorie de l'apprentissage repose essentiellement sur une théorie de l'induction logique. La théorie de l'apprentissage ne peut, en dernière analyse, que tenter d'expliquer comment, à partir d'événements particuliers, on en arrive à formuler des hypothèses générales vérifiables. Cette question est doublement importante en éducation à la carrière puisque l'orientation de l'individu elle-même suppose que ce dernier tire de ses expériences propres des hypothèses générales qu'il mettra en œuvre dans une profession. Ainsi posé, le problème de la possibilité de l'apprentissage revient à poser celui de la possibilité d'une orientation qui ne soit ni le fruit du hasard et des circonstances, ni celui d'un simple déterminisme génétique sur lequel nous ne pourrions pas intervenir.

De son côté, Jean-Yves Guinard fait valoir, à la lumière de la théorie de Piaget, comment l'intégration psychologique permet au sujet de se construire en même temps qu'il construit l'objet. Il fait état de la position de Piaget sur la représentation et la connaissance pour en arriver à émettre des hypothèses sur la construction du réel d'orientation et du sujet qui choisit.

Pour sa part, Alain Rufino étudie l'évolution des représentations professionnelles et propose une approche constructiviste de l'information en orientation. Selon l'auteur, dans une conception éducative, la fonction du conseiller d'orientation n'est plus de délivrer un conseil motivé, mais d'aider chaque individu à préparer et à prendre ses propres décisions après qu'il a réuni et traité adéquatement les données indispensables. C'est à l'élaboration des principes et modalités d'application de cette tâche que s'applique Rufino.

Les réflexions présentées dans les quatre premières parties du volume aboutissent logiquement à poser le problème de l'activation vocationnelle. Existe-t-il une formule d'éducation psychologique qui puisse nous permettre d'en préciser les termes ? L'approche A.D.V.P. propose à ce sujet des principes d'activation et un répertoire d'interventions psycho-éducatives. Denis Pelletier, dans la cinquième partie consacrée à l'activation vocationnelle, met en évidence le fait que l'approche A.D.V.P. situe l'intervention psycho-éducative dans le contexte de la motivation plutôt que dans celui de la connaissance. Les informations à découvrir sur soi et sur l'environnement le seront constamment dans la perspective d'élaborer ses besoins pour qu'ils deviennent des buts et des projets susceptibles d'être réalisés.

Cette approche éducative, en tenant compte du concept d'actualisation et de celui de développement, met en rapport psychologie humaniste et psychologie cognitive. Dès lors, la croissance personnelle n'est plus seulement affaire d'accroissement subjectif, mais aussi de savoir-faire heuristique. La connaissance n'est plus seulement affaire d'adaptation au réel, mais de signification pour soi, tout concept vrai s'incorporant au concept de soi et à l'entreprise de se réaliser.

La sixième partie met en valeur, pour sa part, un certain nombre de réalisations pratiques susceptibles de démontrer les possibilités concrètes de l'approche éducative.

Ainsi Bernadette Dumora montre comment le conseiller peut rendre l'individu capable d'exercer sa responsabilité dans les choix successifs de sa vie scolaire, préprofessionnelle et professionnelle au moyen d'activités de groupes.

Robert Solazzi présente un panorama des nouvelles pratiques des conseillers d'orientation qui se développent en France depuis 1975 et qui sont proches de l'A.D.V.P. Il énumère les difficultés rencontrées et fait l'historique de la naissance des nouvelles pratiques.

Jacques Nuoffer nous livre pour sa part son expérience relative à deux modalités d'application de programmes d'orientation : l'atelier d'orientation et le groupe de sensibilisation. Une évaluation des résultats obtenus lui permet de conclure que l'atelier est plus apte à répondre aux besoins d'orientation des jeunes. Une réalisation un peu similaire a été effectuée par Audet, Benoit et Picard. Leur objectif : favoriser un meilleur choix en mettant l'accent sur les facteurs personnels susceptibles de faciliter la clarté et la compréhension du choix, à savoir les Aptitudes, les Intérêts, les Valeurs, la Personnalité (**A.I.V.P.**). Dans l'ordre de réalisations, il convient de mentionner aussi l'inventaire « activant » de Léo Blanchet.

Marthe Lamothe se pose le défi de vivre l'animation comme une rencontre afin de former des jeunes qui soient conscients de leurs ressources, qui se fassent confiance tant dans leur expression que dans leur action. Elle attachera une importance particulière à la découverte et au sens des valeurs qui émergent comme fruit de l'expression. C'est dans le même esprit qu'Hélène Boulay et Chantal Tremblay s'engagent dans un processus de questionnement avec un groupe d'infirmières et approfondissent l'interrogation suivante : Qu'est-ce que je vis de l'intérieur par rapport à mon travail ?

Enfin, Jean-Guy Ouellette présente les expériences éducatives en orientation chez les francophones du Nouveau-Brunswick et Gilles Noiseux décrit les bases du nouveau programme d'éducation au choix de carrière du ministère de l'Éducation du Québec.

Le développement vocationnel, parce qu'il s'inscrit dans une démarche de clarification des besoins, des objectifs, des projets qui feront de la personne un sujet engagé subjectivement et socialement, donne lieu à une série de réflexions majeures sur les pratiques éducatives en orientation. Quel est le but de l'activation ? Est-il utopique de croire qu'en proposant des activités à notre groupe, nous puissions mettre en mouvement des dynamismes personnels qui, en s'interreliant, deviendraient des facteurs importants d'actualisation et de réalisation de soi ? Dans son exposé : *Le but de l'activation : activer,* Louise Fréchette apporte une réponse intéressante à qui se préoccupe du résultat de ses interventions.

À ceux que les questions théoriques intéressent plus particulièrement, Jacques Limoges propose une réflexion en profondeur sur la nature des groupes en orientation ; cette réflexion entraîne un examen critique de la pratique professionnelle des conseillers.

Une démarche sérieuse en orientation ne va pas sans un regard critique sur les valeurs. Jacques Perron porte ce regard et se propose d'établir une notion de la valeur à partir de ses constituants, de son rôle dans le fonctionnement de la personnalité et de ses liens avec l'orientation ; de dégager les conclusions d'un ensemble de recherches sur la place des valeurs, leur évaluation et leur différenciation au cours de l'adolescence ; de discuter de la neutralité et des biais axiologiques des interventions en counseling et en psychothérapie ; de préconiser une démarche de sensibilisation, de conscientisation et d'éducation aux valeurs dans le contexte de la formation des conseillers.

Restait enfin le secteur de l'éducation à la carrière, que nous ne pouvions passer sous silence. Concourant au développement vocationnel, ce champ de préoccupation a donné lieu à de nombreuses recherches et à des essais plus ou moins fructueux en ce qui a trait à la prédiction de la justesse du choix et au succès dans la carrière. Pierrette Dupont, Raymonde Bujold et Geneviève Fournier feront le point sur l'état des travaux dans ce secteur.

Une remise en question d'ensemble comme celle que propose cet ouvrage collectif conduit naturellement à une réflexion sur l'identité du conseiller et sur sa formation, ce à quoi se livrera Conrad Lecomte. Quant à la conclusion, elle portera sur les perspectives d'avenir et sera due à Michel Huteau, dont la collaboration nous a été si précieuse et si encourageante pour la réalisation de cette entreprise commune.

Denis Pelletier et Raymonde Bujold

Première partie
Nécessité d'une
approche éducative
en orientation scolaire
et professionnelle

Chapitre **1**

Les conseillers d'orientation de France :

60 ans d'activité

et de recherche[1]

Geneviève Latreille

Une profession est certes déterminée partiellement par les institutions et organisations qui définissent ses fonctions et son statut (droits et devoirs), — par les clients et collaborateurs qui structurent les rôles et contre-rôles qu'auront à jouer les professionnels, — par les sciences et techniques utilisables pour atteindre les objectifs socialement fixés ou répondre aux demandes individuellement reçues.

C'est pourquoi il faut décrire ici (cf. plus loin) la place, le rôle et le statut que l'Éducation nationale a donné et reconnaît aujourd'hui aux conseillers d'information-orientation, et les relations quotidiennes des conseillers avec adolescents, parents, maîtres et administrateurs (article de S. Honoré). C'est pourquoi nous verrons nous-mêmes à quelles disciplines universitaires et à quel apprentissage technique font appel les Instituts de formation des conseillers.

Mais nos recherches nous amènent à penser qu'on néglige trop souvent un autre facteur qui peut être essentiel, et nous paraît l'être en effet, dans la plupart des métiers ou professions : le groupe social qui, parfois, avant toute institutionnalisation ou demande explicite de la société et des clients, se sent concerné et se rend compétent pour résoudre un certain type de problème. L'histoire des corporations telle que nous la rapporte par exemple le très vivant *Dictionnaire des arts, métiers et professions* de Franklin (Paris, H. Walter, 1905) montre assez l'énergie qu'il fallut aux couturières comme aux chirurgiens pour obtenir un statut officiel (longtemps bloqué respectivement par les maîtres tailleurs et les médecins). Plus heureux, les « informaticiens » paraissent avoir eu une reconnaissance sociale et statistique alors même qu'ils n'existaient guère comme groupe structuré... Mais, comme les infirmières qui ont soigné et peiné bien avant d'avoir un statut et des possibilités de carrière

[1] Extrait de : *Revue Binet-Simon*, Lyon, **534**, 1973.

(les ont-elles d'ailleurs encore clairement aujourd'hui ?), les premiers conseillers d'orien-, tation ont précédé toute initiative des pouvoirs publics ; et leur action a presque toujours devancé beaucoup les textes ministériels qui étaient censés les régir, et les circulaires qui voudraient organiser leur action.

Négliger ces faits et ne pas chercher à comprendre ces conseillers qui ont pris l'initiative et n'entendent pas l'abandonner au profit de quelques amateurs, administrateurs ou réformateurs néophytes de passage, c'est se condamner à quelques surprises ou erreurs d'interprétation. Bien des dialogues de sourds et discussions autour des « priorités » ou « calendriers » d'activités des C.I.O. nous paraissent découler d'une certaine difficulté de l'institution à reconnaître ceux-là mêmes qui, l'ayant fait naître, revendiquent parfois avec générosité ou amertume leur paternité !

Pour ne pas tomber dans ce piège, voyons donc dans un premier temps qui sont aujourd'hui les conseillers d'orientation : d'où sont-ils venus et pourquoi ? Comment se regroupent-ils et se forment-ils ? Quels sont leurs projets personnels, professionnels et sociaux ? Comment se définissent-ils eux, leur action, les obstacles qui les gênent ? Les conditions qui leur paraîtraient « idéales »... ? Peut-être n'est-il pas impossible d'esquisser déjà le portrait de ceux qui entreront demain dans les postes de C.I.O. tels que les définit le statut d'avril 72 et le rôle qu'ils pourraient jouer dans la situation d'incertitude teintée d'angoisse qui est celle de l'école et de la jeunesse d'aujourd'hui.

C'est à ces questions que nous voudrions nous attacher à partir d'une certaine expérience interne comme conseillère d'orientation (1952-62), puis comme animatrice de formation initiale et permanente des conseillers dans l'Académie de Lyon, et à partir des nombreuses publications de l'Association des conseillers d'orientation de France de l'Institut national d'orientation professionnelle, et des syndicats de conseillers.

C'est en 1912 que s'ouvrit à Paris le premier « bureau pour documenter et conseiller les adolescents dans leur choix d'un métier ». Des initiatives du même ordre avaient été prises dès 1902 en Suisse et 1908 aux U.S.A. Et Binet en écrivant l'année de sa mort : « Les méthodes et les examens qui éclaireraient les vocations, les aptitudes et aussi les inaptitudes, rendraient des services incommensurables à tous », orientait la recherche d'assises scientifiques pour ces activités vers la psychologie différentielle naissante. Il entrevoyait là un problème social où les recherches théoriques sur la diversité des aptitudes des enfants, développant ses propres travaux, permettraient des « applications pratiques... et toute une organisation intelligente du placement » (I. Binop, 1953 et 1955).

Si la guerre de 14 interrompit certains efforts, les nécessités de réadaptation professionnelle postérieures à l'armistice en stimulèrent d'autres ; dès 1918, à Bordeaux, Mauvezin établit sa « rose des métiers » dans laquelle il donnait de brèves monographies indiquant les exigences d'une série d'activités professionnelles. Il rendait ainsi plus largement accessible ce qui existait depuis 1842 dans le premier *Dictionnaire des professions en langue française,* important ouvrage rédigé sous la direction d'E. Charton, membre de l'Institut, comme « guide pour le choix d'un état indiquant les conditions de temps et d'argent pour parvenir à chaque profession, les études à suivre, les attitudes et facultés nécessaires pour réussir, les moyens d'établissement, les chances d'avancement et de succès, les devoirs ».

Des bureaux s'ouvrent à Lyon, Toulouse, Tarbes, Le Mans, Nantes, Asnières, Colombes, Courbevoie pour documenter et conseiller adultes et adolescents. À Strasbourg un « Office d'orientation professionnelle » est créé en 1921 par Fonteigne, un professeur préoccupé « d'appliquer en France les méthodes d'examens propres à étayer d'utiles conseils pour le choix des métiers » ; ces méthodes, il s'y est initié pendant la guerre au cabinet de consultations de l'Institut Jean-Jacques-Rousseau de Genève où « Claparède poursuivait des recherches sur les aptitudes des écoliers ».

Praticiens (issus des milieux professionnels ou de l'enseignement primaire et technique) et chercheurs sont donc déjà au travail lorsque l'administration prend sa première initiative sous la forme d'un décret. Celui-ci, publié le 26 septembre 1922, définit officiellement l'Orientation professionnelle comme « l'ensemble des opérations qui précèdent le placement des jeunes gens et des jeunes filles dans le commerce et l'industrie et qui ont pour but de révéler leurs aptitudes morales, physiques et intellectuelles ». Il esquisse en outre un programme d'action sous l'égide du sous-secrétariat à l'enseignement technique : subventions aux offices d'O.P. aidant les jeunes à l'issue de la scolarité obligatoire ; création de nouveaux offices ; contrôle de l'ensemble.

Les pionniers ne se sont pas contentés d'agir avec bonne volonté. Ils ont voulu intervenir avec le maximum d'efficacité et « d'objectivité », d'une manière « scientifique ». Alors que rien ne les y oblige, ils s'inscrivent si nombreux à la première organisation d'une formation spécifique en vue du diplôme de conseiller d'O.P. qu'une sélection doit d'emblée être organisée (1928). Cette première « promotion » de 40 conseillers se voit d'emblée proposer un programme ambitieux : « Ils devaient acquérir une solide culture psychologique et pédologique et être en mesure de pratiquer les méthodes expérimentales d'examens avec l'emploi d'appareils pour certaines déterminations sensori-motrices, et de tests individuels ou collectifs ; ils devaient connaître les exigences des principaux métiers et leurs caractéristiques techniques ; ils devaient se mettre au courant de l'organisation des offices encore embryonnaires ; ils devaient encore acquérir des connaissances physiologiques tout à fait indispensables pour les investigations sur les capacités des organismes humains, dans la solidarité générale psycho-physiologique des fonctions sensorielles et psycho-motrices avec les manifestations de l'entraînement et de la fatigue dans le travail ; ils devaient encore acquérir des données élémentaires de pathologie générale et psychiatrique pour une collaboration éclairée avec les médecins qui devaient obligatoirement contribuer aux examens d'orientation ; ils devaient enfin sur le plan de l'organisation sociale au sein de laquelle évoluent les métiers et les professions, assimiler des données économiques générales, comprenant les efforts d'organisation rationnelle du travail » (I. Binop, 1953).

Ambition très vaste évidemment critiquée par des médecins, cf. : « le Dr E. Martin qui considérait que l'enseignement de l'orientation devait appartenir aux seuls instituts de Médecine du travail, voyait dans notre entreprise « un rêve d'utopiste »... « Est-il possible, disait-il, de généraliser un enseignement aussi complet et son utilité s'impose-t-elle ? »... » Il considérait qu'il suffirait, comme il avait proposé de le faire à l'Institut de médecine du travail de Lyon, des semaines ou à la rigueur des quinzaines d'O.P.

Ambition qui ne tardera pas à provoquer des tensions :

Ceux qui se virent décerner le diplôme de conseiller à la fin de cette première session... espéraient légitimement pouvoir obtenir des situations en rapport avec l'effort qu'ils avaient accompli. Mais à cette époque (!), on acceptait l'orientation dans la mesure où elle ne devait rien coûter, et l'on comptait toujours sur des concours bénévoles, n'impliquant que des frais matériels insignifiants[2].

Aussi l'administration reste prudente : si un décret reconnaît et subventionne l'Institut national d'étude du travail et l'orientation professionnelle dès 1930, il faut attendre 1938 pour que le diplôme de l'INOP (dont la préparation a été portée à deux ans en 1934) soit exigé des directeurs et conseillers exerçant dans les offices d'O.P. créés par les chambres des métiers, — 1944 pour que ce diplôme devienne Diplôme d'État, — 1956 pour que les personnels des centres publics d'O.P. reçoivent un statut de fonctionnaires de l'Éducation nationale.

Jusqu'en 1944, les personnes qui sont venues préparer à Paris le Diplôme d'État de conseiller l'ont fait à leurs frais ou au mieux avec une bourse de l'enseignement technique. Cette population est à nette prédominance féminine et est relativement âgée (majorité de plus de trente ans) : on ne devient conseiller d'O.P. que « sur le tard », après avoir vu les difficultés du problème.

Mais, après la Deuxième Guerre, les enseignants obtiennent leur détachement à l'Institut avec traitement pour toute la durée des études. D'où une transformation assez profonde de la population : les hommes deviennent plus nombreux (équilibrant presque le groupe féminin en 1944, le dépassant en 1948-50), les enseignants, issus le plus souvent du primaire, deviennent nettement majoritaires, et les plus de 30 ans sont en nette minorité.

En d'autres termes, la profession de conseiller se constitue dans une première période à partir d'adultes (souvent femmes) venant de diverses activités professionnelles, demandeurs d'une formation « scientifique » qui ne leur était pas administrativement imposée et leur procurait peu d'avantages ou de sécurité financière. Dans un deuxième temps les Instituts (Marseille s'ouvre en 1945, Lille, Bordeaux, Caen suivront) se peuplent pour l'essentiel d'enseignants détachés pour deux ans et de quelques responsables de mouvements de jeunesse ; les premiers ont découvert comme instituteurs de F.E.P. notamment, les problèmes d'O.P. et d'insertion des jeunes dans la vie active ; tous souhaitent se qualifier pour aider à résoudre mieux ces problèmes délicats. Pour bien des anciens normaliens c'est aussi là l'occasion d'une formation supérieure en psychologie qui sera parfois le début d'une promotion aboutissant assez souvent à l'enseignement supérieur.

Une troisième vague de conseillers (à nouveau plus féminine) tendait à peupler les Instituts de formation de 1960 à 1972 : celle des licenciés de psychologie qui trouvaient là, après une année de spécialisation, un débouché pratique à leurs études universitaires. Une circulaire du ministère de l'E.N. le 16 avril 1963 annonçant le recrutement de « conseillers-psychologues » en ouvrant 200 postes de psychologues dans les I.P.E.S. avait paru ouvrir une nouvelle voie de recrutement universitaire. Mais, dès 1965, les ipessiens psychologues

---

[2] Voir les n^os spéciaux du B.I.N.O.P. de septembre 1953 (25e anniversaire de l'Institut National d'Étude du travail et d'Orientation Professionnelle), 1955 (Compte rendu des Journées Nationales d'Études d'O.P. de Lyon), 1962 (IIIe Congrès International de l'Association Internationale d'O.P.).

sont invités par une autre circulaire à rejoindre les instituts de formation de conseillers d'orientation ou à revenir dans une section enseignante.

Le nouveau statut des conseillers d'information et d'orientation publié en avril 1972 nous fait entrer dans une nouvelle phase : les élèves conseillers seront désormais recrutés par concours national ouvert : 1) aux titulaires d'un premier cycle d'enseignement supérieur (sans privilège spécial pour les psychologues); 2) aux personnels de l'E.N. ayant 5 ans d'ancienneté. Les uns et les autres seront rémunérés comme élèves fonctionnaires pendant la durée de leurs études et le Certificat d'aptitude aux fonctions de conseiller d'orientation qui remplacera pour eux l'ancien Diplôme d'État leur ouvrira une carrière analogue à celle des professeurs certifiés. En fait le premier concours nouvelle formule a retenu une majorité d'hommes titulaires, non seulement d'un premier cycle mais souvent d'une licence ou même d'une maîtrise dans les disciplines les plus variées, ayant souvent enseigné comme adjoints d'enseignement ou maîtres auxiliaires, les psychologues ne représentant qu'une minorité dans ce nouvel ensemble. Le nombre restreint de postes mis au concours d'entrée dans les Instituts (200 pour 8 instituts) non seulement ne permettra pas de développer les services existants, malgré la proclamation d'un doublement des effectifs pendant le VIᵉ Plan, mais entraînera un fonctionnement peu économique de ceux-ci et une sélection sévère des candidats (1 700 environ pour 200 postes en 1973).

L'initiative du recrutement et de la formation initiale des conseillers a ainsi passé d'un groupe de pionniers (praticiens et hommes de sciences cherchant ensemble les meilleures méthodes pour accomplir la tâche qu'ils entrevoyaient et définissaient eux-mêmes) à l'Administration de l'Éducation nationale (bloqués au passage par les Finances) qui, moyennant certains avantages (études payées, carrières définies et légèrement revalorisées) fixe elle-même les critères et les objectifs.

Au moment où nous écrivons, les quelque 2 000 conseillers gardent en partie (au moins dans certaines régions) l'initiative et le contrôle de leur formation continue : celle-ci a débuté bien avant que l'expression soit à la mode par des Journées d'études organisées avec le concours de l'I.N.O.P. dès 1947 et les Congrès de l'Association des conseillers d'orientation de France qui, chaque année, constituent (avec les Congrès internationaux plus espacés dans le temps) de véritables lieux de réflexion et de recherche sur les différents aspects théoriques et méthodologiques de l'activité du conseiller (1 et 2).

Le recensement des thèmes de ces journées d'études et de ces congrès, comme de ceux abordés dans le Bulletin de l'I.N.O.P. et de l'A.C.O.F., montre d'une manière frappante que la pratique et la recherche ont toujours devancé jusqu'ici les textes administratifs régissant l'activité des Centres d'orientation. Nous ne prendrons que quelques exemples :

Alors qu'ils sont encore régis par le décret-loi de 1938, définissant leur activité comme centrée sur « l'O.P. des jeunes de moins de 17 ans entrant en apprentissage dans le commerce et l'industrie », les conseillers de plusieurs départements interviennent systématiquement dès 1952 dans les classes de Cours Moyen 2ᵉ année afin d'éclairer familles et instituteurs pour la *décision d'entrée en 6ᵉ*. En 1954, on signale aux Journées d'études que près de 11 000 examens de ce type ont été effectués, et, dans certains secteurs priorité est déjà donnée à ces travaux sur ceux des examens « obligatoires » de F.E.P., ceci dans une perspective d'orientation généralisée et continue. Ce problème capital fait l'objet en 1956-

57 d'une vaste enquête nationale dirigée par l'I.N.O.P. sur les conditions d'entrée en 6ᵉ, enquête qui joue un rôle non négligeable dans la décision prise alors par le ministère de l'E.N. de supprimer l'examen traditionnel d'entrée en 6ᵉ à partir de 57-58.

Dès 1952-53, 48 p. cent des C.O.P. travaillent dans le *second degré* ; mais il faudra attendre janvier 59 pour que le décret portant réforme de l'enseignement appelle officiellement les conseillers à collaborer étroitement avec les enseignants au niveau des cycles d'observation et d'orientation. Les Centres ne sont rebaptisés centres d'orientation scolaire et professionnelle qu'en 1961 par un décret qui précise l'articulation des services avec les groupes d'observation dispersés et les premiers cycles du secondaire.

Dès 1952-53, la majorité des C.O.P. « souhaitent avoir les moyens de faire une *orientation suivie* tout au long du premier cycle », et plus de 2 500 examens d'adultes ont été pratiqués par eux cette année-là, mais il faut attendre 1970 pour que « l'orientation continue » soit officialisée dans le titre de la Direction qui dirige les services au ministère de l'E.N. et 1972 pour qu'on parle d'aider des adultes dans les C.I.O.

Quant à *l'information* sur laquelle certains ont cru devoir attirer l'attention des conseillers, là encore en rebaptisant les Centres (1972 : Centres d'information et d'orientation), elle est, nous l'avons vu, l'une des préoccupations des pionniers à Bordeaux comme à Paris. Dans son exposé sur l'information des enfants, des adolescents et des familles aux Journées nationales d'études O.P. tenues à Lyon en octobre 1954, J. Larcebeau n'hésitait pas à affirmer : « L'idée de l'information des enfants et des familles a au moins le même âge que l'O.P., elle l'a peut-être engendrée... L'idée a pris corps ces dernières années grâce à plusieurs journées d'études régionales, à divers articles et conférences. Son immense intérêt, comme ses immenses difficultés, ont touché l'esprit de beaucoup, de la plupart d'entre vous si j'en juge par le nombre et la richesse des réponses que vous m'avez adressées. » Les efforts de l'Office National d'Information sur les Enseignements et sur les Professions créé en 1970 ne sont que le prolongement adapté aux techniques du jour de ce premier travail d'information entrepris par l'équipe Charton en 1842 et rendu plus accessible par Mauvezin en 1918...

Aujourd'hui encore on s'interroge souvent pour savoir comment le conseiller se situe entre l'*aide individuelle* en vue de « l'épanouissement » de ses clients *et les contraintes socio-économiques* des filières et des « débouchés ». Mais ceux-ci se sont presque dès l'origine posé ce type de problème : la célèbre « théorie de l'O.P. » de P. Naville soulignait dès 1945 les contraintes économiques et sociologiques qu'oubliaient peut-être certains psychotechniciens hypnotisés par la psychologie différentielle. Et le 11ᵉ Congrès international de l'Association internationale d'orientation professionnelle, tenu à Paris en 1962, sur l'*Intégration des jeunes dans un monde en évolution technique et économique accélérée* donnait l'occasion à M. Reuchlin de tenter une synthèse entre ces perspectives sociologiques et psychologiques que beaucoup auraient intérêt à relire :

> Il n'est pas vrai que le conseiller se trouve alternativement placé devant un enfant dont il devrait favoriser le développement dans l'absolu et comme dans le vide puis devant les exigences d'une société dont les fonctions devraient être assumées par des individus dépourvus de toute initiative...

L'enfant n'est pas le spectateur de l'évolution de la société. Cette évolution se caractérise en fait par tout un réseau d'interactions, de contrôles mutuels, entre les évolutions particulières, contraintes de tendre vers une synchronisation de leurs différentes vitesses propres. Il n'est même pas exact de se représenter l'enfant comme plongé dans ce réseau extrêmement complexe. En fait, il joue un rôle dans la transmission des contraintes et des contrôles dont l'évolution est faite autour de lui... Les postes de travail, les écoles ne constituent qu'un aspect de ce réseau de variables en interaction qui inclut et définit l'individu auquel l'évolution crée, selon la profonde expression de M. Naville, « une seconde nature ».

Et l'intérêt suscité chez les conseillers par les progrès de la psychologie sociale et des psychologies dynamiques n'est pas, comme certains ont l'air de le soupçonner, une évasion gratuite vers « la clinique » ou le luxe à réserver « aux cas pathologiques ou particulièrement délicats ». Ces disciplines leur paraissent logiquement nécessaires à la fois pour éclairer les phénomènes d'interaction entre chacun des jeunes et ces milieux dans lesquels ils ont à s'affirmer, et pour aider à la mobilisation d'énergies susceptibles de maîtriser mieux cet univers complexe auquel chacun participe plus ou moins activement.

Certes l'efficacité de cette mobilisation suppose une bonne information économique et sociale chez les clients comme chez les conseillers, mais elle ne peut être éduquée et provoquée que dans une relation d'une certaine durée avec un psychologue averti et compréhensif. Ceci pose tout le problème du recrutement et de la formation extrêmement complexe de conseillers assez nombreux pour avoir des contacts suffisants avec ceux qui attendent leur aide...

Mais sur ce dernier point, les conseillers, malgré une histoire déjà longue et d'innombrables « rapports », « journées d'études »... n'ont pas encore été entendus par l'Administration qui les gère à la petite semaine, sans aucun plan véritable de développement des services et qui maintient dans le cadre étroit de deux années universitaires (comme en 1934 !) la formation spécifique de 200 élèves conseillers par an (ce qui maintient à peine le statu quo, alors qu'en octobre 1965 le Conseil économique confirmait l'avis déjà donné en 1957 demandant le décuplement des effectifs).

Ces quelques rappels suffisent sans doute pour expliquer :

— la diversité des activités et attitudes d'un ensemble composé par vagues successives assez hétérogènes et travaillant dans des Centres en majorité créés sur initiative locale, donc pour répondre à des situations humaines et sociales originales (les gens et les problèmes d'orientation peuvent-ils se présenter de manière identique à Tarbes et à Asnières ? à Nantes et au Quartier latin ?) ;

— l'accord de ce groupe professionnel, trop peu nombreux et sollicité de toutes parts, sur le fait que les processus d'information et d'orientation sont complexes et qu'une intervention en ces domaines demande du temps, des moyens et une compétence (non l'improvisation, le bricolage et quelques heures d'enseignants ou d'administrateurs non préparés) ;

— son impatience ou agacement devant des réformes proclamées qui suivent à retardement sans savoir analyser de manière prospective les expériences ou réflexions méthodiquement accumulées, ne transformant le plus souvent que des étiquettes ou des organigrammes ;

— sa volonté d'aider à « la clarification des finalités et des rôles au sein du système éducatif, économique et professionnel », non pour « disjoindre son action de celle des équipes éducatives et pour se dispenser d'assumer des responsabilités », mais pour « amener progressivement les individus à prendre eux-mêmes le maximum de décisions » en respectant au bout du compte leur « droit à l'erreur » que le conseiller considère comme une composante nécessaire de la liberté de son client...[3]

---

[3] *Bulletin de l'Association des conseillers d'orientation de France*, notamment, n° 239, avril-mai 1973, document préparatoire au 24e Congrès sur « Les prises de décision en orientation ».

Chapitre **2**

Orientation scolaire

et professionnelle

et conjoncture

socio-économique[1]

Geneviève Latreille

On peut écrire une histoire des services d'aide à l'orientation à partir d'une histoire des sciences (notamment de la psychologie appliquée), ou de l'évolution des institutions éducatives, surtout dans les pays où, comme la France, l'Orientation est rattachée aux ministères de l'Éducation et des Universités. On peut aussi, comme nous l'avons tenté à deux reprises dans cette revue (1968-1971), essayer de comprendre les crises que traversent ces services en resituant le groupe professionnel des conseillers dans ses relations avec d'autres groupes et institutions.

La question ici posée est celle des relations entre les formes plus ou moins institutionnalisées prises par les interventions d'orientation en fonction de la conjoncture socio-économique. Si ce genre de problème est assez généralement écarté aujourd'hui par les conseillers psychologues d'orientation, c'est qu'il paraît redoutable : peut-on imaginer des types d'intervention qui soient efficaces, en même temps que respectueux des échelles de valeurs et aspirations individuelles dans la situation qui est celle du marché du travail pour les jeunes Français de 1980 (et après...) ?

Peut-on raisonnablement espérer infléchir de quelque manière les « destins personnels » qui découlent de la place où naît chacun dans la « structure de classe » qui est la nôtre ?

Certaines conjonctures comme celle que nous traversons n'obligent-elles pas à renoncer à cette ambition qui pouvait paraître moins naïve dans les périodes de consensus social et d'expansion rapide ?

Je crois, pour ma part, en tous cas préférable d'accepter la question, même si les tentatives de proposition sont délicates à formuler.

---

[1] Extrait de: *Économie et Humanisme*, Lyon, 250, 1979.

UNE NAISSANCE
MARQUÉE PAR LES « NÉCESSITÉS ÉCONOMIQUES »

La nécessité de développer des formes et instruments d'orientation professionnelle est apparue en Europe comme en Amérique du Nord au milieu du siècle dernier, avec la prise de conscience des besoins de main-d'œuvre qualifiée dans une économie en voie d'industrialisation rapide. Ensuite, le phénomène se reproduit encore sous nos yeux dans les pays qui veulent à leur tour suivre cette voie : l'Amérique latine des années 60, l'Afrique depuis une dizaine d'années, la Grèce depuis 1969... pour ne citer que quelques exemples que nous connaissons mieux. Dans tous ces cas, on cherche d'abord à informer mieux une population non formée professionnellement, et même souvent peu scolarisée, sur les perspectives nouvelles d'embauche dans des emplois créés par l'industrialisation ou les formes dites modernes de production, commercialisation, mais fort peu connus d'une population encore essentiellement agricole ou habituée aux formes de travail artisanales. Il semble alors que tout le monde gagne à cette diffusion de l'information sur des emplois qui appellent à une qualification nouvelle de la main-d'œuvre adulte et à une scolarisation importante des jeunes.

Le mouvement ouvrier lui-même a, en France, revendiqué le droit à une information professionnelle plus riche et contribué à créer des centres d'orientation pour que les jeunes de milieu populaire puissent avoir part à ce développement économique, lequel profite spontanément d'abord aux jeunes des classes favorisées, mieux placés pour saisir les occasions de promotion socio-professionnelle créées par la croissance.

PAR LES GUERRES...

Dans toute l'Europe, comme en Amérique du Nord, les deux guerres mondiales ont incontestablement joué un rôle dans l'essor des procédures psycho-métriques et psychotechniques d'orientation et de sélection de la main-d'œuvre. Ces dernières ont servi massivement, tant en 1914-1918 qu'en 1939-1944, pour :

— L'affectation des individus aux postes à pourvoir rapidement dans les unités de combat ou, à l'arrière, pour remplacer les travailleurs mobilisés par une main-d'œuvre nouvelle (féminine souvent) ;

— Les reclassements dans les multiples formations ouvertes aux vétérans, blessés de guerre... qui retrouveront ainsi une place dans le vaste effort de reconstruction qui succède de part et d'autre aux conflits armés.

Le consensus social est suffisant dans de telles conjonctures pour que l'ensemble des individus se soumettent à des examens par tests qu'ils n'ont pas sollicités et qui sont utilisés pour les « placer » là où des experts estiment qu'ils ont le plus de chances de pouvoir lutter, produire ou reconstruire efficacement.

Notons cependant que là où ce dirigisme de la main-d'œuvre a été poussé à l'extrême et vers des objectifs réprouvés (Allemagne nazie), l'après-guerre voit une réaction s'inscrire jusque dans la constitution : celle de la République fédérale proclame la liberté d'orientation comme un droit fondamental des citoyens allemands.

DE LA LIBÉRATION À LA CRISE DES ANNÉES 73...

En ce qui concerne plus particulièrement la France, les institutions d'orientation ébauchées dès les années 30 et précisées par la législation issue du Front Populaire (décrets-lois de 1937 et 1938) ne se mettent réellement en place dans tous les départements qu'après la Libération. Les départements doivent « obligatoirement » ouvrir et entretenir des centres publics d'orientation professionnelle pour inciter les jeunes à ne pas entrer au travail dès 14 ans sans qualification professionnelle : non seulement il n'y a pas alors de chômage en perspective, mais on a besoin de tous et il y a un consensus social assez large sur les objectifs des premiers Plans en matière économique (reconstruction, mise en place d'infrastructures modernes de production et de transport...), comme dans le domaine scolaire (développement des centres d'apprentissage, accès d'un plus grand nombre à l'enseignement secondaire, prolongation de la scolarité pour tous jusqu'à 16 ans à défaut de 18)...

Dans cette phase d'expansion rapide de l'emploi et de la scolarité, les conseillers jouent un rôle aisément perçu par tous (et par eux-mêmes !) comme positif, en encourageant les jeunes à tirer meilleur parti de la scolarité possible, à se qualifier davantage avant d'entrer ou pendant leurs trois premières années de travail dans la production ou les services.

On regrette seulement que l'insuffisance quantitative des services (les conseillers atteignaient 2 000 en France en 1973 pour une population scolarisée qui dépassait 12 millions) se traduise par une aide trop ponctuelle en général et insuffisante, notamment pour ceux qui en auraient davantage besoin parce qu'ils sont mal placés sur le marché du travail du fait de leur sexe ou de leur milieu d'origine (ruraux, ouvriers des zones en dépression-stagnation, immigrés...).

Le VIe et le VIIe Plan prévoyaient donc un développement du corps (3 000 pour 1975 et 4 500 pour 1980 afin qu'on arrive à un conseiller par établissement de premier cycle secondaire), parce qu' « il est clair que le rattrapage des inégalités passe par une meilleure information et sensibilisation des familles aux problèmes d'orientation et d'avenir professionnel » (Commission Éducation-Formation VIIe Plan).

Il faut noter cependant que ce développement numérique des conseillers se réalise de fait beaucoup moins vite que prévu, alors que le nombre des inspecteurs prend brusquement son envol (doublement entre 1972 et 1973, triplement de 1972 à 1975). C'est que le développement de la scolarité et l'accès des jeunes de tous milieux dans les premiers cycles posent de réels problèmes de gestion des flux à l'issue de ces établissements :

Il existe à la sortie de la troisième plus de 300 sections vers lesquelles peuvent s'orienter les jeunes

et ces jeunes sont plusieurs centaines de mille. On cherche donc des procédures rationnelles d'affectation à l'entrée en seconde et les nouveaux inspecteurs reçoivent mission toute particulière en ce domaine.

Quant aux conseillers, dont on reconnaît l'insuffisance numérique dramatique, on ne peut s'empêcher de souhaiter les voir intervenir aussi dans les seconds cycles secondaires, dans les universités et en direction des adultes qui ont des problèmes accrus de formation et d'évolution de carrière avec les restructurations d'entreprises...

Aussi devra-t-on, au cours du VIIe Plan, augmenter le nombre des conseillers d'orientation, de façon à ce que chacun puisse consacrer 25 p. cent au minimum de son temps à l'information sur la formation permanente.

Parallèlement à un développement quantitatif réel bien que plus lent que prévu par ceux qui invitent les conseillers à élargir leur champ d'action, les modalités d'intervention des conseillers évoluent. Ces changements ont des raisons multiples parmi lesquelles nous retiendrons : l'évolution des théories et pratiques psychologiques en général ; mais aussi le fait que manifestement il n'y a plus de consensus social large sur les objectifs de production, organisation du travail et de la vie sociale. Dans ces conditions, les praticiens à la base optent, avec les adolescents comme avec les adultes, pour toutes les techniques d'éducation des choix qui « visent à rendre le formé de plus en plus autonome dans le choix de ses objectifs et de ses processus d'apprentissage afin que chaque demandeur de formation puisse avoir le moyen de choisir seul ou presque l'itinéraire et les contenus qui lui conviennent ». Ainsi donc, à la veille de la crise grave de l'emploi que nous connaissons depuis quelques années, l'orientation en France, tout en s'institutionnalisant, avait traversé techniquement les phases suivantes :

— Diffusion d'informations sur les métiers pour essayer d'attirer les jeunes vers les secteurs manquant de main-d'œuvre qualifiée (depuis le premier *Dictionnaire des métiers* édité dans ce but par Charton dès 1832) ;

— Conseils plus ou moins (généralement moins !) impératifs fondés sur des expertises psychométriques permettant des diagnostics-pronostics « scientifiques » de réussite probable dans telle ou telle voie scolaire et professionnelle (depuis les années 1928-30) ;

— « Counseling » individuel ou de groupe, se réclamant par exemple de C. Rogers, aidant les intéressés et leurs éducateurs à prendre conscience de ce qui est réellement en jeu dans les décisions ou « choix » d'orientation qui jalonnent la scolarité et les carrières scolaires et professionnelles (surtout depuis les années 55) ;

— Recherche (depuis les années 70) de techniques d'intervention inspirées de ce que nos amis canadiens ont baptisé « activation du développement vocationnel et personnel », visant à développer progressivement les apprentissages qui permettent d'élaborer des projets d'avenir, de faire des choix et de prendre en charge sa propre orientation scolaire et professionnelle.

Soulignons immédiatement que, si l'on peut aisément dater le début de chacune de ces formes d'intervention et caractériser chaque période par l'accent mis en général sur telle ou telle d'entre elles, il y a moins succession qu'intégration plus ou moins réussie des différentes manières d'aider à l'orientation : les conseillers expérimentés et demeurés « à la base » savent proposer des programmes d'activités stimulant l'élaboration et la prise en charge autonome de projets personnels, sans pour autant négliger les techniques d'écoute-animation valorisées dans la phase immédiatement antérieure, ou les aspects d'évaluation objective des chances de réussite, et d'information systématique sur l'environnement socio-professionnel qui ont présidé aux phases initiales.

Cette intégration est cependant nécessairement ordonnée en une échelle de valeurs qui tend à être différente suivant les niveaux hiérarchiques des personnels d'orientation, ce qui entraîne parfois des conflits ou problèmes pour les clients : conflits entre ceux des praticiens qui mettent au premier plan l'autonomie à développer chez les sujets « s'orientant » et ceux qui (pour des raisons d'urgence ou de commodité administrative...) sont prêts à collaborer aux décisions d'orientation prises pour autrui, au risque de ne plus pouvoir assumer clairement cette fonction d'aide psycho-éducative. Ceux qui, individuellement ou en groupe, rencontrent un conseiller pour réfléchir avec lui à leur orientation doivent, pour s'engager vraiment dans cette démarche, avoir l'assurance que celui-ci n'utilisera pas ailleurs l'information recueillie au cours de ces rencontres pour décider à leur place de ce qui est bon pour eux.

Ces problèmes qui apparaissent peut-être moins dans une phase d'expansion rapide où il semble que tout le monde puisse progresser à la fois de quelque manière, deviennent cruciaux lorsque la conjoncture économique souligne brusquement la concurrence à l'entrée de toutes les formations et plus encore pour l'obtention d'un emploi quelconque dans le secteur public plus encore peut-être que dans le privé.

LA SITUATION FIN 1979

La coïncidence d'une situation démographique complexe (arrivées nombreuses des entrants au travail au moment où les classes d'âge partant à la retraite sont particulièrement creuses) avec une crise économique grave et un niveau de formation initiale et continue jamais atteint rend les problèmes d'aide à l'orientation d'autant plus complexes que les experts de l'emploi sont pessimistes pour le proche avenir et qu'aucun consensus social ne se dégage sur des objectifs mobilisateurs à atteindre dans l'immédiat ou à plus long terme, ni sur les moyens de sortir de cette crise.

Le mouvement de concentration de la production et des services dans de grandes organisations ou institutions centralisées se poursuit à une échelle internationale, tout en étant de plus en plus mal supporté par ceux qui, à la base, sont ainsi dépossédés de tout pouvoir sur leur travail, au moment où leur niveau de formation les rend plus exigeants à cet égard.

L'automatisation des tâches, non seulement dans l'industrie mais dans le secteur tertiaire qui était proclamé « à progrès technique lent et capable d'absorber indéfiniment les travailleurs libérés par la machine », fait entrevoir une civilisation où le travail tiendrait une place de moins en moins importante dans la vie de chacun d'entre nous ; mais l'accès aux biens et services exacerbé par une publicité de plus en plus envahissante est encore très largement déterminé pour l'écrasante majorité des Français par les salaires que procurent ou non des emplois de plus en plus précaires et instables.

Une mobilité croissante du travail paraît inévitable (donc à organiser et valoriser) à ceux qui dirigent l'économie, alors que partout on revendique le droit de « vivre et travailler au pays ».

Le coût des services publics de formation (et l'esprit critique ou d'indépendance qu'ils diffusent) paraît tel qu'on prône de plus en plus en haut lieu une sélection à l'entrée des formations initiales longues comme des stages plus courts, mais souvent mieux encadrés de formation adulte, au moment où le public s'y dirige plus massivement.

Comment les éducateurs en général, et en particulier les conseillers d'orientation pris eux-mêmes dans les contraintes administratives de plus en plus centralisées, peuvent-ils agir dans ce contexte pour aider les aspirations des jeunes à devenir projets réalisables ?

À LA CONQUÊTE DE NOUVELLES FORMES D'EMPLOI

Les nouveaux emplois sont cherchés et créés en fonction des besoins, des possibilités et des aspirations d'aujourd'hui.

Puisque les niveaux de formation s'améliorent et que les instances nationales (voire internationales) s'avèrent incapables de créer l'emploi (et les types d'emploi) nécessaire, les conseillers qui ne veulent pas se contenter de constater avec leurs clients cette situation déprimante n'ont guère d'autre issue, s'ils restent dans la profession, que de mettre leurs compétences au service d'une autre démarche qu'on voit surgir un peu partout, sans que la problématique et les résultats en soient encore très assurés : non pas faire connaître et conseiller de se former en vue d'emplois existants tels qu'ils existent (ceux-ci sont de plus en plus bouchés et leurs modalités d'exercice de plus en plus contestées), mais aider à l'exploration des besoins insatisfaits auxquels des aspirations au travail également insatisfaites et taxées d'utopiques actuellement pourraient peut-être répondre, à condition que de nouveaux acteurs sociaux se constituent et s'organisent solidement pour s'imposer dans le rapport de forces qui régit actuellement le(s) marché(s) du travail.

Rêve de psychologue ? Sans doute partiellement, mais il s'appuie sur des réflexions, suggestions et ébauches de réalisations qui semblent pouvoir lester cette utopie partielle de quelque réalité.

Les sociologues américains Lynds notaient dès 1937, au cours de leurs analyses sur une ville moyenne en transition :

> On croit très généralement qu'un laisser-faire général garantit que dans chaque communauté toutes les activités qui peuvent être faites sont bien faites. Cela conduit à une sorte de loi d'airain des occupations, analogue à la loi d'airain des salaires des économistes libéraux qui suppose un fond de salaires fixes... Il n'y aurait rien d'autre à faire que ce que font déjà les gens. Chaque communauté fonctionne donc suivant un modèle d'emplois figé et il en résulte normalement qu'en chaque communauté ce modèle conventionnel et rigide est incapable d'utiliser un large potentiel de talents chez ses hommes et surtout chez ses femmes.

Beaucoup plus récemment, Ph. Madinier, économiste au C.R.C., écrit qu'il est temps « de permettre le développement du travail indépendant auquel aspirent tant de gens dont l'industrie ne veut pas et dont les administrations n'ont pas besoin », pendant que le rapport Nora Minc sur l'informatisation de la société suggère que « le gouvernement doit être attentif à soutenir toutes les recherches d'une demande créatrice d'emplois nouveaux dans les services », emplois pour lesquels le critère ne sera pas la productivité mais « l'aménité » qui enrichit non pas quantitativement mais qualitativement la vie.

Or, sans même avoir lu cette littérature, des groupes de jeunes (post-68) en voie de réinsertion ou de travailleurs dont l'emploi était menacé se sont, ces dernières années, lancés dans des entreprises créatrices non seulement d'emplois nouveaux, mais de manières de travailler différentes. Un récent numéro de la revue *Autrement* présente toute une série d'exemples français contemporains (avec quelques incursions en Belgique, Allemagne, Italie et au Québec) avec ce sous-titre évocateur : « Le retour des entrepreneurs : ils inventent collectivement une économie différente ». Ce panorama des tentatives qui apparaissent pour « sauver » une entreprise industrielle, pour créer de nouveaux services à caractère socio-culturel, mais aussi au niveau du tertiaire supérieur, pour sortir du chômage, mais aussi pour vivre autrement, prouve le manque d'envergure et la fragilité des expériences décrites.

Mais il montre à l'évidence une aspiration assez réelle pour prendre des risques en vue de sortir des impasses dans lesquelles travailleurs et jeunes chômeurs paraissent trop souvent enfermés.

Les conseillers qui, avant de devenir fonctionnaires de l'Éducation nationale, ont su créer leurs services avec les collectivités locales, des associations familiales ou des groupes de jeunes... ne peuvent-ils pas aujourd'hui mettre leurs connaissances des dynamismes personnels et collectifs et des réalités psycho-sociales du travail au service des nouveaux acteurs qui s'efforcent de naître ?

Ils y seraient aidés eux-mêmes par une vue moins déterministe et techniciste des métiers et de l'évolution de l'emploi et par une lecture des représentations fausses que bien des jeunes se font du travail comme l'expression d'aspirations à aider d'autant plus rigoureusement qu'elles paraissent d'abord utopiques. Provoquer des rencontres et favoriser la structuration de groupes devient ici indispensable, car les individus isolés n'ont guère de chances d'infléchir les mécanismes du marché du travail.

S'ils relèvent ce défi et entrent dans cette voie, les conseillers d'orientation 1980 inaugureront une nouvelle phase passionnante dans l'histoire de l'orientation.

Chapitre **3**

L'historique de l'orientation au Québec

Raymonde Bujold

Le présent exposé voudrait, à sa façon, faire état du développement de l'orientation scolaire et professionnelle au Québec. Il a fallu, pour les besoins de la cause, faire un choix parmi les variables à traiter. Nous parlerons donc, plus particulièrement de l'itinéraire théorique et des chemins concrets empruntés par les conseillers en orientation.

Nous présenterons l'évolution de l'orientation au Québec de façon chronologique, à savoir l'orientation au Québec au cours des années quarante à soixante ; l'orientation au Québec au cours des années soixante ; l'orientation au Québec au cours des années soixante-dix.

L'ORIENTATION AU QUÉBEC AU COURS DES ANNÉES QUARANTE À SOIXANTE

L'orientation, comme profession spécifique, est apparue au Québec vers les années quarante. Les pionniers, à la fois par intérêt et pour répondre à un besoin manifesté par l'administration scolaire, s'adonnèrent presque exclusivement à l'utilisation de la psychométrie. Les collèges classiques réclamaient les services de ces nouveaux professionnels dans le but de perfectionner et de justifier la sélection des étudiants dans ce programme spécial. Ces institutions étaient dites privilégiées, parce qu'elles dispensaient un enseignement de choix à des étudiants de choix. L'élitisme était valorisé et jouait un rôle important dans l'organisation sociale. Il allait de soi que l'on porte une attention particulière à la sélection des leaders de demain. Il semblait normal de confier cette tâche au conseiller d'orientation, puisqu'il avait la compétence requise pour cette fonction. Ainsi, ce professionnel trouvait peu à peu sa place dans le système d'éducation québécois.

Au cours des vingt premières années de la profession, le conseiller d'orientation était défini largement par la psychométrie. Il utilisait avec abondance les tests d'intelligence, de personnalité, d'intérêts et d'aptitudes spécifiques. Quelles raisons motivaient cet agir ? Mentionnons d'abord que la formation et la pratique professionnelles des conseillers étaient fortement influencées par le modèle de Parson. Ce théoricien insistait sur l'importance et la valeur de la psychologie différentielle. Le choix professionnel et, partant, l'implication satisfaisante dans une occupation devaient répondre à des intérêts et à des aptitudes spécifiques. Cet auteur proposait donc une méthode de choix vocationnel comprenant trois étapes : 1) connaître l'étudiant ; 2) connaître le marché du travail; 3) associer la personne à un emploi. Cette approche semblait logique. Le conseiller devait connaître les goûts, les habiletés, les expériences et les faiblesses du sujet ; il devait également avoir une bonne expérience du marché du travail et des prérequis pour y accéder (Beck, 1963, p. 24). La société d'après-guerre faisait une large place à la technologie nouvelle. L'industrie de guerre se transformait et donnait lieu à l'élaboration d'un grand nombre de produits de consommation nouveaux et recherchés. Il fallait donc une main-d'œuvre qui puisse répondre aux exigences de cette nouvelle technologie. La psychométrie offrait une réponse qui semblait adaptée à ce besoin.

Parallèlement, en Amérique du Nord, la profession de consultant cherchait à se définir. Au cours des années trente, le professionnel de la consultation n'existait pratiquement qu'en fonction de l'organisation ou de la coordination d'un certain nombre d'activités reliées au fonctionnement scolaire. Dans une étude de 1938, Brewer décrit la fonction du consultant comme devant répondre aux trois objectifs suivants :

1. établir le programme scolaire de façon à ce qu'il y ait une étroite communion entre ce programme et la vie de tous les jours, pour que les étudiants tirent davantage profit de leur vie quotidienne ;
2. mettre sur pied un réseau de services de consultation doté de conseillers et de professeurs qui, sans intervenir, appuieraient le déroulement d'activités prévues dans le programme déjà établi ;
3. intégrer la consultation à un programme d'activités conçues pour donner aux enfants l'occasion d'apprendre dans le laboratoire de la vie.

Ce n'est qu'en 1941 que le concept d'orientation commencera à émerger. Myers (1941) propose que ce concept se définisse comme étant « le processus d'aider l'individu à choisir, à se préparer, à se lancer, à s'avancer dans des activités humaines relatives aux domaines éducatifs, vocationnels, récréatifs et communautaires » (p. 36). Bien qu'ayant amené une certaine clarification de l'orientation, cette définition du concept d'orientation ne réglait pour autant ni le problème de l'identité de ce professionnel, ni celui des modèles qui pouvaient en découler. Elle ne pouvait donc pas faire école.

La nécessité de justifier une pratique professionnelle en la basant sur un corps théorique reconnu amène les conseillers québécois à se tourner vers les États-Unis. Ils se forment dans leurs universités, adoptent leurs modèles théoriques et d'intervention. Mais la loi du petit nombre les force à répondre aux besoins perçus comme essentiels, besoins qu'ils ont créés et qui se résument, pour cette époque, à la pratique de la psychologie différentielle.

Le début des années soixante voit naître un besoin pressant de repenser le rôle de l'agir du conseiller. La psychométrie est remise en cause. L'expérience démontre que les tests passés il y a cinq ou dix ans ne permettaient pas de prédire l'insatisfaction au travail. La psychologie des différences individuelles, de par sa référence normative, laisse peu de place au vécu de l'individu. Elle met en catégories ; elle compare le comportement d'un individu avec un ensemble. Elle permet un système d'évaluation et de précision par rapport à un individu statistiquement moyen qui n'existe pas. Elle démontre en quelque sorte l'impossibilité pratique d'utiliser le normatif pour aider une personne à se connaître dans ce qu'elle a de réellement individuel. Laissée à elle-même, cette dernière ne conçoit pas sa situation dans les catégories qu'utilise le conseiller. Il y a donc, de toute évidence, un écart important entre sa perception et celle du conseiller. Or, le professionnel de l'orientation forme en bonne partie son appréciation du sujet en utilisant des instruments qui tiennent un peu du mystère pour l'usager. Que faire alors ?

Certaines réactions bien distinctes sont alors observées. Le conseiller est un expert qui détient des réponses importantes. Il lui est possible de prédire et d'organiser le choix des consultants. Ici, le choix est perçu comme un événement. Il est le résultat d'une comparaison savante entre les caractéristiques de l'individu et celles des occupations. Il semble donc tout à fait normal que le conseiller résume à lui seul l'événement et recueille les données nécessaires à l'expertise.

Un certain nombre de conseillers adhèrent à cette idéologie. D'autres, en plus grand nombre, ont la conviction profonde que, dans ce cadre, leur compétence n'est pas réellement utilisée et mise à profit. Elle pourrait être orientée vers des buts davantage éducatifs, c'est-à-dire favoriser le développement par une aide continue, créer des conditions favorables à la maturation, agir sur les déterminants du choix en donnant au sujet la possibilité d'augmenter son pouvoir de négociation et son répertoire d'adaptation.

Ce mouvement de remise en question, lié à la popularité croissante de l'approche non directive de Rogers, crée un malaise profond au sein des professionnels de l'orientation. Une question émerge et deviendra la trame de fond des années soixante : ne vaudrait-il pas mieux valoriser une science de l'individualité ?

L'ORIENTATION AU QUÉBEC AU COURS DES ANNÉES SOIXANTE

Un nouveau départ est amorcé. La pensée de Rogers fascine un certain nombre de conseillers. Pour bien saisir l'importance de ce virage idéologique, il convient de résumer la philosophie de base de cette approche. L'homme est fondamentalement un être social, rationnel et réaliste. Il a en lui la capacité latente, sinon manifeste, de se comprendre lui-même et de résoudre ses problèmes, en un mot de se rendre libre. La personne est capable de prendre conscience du malfonctionnement psychologique résultant du manque d'accord entre la notion qu'elle se fait d'elle-même et l'ensemble de son expérience. Elle a la capacité de réorganiser sa notion de « moi » de manière à la rendre plus compatible avec la totalité de son expérience et elle a tendance à exercer cette capacité. Dans les cas où cette capacité et cette tendance n'existent qu'à l'état latent, elles se développent dans toute relation avec une personne qui est capable d'écoute, d'acceptation positive inconditionnelle et de compréhension empathique.

Avec une telle conception du développement humain, on est loin de la certitude que permet la psychométrie. Si l'on y croit vraiment, on ne peut plus mesurer et comparer les individus entre eux. L'ère du counseling est ouverte. Mais de quel counseling s'agira-t-il ?

Alors que les conseillers multiplient réflexions, travaux et efforts pour resituer leur rôle en tant qu'intervenants dans le milieu scolaire, le rapport de la Commission royale d'enquête sur l'enseignement dans la province de Québec, mieux connu sous le nom de Rapport Parent (1964), définit une place et un rôle de tout premier plan à l'orientation scolaire et professionnelle. Chaque étudiant doit avoir accès, s'il en a besoin, aux services d'un professionnel de l'orientation et ce, à tous les niveaux de son cheminement scolaire.

Par conséquent, l'orientation devra permettre à l'étudiant de prendre les décisions les plus favorables à son adaptation scolaire et sociale, ainsi qu'à son succès dans la carrière qu'il envisage.

Dans un article qu'ils ont écrit sur l'orientation scolaire au Québec depuis le Rapport Parent (1964), L'Allier, Tétreau et Erpicum (1981) présentent, de façon très concise, la conception élaborée dans ce Rapport. Je les cite :

> Plus encore qu'une partie constituante du système d'enseignement, le Rapport Parent place l'orientation au cœur même de l'enseignement, au centre de l'école, faisant partie intégrante des préoccupations quotidiennes de tout le personnel enseignant. Il en fait, selon ses propres termes, la pierre d'angle du système d'éducation. Ce rôle-clé attribué à l'orientation nécessite dans l'esprit des auteurs du Rapport l'implication de tous les agents directement ou indirectement liés à l'orientation des jeunes. Ainsi, les parents, les maîtres, les spécialistes et les employeurs sont appelés à collaborer avec le conseiller d'orientation à la réalisation des objectifs de l'orientation dans l'école. Le Rapport Parent (1964) s'attarde surtout, dans ses considérations, à expliciter le rôle des enseignants dans cette tâche de collaboration. Il propose que ceux-ci coopèrent avec les spécialistes de l'orientation à l'application des programmes d'orientation, qu'ils contribuent également à entretenir dans l'école un climat favorable au développement de chaque élève.

> Il est même suggéré que l'enseignant, suite à ses observations, recueille des renseignements sur les intérêts, les aptitudes, les ambitions et d'autres caractéristiques personnelles des élèves. Enfin, le Rapport Parent attribue aux enseignants un rôle d'incitation auprès des élèves en difficulté d'adaptation ou qui ont des problèmes d'orientation pour que ces derniers aient recours aux services d'orientation.

> Le conseiller d'orientation joue un rôle d'animateur et de *leader* dans cette équipe impliquée dans l'orientation des jeunes. En plus de cette responsabilité, les principales fonctions du conseiller d'orientation selon le Rapport Parent (1964) consistent à accumuler de façon systématique des renseignements sur les étudiants par le moyen de tests psychométriques, à rencontrer, dans le cadre d'entrevues individuelles, tout étudiant qui désire recevoir l'aide d'un conseiller et enfin, par le maintien de relations avec le monde du travail, à être en mesure de fournir l'information pertinente sur la situation du marché du travail local et régional (p. 41-42).

L'emphase très grande mise par le Rapport Parent (1964) sur l'importance de l'orientation dans le système d'éducation contribue à renforcer la crise d'identité des conseillers. Ils prennent davantage conscience que l'orientation ne peut pas être isolée du développement global de la personne. Les sciences du comportement apportent de nouvelles perspectives à l'aspect théorique et appliqué de l'orientation. Le concept de tâche développementale puisé dans la littérature et les recherches sur les sciences du comportement promet d'être utile. Selon Zaccaria (1965), ce concept, qui a suscité plusieurs applications en orientation, n'a pratiquement pas été exploité dans le domaine de l'orientation.

Dans une conférence qu'il prononçait en 1963 à Geneva Park, Super disait : « L'orientation s'intéresse à une personne en voie de développement dans une situation qui l'aide à se développer. Le but premier de l'orientation est d'orienter le développement avant même que le choix ne se fasse » (p. 25). Le problème devient plus précis. Le Rapport Parent (1964) demande aux conseillers d'être des spécialistes de la psychométrie, du counseling et de l'information professionnelle. Les théoriciens du choix professionnel, dont Super (1963), croient que le conseiller doit s'intéresser davantage à l'orientation en tant que processus de développement. Le Bill privé 210, loi constituant la Corporation des conseillers d'orientation du Québec (juillet 1963), définit officiellement ce que doivent être ces professionnels : « Le conseiller d'orientation a pour fonction de guider les individus dans le choix d'une profession et des études qui y préparent » (article 3). Ces définitions sont-elles conciliables ? Comment trouvent-elles leur place dans les préoccupations humanistes qui tentent de s'implanter ?

L'élaboration des travaux de Ginzberg (1951), de Super (1953 ; 1957), de Super et coll. (1957 ; 1963) et Tiedeman et O'Hara (1963) offrira une réponse à un certain nombre de praticiens. À l'instar de ces auteurs, ceux-ci défendront l'idée que le choix professionnel est un processus et que, comme tel, il implique une activité orientée vers un but. Cette activité devra permettre à l'individu, par une série d'adaptations et de choix successifs, d'arriver à se former une image de soi réaliste et intégrée. Une telle conception du choix permet de situer l'orientation dans le contexte de la psychologie développementale et, par conséquent, d'intervenir de façon à promouvoir le développement. La notion de tâche développementale appliquée à l'orientation servira donc de base à l'élaboration de nombreuses interventions.

D'autres praticiens interprètent la psychologie développementale en la situant carrément dans les théories du counseling et plus particulièrement dans l'approche de Rogers. Le Rapport Parent (1964) demandait au conseiller d'être un *leader*. Il interprétera cette fonction en devenant un spécialiste du counseling. Il a confiance dans la nature humaine ; il croit que l'être humain possède en lui tout ce qu'il faut pour arriver à maturité, à s'auto-déterminer. Il conçoit son rôle comme guide dans l'émergence de l'auto-utilisation des forces vives de l'individu. Il s'y consacrera avec une ardeur telle que le thème du Congrès de la Corporation des conseillers en 1966 sera : *L'épanouissement personnel : un plan d'action.*

Le mythe du counseling remplace peu à peu celui de la psychométrie. Voici ce qu'écrit Bernard Tétreau (1968) :

> Le counseling est certainement quelque chose d'aussi mystérieux et de sacré que la dignité, l'intégrité et la liberté des personnes avec lesquelles on l'utilise ; ce n'est certes pas sans raison que les grands prêtres s'alarment à la pensée que des profanes pourraient s'affubler du titre de conseiller avant même d'y avoir été consacré (p. 253).

Est-on passé d'un extrême à un autre ? Le balancier oscillera pendant quelques années. Il suivra un peu celui de la révolution tranquille au Québec, révolution qui s'est amorcée par le slogan politique : « Il faut que ça change ». Denis Pelletier (1967) proposera une réponse aux conseillers : « conserver son intégrité à travers le changement ». Et il ajoutera :

> Nos actes professionnels ont servi de cadres assimilateurs. Peut-être devons-nous maintenant envisager la consultation comme une situation d'apprentissage où le client établit les postulats de son devenir. Le contenu des choix et les situations de la vie vont se modifier, mais les bases sur lesquelles l'individu interprète le réel offre une meilleure stabilité et par conséquent un moyen plus efficace d'anticipation et de prédiction (p. 74).

Vu dans cette perspective, le counseling s'avère être le lieu où le consultant, avec ses ressources, devient le centre dynamique du processus et le premier responsable des actions posées et des choix effectués. Le conseiller n'est plus un expert au sens que lui donnait la psychométrie. Il devient un aidant susceptible de favoriser la prise en charge de l'individu par lui-même. Le counseling a donc trouvé sa place, et une place de choix, dans le processus d'orientation.

Parallèlement à l'évolution du counseling dans la pratique de l'orientation, et suite aux recommandations du Rapport Parent (1964), un nouveau professionnel voit le jour et se taille une place importante dans cette discipline. Il s'agit du professeur d'information. Ce dernier veut corriger une situation qui devient de plus en plus menaçante : le réalisme des choix professionnels.

Les années cinquante avaient marqué une étape très importante dans l'histoire de la psychologie professionnelle. Ginzberg et ses collaborateurs (1951) suggéraient que le choix professionnel est un processus à long terme débutant au cours de l'enfance et se terminant au début de l'âge adulte, alors que l'individu devait faire un compromis entre ses aspirations et les possibilités que lui offrait la réalité. De son côté, Super (1953 ; 1957 ; 1963) proposait une théorie du développement professionnel basée sur la psychologie différentielle, la psychologie du développement et la théorie de l'image de soi. En résumé, il suggérait que l'image de soi se développe et se clarifie au cours de l'enfance, qu'elle s'élabore et se transpose en termes occupationnels au cours de l'adolescence pour s'actualiser au cours de l'âge adulte. En conséquence, le choix professionnel est considéré comme une tentative, de la part de l'individu, d'actualiser l'image qu'il a de lui-même. Un choix réussi serait donc un choix dans lequel l'individu se reconnaîtrait tant au niveau de ses caractéristiques personnelles qu'au niveau de ses habiletés et de ses intérêts.

Le constat que, malgré les modèles proposés, un nombre toujours grandissant d'étudiants font des choix inadéquats inquiète tant les responsables de l'éducation que les professionnels de l'orientation. Le counseling est-il en état d'échec ? Doit-on conclure qu'il ne tient pas suffisamment compte des données objectives d'information scolaire et professionnelle ? Le conseiller a-t-il suffisamment de disponibilité pour trouver une réponse à toutes les questions qui affluent ?

Afin de favoriser une réflexion plus en profondeur sur les problèmes que pose la justesse du choix professionnel et afin de multiplier les intervenants dans l'orientation selon l'optique du Rapport Parent (1964), le ministère de l'Éducation délègue des fonctions particulières au professeur d'information : fournir à l'étudiant l'ensemble des renseignements nécessaires pour décrire de façon valable les écoles d'apprentissage d'un milieu en tenant compte de la réalité actuelle. Mieux informé, l'étudiant aurait des chances de faire un choix plus judicieux.

Entre temps, certaines conceptions de l'orientation sont élaborées au Québec. Reprenant les schèmes élaborés par Ginzberg (1951) et Super (1953 ; 1957 ; 1963), Maranda (1964) soutient que le choix professionnel est progressif, qu'il se vit par étapes et que l'individu procède à des choix successifs avant d'en arriver à une décision finale. Le conseiller doit assister l'individu dans ses choix et lui fournir l'aide requise à une bonne définition de lui-même tout autant qu'à la maîtrise des informations pertinentes à son choix. Le counseling d'orientation semble le moyen privilégié à l'atteinte de ces objectifs. Tétreau (1963) s'associe largement à cette vision.

Tardif (1967) indique son désaccord au fait d'associer orientation et counseling et de placer le counseling au cœur de l'orientation. Pour cet auteur, l'orientation constitue un champ de travail et le counseling, une approche, une situation d'apprentissage. Le choix vocationnel ne peut être isolé du développement global de la personne. Il souscrit aux théories de Super (1963), de Havighurst (1959) et de Hurlock (1967) et propose en ces termes une approche développementale en orientation :

> Adopter une approche développementale en orientation, c'est reconnaître que l'individu, quel que soit l'aspect envisagé, évolue dans son développement selon un processus continu. Cependant, cette reconnaissance du processus vécu par l'individu n'implique pas nécessairement, comme on est souvent porté à le croire, que le spécialiste de l'orientation doive suivre chaque individu dans les différentes étapes de son développement. Tout conseiller ne peut intervenir auprès des individus qu'à un ou des moments donnés de leur développement. Seuls les parents peuvent suivre leur enfant de façon continue. *Respecter l'approche développementale pour le conseiller ne signifie pas accompagner l'individu dans le temps, mais bien intervenir à un moment donné tout en s'inscrivant dans le processus continu que vit l'individu, c'est-à-dire en situant son intervention dans l'ensemble de ce processus* (p. 353).

Il apparaît évident qu'il faut voir l'individu dans sa totalité indivisible tout en sachant intervenir aux moments stratégiques de son développement si l'on veut assurer la réussite des tâches développementales reliées au choix professionnel.

On a donc assisté au cours des années soixante à une sorte d'éclatement des frontières de l'orientation, sous les pressions d'une pratique qui se devait de répondre à des situations de plus en plus complexes, au gré du développement de la société. Il faut d'ailleurs remarquer que dès 1930 on s'inquiétait déjà de donner à la consultation, dans le contexte de l'éducation, une perspective suffisamment large pour englober le développement et l'adaptation personnels, au lieu de la limiter à la tâche de choix de carrière (Jones, Steffler et Stevenson, 1970, dans Van Hesteren et Zingle, 1979). Il a toutefois fallu quelques décennies pour arriver à intégrer ces deux fonctions fondamentales dans une conception articulée de la consultation. Ce n'est évidemment qu'après l'identification et la mise en place des diverses tâches du conseiller qu'on a vraiment senti le besoin de les situer les unes par rapport aux autres et de les intégrer dans une nouvelle conception de l'orientation.

L'ORIENTATION AU QUÉBEC AU COURS DES ANNÉES SOIXANTE-DIX

Au début des années soixante-dix, l'orientation au Québec connaît ses heures de gloire. Les professionnels sont reconnus, appréciés, recherchés même. Le nombre de conseillers s'accroît rapidement. Le marché du travail leur offre des possibilités nouvelles. On les réclame au niveau primaire, au niveau universitaire, dans les établissements de réhabilitation, dans les services d'éducation aux adultes et dans les centres de main-d'œuvre.

Devant l'ampleur du mouvement, les conseillers sont à la fois heureux et désemparés. Les sociétés industrielles s'orientent de plus en plus vers une conception autocratique et technocratique de la décision en matière de travail. L'emprise de la technique se fait de plus en plus intense. Le rôle du conseiller consiste-t-il uniquement à adapter les individus à ces transformations et à cette évolution ou si, au contraire, des techniques nouvelles peuvent être mieux utilisées pour répondre aux désirs des hommes ? Le problème de l'identité du conseiller fait de nouveau surface.

La Corporation professionnelle des conseillers d'orientation prend l'initiative et définit comme suit le rôle du praticien en orientation.

> Aider l'individu à prendre conscience de ses ressources personnelles et des ressources de son milieu, afin qu'il puisse poser des choix éclairés et progressivement autonomes au plan de ses études et de sa carrière et ainsi parvenir à s'épanouir tout en contribuant au développement de son milieu (1972).

Cette définition très englobante règle peu le problème des praticiens. Le Congrès international d'orientation qui se tient à Québec en 1973 et qui a pour thème *Carrière et personne : libération et aliénation,* recrée un mouvement de confiance passager. Les problèmes reliés à l'abandon scolaire, à l'usage de la drogue, à la contestation étudiante accroissent les besoins de consultation individuelle. Le ministère de l'Éducation, en guise de réponse, implante dans les milieux scolaires l'équipe multidisciplinaire. Psychologues, travailleurs sociaux, professionnels de la santé et conseillers d'orientation se retrouveront à la même table et chacun tentera de redéfinir son rôle.

En réponse aux interrogations et aux ambivalences qui se multiplient, Havighurst (1972) met l'accent sur les changements socio-économiques nombreux et conséquemment, sur les changements de valeurs qui s'ensuivent. Il souligne le fait que pendant la première moitié du vingtième siècle, les adolescents pouvaient acquérir une identité en se choisissant une carrière. Le travail étant l'axe de la vie, choisir une carrière devenait un moyen efficace de se former une identité. Glasser (1972) appuie la pensée d'Havighurst et renforce l'idée que dans la société actuelle, une occupation doit compléter et enrichir une identité déjà existante. Et nous assistons à une panoplie de recherches et de modèles concernant soit les attitudes de base en counseling, soit les conséquences du counseling sur le développement de l'individu.

Autant les modèles d'intervention, soit en counseling individuel, soit en counseling de groupe, se multiplient, autant les forces se fragmentent. L'approche d'activation du développement vocationnel et personnel (**A.D.V.P.**) proposée par Pelletier, Noiseux et Bujold (1974) offrira aux professionnels une conception opératoire du développement vocationnel et un modèle d'intervention susceptible de favoriser un renouveau important dans l'exercice de l'orientation. Cette approche sera longuement élaborée dans le présent ouvrage. Bien qu'apportant des données de base pour une reformulation du rôle du conseiller, elle n'empêchera pas les malaises de s'aggraver.

Depuis cinq ans, un nombre important de conseillers ont perdu leur emploi. Les nouveaux diplômés se frayent difficilement un chemin dans de nouveaux secteurs d'application, dont l'industrie, les banques, les maisons d'accueil pour délinquants et les services paragouvernementaux. La situation économique quasi désastreuse est en partie responsable de cette situation. L'orientation est perçue comme un service de luxe dans l'état de crise qui sévit. Ce n'est peut-être pas un hasard si les préoccupations des conseillers se tournent depuis cinq ans vers les modèles de décision.

Quoi qu'il en soit, le conseiller se voit de nouveau confronté à une crise d'identité. Quelle en sera l'issue ? Van Hasteren et Zingle (1979) croient que les conseillers doivent se tourner vers la psychologie du développement. Cette prise de position de l'éducation vers le développement ouvre toute grande la porte à l'éducation psychologique. Un nombre important d'auteurs reconnus dans le domaine de la consultation (Mosher et Sprinthall, 1970 ; Dinkmeyer, 1970 ; Aubrey, 1975 ; Musselman, 1976 ; Arbuckle, 1976) soulignent l'importance de l'éducation psychologique et la décrivent comme étant un domaine privilégié pour les conseillers. Van Hesteren et Zingle (1979) résument ainsi la pensée des auteurs sur le sujet :

> Bien que l'éducation psychologique augure bien pour un engagement sérieux de la part des conseillers, il demeure évident que notre profession doit prendre position et non pas rester équivoque. À l'heure actuelle, on passe en revue sous un œil très critique les buts de l'éducation. Si les conseillers ne prennent pas l'initiative dans ce domaine, d'autres disciplines le feront (p. 113).

CONCLUSION

La profession de conseiller a connu une évolution très importante depuis ses origines, évolution stimulée tantôt par le progrès de la société elle-même, tantôt par l'acquisition de connaissances plus approfondies sur le développement humain, sur l'identité et sur les processus de choix vocationnel. C'est ainsi que, petit à petit, le conseiller est passé d'un rôle d'expert dans les tâches de choix vocationnel à celui de facilitateur du développement humain non seulement en ce qui a trait au processus de choix de carrière, mais aussi en tout ce qui touche les tâches développementales de la personne. Il a donc fait place, dans son intervention, aux préoccupations de plus en plus évidentes dans notre société pour le vécu de la personne et le respect de son intégrité, au lieu d'un intérêt exclusif à sa productivité. Il a également démontré la volonté, au cours du développement de sa profession, de favoriser le développement harmonieux de toute la personne. Dans ce contexte, le conseiller s'intéresse désormais au vécu de la personne avec laquelle il travaille et il se préoccupe de l'instrumenter pour qu'elle puisse faire face adéquatement aux diverses situations de choix auxquelles elle sera confrontée tout au long de sa vie. Il ne peut donc plus s'en tenir à résoudre les problèmes de choix de carrière de ses clients, mais doit plutôt s'attacher à les aider à apprendre à faire des choix.

Une telle évolution dans la profession de conseiller a suscité bien sûr l'élaboration de nouveaux modèles d'intervention de nature à fournir aux conseillers la polyvalence nécessaire à l'accomplissement de leurs diverses tâches. L'éducation psychologique est parmi ceux-là un des modèles qui permettent de répondre à la nécessité de s'intéresser à la personne dans tous les aspects de sa vie, de rejoindre les buts d'intégration, de facilitation et de prévention dans le développement de la personne et ce, avec des moyens axés tantôt sur les individus, tantôt sur les groupes ou les institutions, tantôt sur les programmes.

En terminant, il apparaît utile de reconnaître à travers cette évolution de la profession de conseiller un certain parti pris pour le bien-être de la personne, parti pris qu'il est encore nécessaire d'enraciner dans certains choix de valeurs qu'on pourrait dire « humanistes ». Notons aussi que les tâches complexes et souvent centrées sur la relation auxquelles sont appelés les conseillers demandent qu'on s'intéresse de façon importante à leur propre développement personnel.

RÉFÉRENCES

ARBUCKLE, D.S. : The School Counselor : Voice or Society, *Personnel and Guidance Journal,* **54(8) :** 427-430, 1976.

AUBREY, R.F. : Issues and Criteria in Developing Psychological Education Programs for Elementary Schools, *Counselor Education and Supervision,* **14(4) :** 268-276, 1975.

BECK, C.E. : *Philosophical Foundations of Guidance,* Prentice-Hall, Inc., New Jersey, 1963.

BREWER, J.M. : *Education as Guidance,* MacMillan Company, New York, 1938.

DINKMEYER, D : *Developing Understanding of Self and Others,* American Guidance Service, Circle Pines, Minnessota, 1970.

GINZBERG, E. et coll. : *Occupational Choice : An Approach to a General Theory,* Columbia University Press, New York, 1951.

GLASSER, W.G. : *The Identity Society,* Harper & Row, New York, 1972.

HAVIGHURST, R.J. : *Human Development and Education,* Longmans, New York, 1959.

HAVIGHURST, R.J. : *Developmental Tasks and Education,* David McKay and Co. Inc., New York, 1972.

HURLOCK, E.B. : *Adolescent Development,* (3ᵉ éd.), McGraw-Hill, Toronto, 1967.

L'ALLIER, TÉTREAU et ERPICUM : L'orientation professionnelle au Québec depuis le Rapport Parent, *L'orientation professionnelle,* **17(4) :** 35-63, 1981.

MARANDA, A : Intégration de l'information dans un programme d'orientation : in *Rapport du deuxième congrès des conseillers en orientation :* 105-119, 1964.

MEYERS, G.E. : *Principles and Techniques of Vocational Guidance,* McGraw-Hill, New York, 1941.

MOSHER, R.L. et N.A. SPRINTHALL : Psychological Education in Secondary Schools : A Program to Promote Individual and Human Development, *American Psychologist,* **25(10) :** 911-924, 1970.

MUSSELMAN, D.L. : Mainstreaming Guidance : With or Without Counselors ? *Counselor Education and Supervision,* **16(1) :** 6-12, 1976.

PELLETIER, D. : La question essentielle : conserver son intégrité à travers le changement, *L'orientation professionnelle,* **4(2) :** 69-74, 1967.

PELLETIER, D., G. NOISEUX et C. BUJOLD : *Développement vocationnel et croissance personnelle,* McGraw-Hill, Montréal, 1974.

ROGERS, C.R. : *Client-Centered-Therapy,* Houghton-Mifflin, Boston, 1951.

SUPER, D.E. : *The Psychology of Career,* Harper & Row, New York, 1957.

SUPER, D.E. et coll. : *Career Development : Self-Concept Theory,* College Entrance Examination Board, New York, 1963.

SUPER, D.E. : *Orientation et consultation,* Geneva Park, 1963.

TARDIF, R. : L'apport de la psychologie du développement à l'orientation : une tentative d'intégration, *L'orientation professionnelle,* **3(5) :** 329-360, s.d.n.l.

TÉTREAU, B. : Les techniques d'entrevue et l'entrevue de counseling, *L'Orientation professionnelle,* **4(5) :** 253, 1968.

TIEDEMAN, D.U. et R.P. O'HARA : *Career Development : Choice and Adjustment,* College Entrance Examination Board, New York, 1963.

ZACCARIA, J.S. : Developmental Tasks, *Personnel and Guidance Journal,* **44(4) :** 372-375, 1965.

VAN HASTEREN, F. et H.W. ZINGLE : On Stepping into the Same River Twice, *Canadian Counselor,* **13(2) :** 105-116, s.d.n.l.

Chapitre **4**

Fondements et postulats pour une conception éducative de l'orientation

Denis Pelletier et Bernadette Dumora

La problématique de l'orientation se situe au point de convergence où se noue la double dynamique de l'évolution du monde socio-économique et du développement personnel de l'individu. Elle est le lieu d'entrelacement de facteurs psychologiques, familiaux, institutionnels, sociaux et économiques. La complexité est inhérente à l'articulation entre des aspirations et des capacités individuelles d'une part et les possibilités d'insertion dans l'organisation collective que constituent les professions d'autre part. Mais elle s'accroît actuellement de l'incertitude d'une situation de crise économique et de l'extrême complexité du développement technologique qui bouleverse les modes de production et par là même le monde du travail. Face à cette mouvance socio-économique, l'orientation des jeunes générations ne peut plus être cet artisanat de l'appariement entre les capacités d'un individu et les besoins d'une société qu'elle était il y a quelques décennies et dont sont issues les pratiques diagnostiques et évaluatives, reposant sur le modèle psychométrique, pourtant très présentes encore dans notre profession de conseiller d'orientation.

Nos pratiques sont en train d'évoluer, certes, dans une direction éducative, vers une relation d'aide au consultant, afin qu'il analyse mieux son problème, qu'il appréhende la réalité de la formation et de l'insertion professionnelle. L'activité de conseil consiste en effet de plus en plus à impliquer l'adolescent dans son choix en lui restituant l'analyse des termes de son propre problème pour qu'il participe activement à la recherche de solutions.

Mais cette aide n'est pas encore véritablement éducative, elle reste proche d'un processus d'expertise : dispensée aux sujets en instance d'orientation puisque le conseiller privilégie dans son intervention les paliers de sortie du système scolaire, l'activité du conseiller ne peut porter que sur des contenus immédiatement utiles pour une prise de décision. Ponctuelle et limitée dans le temps puisque l'institution ne la systématise pas dans la structure horaire de la vie scolaire, l'activité n'a pas le temps d'être un processus d'accompagnement de l'adolescent dans l'élaboration des représentations de soi et de l'univers professionnel. Elle n'a pas le temps de dépasser les contenus utiles pour faire le long détour pédagogique qui seul pourrait permettre la structuration des connaissances et des outils d'analyse nécessaires à l'adolescent pour s'approprier les choix successifs de son avenir scolaire proche et de son avenir professionnel plus lointain.

Pour qu'il y ait véritablement apprentissage d'un savoir-faire et plus fondamentalement d'une éducation pour un « savoir-devenir », il nous faut redéfinir nos missions et donner à nos pratiques la *consistance pédagogique et la dimension temporelle de toute démarche éducative*.

LA MOUVANCE SOCIO-ÉCONOMIQUE ET NOTRE PREMIER POSTULAT

Les progrès scientifiques et l'évolution technologique bouleversent profondément le monde professionnel et les conditions de travail : le changement, créateur de professions nouvelles mais aussi facteur de suppression de métiers et de qualifications, transforme l'environnement dans l'atelier et le bureau, instaure de nouveaux rapports, restructure les services et redéfinit les postes de travail. Le rythme de l'évolution technologique va aujourd'hui en s'accélérant, et il devient difficile pour le conseiller, entre autres, de prévoir la forme de l'emploi à longue échéance. Il est encore plus difficile, voire impossible, au jeune adulte en instance d'orientation, a fortiori à l'adolescent dans son collège ou dans son lycée, d'avoir une vision globale, claire et synthétique du monde du travail pour élaborer un choix judicieux.

Face au discontinu du socio-économique instable et fluctuant, en devenir perpétuel, notre objectif est de faire acquérir à l'adolescent une compétence qui lui permettra d'analyser, maintenant et plus tard, à chaque carrefour du déroulement de son orientation, les éléments de soi, ses atouts et ses limites, et la structure du monde environnant avec ses voies royales et ses voies détournées, ses opportunités et ses contraintes. S'il n'est plus possible dans un monde en évolution de construire des projets à long terme, il faut apprendre les stratégies à court terme, les ajustements successifs et la disponibilité. Il faut qu'à chaque palier, le sujet soit capable de maîtriser, dans l'ici et le maintenant de son choix, et aussi complètement que possible, les données de l'accès aux filières de formation, aux emplois et à la promotion.

Nous formulons ainsi notre premier postulat : parce que l'environnement professionnel évolue, le conseil ponctuel nous paraît illusoire et il nous semble préférable de lui substituer une pratique éducative qui consiste à préparer l'adolescent à l'analyse des données de son problème au moment où il se pose. Ou en d'autres termes, nous postulons que le monde professionnel peut être constitué en objet d'étude et d'apprentissages cognitifs : l'adolescent peut y faire des observations, repérer des règles et des invariants, exercer ses capacités d'analyse et de synthèse, comprendre l'évolution et les rapports de force pour construire ses propres outils d'analyse critique.

Notre interrogation porte essentiellement sur les conditions de cette formation : comment assurer, au sein du système scolaire, cette ouverture progressive sur le monde environnant social et professionnel ? Comment passer de l'information et de la documentation à la pédagogie ? Comment « apprend-on » en orientation ?

Postulat et interrogations portent ici sur le versant des représentations professionnelles. La démarche éducative suppose en effet, dans ce premier point, que peut être enrichi le bagage souvent très réduit des connaissances des jeunes sur le monde professionnel. C'est par l'ouverture sur l'environnement et par la systématisation de la prise de conscience de possibilités nouvelles ou inconnues, par la décentration par rapport aux choix stéréotypés et aux normes de groupe que peut s'élargir l'empan des désirs professionnels. En effet, pourrait-on désirer ce que l'on ne connaît pas ? Or, on ne connaît souvent, dans le domaine qui nous intéresse ici, que les professions de notre environnement quotidien, géographique et familial, et celles prestigieuses et rares que valorisent les médias. Cette démarche est peut-être d'autant plus nécessaire que l'efficience du sujet, l'efficience scolaire surtout, est faible parce que les élèves faibles rétrécissent encore d'eux-mêmes le champ déjà réduit de leurs possibilités d'orientation.

Dans une situation d'expertise et de conseil, lorsque le sujet n'est que le récepteur passif de l'information, lorsqu'il ne se réapproprie pas la recherche, le conseiller peut aussi bien renforcer que tempérer cette réduction (cette « reproduction », au sens sociologique du terme). Une pratique éducative par contre, inscrite dans le temps, largement en amont des échéances d'orientation, sollicite l'implication personnelle de l'adolescent dans une recherche active et lui permet progressivement la maîtrise des moyens d'information. Sa connaissance des formations et des professions, des sélections et des débouchés, peut ainsi s'étoffer, se concrétiser et se relativiser. Et c'est dans cette perspective seulement, lorsque la responsabilité lui est rendue, lorsqu'il est le sujet et non l'objet de l'orientation, que l'adolescent prend conscience de l'enjeu, du risque, du pari et de l'incertitude de tout choix.

Mais ceci n'a de sens que si ce même long cheminement aide l'adolescent, sur le versant de la connaissance de soi, à élaborer progressivement les éléments de son identité personnelle par une disponibilité à soi et une prise de conscience de ses désirs, de ses craintes et de ses capacités.

L'ÉMERGENCE DU SUJET HUMAIN ET NOTRE DEUXIÈME POSTULAT

L'orientation — ses praticiens et ses services — a longtemps fonctionné comme s'il existait chez l'individu, à un niveau préconceptuel, une structure stable et hiérarchisée des goûts, des désirs et des intérêts du sujet en instance de choix. Cette configuration organisée n'attendrait que l'échéance de l'orientation — ou l'interrogation du conseiller — pour se traduire et s'actualiser dans un choix professionnel. L'exploration tâtonnante et fantaisiste des élèves, leurs productions quelquefois contradictoires et souvent irréalistes ne sont pas habituellement reconnues comme des étapes nécessaires dans la construction progressive d'un choix. La tâche du conseiller est souvent conçue comme apport informatif indispensable et comme vérification du bien-fondé du choix, vérification non moins indispensable. Au mieux, sa tâche peut être conçue comme une aide à la reconnaissance et à la formulation de ce désir sous-jacent, « déjà là ». *Ce présupposé de l'immanence* du désir professionnel explique la réticence actuelle à développer au sein de l'école une véritable pédagogie de l'orientation. La tâche éducative du conseiller, celle qui s'inscrit dans une conception constructiviste du choix n'est encore que très peu répandue. Il faudrait pour cela reconnaître dans les essais et erreurs de l'élève des tentatives pour approfondir ses propres motivations. Le conseiller n'hésiterait pas dès lors à se faire l'éducateur de cette émergence.

L'expression du désir professionnel ne va pas de soi. Bon nombre d'individus ne sont pas intéressés à leur orientation faute d'une perspective temporelle. L'idée qu'ils ont de l'avenir empêche que des projets soient conçus. L'avenir n'est pas pour eux le lieu contrôlable à distance où peuvent se réaliser leurs désirs. Le schème moyen-fin si indispensable au sentiment d'un certain pouvoir personnel s'avère absent précisément chez les sujets de milieux défavorisés (J. Nuttin, 1980). Son acquisition permettrait la considération de buts personnels et favoriserait le lien à faire entre soi et le travail, lien qui définit ce qu'est essentiellement l'orientation. Sans le rapprochement de l'identité personnelle et des professions, l'orientation devient le simple constat qu'il n'y a rien d'autre à faire qu'à se conformer aux tendances de l'emploi et aux règles sélectives des diverses institutions.

L'expression du désir professionnel ne va pas de soi non plus du fait que les motifs n'ont pas toujours une origine interne. Les préférences que déclare le sujet sont-elles le résultat d'une désirabilité apprise ou manifestent-elles des orientations affectives profondes fondées sur une élaboration cognitive des besoins (voir l'exposé de J. Nuttin dans la deuxième partie de cet ouvrage) ?

Le conseiller ne peut dans ces conditions prendre connaissance d'un désir professionnel sans interroger le processus qui l'a provoqué et sans s'assurer qu'il provient d'un traitement véritable de l'information car la question du choix se trouve tout entière dominée par une démarche personnelle de recherche et par la nécessité de la découverte. C'est précisément ce processus qui donne au choix sa validation interne et sa valeur intrinsèque.

Aussi, au lieu d'intervenir à un moment donné, le conseiller pourrait accompagner l'individu tout au long de ce processus d'orientation.

Nous formulons ainsi notre deuxième postulat : parce que le choix professionnel résulte d'un processus évolutif, la présence du conseiller en un point particulier qu'on appelle décisif (*turning point*) assure très peu la qualité personnelle et construite du projet professionnel et il nous semble préférable de lui substituer une pratique éducative continue dans laquelle l'adolescent procède à l'approfondissement subjectif de sa motivation et à sa mise en relation de plus en plus intégrée avec l'information qu'il a de son environnement.

Si des sujets sont défavorisés dans leur orientation par un manque d'information, d'autres le sont par une difficulté majeure à se déterminer.

On observe, pour ne citer qu'un exemple, que certains élèves pensent leur orientation d'une manière active et d'autres d'une manière passive. S'en remettre au hasard, solliciter la solution d'un autre, retarder indéfiniment une réponse et laisser faire le temps semblent pour le moins des procédures d'évitement qui retardent l'exercice du choix et la reconnaissance de ses besoins. D'autres sujets se montreront, par ailleurs, déterminés, réfléchis et sûrs de ce qu'ils veulent.

Le conseiller doit-il seulement constater cet état de fait ? Pourquoi n'interviendrait-il pas d'une manière éducative ? Ceux qui savent décider activement ne l'ont-ils pas appris ? Ne pourrait-il pas offrir des conditions telles que ces manières d'agir puissent être découvertes et expérimentées par des sujets en instance d'orientation ?

Les informations scolaires et professionnelles valent très peu finalement si elles ne permettent en même temps l'acquisition d'un pouvoir d'analyse sur cette mouvance socio-économique. Le choix professionnel lui-même signifie très peu s'il n'est le résultat d'une implication personnelle et s'il n'est l'affirmation d'un sujet responsable et capable de se déterminer. Ainsi, au-delà du choix pour lequel il y aura sans doute toujours une demande de consultation, se profile l'exigence éducative d'un savoir-faire psychologique.

Si les études sociologiques ont mis en évidence les déterminismes qui font du choix professionnel un événement extérieur au sujet lui-même, il faut comprendre comment cela correspond sur le plan individuel à une insuffisance instrumentale, insuffisance elle-même tributaire des caractéristiques du milieu d'appartenance.

Si un élève n'exerce pas ses habiletés de planning et n'apprend jamais, par exemple, à transformer un souhait en projet, s'il ne sait constituer une série d'actions à poser pour produire un effet plus ou moins lointain, comment pourrait-il profiter des informations qui l'entourent et tirer profit des politiques d'accessibilité à des études supérieures pour ne pas dire lointaines ?

La démarche éducative en orientation nous paraît être une réponse concrète à l'injustice sociale qui est faite à de trop nombreux individus en matière de carrière scolaire et professionnelle.

La question à poser n'est pas de savoir si une démarche éducative en orientation est souhaitable et possible. Il faut plutôt se demander pourquoi elle ne nous a pas paru évidente jusqu'à maintenant ? Pourquoi, malgré son impérieuse nécessité, elle n'a pas été formulée clairement et proposée explicitement comme mission de l'école ?

C'est un fait que Shantz (1975) ne manque pas de souligner :

> L'enseignement public a mis l'accent sur la compréhension par l'enfant de son environnement physique beaucoup plus que sur la compréhension de son environnement social et sur la résolution de problèmes non sociaux beaucoup plus que sur la résolution de problèmes sociaux. On a laissé la compréhension du social se développer plutôt comme une conséquence accessoire (*by product*), des interactions sociales et du développement cognitif...

...De la même manière qu'on a laissé la compréhension psychologique se faire comme conséquence accessoire de la littérature et de l'histoire :

> À travers les œuvres littéraires, les réalités psychologiques et sociales sont atteintes d'une manière allusive et floue et les commentaires des maîtres donnent matière à des exercices de style non à des savoirs et pratiques structurées. Quand un enfant opère une division, applique une règle de trois, raisonne sur des ensembles, il fait des mathématiques. Quand un adolescent lit une œuvre littéraire et entend un commentaire qui concerne principalement sa forme, il ne fait pas plus de psychologie qu'il ne ferait de la physique si l'on commentait avec lui un traité d'alchimie (Pierre Oléron, 1981, p. 261).

On ne s'étonnera guère dès lors du pouvoir analytique de ceux qui ont une orientation vers les sciences exactes et de l'approche globaliste de ceux qui s'orientent vers le social (Witkin, 1977). L'étude de l'objet physique se poursuit depuis le niveau élémentaire jusqu'à la fin de la scolarisation alors que la réalité sociale et psychologique ne fait l'objet que d'apprentissages incidentiels, souvent de l'ordre de la discipline et de la maîtrise de soi.

Cette dominance de l'objet physique en éducation ne fait que reproduire, de fait, l'importance qu'il occupe dans le monde en général et la difficulté extrême qu'éprouve l'individu à s'affirmer et à se faire reconnaître comme sujet humain. La difficulté de valoir en tant que personne dépend sans doute pour une part du non dit de l'éducation, du désir à taire, de la vie intérieure qu'il faut garder pour soi et du plaisir de la découverte qu'il faut remettre à plus tard.

LA COMPÉTENCE À SE DÉTERMINER

La tâche de s'orienter et de concevoir un projet professionnel coïncide en réalité avec l'apprentissage même du processus. (Pelletier, 1968). Il n'y a pas d'un côté une maturité vocationnelle toute constituée, de l'autre une structure scolaire qui oblige l'individu à une insertion sociale. L'adolescent fait sa compétence à s'orienter en même temps qu'il tente de se connaître, de clarifier ses valeurs et de se fixer des buts. Sa compétence à explorer les ressources du milieu, à interroger ses représentations professionnelles et à prendre en considération les facteurs de réalité ne préexiste pas à la prise de décision. Elle se fait avec et par elle puisqu'elle arrive en même temps que la crise de l'identité et en même temps que l'avènement de la pensée formelle. L'orientation se révèle le lieu où s'intègrent les divers développements. Si on l'a cru importante, en raison de ses effets économiques sur les plans individuel et collectif, on reconnaîtra aussi sa position privilégiée dans la formation du moi, l'enjeu véritable étant d'établir un rapport individu-environnement dans lequel le désir n'emporte aucune considération du réel et le social ne vient aucunement entraver la voie de la réalisation personnelle.

Cela montre assez que l'orientation ne saurait se réduire à une procédure institutionnelle de sélection et de conseil. Elle s'impose d'abord comme une expérience à vivre dans laquelle le processus a au moins autant d'importance que le résultat et dans laquelle le résultat tire précisément sa valeur du processus qui a été expérimenté.

Cela entraîne deux conséquences. En premier lieu, la nécessité pour le sujet de se réapproprier le choix professionnel, qu'il en fasse son affaire, qu'il prenne le risque de l'incertitude. En second lieu, une nouvelle relation entre le conseiller et le sujet. Le conseiller n'est plus l'expert du choix qui prend en charge l'étude du cas et qui pose un jugement spécialisé. Il ne met plus en appariement le profil psychologique et le profil professionnel. Il place le sujet et lui-même dans une entreprise de recherche.

Cela revêt deux significations importantes. Premièrement, la remise à l'individu de son problème tout entier s'avère une situation symbolique et démonstrative d'un nouveau rapport individu-environnement où celui qui consulte et se dispose à être objet de l'expertise se voit reconnaître le statut de sujet. Deuxièmement, l'expert déjoue la raison d'être implicite qui le fait être celui qui sait. Ce n'est réconfortant pour personne, en effet, d'être renvoyé à ses propres ressources et d'être mis en obligation de découverte. On ne saurait admettre qu'un spécialiste entretienne l'incertitude puisqu'il est supposé détenir l'information, même celle concernant l'identité du sujet.

Si le conseiller reste un expert, et il l'est dans une conception éducative, c'est bien dans le sens du processus. En faisant expérimenter le processus d'orientation, en facilitant son déroulement, en faisant acquérir à l'occasion ou sur une base systématique les habiletés nécessaires à la bonne marche de ce processus, il atteint l'objectif traditionnel d'un bon choix professionnel avec en plus un gain capital : l'acquisition ou la consolidation chez le sujet d'une compétence à se déterminer.

Cette compétence ressemble fort au *self-management skills* dont parle R. Glaser (1977) :

Ces habiletés comportent spécifiquement l'aptitude à s'engager dans une exploration autodirigée et intentionnelle de l'environnement : l'aptitude à fixer des buts et à reconnaître quand ils ont été atteints ; l'aptitude à prendre des décisions et à reconnaître les conséquences d'une décision ; un sens de la maîtrise et la confiance fondée sur l'aptitude à contrôler son environnement d'une manière socialement mûre.

La compétence à s'orienter ne saurait être réduite toutefois à ces seules habiletés. Les études des vingt dernières années portant sur le développement vocationnel fournissent toutes les données nécessaires à sa définition. La section qui suit sera consacrée entièrement à cette fonction.

LA SPÉCIFICITÉ D'UNE CONCEPTION ÉDUCATIVE EN ORIENTATION

Si les conseillers d'orientation ont si peu affirmé jusqu'à maintenant la nécessité d'une approche éducative, c'est qu'ils savaient confusément d'abord et puis clairement ensuite qu'elle ne pourrait se faire selon les normes de l'enseignement traditionnel. Même l'information scolaire et professionnelle, en apparence objet facile d'une pédagogie maître-élève, s'est révélée inintéressante et mal assimilable.

La compétence à s'orienter comporte certes des connaissances relatives au travail et à l'organisation scolaire mais plus encore, et beaucoup plus. Elle implique un être non seulement connaissant mais choisissant. Le savoir en question n'a de sens que dans le contexte d'un savoir-faire et d'un savoir-être.

Les objectifs d'une approche éducative doivent nécessairement déborder l'information et chercher à rendre le sujet apte à se connaître et à prendre des décisions. L'approche éducative sera concernée au plus haut point par l'acquisition des habiletés et des attitudes qui définissent la compétence vocationnelle. Il nous semble, par conséquent, qu'une approche éducative en orientation comporte une double spécificité qui la distingue nettement des autres activités pédagogiques : elle est de l'ordre de l'action et de la motivation, et son objet n'est pas physique, mais social et psychologique.

L'objet social et psychologique

L'enfant agit sur son environnement physique. Il expérimente les objets en les manipulant. Il acquiert ainsi des moyens de prendre et de se conformer aux choses qui se coordonnent en schèmes d'actions et s'incorporent en opérations s'exerçant symboliquement par la suite sur divers aspects du réel à reconnaître.

Nous avons étiqueté « géométrique » cette intelligence... dans la mesure où elle s'exerce sur des objets dont la nature est considérée comme parfaitement et univoquement définissable, qui entrent dans des systèmes dont les combinaisons sont non moins parfaitement et univoquement réglées et qui constituent une réalité définitivement fixée, laquelle sert de critère pour apprécier en dernier ressort les constructions et élaborations du sujet qui s'efforce d'en prendre connaissance.

Cet étiquetage implique que les processus cognitifs ainsi désignés n'ont qu'un champ d'application régional — et non universel : le monde physique purifié, mécanique, spatial, mathématique, logique. Et qu'ils ne s'appliquent pas nécessairement, d'une manière appropriée, à des réalités d'un autre ordre, en l'occurrence le social et le psychologique. C'est bien en effet ce qu'il nous paraît nécessaire d'affirmer (P. Oléron, 1981, p. 15).

Ce texte méritait d'être cité longuement puisqu'il rend clairs les présupposés de l'apprentissage scolaire. Le monde à connaître y est présenté dans le style convergent de l'unique et bonne réponse. Les multiples définitions qui nomment et fixent définitivement les choses tolèrent à peine d'être reprises dans les termes du sujet car elles risquent d'être déformées, c'est-à-dire de perdre leur forme abstraite et uniformisée.

L'apprentissage est tout orienté vers la conformité à ce réel dans l'ensemble permanent et répétitif. L'objet physique ne laisse pas le choix. Il est à connaître tel qu'il est avec sa résistance « objective » qui n'est rien d'autre que sa nature.

L'enfant ne peut par contre manipuler le social de la même façon. S'il agit sur les personnes, c'est davantage par ses cris, par ses émotions et par son langage. Il n'opère pas unilatéralement sur le social et ne le découvre pas sans la réciproque : il est agi et il est formé par lui. Le social comme le psychologique, en un mot le *vivant*, n'est pas fixe et définissable d'une manière sûre. Il est dans sa nature de ne pas être univoque, de se donner par moments, sous des aspects variables et incarnés dans des « objets humains » tellement différents que l'abstraction devient une entreprise toujours inachevée. Qui dira ce qu'est la féminité ? Elle se fixe mal puisqu'elle se manifeste dans une diversité infinie.

Le rapport à l'objet physique en est un de solitude. L'être humain agit sur lui, le démonte, le reconstruit, le soumet à des transformations, l'analyse pour en posséder la nature. Le rapport à l'objet humain se fait au contraire dans l'interaction sociale et par l'identification. L'enfant connaît le social et le psychologique en se mettant à la place de l'autre, en l'imitant, en adoptant ses attitudes et ses manières. Il apprend et devient davantage par ce qu'il connaît de l'intérieur que par l'information qu'on lui communique sur les conduites qu'il devrait avoir.

Un concept comme la réussite professionnelle, par exemple, ne se fixe pas dans une définition abstraite et définitive — cela n'aurait d'ailleurs aucun intérêt — mais dans l'interaction sociale. Chaque travailleur, vivant à sa manière la réussite ou la non réussite, le sentiment de compétence ou de non compétence, ajoute quelque chose d'original, de personnel et d'irréductible à la compréhension de ce phénomène. Ce concept ne sera donc jamais fixé tout à fait et celui qui veut le connaître aura lui-même quelque chose à dire là-dessus et voudra en témoigner en même temps qu'il découvrira de l'information nouvelle dans le vécu des autres, s'il est exprimé, ou dans ce qu'il en devine de par sa sensibilité empathique.

Autrement dit, on ne saurait enseigner l'orientation, mais on peut mettre les élèves en condition de recherche et de partage inter-subjectif sur des questions concernant leurs représentations professionnelles, la vie scolaire, les déterminismes du milieu, les manières de décider, les facteurs à considérer, les buts à poursuivre, les ressources à consulter, les faits et données à connaître et ainsi de suite.

L'action et la motivation

Une approche éducative en orientation n'aurait pas comme finalité d'instruire le sujet sur le développement vocationnel ou sur la sociologie du travail comme on le ferait dans le cadre d'une formation professionnelle. Les généralités comptent peu dans la situation pratique de s'orienter. Ce qui serait appris le serait à travers son existence propre.

Prenons le cas d'une attitude comme celle du risque. Elle peut être étudiée théoriquement comme une généralité à connaître. Pour qu'elle puisse cependant être utile à celui qui s'oriente, il vaudrait mieux qu'elle soit examinée dans le contexte de ce qu'il n'ose dire, n'ose faire ou n'ose concevoir à son sujet. En matière d'éducation psychologique, c'est l'individu dans sa singularité qui est le véritable objet d'apprentissage. Cela représente une différence radicale par rapport à l'enseignement traditionnel.

À un moment donné et dans un lieu donné, le sujet doit maîtriser certaines informations ; mais ce qui vaut davantage, c'est le savoir-faire et le savoir-être acquis dans la situation d'apprentissage. Cela nous ramène à l'objectif de la compétence. Comment devient-on compétent ?

Une conception éducative de l'orientation devrait être dominée par cette question. Comment s'effectue l'acquisition du savoir-faire et du savoir-être ? Précisons tout de suite qu'il y a toujours chez l'individu un savoir-faire et un savoir-être qui préexistent à sa conscience réfléchie. Autrement dit, l'individu n'attend pas l'intervention du conseiller pour avoir certaines attitudes ou pour se comporter d'une manière donnée dans ses choix quotidiens. Il agit d'une certaine manière dont il n'est pas nécessairement conscient. Les travaux dirigés par J. Piaget (1974a) sur la prise de conscience sont particulièrement éclairants sur ce point. Il existe un savoir pratique autonome qui peut échapper longtemps à la conceptualisation du sujet.

Prenons, par exemple, une attitude aussi fondamentale que la source de contrôle (*locus of control*, J. Rotter, 1966). Le sujet peut se reconnaître un certain contrôle sur les événements et sur l'environnement ou tout au contraire attribuer beaucoup de poids aux facteurs du milieu. Cette attitude n'est pas anodine. Dans un cas, elle explique ce qui arrive par la responsabilité individuelle et dans l'autre par le hasard. Obtenir un résultat qu'on mérite ou un résultat qui ne dépend pas de soi n'entraîne pas les mêmes informations en retour ni les mêmes apprentissages. Pour toutes sortes de raisons qu'il n'est pas utile d'expliciter maintenant, il est de beaucoup préférable, dans l'ordre d'une compétence vocationnelle, de se reconnaître un certain pouvoir sur les événements. L'objectif du conseiller sera de faire acquérir cette nouvelle attitude si elle n'est déjà présente. Suffira-t-il d'en informer le sujet ? Assurément non puisque ce dernier ne pourra changer son attitude qu'en étant informé d'abord de son attitude actuelle qui constitue un savoir-être élémentaire et pratique non encore conceptualisé. Le sujet ne peut modifier son attitude et son savoir-faire qu'en présence de l'action observable, car c'est bien de *l'action* dont il s'agit. S'il y a connaissance du monde extérieur, il y a prise de conscience des actions exercées sur lui.

> Les deux hypothèses principales défendues en notre ouvrage précédent[1] étaient donc que l'action constitue une connaissance (un « savoir-faire ») autonome, dont la conceptualisation s'effectue par prises de conscience ultérieures ; et que celles-ci procèdent selon une loi de succession conduisant de la périphérie au centre, c'est-à-dire partant des zones d'accommodation à l'objet pour aboutir aux coordinations internes des actions (J. Piaget, 1974b, p. 232).

Cela veut dire qu'on ne peut acquérir une compétence vocationnelle dans l'ordre des habiletés et des attitudes qu'en prenant conscience de la manière dont on se comporte dans

---

[1] *La prise de conscience* (1974a).

l'action, non pas dans l'action passée mais actuelle car seule cette actualité assure la présence simultanée de l'objet et de l'action propre.

Or, cette dernière observation sur la mise en présence simultanée de l'objet et du sujet nous ramène à la première spécificité, celle de l'objet social et psychologique. Le propre de l'objet social et psychologique étant que le sujet est partie prenante de l'objet par identification et par toute autre forme participative, il faut souligner un phénomène unique qui surspécifie l'éducation psychologique par rapport à d'autres activités pédagogiques : *tout objet social et psychologique est potentiellement présent dans le sujet qui apprend.*

Qu'il s'agisse de comprendre des phénomènes comme la compétition, la peur de l'échec, l'idée de l'avenir, la nature des professions, les méthodes de travail, les relations familiales et quoi que ce soit, ces objets de connaissance et d'apprentissage peuvent être rendus présents puisqu'ils sont potentiellement contenus dans les représentations, dans les affects et dans les actions spontanées de celui qui apprend. Nous tenterons d'en tirer les conséquences pédagogiques dans la cinquième partie.

Il importe seulement à ce moment-ci de notre réflexion, de reconnaître à une conception éducative de l'orientation, l'idée d'une spécificité double qui distingue l'éducation psychologique de l'enseignement traditionnel.

Les postulats que nous avons élaborés ont mis en évidence la nécessité d'une compétence à s'orienter qui, beaucoup plus que les contenus qu'elle couvre, mérite d'être généralisée. C'est comme si le conseiller, en faisant une lecture de l'orientation, non pas au niveau des contenus mais à celui des processus, accédait à une définition de son rôle plus fondamentale en même temps que moins variable. L'objectif d'instrumenter les individus et de favoriser leur compétence vocationnelle répond en même temps à de multiples problèmes :

— celui des insuffisances personnelles liées elles-mêmes à des déficiences d'apprentissage propres au milieu d'appartenance ;

— celui d'un marché de l'emploi souvent imprévisible et qui ne laisse le choix qu'à long terme à condition que le sujet dispose d'un pouvoir d'analyse et de prévision ;

— celui de l'insertion sociale qui ne devrait se réaliser sans, en même temps, un approfondissement de la motivation intrinsèque si nécessaire au sens critique ;

— celui d'une procédure d'orientation institutionnelle qui priverait les sujets de l'expérience de s'orienter eux-mêmes et d'établir un lien dynamique entre soi et le travail ;

— celui d'un changement social qui ne serait que la dépendance des individus à un autre discours et à d'autres idéologies plutôt que l'accès de chacun à son expérience et à son droit de parole.

Pour toutes ces raisons, et pour d'autres que nous découvrirons sans doute au cours de cet ouvrage collectif, il nous paraît sensé de conclure qu'une approche éducative en orientation est souhaitable, nécessaire et possible.

RÉFÉRENCES

GLASER, R. : *Adaptative education : Individual diversity and learning,* Holt, Rinehart, New York, Winston, 1977.

NUTTIN, J. : *Motivation et perspectives d'avenir,* Presses universitaires de Louvain, Louvain, 1980.

OLERON, P. et coll. : *Savoirs et savoir-faire psychologiques chez l'enfant.* Pierre Mardaga (Éditeur), Bruxelles, 1981.

PELLETIER, D. : Développement vocationnel et apprentissage du processus de décision, in : *Conseiller Canadien,* **Vol. 2 :** 35-40, 1968.

PIAGET, J. et coll. : *La prise de conscience,* P.U.F. Paris, 1974 a.

PIAGET, J. et coll. : *Réussir et comprendre,* P.U.F. Paris, 1974 b.

ROTTER, J.B. : Generalized expectancies for internal versus external control of reinforcement, *Psychological Monographs,* **80,** (n° 1), 1966.

SHANTZ, C.U. : The development of social cognition, in : E.M. Hetherington (éd.) *Review of child development research.* **Vol. 5,** University of Chicago Press, Chicago, 1975.

WITKIN, H.A., C.A. MOORE, D.R. GOODENOUGH et P.W. COX : Field dependent and field independent cognitive styles and their educational implications, *Review of Educational Research,* **Vol. 47,** (n° 1) : 1-64, 1977.

Deuxième partie
Fonctionnement
et développement
de la motivation
humaine

Joseph Nuttin

ASPECT CONSTRUCTIF DE LA MOTIVATION HUMAINE

Un des aspects les plus frappants du comportement de l'être humain est que, contrairement à l'animal, il ne peut laisser « les choses » — c'est-à-dire son monde et lui-même — dans l'état où il les trouve. Il est tenté d'intervenir, de changer, d'améliorer à son avis, à moins qu'il ne se mette à détruire ou à supprimer ce qui le gêne. En général, l'être humain s'occupe à « faire des choses », à les restructurer ou à construire quelque chose de nouveau, selon un projet qu'il se forme. Même au jeu, l'enfant, au bord de la mer, construit des collines de sable ou des canaux de dérivation pour l'eau qui se retire. En rêve, il bâtit des châteaux en Espagne ; au niveau de la vie de tous les jours, il se contente de constructions plus modestes. On a l'impression qu'à travers tout cela il travaille en quelque sorte à lui-même ; il se développe par et dans ce qu'il fait, il se construit une personnalité et une modalité de vie. À un certain moment de sa vie, il réalise qu'il doit faire quelque chose de lui-même et il s'identifie à la profession qu'il se propose d'exercer plus tard. C'est dans ce sens qu'on lui demande « ce qu'il va *faire* ». Sans le savoir, il s'est choisi des « modèles » ; il va devenir ceci ou cela, c'est-à-dire qu'il commence à se percevoir comme une tâche à accomplir, un projet à concevoir et à réaliser ; il se donne une *vocation*. C'est le prélude à un processus qui, graduellement, va mûrir à un niveau plus réaliste et plus définitif.

Tout cela pour dire que le développement de la *vocation professionnelle* s'inscrit dans le développement d'un processus motivationnel plus général et très caractéristique du comportement humain : le processus d'intervenir intentionnellement dans le cours des choses et dans la vie personnelle. On le fait en réalisant des projets que l'on conçoit de façon plus ou moins personnelle et créative, en partant de modèles et d'informations fournis par le milieu culturel dans lequel on se trouve.

Cette motivation à faire ou à construire quelque chose et, surtout, à se construire sa propre vie, est la concrétisation d'un dynamisme inhérent au fonctionnement de cette modalité spéciale de vie qu'on appelle *personnalité humaine*. Cette modalité de vie et de fonctionnement se distingue précisément par deux fonctions qui nous intéressent dans le contexte de ce chapitre : tout d'abord, le dynamisme que nous venons d'évoquer et, ensuite, une activité qu'on appelle *cognitive*. Cette dernière permet au sujet qui l'exerce de manipuler de façon très souple les *représentants symboliques* des choses et de lui-même, de sorte qu'à ce niveau cognitif il peut construire des *projets* de façon beaucoup plus créative et flexible qu'il ne lui est possible de réaliser immédiatement au niveau de la manipulation des objets réels. C'est ainsi que l'être humain se fait graduellement une *idée* de ce qu'il veut être et devenir, en même temps qu'il se construit des projets dans toutes sortes de domaines. En un mot, ce qu'on veut *être* ou *devenir* est avant tout ce qu'on veut *faire*. Ce qu'on veut faire se définit surtout en termes de profession qu'on veut exercer et, plus immédiatement, en termes de préparation à cette profession.

Tout de suite, on voit surgir ici des problèmes psychologiques. Tout d'abord, la profession que l'on veut exercer est éprouvée comme un choix personnel ; elle est choisie parce qu'elle intéresse la personne. Mais la voie qu'il faut suivre pour aboutir à cette profession est établie *par la société* ; très souvent elle contient des éléments pour lesquels la jeune personne est très peu motivée. En second lieu, la profession attrayante se situe à une distance psychologique considérable, alors que la préparation, qui l'est beaucoup moins, est affaire de tous les jours. De plus, dans le contexte d'une perspective temporelle quelquefois très peu développée chez l'adolescent(e), la relation entre le but éloigné et la formation actuelle est souvent peu perçue ; ainsi, il ne s'agit plus d'une préparation, mais plutôt d'un obstacle, de sorte que la motivation pour le but ne se communique pas à la phase préparatoire. On a l'impression que l'orientation vocationnelle s'occupe encore très peu de ce dernier problème qui, pourtant, peut affecter profondément la motivation de la jeune personne.

Actuellement, il s'agit pour nous d'une approche plus théorique, qui — nous l'espérons — n'est pas dépourvue d'intérêt au niveau de l'application. En ce domaine comme en beaucoup d'autres, rien de plus pratique et de plus applicable qu'une bonne théorie[1].

Essayons maintenant de démontrer comment une théorie de la motivation humaine peut contribuer à une compréhension plus satisfaisante de certains problèmes en vue d'une approche éducative en orientation scolaire et professionnelle.

FONCTIONNEMENT RELATIONNEL ET MOTIVATION D'AUTO-DÉVELOPPEMENT

Une psychologie de la motivation humaine ne peut se contenter d'établir une série de motifs et de besoins, comme des entités en soi, et de les étudier séparément pour découvrir les conditions qui affectent leur développement. En effet, l'une des caractéristiques fondamentales du fonctionnement d'un être vivant, c'est son unité et sa coordination. La première chose à éviter dans l'étude du comportement, c'est de s'arrêter à une approche segmentaire où chaque fonction s'étudie indépendamment de son rôle dans le comportement global de l'individu. Il en est de même de la motivation qui est l'aspect dynamique de ce comportement ; elle ne consiste pas en une série de pièces séparées, mais chacune des orientations dynamiques qui la caractérisent prend racine dans cette même unité fonctionnelle.

On en arrive ainsi à la question du dynamisme fondamental qui sous-tend ce fonctionnement. En effet, ce qui s'impose en cette matière, c'est que l'être vivant n'est pas simplement un fonctionnement de fait, mais un dynamisme fonctionnel, c'est-à-dire un fonctionnement qui tend à se maintenir, se défendre et se développer selon que les circonstances sont difficiles, menaçantes ou, au contraire, favorables au développement. En d'autres mots, le dynamisme est inhérent au fonctionnement même de l'être vivant et tout spécialement à son aspect psychologique, c'est-à-dire le comportement qui nous intéresse pour le moment. La coordination de ce fonctionnement nous oblige à insister sur le facteur d'unité à l'intérieur du dynamisme qui est à la base de la variété des orientations motivationnelles.

Un autre aspect essentiel du fonctionnement de l'être vivant, c'est sa relation nécessaire avec certains éléments du milieu. Aucune activité psychologique n'est possible sans entrée

---

[1] Nous formulons dans les pages qui suivent quelques idées qui se trouvent exposées de façon plus complète dans notre volume : *Théorie de la motivation humaine : du besoin au projet d'action*, P.U.F., Paris, 1980.

en relation avec un objet. Percevoir, c'est essentiellement percevoir quelque chose, l'émotion et le souvenir se rapportant nécessairement à une situation ou un objet. Cet objet peut être quelquefois le sujet lui-même. Le dynamisme intrinsèque du fonctionnement comportemental est donc nécessairement une tendance à entrer en relation avec des objets, ce terme *objet* étant pris dans le sens le plus large du mot. Les objets les plus importants pour l'être humain sont, en effet, des personnes humaines. Le caractère interactionnel ou relationnel et interpersonnel du fonctionnement psychologique n'est donc pas un aspect qu'il faut *ajouter* à l'activité de l'individu, comme c'est le cas dans la plupart des conceptions du comportement et de la personne humaine. Le caractère relationnel est l'essence même de cette activité ; dans chacune de ses fonctions, elle est une entrée en relation avec le monde et, nous le répétons, ce monde est avant tout un monde interpersonnel ou social. Un fonctionnement psychologique en dehors de tout contexte *mondial* et social est simplement impossible. Cela n'empêche que tout processus interactionnel et interpersonnel ou social se déroule au niveau de la seule catégorie d'êtres vivants existants, à savoir des individus. Mais le fonctionnement de l'être individuel est un réseau de communications et d'interactions.

Somme toute, à la base même du fonctionnement comportemental, il y a le besoin, ou dynamisme, d'entrer en relation avec le monde, cette relation étant la condition intrinsèque du fonctionnement même et de son développement.

On voit ainsi que la personnalité n'est pas une unité autonome de fonctionnement. Elle n'est qu'un pôle à l'intérieur d'une unité fonctionnelle bipolaire, qui est l'unité Personnalité-Monde. De plus, chacune de ces deux composantes n'existe qu'en fonction de l'autre, en ce sens qu'une personnalité ne peut fonctionner — et donc ne peut exister — sans monde comportemental, alors que ce monde comportemental lui-même est une construction de l'activité psychologique de l'individu, de sorte qu'elle n'existe qu'en fonction de la personnalité. L'entité qui sert de départ et qu'il faut toujours avoir en vue est donc l'unité fonctionnelle Personnalité-Monde, sans quoi on se cloisonne dans un monde d'abstractions. Une personnalité est toujours un *sujet-en-situation* et le monde comportemental est toujours la *situation-d'un-sujet*. Même en psychologie pratique et en orientation scolaire et professionnelle, il ne faudra pas oublier cette unité fonctionnelle sous peine de rester dans l'abstrait. Toutefois, il faut bien reconnaître qu'en science il est nécessaire de monter au niveau de l'abstrait pour découvrir, entre autres, les éléments transsituationnels et transindividuels du fonctionnement psychologique.

Du point de vue de la motivation qui nous occupe pour le moment, l'élément essentiel dans la conception de l'unité bipolaire que nous venons d'exposer consiste dans le fait que certaines relations spécifiques entre les deux pôles sont *requises* pour que l'individu puisse continuer à fonctionner ou, au moins, fonctionner de façon optimale. De multiples recherches ont établi que la privation d'objets, et donc de fonctionnement, au niveau de l'une ou de l'autre des potentialités fonctionnelles est nuisible au fonctionnement global de la personnalité. Mentionnons simplement, pour illustrer ce fait, la privation de contacts interpersonnels chez l'enfant et ses conséquences fâcheuses sur le développement psychologique (phénomène de l'hospitalisme).

Sur cette base relationnelle, on voit surgir une nouvelle conception du besoin au niveau du comportement. Le besoin, pour nous, n'est pas un état biochimique d'un tissu organique, comme le veut la conception physiologique des besoins. Pour le psychologue, la notion de besoin doit se situer au niveau des relations comportementales. C'est pourquoi nous définissons le besoin comme une catégorie ou forme de relations comportementales pour autant qu'elles soient *requises* pour le fonctionnement optimal de l'individu humain. Ce critère de fonctionnement optimal pourra se définir de façon plus précise dans la suite de notre exposé.

Cette conception fonctionnelle et relationnelle du besoin peut paraître, à première vue, de peu d'intérêt pratique. Toutefois, il convient de tenir compte des trois points suivants. D'abord, elle nous affranchit d'une théorie selon laquelle le besoin fondamental ou *primaire* se situe au niveau du fonctionnement physiologique, tandis que les motivations spécifiquement humaines sont considérées comme *secondaires,* c'est-à-dire dérivées des premières. De plus, dans le cadre de notre conception relationnelle, le besoin est inhérent au fonctionnement même de l'être vivant ; il en est l'aspect dynamique, comme nous venons de le démontrer, de sorte qu'il en partage aussi certaines caractéristiques essentielles. C'est ainsi que le besoin, tel que nous l'entendons, n'est pas seulement un état de déficience ou de déficit physiologique, mais s'identifie au dynamisme de croissance et de développement qui caractérise l'être vivant. Enfin, comme il est inhérent au fonctionnement même, ce dynamisme sera d'autant plus diversifié que le fonctionnement d'un être vivant comporte plus de potentialités relationnelles avec le monde. En d'autres mots, le besoin de fonctionnement d'un être tel que la personnalité humaine sera d'autant plus complexe et différencié que les potentialités fonctionnelles de cet être sont plus variées. Aux potentialités de fonctionnement spécifiquement humaines correspondront donc des dynamismes ou besoins de même nature. Dès lors, au lieu d'être relégués au niveau *secondaire,* les besoins cognitifs et sociaux, de même que la tendance au développement culturel et individuel, seront aussi *primaires* que les besoins de fonctionnement physiologique. Plus concrètement, l'homme aura besoin de comprendre et d'être soi-même, comme l'animal en général a besoin de conserver son individualité biologique et comme l'oiseau a besoin de voler, étant donné que ces différentes formes de fonctionnement correspondent à leurs potentialités fonctionnelles respectives.

Il appert de ce que nous venons de dire que, pour nous — et nous y insistons —, le besoin n'est pas un simple état de déficit, mais un dynamisme de fonctionnement et même, surtout, un dynamisme de développement et de croissance pour autant que l'être vivant tend vers l'auto-développement, au moins dans des conditions de milieu favorables. Ce dynamisme de développement est aussi large et différencié que l'équipement fonctionnel de l'être vivant dont il s'agit. Notons encore qu'à aucun niveau, même pas au niveau de l'équilibre homéostatique, l'état de déficit en tant que tel n'est un agent dynamique ni un facteur d'activation. Le manque de carburant n'est pas de nature à activer le moteur. L'état de déficit d'un être vivant n'a d'effet dynamique que dans la mesure où son fonctionnement est doublé d'un dynamisme à se maintenir et, donc, à combler la déficience.

ÉLABORATION COGNITIVE DES BESOINS : FORMATION DE BUTS ET DE PROJETS

Ayant remonté ainsi jusqu'à la source du dynamisme d'auto-développement de l'être vivant en général, et de la personnalité humaine en particulier, le problème est de montrer comment ce dynamisme d'entrer en relation comportementale avec le monde se développe et se différencie dans la multitude, à première vue chaotique, des motivations humaines telles qu'elles se manifestent dans le comportement de tous les jours. Telle carrière et tel genre d'études pour lesquels l'un se sent très motivé est un objet d'horreur ou, éventuellement, d'indifférence pour tel autre. Il nous faudra donc essayer de voir comment fonctionne et se développe la motivation humaine. Il est bien clair qu'il ne s'agit pour nous que de relever les processus essentiels de ce fonctionnement et non pas de détailler ou d'identifier la multitude de facteurs concrets en jeu dans ce développement.

Nous ne parlerons pas des processus de conditionnement et d'apprentissage, ni de ce que nous avons appelé ailleurs la *canalisation* des besoins. Toutefois, il faut en tenir compte, étant donné que l'expérience passée, et donc l'apprentissage sous toutes ses formes, pénètre le comportement dans toutes ses fonctions. C'est à une forme plus spécifiquement humaine du développement motivationnel que nous nous arrêterons, à savoir les processus de formation de buts et de projets.

Une des caractéristiques du comportement humain réside précisément dans le fait que l'individu se donne des buts qu'il essaie de réaliser et qu'il forme des plans d'action ou des projets qui mènent à cette réalisation. On peut s'étonner que l'étude expérimentale du comportement ait négligé cet aspect essentiel, mais on le comprend lorsqu'on se souvient que, dans son souci de simplification et de réduction, le comportement a été approché surtout du point de vue d'un apprentissage en termes de renforcement automatique, c'est-à-dire de la fréquence de répétition d'une réponse récompensée ou renforcée. La racine profonde d'une telle approche unilatérale est dans la conception homéostatique du besoin que nous avons signalé ci-dessus, ainsi que dans le refus de tenir compte des processus cognitifs et de leur interaction avec le facteur dynamique. C'est l'existence de fonctions cognitives très développées chez l'être humain et leur interaction avec le facteur dynamique qui affectent profondément la manière dont la motivation se développe et agit sur le comportement.

Il nous faut distinguer deux articulations dans le processus qui relie le besoin à l'action : il y a d'abord le passage de l'état de besoin à la formation d'un but et d'un projet d'action ; ensuite, le passage du projet à l'action. Examinons d'abord le processus de la formation de but.

SOLUTIONS INSUFFISANTES

On a souvent représenté le but et son impact sur l'action sous des formes simplifiées, à la suite du fait qu'on ne reconnaît pas l'importance de l'interaction entre fonctions cognitives et état de besoin. Ainsi, au lieu de parler de *buts,* on parle souvent de *résultats* anticipés et attendus. Le sujet se représenterait simplement le résultat d'une action anté-rieure qui a donné satisfaction ; ce serait l'anticipation et l'attente de ce même résultat qui conduirait le sujet à poser le même acte. Ainsi, la notion mystérieuse de *but* est remplacée par quelque chose de bien concret, à savoir le résultat obtenu antérieurement, alors que le processus d'anticipation ou d'attente *(expectation)* a graduellement réussi, depuis Tolman, à être accepté en psychologie. Le résultat antérieur que l'on attend à nouveau se substitue donc au but. Nous reconnaissons dans ce processus la forme cognitive d'un apprentissage en termes de renforcement. La fonction du but serait, en dernière analyse, basée sur un processus d'apprentissage. Le besoin et la motivation comme tels ne feraient qu'activer le comportement ; la direction vers un but et le but lui-même seraient l'effet de l'apprentissage. Toutefois, il importe de faire une petite remarque au sujet de la conception proposée. Le *mécanisme* d'apprentissage pourrait donner satisfaction si l'action humaine n'était rien d'autre qu'une répétition d'actes antérieurs réussis. Heureusement, ce n'est pas le cas. Contraire-ment à l'animal qui, aujourd'hui comme hier, cherche la même nourriture, la motivation de l'être humain connaît un développement interne, comme il a été signalé ci-dessus. Le fait même du progrès et la culture tout entière en témoignent, aussi bien que la tendance qui anime toute personne humaine et qui cherche à réaliser quelque développement ou amélioration par rapport au stade précédent. En tout cas, la jeune personne qui cherche à *faire* ou à réaliser quelque chose dans la vie ne se contente pas de rester telle qu'elle est, comme nous le disions au début de ce chapitre. Même la tendance à conserver ce qui a été réalisé antérieurement, ou à maintenir un niveau de performance atteint, est tout autre chose qu'une pure stagnation. S'opposer aux multiples facteurs de détérioration et de dégradation qui nous menacent est une activité dirigée vers un but que l'on s'est donné. Ainsi, maintenir un niveau atteint est souvent une performance intentionnelle.

D'autres auteurs prétendent que la formation d'un but n'est autre chose que le choix d'un objet qui se trouve *associé*, à nos yeux, à une expérience de satisfaction ou de plaisir. Le motif pour un tel objet-but résulte donc de son association à un *affect,* c'est-à-dire au plaisir. On voit que cette conception n'est qu'une variante de la précédente. Dans la mesure où le plaisir ou l'affect s'entend dans le sens général d'une satisfaction, on peut dire qu'il résulte du fait d'atteindre le but que l'on s'est donné. Mais dans ce cas, la satisfaction est la conséquence du but atteint et non pas le but lui-même. L'individu qui se donne comme but de devenir éducateur ou psychologue éprouvera du plaisir à atteindre son but et à recevoir son diplôme, mais dire que son but était le plaisir ou même la satisfaction est une formule inadéquate.

La formation de buts peut s'étudier aussi sous la forme suivante. Nous nous deman-dons, par exemple, quelles sortes d'information il faut avoir au sujet d'une personne et de sa situation pour pouvoir prédire quel but elle se posera, et, donc, quelle action elle va exécuter. En d'autres termes, on peut se demander quelles données d'information ou quels *inputs* il faut fournir à un ordinateur au sujet d'une personne et de sa situation pour que l'ordinateur puisse dire quel but le sujet doit s'assigner ou se formera effectivement. Ainsi, nous pouvons imaginer le scénario suivant : j'informe un ordinateur qu'un conseiller en orientation scolaire est dans son bureau et qu'un élève vient d'y entrer. Ayant enregistré ces données, l'ordinateur pourra me dire que la personne en question se donnera le but d'appliquer un test et, plus généralement, de donner à l'enfant un conseil en matière d'orientation scolaire. Voilà donc l'ordinateur promu au titre de générateur de buts.

Ce n'est pas là ce que nous entendons par l'étude du *processus* de formation de buts et de projets. Nous voudrions savoir comment fonctionne la personne humaine lorsqu'elle se trouve dans un état motivationnel et *comment,* c'est-à-dire par l'intermédiaire de quels processus, cet état motivationnel va aboutir à la formation d'un but.

IMPORTANCE DE LA FORMATION DE BUTS ET DE PROJETS

Il faut d'abord se rendre compte que le passage de l'état de besoin à la formation d'un but est une étape cruciale dans le processus du comportement et, plus généralement, dans le développement d'un individu. En effet, le besoin se présente originairement sous une forme que nous appelons pré-comportementale. Dans cet état, le besoin est un état de *demande* ou une *exigence* encore vague. En d'autres mots, la *relation requise* avec tel ou tel *objet* du monde — ce qui constitue le besoin, comme nous l'avons défini ci-dessus — ne s'est pas encore frayé un chemin comportemental vers l'objet requis. De plus, l'objet requis lui-même n'est pas encore spécifié et identifié.

Prenons l'exemple d'une jeune personne qui a besoin d'appréciation et d'une certaine considération sociale. À l'origine, ce besoin est une *demande* vague et non identifiée de certaines relations interpersonnelles. Le besoin est éprouvé comme un manque de bien-être ou de confort psychologique, une incommodité qui empêche le fonctionnement optimal de la personnalité. La transformation d'un tel état négatif en quelque chose de concret que nous pouvons améliorer est une découverte majeure : elle implique que le sujet ait identifié plus ou moins le malaise et qu'il se rende compte de ce que nous pouvons *faire* pour répondre à sa *demande*. En d'autres mots, le besoin imprécis est remplacé par un but à atteindre, quelque chose que l'on peut faire pour remédier à l'angoisse d'un état pénible sur lequel nous n'avions aucune emprise. Des recherches récentes ont démontré, en effet, que le sujet qui se trouve dans un état pénible, sans disposer de moyens pour y remédier, développe progressivement une certaine incapacité d'action, un état paralysant et dépressif que les psychologues américains ont qualifié de *helplessness* et qui empêche l'action ultérieure. Au contraire, lorsque le sujet découvre un moyen efficace pour remédier à l'état pénible, l'état négatif disparaît et l'action efficace est mise en œuvre. C'est dans cet ordre d'idées que nous n'hésitions pas à dire que la possibilité de transformer un état de besoin en but concret et en projet, c'est-à-dire en *moyens d'action,* est une démarche essentielle, non seulement dans le processus d'une activité concrète, mais dans le processus général de maturation psychologique de la personnalité : elle est une condition nécessaire de santé mentale. La neuropsychologie nous apprend qu'il y a des troubles qui consistent précisément dans l'impossibilité de se donner un but et de faire un plan pour l'exécuter, de même qu'il y a d'autres déficiences qui, chez d'autres personnes, inhibent le passage du but donné et du projet élaboré à l'exécution de l'acte. Ceci nous montre que chacun de ces processus marque une phase dans la démarche globale de l'action motivée.

CONSTRUCTION COGNITIVE-DYNAMIQUE

Ayant montré l'importance du processus de formation de but, il nous faut en spécifier la démarche. La psychologie a souligné depuis longtemps que l'état primaire de besoin stimule l'activité du sujet, c'est-à-dire qu'il déclenche toutes sortes de mouvements qui, par un processus d'essais et d'erreurs, aboutissent quelquefois à une rencontre avec un objet qui donne satisfaction. Le point essentiel que nous voulons souligner maintenant, c'est que l'état de besoin active et dirige le fonctionnement global de l'individu, et surtout le fonctionnement cognitif. Le besoin fait penser, se rappeler, se représenter, s'imaginer et raisonner, comme il fait marcher et produit des mouvements. Ce sont, maintenant, les qualités exceptionnelles de ce fonctionnement cognitif qui font que l'individu humain, en état de besoin, dispose d'un instrument nouveau. Le monde des situations et des objets perçus existe, au niveau cognitif, sous forme de représentations symboliques et de concepts qui, en tant qu'expériences et informations, s'accumulent et restent à la disposition du sujet. Donc, un matériel beaucoup plus riche que les objets réels dont dispose le sujet se présente à lui. De plus, la *manipulation cognitive* de tout ce matériel symbolique se fait d'une manière infiniment plus souple et, surtout, plus créative et constructive, qu'il ne serait possible au niveau de la manipulation physique. Alors que, pour atteindre effectivement un objet réel, il faut parcourir les étapes comportementales qui mènent à cet objet — plusieurs années d'études universitaires, par exemple, pour entrer en possession d'un diplôme de psychologue — un adolescent peut se mettre *en présence cognitive* de ce même objet comme un objet-but qu'il veut atteindre. Il peut, en même temps, mettre en marche sa manipulation cognitive du magasin d'informations dont il dispose pour dresser un plan personnel et nouveau qui peut le conduire à son but personnel. Il va sans dire qu'en cours de route, le plan, et peut-être le but même, seront quelque peu ajustés aux circonstances qui se présentent. Beaucoup de données apprises joueront aussi un rôle dans la construction. Mais la construction comme telle, le but et le plan, n'est pas pour le sujet le résultat d'un simple apprentissage, ni la répétition d'une réponse antérieure. Elle est le résultat d'une opération d'investigation cognitive très souple et progressive dans un monde très riche d'informations que l'on peut combiner et réajuster, opération qui aboutit à une décision et à une construction nouvelle *pour le sujet* et *par le sujet*.

En plus de l'aspect cognitif que nous venons de souligner dans cette démarche, il faut mettre aussi l'accent sur son caractère dynamique. La construction de but est tout autre chose que la création d'un objet imaginaire. Il faut réaliser que c'est le besoin psychologique du sujet qui est à la base de l'activité cognitive dont nous venons de parler. Au niveau de cette activité cognitive alertée, le besoin se présente au sujet comme un problème pratique à résoudre : que puis-je faire ? L'objet qui répond à cette activité de recherche est donc un *objet à atteindre* et non pas un simple objet d'imagination. C'est là toute la différence entre la position de but et l'activité imaginaire. L'objet-but et le projet sont préparatoires à l'action efficiente ; l'objet imaginaire, au contraire, se substitue à l'action.

L'objet-but et le projet d'action sont donc le besoin même sous une forme concrétisée et comportementale au niveau cognitif. Le projet, tel que nous l'entendons, n'est pas une structure purement cognitive comme le définissent certains auteurs qui le conçoivent selon le modèle d'un programme d'ordinateur. Il n'est pas, non plus, identique au plan tel que le projette un expert pour montrer simplement comment on pourrait aller d'une situation hypothétique donnée à telle autre qu'on voudrait atteindre. Pour nous, le projet d'action est intégré au processus comportemental concret par lequel un sujet, en état de besoin, se fraie un chemin dans le monde. Il le fait en mettant en œuvre l'ensemble de son potentiel comportemental, y compris ses fonctions cognitives. Ce sont ces dernières qui, grâce à leurs possibilités accrues, remplacent un tâtonnement aveugle d'essais et d'erreurs par un plan ou projet, testé d'avance, par lequel le besoin trouve sa voie comportementale vers l'objet requis. C'est dans ce dernier sens que le plan ou projet d'action est une structure cognitivo-dynamique ou l'élaboration cognitive du besoin.

Il importe donc que ce projet d'action se développe à l'intérieur du fonctionnement même de la personnalité et non pas comme un corps étranger importé de l'extérieur. Dans cette dernière hypothèse, il déclencherait tôt ou tard des réactions de rejet et de défense de la part de la personnalité. C'est dire qu'en psychologie appliquée — qu'il s'agisse de psychothérapie, de counseling ou d'orientation — il faut se garder de *transplantations* de projets élaborés par le *conseiller* et non par la personnalité même du client. Ici, comme en beaucoup d'autres cas d'intervention psychologique ou éducationnelle, *éduquer* et *orienter* consistent à aider une personnalité à développer ses propres potentialités d'élaboration et à créer le milieu social et le climat personnel favorables à ce développement. L'élaboration d'une vocation professionnelle est, en effet, un des projets essentiels à construire par l'individu pour que ses besoins puissent, graduellement, y trouver leurs formes concrètes d'élaboration. Rien n'est plus *personnel* que la formation de tels projets, étant donné que ces projets forment, à leur tour, la personnalité. En d'autres termes, c'est dans ces projets que la personnalité se développe ; c'est donc bien la personnalité même qui doit les développer. C'est dire combien est délicate et exigeante la fonction de toutes les personnes qui, de façon intentionnelle, interviennent dans l'auto-développement d'autres personnalités. Le grand motif qui, malgré tout, doit les inciter à ne pas s'abstenir d'une telle intervention, c'est que la jeune personnalité de leurs clients a normalement besoin de l'*autre* pour devenir soi-même.

PROJET, STRUCTURE MOYEN-FIN ET PERSPECTIVE TEMPORELLE

En parlant de la formation de but — c'est-à-dire du passage d'un état de besoin pré-comportemental à un but réaliste à atteindre —, nous avons glissé insensiblement vers un exposé sur le projet d'action. Ce projet n'est, en effet, rien d'autre que la structure *moyen-fin* qui doit aboutir au but posé. En d'autres mots, le but concret à réaliser implique le projet. Le processus qui le sous-tend est basé sur une même interaction entre d'une part l'état de besoin et d'autre part les fonctions cognitives avec leurs moyens d'action enrichis. Dans ce contexte, nous voulons attirer l'attention seulement sur un point, à savoir la structure quelquefois très compliquée d'un projet. Ainsi, à la question : « Pourquoi faites-vous telles ou telles études ? », un étudiant peut répondre : « Parce que mon oncle habite tel endroit ». Le *motif* donné — qu'on appelle souvent la *raison* — n'est évidemment pas un motif en soi. C'est seulement comme partie intégrante d'un plan ou projet plus large, où plusieurs conditions situationnelles jouent un rôle important, qu'on peut comprendre la *force motivante* impliquée dans le motif donné. Toutefois, il est important de comprendre comment un réseau compliqué de relations situationnelles et cognitives peuvent canaliser le dynamisme d'un besoin vers des manières d'agir qui, à première vue, sont dépourvues de toute motivation. C'est grâce à ces multiples liens que des circonstances et des objets, neutres en soi, sont perçus et reconnus comme des *moyens* et, de ce fait, canalisent la motivation à travers la structure compliquée d'un plan ou projet d'action. Il est important que le sujet lui-même comprenne et accepte ces liens et cette structure pour que le projet, en tant que voie qui mène au but, devienne aussi *son* projet à lui.

Il en est de même pour quelques autres aspects de la motivation humaine sur lesquels nous ne pouvons pas nous étendre ici. Nous réalisons que le processus de la motivation instrumentale est essentiel dans la poursuite active d'un but, telle une carrière profession-nelle qui, le plus souvent, se situe à une distance temporelle considérable du jeune sujet. En effet, il importe que le sujet soit motivé suffisamment pour l'acte moyen *présent* qui conditionne la réalisation du but *lointain*. Dans le contexte du présent chapitre, nous ne pouvons que mentionner l'importance de la *perspective temporelle* en cette matière[2]. Souvent, en effet, le sujet ne perçoit guère la relation entre l'acte du moment présent — l'étude de telle branche, par exemple — et la profession en vue, comme nous l'avons signalé déjà ci-dessus.

Plusieurs modèles de la motivation humaine représentent la constatation, par le sujet, de la distance qui sépare le but posé du stade atteint à l'heure actuelle, comme un stimulant suffisant de la motivation. Dans les modèles cybernétiques auxquels nous faisons allusion ici — tel le modèle T.O.T.E. de Miller et coll. (1960) —, cette distance s'appelle incongruence ou aussi *discrépance*. Le modèle réfère, par exemple, à la distance entre l'index du ther-momètre d'une chambre et le *standard* introduit dans un thermostat, standard qui *demande* une température plus élevée. La distance entre ces deux *indications* — celle du thermomètre et celle du standard à l'intérieur d'un même thermostat — déclenche la mise en marche du chauffage central par l'intermédiaire de la fermeture d'un circuit électrique. Sans insister sur la lacune essentielle de ce modèle cybernétique en matière de motivation (cf. Nuttin, 1980[a]), remarquons seulement que la constatation de la distance ne suffit pas à motiver le sujet. La condition essentielle est que la *source* motivationnelle pour le but reste active et, surtout, que les canaux cognitifs et motivationnels qui font le lien entre cette source et l'opération du moment — par exemple l'étude — restent ouverts et opératifs, de telle sorte que la motivation passe du but à l'acte instrumental.

Une dernière étape dans le processus qui mène de la source motivationnelle du besoin à l'action, consiste dans le passage du projet d'action à l'acte d'exécution. C'est le passage du niveau cognitif au niveau *exécutif*. On sait que les systèmes behavioristes ont tenté de creuser un abîme entre le cognitif ou le *mental* et l'action manifeste qu'ils qualifient sim-plement de *motrice*. Pour nous, au contraire, le problème se pose dans un contexte quelque peu différent du fait que, dans notre conception du comportement (Nuttin, 1980a, chapitre 2), l'action même est pénétrée de cognition et que la cognition, à son tour, est à base de

---

[2] Voir à ce propos notre volume : *Motivation et perspectives d'avenir*, PUF, Paris, 1980.

comportement. Au niveau théorique, il ne s'agit pas de deux courants séparés d'activité. Le fonctionnement comportemental de l'être vivant est un fonctionnement intégré, caractérisé par un principe unique de coordination. La motivation, comme nous l'avons déjà signalé, prend racine dans le dynamisme inhérent à ce fonctionnement total et intégré. La motivation stimule et dirige donc les opérations cognitives et motrices comme des aspects d'un même fonctionnement comportemental. L'unité intégrée de fonctionnement n'est donc pas un point d'aboutissement auquel il faut arriver à partir de l'étude de deux formes d'opération séparées, mais c'est une caractéristique fondamentale constatée au point de départ et qu'il ne faut pas perdre de vue en cours de route, c'est-à-dire en étudiant la personne, une et intégrée, par une variété d'approches scientifiques qui, chacune, abstraient leur propre objet du grand X qu'est l'être vivant. Dans l'X réel, il reste un résidu que chacune des méthodes séparées ne réussit pas à extraire. Le fonctionnement du cerveau, par exemple, paraît produire quelque chose de plus que les processus physico-chimiques que constate le neurologue. Ce *quelque chose de plus* est ce que ce même neurologue peut entendre et comprendre lorsqu'il *écoute* ce que lui communique le porteur de ce cerveau. Le cerveau étudié fait tout cela à la fois, et peut-être encore plus. Mais, en tout cas, le phénomène physico-chimique n'est pas identique au phénomène de communication et à son contenu que je comprends et que je peux transmettre aussi, sous d'autres formes, à d'autres personnes.

Toutefois, en revenant aux relations concrètes entre le but et le projet, d'une part, et l'action de l'autre, un grand problème pratique se pose ; c'est que certaines personnes ont, malgré tout, des difficultés énormes à passer de la position de but à l'opération exécutive de l'action concrète et persistante. C'est ce que la neuropsychologie pathologique nous démontre de façon dramatique. Certains troubles laissent intacte la faculté de former des projets, mais le sujet en reste là ; il ne peut prendre aucune initiative d'action. Au niveau de la psychologie normale, l'intensité de l'impact motivationnel sur une action instrumentale varie directement en fonction de trois facteurs principaux. D'abord, on peut agir sur la motivation du sujet pour le but final, de sorte que la motivation pour l'acte instrumental qui en dérive en subisse l'influence. C'est le cas, par exemple, lorsque le caractère de *réalité* de ce but augmente (grâce à une extension de la perspective d'avenir) ou lorsque le sujet perçoit des aspects nouveaux qui intensifient sa motivation pour ce but (motivation extrinsèque ou *récompensée*, ainsi que l'imitation d'un modèle, par exemple). Ensuite, la motivation pour le but restant constante, on peut améliorer le processus de dérivation ou de canalisation, de sorte qu'une partie plus grande de la motivation pour le but se communique à l'acte instrumental. Ce sera le cas, par exemple, lorsque le lien entre le moyen et la fin est perçu plus clairement ou lorsque le moyen est perçu comme la voie unique et décisive qui mène au but. Enfin, on peut agir sur l'acte instrumental lui-même, de sorte qu'il perde quelque chose de son caractère négatif — tel le caractère aversif des études, par exemple — ou qu'il revête même un attrait positif. Il faut y ajouter une quatrième forme d'influence plus radicale, comme lorsqu'on peut convertir un acte instrumental — telle l'étude entreprise seulement comme moyen d'obtenir un diplôme — en activité motivée de façon intrinsèque et, dès lors, exécutée pour l'intérêt qu'elle présente en soi.

Afin de mieux comprendre ce *mécanisme* de la motivation instrumentale dans ses relations avec la motivation directe pour l'acte même qu'on exerce, il nous faut poser le problème dans son contexte théorique. C'est le problème de la motivation intrinsèque et extrinsèque dont nous dirons maintenant quelques mots à la lumière de la théorie fonctionnelle et relationnelle de la motivation.

MOTIVATION INTRINSÈQUE ET EXTRINSÈQUE

La conception courante concernant la motivation intrinsèque est assez confuse et, peut-être, trop limitée. Nous avons l'impression que la théorie relationnelle de la motivation peut nous fournir une base plus solide à une conception élargie et justifiée de cette modalité essentielle de la motivation.

D'abord, deux remarques préliminaires. À notre avis, la motivation intrinsèque ne se limite pas à ces états exceptionnels où le sujet se trouve tellement engagé dans son activité qu'il oublie tout ce qui se passe autour de lui. C'est ce que Koch (1956) a décrit sous le terme d'état motivationnel B. Au contraire, un acte très courant de la vie ordinaire, telle une conversation ou l'acte de manger, peut être motivé de façon intrinsèque comme il sera démontré dans un instant. D'autre part, il ne faut pas oublier que beaucoup de nos actes sont motivationnellement sur-déterminés, c'est-à-dire que plusieurs motifs y concourent en même temps. On peut s'attendre, ainsi, à ce qu'un acte puisse, en même temps, être motivé de façon extrinsèque et intrinsèque.

Comme thèses principales de la théorie relationnelle, nous avons posé : a) que le fonctionnement comportemental implique un dynamisme inhérent ; b) que le comportement est un mode de fonctionnement relationnel : c'est une *entrée en relation* avec un *objet*, l'objet étant pris dans le sens le plus large du terme. Ainsi, la nourriture que l'on mange, l'objet que l'on perçoit, la personne à qui l'on parle, le problème que l'on résout, font partie intégrante de l'acte comportemental même de manger, de percevoir, de communiquer, etc. Le comportement implique donc qu'on ait un objet avec lequel on puisse entrer en relation ; et le dynamisme inhérent au comportement est donc une orientation dynamique vers des objets de comportement, c'est-à-dire une tendance vers des objets à percevoir, vers des personnes avec qui on puisse communiquer, des objets ou relations à comprendre ou à explorer, etc. C'est en termes de *relation requise* avec de tels objets que nous avons même défini le *besoin*. Nous en déduisons la conclusion suivante pour le problème qui nous occupe pour le moment : dans la mesure où un acte — perceptif ou social par exemple, — est exécuté pour entrer en contact avec son objet propre, — c'est-à-dire un objet à percevoir, ou une personne à contacter de façon sociale, — cet acte est motivé de façon intrinsèque. C'est dire que des comportements interpersonnels que l'on exécute pour échanger des opinions, des sentiments, etc., ou le comportement de *regarder* exécuté pour observer quelque chose, pour s'informer de ce qui se passe, etc. sont des actes motivés de façon intrinsèque. De même, manger pour satisfaire sa faim ou parce qu'on a bon appétit est une motivation intrinsèque, tandis que manger quelque nourriture spéciale ou prendre un médicament pour rester en bonne santé est une motivation qui résulte d'une élaboration cognitive d'un autre besoin (conservation de soi).

Certains auteurs disent qu'un acte n'est intrinsèquement motivé que lorsqu'on le fait, non pas pour *atteindre un but,* mais pour le plaisir de l'acte lui-même, comme lorsqu'on joue pour le plaisir de jouer et non pas pour gagner de l'argent. Dès qu'on ferait quelque chose pour atteindre un but, l'acte serait motivé de façon extrinsèque.

Cette définition nous paraît ambiguë, parce qu'il existe des buts intrinsèques à l'acte même, comme nous l'avons signalé ci-dessus. Ainsi, aller voir un match de football *pour* — c'est-à-dire *dans le but de* — regarder comment on joue, est pratiquement la même chose que regarder pour s'informer, ce qui est un but intrinsèque à l'acte de regarder. De même, chercher la compagnie de quelqu'un pour apprendre les nouvelles du quartier est un but intrinsèque à la communication sociale, alors qu'aller voir quelqu'un dans le but de recevoir une promotion est un but extrinsèque. Dans tous ces cas, il n'y a pas de différence réelle entre dire qu'on regarde *dans le but de* s'informer, etc., et dire qu'on regarde *pour le plaisir de* regarder, etc. En effet, regarder c'est s'informer, comme parler à quelqu'un c'est communiquer ou apprendre quelque chose.

La motivation reste intrinsèque lorsque le but de l'activité consiste simplement à approfondir le contact ou la relation avec l'objet que l'on a contacté déjà. Ainsi, une personne qui étudie un problème, qui écoute de la musique, qui aime une personne, etc., peut être fortement motivée à continuer son étude des problèmes pour approfondir sa compréhension ; elle peut désirer écouter encore la même symphonie, ou revoir la personne aimée, etc. Le *but* dans tous ces cas est de mieux comprendre le problème ou de mieux aimer la personne, c'est-à-dire d'approfondir la relation déjà existante. Comme disait Saint-Bernard de Clairvaux : « L'amour n'a besoin ni de cause ni de récompense en dehors d'elle-même. Sa récompense est l'amour même. J'aime parce que j'aime et dans le but d'aimer ».

Il importe donc de réaliser que le processus de position de but dont nous avons parlé ci-dessus inclut le but intrinsèque. On peut même dire que le but intrinsèque d'un acte est le but par excellence et, certainement, l'objet idéal du fonctionnement optimal. Certains auteurs n'excluent pas seulement la position de but de la motivation intrinsèque, mais ils vont jusqu'à nier le caractère d'acte motivé à un acte dont la motivation est intrinsèque. Ainsi, on nous dit, par exemple, qu'il faut supposer qu'un enfant qui étudie la grammaire soit motivé, alors qu'il serait superflu de dire qu'il est motivé pour quelque chose qu'il fait *spontanément.* Un amour *spontané* ne serait donc pas motivé. Cette thèse équivaut à dire que seule la motivation instrumentale et extrinsèque mérite le nom de motivation. Ce qu'on fait *spontanément* est quelque chose qui *se fait* simplement sans motivation. Dans notre perspective, le caractère éminemment motivé de ces actes se manifeste dès qu'on essaie de les entraver. Les efforts déployés pour vaincre les obstacles qui s'opposent à ce genre d'actes *spontanés* montrent précisément un degré très élevé de motivation, c'est-à-dire de caractère dynamique.

D'autre part, il faut reconnaître que beaucoup d'activités sont motivées de façon intrinsèque. Dans le contexte de la théorie relationnelle, la motivation est extrinsèque dès que l'objet-but n'appartient pas en tant qu'objet propre à l'activité que l'on déploie pour l'atteindre. Ainsi, participer à une réception dans le but d'augmenter ses chances de promotion, c'est poursuivre un but extrinsèque à l'activité sociale de la réception (rencontrer des gens). De même, étudier une branche, non pas pour mieux connaître cette matière, mais dans le but unique d'obtenir un diplôme, est une motivation extrinsèque à l'activité de l'étude.

Il y a donc quelque chose de *vicieux* dans le processus de l'élaboration cognitive de la motivation. L'homme peut détourner n'importe quelle activité de son objet propre. On peut étudier pour gagner l'affection ou une autre récompense de ses parents, comme on peut essayer de gagner leur affection dans le but de pouvoir étudier. Le principe à la base de ce détournement motivationnel possible est la possibilité de faire de n'importe quel acte un objet-moyen dans la construction d'un projet d'action, c'est-à-dire dans la poursuite de n'importe quel autre but. Certaines de ces structures moyen-fin font partie de l'organisation sociale même (*exemple :* études-diplôme).

Toutefois, ici une remarque importante s'impose. Motivation intrinsèque et motivation extrinsèque ne sont pas deux catégories motivationnelles de nature fondamentalement différente. Une motivation de promotion professionnelle est extrinsèque dans le cadre d'une activité d'étude ou d'un comportement social, mais elle est intrinsèque au besoin d'auto-développement et, donc, à toute activité dans ce secteur. En d'autres mots, toute motivation et tout but peuvent être soit intrinsèques, soit extrinsèques, d'après la nature de l'activité dans laquelle ils se trouvent incorporés. C'est la motivation dominante du moment qui subordonne toutes sortes d'autres activités à ses fins propres. Ainsi, même la motivation de conserver sa vie peut être subordonnée, en tant que moyen, à la défense d'une thèse idéologique, comme dans le cas d'une grève de la faim. Dans ce cas, la motivation à la base du refus de manger est extrinsèque.

MOTIVATION INTRINSÈQUE, AUTO-DÉVELOPPEMENT ET CONCEPTION DE SOI

Il faut ajouter que n'importe quelle activité peut recevoir une motivation intrinsèque du fait que l'on perçoit cette activité comme un domaine important dans le développement de sa personnalité. Ainsi, le fait qu'une personne mette son point d'honneur dans ses performances culinaires, sportives, ou scolaires par exemple, a pour effet que, pour elle, cette activité est motivée par le dynamisme qui est inhérent au développement de sa propre personnalité. Pour d'autres personnes, ces mêmes activités peuvent être purement instrumentales et, dès lors, motivées de façon purement extrinsèque.

Ce point attire notre attention sur un problème d'importance majeure, à savoir le rôle de la conception de soi, *self-concept*. Une fois de plus, on se trouve ici devant l'interaction de fonctions cognitives et dynamiques. En effet, le besoin central d'auto-développement est réglé par la conception que l'individu se construit de lui-même. Ce sont les conceptions que l'on se forme de la vie et de la personne humaine, de la société et de l'existence en général, qui déterminent en grande partie les valeurs et les normes ultimes que l'être humain adopte dans l'évaluation et dans la motivation de ses actes. Il est évident que le milieu éducatif, la société et la culture en général jouent ici un rôle important, mais les conceptions et valeurs transmises par la société doivent être acceptées et *intériorisées*, c'est-à-dire intégrées au fonctionnement cognitif personnel, pour régler le comportement.

Quant à l'origine de la conception de soi, il faut remonter à une caractéristique essentielle de la cognition humaine qui consiste à former des *représentants* cognitifs ou symboliques non seulement des *objets* qui nous entourent, mais aussi de nous-mêmes. Le sujet et ses activités sont pour lui-même un objet de connaissance. L'être humain se connaît, et connaît aussi le contenu ou l'objet de ses propres activités, à savoir ses opinions, ses tendances, les buts qu'il se pose et les normes qu'il se donne ou accepte. C'est le contenu de cette connaissance de soi-même qui constitue la conception de soi, soit à un niveau réaliste, soit à un niveau plus idéalisé comme un but à atteindre. Sous cette forme, on peut parler d'un self-concept dynamique.

Étant donné que les buts qu'une personne se donne sont les concrétisations de ses besoins, l'être humain *a besoin* de pouvoir réaliser au moins un certain nombre de ses buts essentiels (auto-développement). En d'autres mots, ce dont l'être humain a besoin dépend en grande partie de lui-même, à savoir des buts qu'il s'est donnés. Ce point est important pour la conception que l'on peut se faire du *fonctionnement optimal*. On se rappelle que nous avons invoqué ce concept au début de notre exposé pour définir les besoins. Les besoins sont les relations comportementales avec certains *objets* pour autant que ces relations sont *requises* pour le *fonctionnement optimal* de l'individu. Nous avons dit aussi que ces besoins deviennent des buts concrets que l'individu se donne à lui-même. Cela revient alors à dire que l'homme a besoin de se donner lui-même comme but et, qu'en somme, son *bon fonctionnement* dépend des buts qu'il s'est posés et de ses possibilités de les atteindre pour satisfaire ainsi ses besoins. Dans ce cercle que l'on pourrait qualifier de *vicieux* se trouve impliquée une thèse essentielle en matière de motivation humaine, à savoir que, dans une large mesure, l'homme construit lui-même la forme concrète de ses besoins et, dès lors aussi, la possibilité de leur satisfaction et de son propre *fonctionnement optimal*. Il faut reconnaître, toutefois, que ce fonctionnement optimal dépend non seulement des processus d'élaboration cognitifs et personnels dont nous avons parlé, mais, en outre, de facteurs qui échappent, au moins partiellement, au contrôle personnel. En effet, il y a des *standards* et normes innés qui sont indispensables au fonctionnement optimal de la personnalité, telles certaines conditions matérielles et psychologiques de la vie qui dépendent de facteurs situationnels et de l'action d'autres personnes. Reste, toutefois, qu'à l'intérieur des marges indiquées, le *fonctionnement optimal* — que l'on pourrait appeler aussi le *bonheur* — est une construction motivationnelle personnelle.

Le contenu de cette construction personnelle — ce que l'homme conçoit comme devant être et devenir — n'est pas directement du ressort de la psychologie positive. Il nous suffit de constater que la conception de soi se manifeste sous des formes extrêmement variées. Pour un petit nombre de personnes, le développement de soi consiste dans un renoncement complet au bien-être égoïste pour se consacrer aux autres, alors que pour d'autres, il s'agit de sacrifier n'importe quoi et n'importe qui aux intérêts ou aux plaisirs individuels. C'est une constatation importante que les structures cognitives qui sous-tendent l'orientation de la motivation humaine présentent ainsi une diversité et une hétérogénéité inquiétantes. Notons encore que notre conception de l'*auto*-développement, à la base du concept de soi et de sa motivation intrinsèque, n'implique aucune sous-estimation de la dimension sociale de la personnalité. En effet, les motivations sociales et altruistes de l'être humain s'inscrivent à l'intérieur d'une conception personnelle de soi-même et de sa hiérarchie des valeurs. Cette construction doit en tout cas passer par un processus d'élaboration *personnelle* et la hiérarchie des valeurs, admise en dernière analyse, tend à mettre les choses — y inclus la personne même du sujet — à sa place *réelle*. Essayer de mettre toutes choses à leur place *réelle* constitue la réalisation d'une valeur ultime pour l'individu humain qui essaie de se conformer à cet ordre réel. C'est cet ordre réel qu'en fin de compte toutes les constructions cognitives, si hétérogènes, essaient d'atteindre, au moins implicitement.

MOTIVATION INTRINSÈQUE ET TRAVAIL

Il peut être opportun de conclure notre exposé théorique sur la motivation intrinsèque par un exemple qui suggère l'importance pratique de ce type de motivation. Prenons l'exemple de la motivation au travail, ce travail pouvant être le travail professionnel ou les études qui y préparent. Nous basant sur ce qui a été dit au début de cette section et sur ce que nous avons écrit ailleurs sur le *plaisir d'être cause de quelque chose* (Nuttin, 1980a), on peut admettre que l'être humain est intrinsèquement motivé à travailler dans le sens de produire un état de choses qui, sans son activité, n'existerait pas. On constate, en effet, que l'être humain prend plaisir à être cause de quelque chose. Le *produit causé* peut être de nature très différente; ce peut être un outil, une performance sportive, sociale, ou intellectuelle, mais aussi le fait qu'une autre personne qui, sans notre intervention, serait sans secours, est maintenant bien soignée et heureuse. D'autre part, il est vrai que la plupart des gens ne sont motivés à faire leur travail que pour des motifs extrinsèques. Le travail ou l'étude est un moyen dans la poursuite d'autres buts. Ceci n'implique pas que ces personnes n'ont aucune motivation intrinsèque à faire ou à construire quelque chose. Mais les produits qu'ils ont à fabriquer et la technique qui y aboutit font partie du but et du projet d'action de quelqu'un d'autre. Ils ne travaillent pas à la réalisation de leurs propres projets. Faites-les travailler à leurs propres projets et la motivation intrinsèque sera mise en œuvre ; ils prendront plaisir à leur travail et essayeront d'atteindre les meilleurs résultats. Le travail en question fera partie de la dynamique de leur concept d'eux-mêmes, s'inscrira dans la ligne de leur auto-développement. C'est là, en effet, la différence pratique entre motivation intrinsèque et extrinsèque : poursuivre des buts qui font partie de la conception de soi trouve sa motivation en soi-même et mène d'ordinaire à de meilleurs résultats.

Le problème consiste donc à trouver le moyen pour rattacher plus intimement le travail en question à la conception de soi et au dynamisme qui s'y rattache. Certains facteurs qui sont de nature à influencer ce processus ont déjà été mentionnés. Il est évident que l'origine purement externe du but final à poursuivre — par exemple, la profession ou la carrière auxquelles préparent les études — sont des obstacles majeurs. Toutefois, certains intérêts — tel l'intérêt pour certaines études — dépendent, entre autres, du degré d'intelligence et de beaucoup d'autres facteurs qui ont joué dans le développement du sujet dès la plus tendre enfance. C'est dire que — sans sous-estimer les possibilités de redressement de la personnalité dans certaines circonstances favorables — il faut reconnaître les limites réalistes de l'orientation scolaire. La position de buts irréalistes est contraire au *fonctionnement optimal* du client, aussi bien que du conseiller d'orientation, dans le domaine de l'éducation comme dans d'autres secteurs de l'activité humaine. D'autre part, il ne faut pas oublier non plus que stimuler le développement de certains intérêts moins spontanés ou plus menacés par le milieu culturel de l'enfant ou de l'adolescent(e) est un des buts principaux de l'éducation. Trop souvent, l'accent a été mis sur la nécessité de rejoindre, dans l'éducation comme dans l'instruction, les intérêts existants chez l'enfant. Toutefois, le point essentiel reste de collaborer avec l'enfant au développement de ses potentialités et de susciter les intérêts qui s'inscrivent dans la ligne du développement personnel. C'est un fait que les orientations motivationnelles les plus précieuses et les plus fécondes de l'activité humaine ne sont pas toujours les résultats d'une génération spontanée à partir d'intérêts également spontanés. Elles sont l'effet d'un engagement personnel, et d'un effort concentré. Toutefois, cet engagement et cet effort ne sont pas les résultats d'une espèce de discipline et d'ascèse imposées du dehors ; ils prennent racine dans l'une des caractéristiques les plus spécifiquement humaines de la motivation, à savoir la tendance au dépassement du stade atteint. Cette forme humaine du dynamisme de croisssance qui est inhérent au fonctionnement de l'être vivant peut prendre, nous l'avons dit, des directions variées. C'est à l'éducation, plutôt qu'à la psychologie, de stimuler ou d'inhiber certaines des orientations possibles dans ce développement. Mais en tout cas, c'est le développement et le progrès, plutôt que la stagnation et le repos, qui paraissent être la forme optimale du fonctionnement de la personnalité humaine. Le point essentiel, c'est que toute croissance part d'un dynamisme intrinsèque, quoique des facteurs externes jouent un rôle déterminant dans sa stimulation, aussi bien que dans son inhibition. Ce qu'il importe de souligner dans cet ouvrage, c'est que, dans le contexte de notre culture, le travail professionnel est l'un des cadres les plus importants dans lesquels se déroulent cette croissance et ce développement de la personnalité. L'activité du conseiller est de nature à en affecter le processus interne, aussi bien que l'impact de facteurs externes.

En résumé, l'être humain est motivé à intervenir, de façon intentionnelle et active, dans le cours des événements et, surtout, dans le développement de sa propre personnalité. Le choix qui, progressivement, l'oriente vers une profession est, dans notre culture, un élément essentiel dans ce développement. Le caractère personnel de ce choix, aussi bien que le concours discret du milieu social — y compris l'éducation et l'orientation scolaire — sont des conditions essentielles pour que le dynamisme intrinsèque de l'auto-développement puisse y trouver sa concrétisation et motiver la personne au cours de la préparation qui mène au but posé.

Troisième partie
L'orientation en tant que processus de recherche

Chapitre **1**

La séquence vocationnelle : exploration — cristallisation — spécification — réalisation

Denis Pelletier et Charles Bujold

Constatant que la théorie de l'accident et la théorie des impulsions accordaient trop d'importance, l'une aux facteurs externes et l'autre aux facteurs internes influençant le choix professionnel, Ginzberg et ses collaborateurs (1951) entreprirent, il y a trente ans, d'observer le processus d'orientation tel que les individus pouvaient le vivre à différents moments de leur adolescence et de leur vie de jeune adulte.

Faut-il rappeler les principales découvertes de Ginzberg et de ses collaborateurs ?

Pour ne pas répéter ce qui est déjà bien connu des conseillers d'orientation, faisons mention seulement des grandes lignes à retenir. Les choix sont d'abord fantaisistes. Ils se produisent au gré des rencontres et des influences de toutes sortes et sont tributaires de multiples modèles de l'entourage. Des personnages réels ou fictifs font l'objet d'identifications pour le moins instables et incohérentes. Les choix ne tiennent nullement compte des potentialités des sujets ni des contingences concrètes de l'environnement. Mais au cours de la période provisoire, celle de l'adolescence, le choix professionnel commence à s'exprimer en termes d'intérêts, puis en termes de capacités. La référence devient donc plus personnelle et subjective, moins accidentelle. Cette tendance s'accentue dans la reconnaissance de ses valeurs et des satisfactions qu'on peut anticiper de sa vie professionnelle. Enfin, dans une dernière étape, une attention particulière est accordée aux facteurs de réalité susceptibles de favoriser ou d'empêcher la réalisation de ses aspirations professionnelles.

Tout se passe comme s'il y avait progressivement prise en charge des différents facteurs à considérer dans la prise de décision. Un temps de différenciation où se révèlent peu à peu les divers aspects du problème d'orientation et un temps d'intégration où ces dimensions vont se traduire en projet professionnel. C'est, en tout cas, le paradigme proposé plus tard par Tiedeman et O'Hara (1963). Donald E. Super (1963) faisait connaître à la même époque sa conception du développement vocationnel.

Il semble que chaque étape importante de la période pré-professionnelle et professionnelle implique chaque fois le déroulement d'une séquence comprenant quatre tâches qui en assurent la progression : l'exploration, la cristallisation, la spécification et la réalisation. Voici une brève description de chacune de ces étapes[1].

a. La tâche d'explorer consiste surtout à prendre connaissance des multiples possibilités qu'offre le milieu lorsque se produit l'impérieuse nécessité de devoir choisir ou d'avoir à considérer les contraintes et les facteurs de réalité. Il s'agit d'un temps d'investigation, et surtout de grande disponibilité, où l'individu est ouvert aux informations et aux expériences qui seraient en rapport avec lui-même et avec son avenir. Cette exploration n'est pas nécessairement systématique. Elle peut avoir un caractère fortuit et se faire au gré des circonstances.

b. La tâche de cristalliser implique, pour sa part, que l'individu se fasse une idée au moins générale de son éventuelle orientation. Il se veut davantage concerné par la nécessité de se fixer des buts. Sans arriver à concevoir un projet précis, il lui faut tout de même identifier un domaine général, une voie de solution qui laisse la place à beaucoup de possibilités encore, mais qui représente toutefois une réduction par rapport à l'exploration initiale. La réussite de cette tâche permet habituellement à quelqu'un de savoir quel champ d'intérêt il privilégie et quel niveau de formation il compte atteindre.

c. La tâche de spécifier devient l'aboutissement logique et pragmatique des phases précédentes. Le sujet ne choisit plus en général mais en particulier. Il est mis en demeure de s'engager concrètement et de se compromettre. Il s'agit pour lui d'arrêter un choix, une solution, un projet précis qui tienne compte de multiples facteurs à considérer et à intégrer. Il se doit surtout d'investir dans un seul objet ce qui est pour lui à la fois désirable et probable.

d. Finalement, la tâche de réaliser consiste à faire passer les intentions au niveau du réel. Cela suppose des démarches à faire et requiert du sujet des efforts tels qu'il ne doit pas subsister de doute quant au bien-fondé de son projet. Il va donc prévoir les obstacles et tenter d'élaborer des stratégies susceptibles de protéger sa décision.

La séquence vocationnelle peut donc se résumer ainsi : inventorier les possibles, se faire une idée générale de son orientation, concevoir un projet précis et le faire passer dans la réalité.

Cette description en raccourci de la séquence vocationnelle met en relief ce qu'est foncièrement celle-ci : le déroulement d'une résolution de problème, résolution à long terme assurément mais dont le patron d'évolution n'est pas sans rappeler les processus de nature cognitive. Et s'il est possible d'analyser la résolution d'un problème du point de vue des opérations et des habiletés qu'il exige, il est également justifié d'appliquer à la séquence vocationnelle un questionnement opératoire.

Nous appelons questionnement opératoire le fait d'interroger les tâches développementales en terme d'opérations, d'habiletés et d'attitudes requises de la part du sujet. Cela répond parfaitement bien à l'invitation qu'avait faite Harry Beilin (1955) de porter une attention particulière aux processus cognitifs susceptibles d'être impliqués dans le développement vocationnel. Plus spécifiquement, il suggérait aux chercheurs de délaisser les

---

[1] La séquence étant la séquence, le lecteur informé de la conception opératoire ne s'étonnera guère de trouver de larges extraits tirés de Pelletier, Noiseux et Bujold (1974) et de Pelletier (1978).

normes à établir pour se préoccuper davantage des mécanismes et des processus mis en cause*.

L'interprétation opératoire des tâches nous permettrait de savoir ce qu'il faut pour explorer, pour cristalliser, pour spécifier et réaliser. Ce savoir-faire pourrait définir la compétence vocationnelle dont nous parlions au premier chapitre.

Et pour conceptualiser les relations entre tâches développementales et processus cognitifs, nous allons recourir au modèle de l'intellect de Guilford (Guilford, 1967 ; Guilford et Hoepfner, 1971), modèle qui offre l'avantage d'expliquer l'existence de cent vingt facteurs ou habiletés cognitives.

Avant de tenter cette analyse, deux remarques s'imposent toutefois. Premièrement, nous considérons l'exploration comme une tâche développementale plutôt que comme une période de vie. Il n'est évidemment pas question de nier que l'adolescence et même le début de l'âge adulte constituent une période exploratoire dans le processus du développement vocationnel. Nous croyons cependant important, dans l'approche que nous suggérons, d'examiner attentivement certaines habiletés susceptibles de jouer un rôle dans l'exploration. Deuxièmement, nous n'entendons pas présenter une analyse théorique des relations entre chacune des habiletés isolées par Guilford et les diverses tâches développementales. Ce chapitre se limite plutôt à la présentation des éléments de base de l'approche suggérée et d'une implication qui s'en dégage.

Nous allons donc considérer, tout d'abord, la théorie de l'intelligence proposée par Guilford. Nous discuterons ensuite les tâches développementales en décrivant le rôle que des facteurs intellectuels et des attitudes cognitives identifiés par Guilford (et parfois par d'autres auteurs) sont susceptibles de jouer dans la réalisation de ces tâches pour en arriver enfin à une formulation de ces tâches en termes opératoires.

LA THÉORIE DE LA STRUCTURE DE L'INTELLECT DE GUILFORD

Parmi les théoriciens qui se sont intéressés à l'étude de l'intelligence, Guilford est peut-être celui qui a proposé jusqu'à maintenant le modèle le plus complet. Au cours des vingt dernières années, ou à peu près, Guilford et ses collaborateurs à l'université de Southern California ont été engagés dans l'*Aptitude Research Project*. À l'aide de l'analyse factorielle comme l'un de leurs principaux outils, ils ont élaboré et vérifié ce qu'ils appellent un modèle morphologique, dans lequel les habiletés sont classifiées de trois façons. Les catégories d'une classification entrecroisent celles des autres classifications. Une des classifications est en termes d'*opérations* et comprend *cinq catégories* que Guilford et Hoepfner (1971, pp. 18-21) appellent cognition (compréhension, connaissance) ; mémoire, c'est-à-dire savoir qui demeure ; production divergente ou production d'information nouvelle à partir de celle qui est déjà possédée ; production convergente qui signifie la production de conclusions rigoureusement logiques ; évaluation ou l'opération qui consiste à juger de la qualité de ce qui est connu ou produit.

---

* *What I am suggesting for vocational development research is a shift of emphasis from the normative to a concern with psychological processes and mechanisms — particularly with cognitive processes.*

Le deuxième mode de classification est formulé en termes de *contenus* ou types d'information impliquée dans les opérations. *Quatre catégories* de contenus ont été identifiées : le contenu figural qui se rapporte à de l'information concrète pouvant être perçue ou imaginée sous forme d'images ; le contenu symbolique qui implique des signes, des éléments de code tels que des chiffres ou des lettres ; le contenu sémantique qui réfère à des significations, à de l'information sous forme de concepts ; et le contenu comportemental qui se rapporte à de l'information impliquée dans les interactions humaines. Ces catégories de contenu réfèrent, comme on peut le voir, à des genres fondamentaux d'information.

Le troisième mode de classification, qui est en termes de *produits,* réfère au caractère formel de l'information. Dans le modèle, *six catégories* d'information sont énumérées : unités, c'est-à-dire items d'information circonscrits et séparés ; classes qui groupent des items d'information ; relations qui réfèrent aux rapports entre des items d'information ; systèmes ou complexes organisés d'information ; transformations qui réfèrent aux changements (telles les redéfinitions) que subit l'information ; et enfin implications ou extrapolations d'information.

En combinant les trois classifications décrites ci-haut en une seule, nous obtenons un modèle cubique (voir figure 1.1). Comme l'expliquent Guilford et Hoepfner (1971, p. 19), le modèle comporte cent-vingt cubes ou cellules dont chacune représente une habileté. L'habileté représentée par chaque cellule est unique en ce sens qu'elle combine un type d'opération, un type de contenu et un type de produit. Ce peut être la cognition d'unités symboliques, la mémoire de relations sémantiques, ou l'évaluation de systèmes comportementaux. Comme il y a cinq catégories d'opérations, quatre catégories de contenus, et six catégories de produits, cent vingt combinaisons sont possibles et nous avons en théorie cent vingt habiletés uniques.

En dépit du fait que la structure et le fonctionnement de l'intelligence humaine restent une question largement ouverte à la recherche, il est remarquable que Guilford et ses collègues, dans une série d'études, aient déjà démontré l'existence de quatre-vingt-dix-huit des cent vingt habiletés théoriquement identifiées. Dans leur livre intitulé *The analysis of intelligence,* Guilford et Hoepfner (1971) résument les résultats de ces études. Ils analysent les habiletés impliquées dans le raisonnement, la résolution de problème, la pensée créatrice, la planification, l'évaluation et la mémoire.

On peut supposer qu'une relation existe entre les variables intellectuelles dont l'existence a été démontrée et les opérations impliquées dans la réalisation des tâches développementales. Nous allons maintenant tenter une analyse de ces relations en considérant successivement les tâches d'exploration, cristallisation, spécification et réalisation.

L'exploration

L'exploration, ou le comportement exploratoire comme il est plus communément appelé, a été un objet d'étude qui a suscité l'intérêt des chercheurs dans plusieurs secteurs de la psychologie. Berlyne (1960) parle de comportement épistémique, ou comportement par lequel on augmente ses connaissances, et il distingue (p. 266) trois classes de réponses épistémiques : l'observation épistémique, la pensée épistémique, et la consultation. Il précise

Figure 1.1
Modèle cubique de la structure de l'intellect selon Guilford

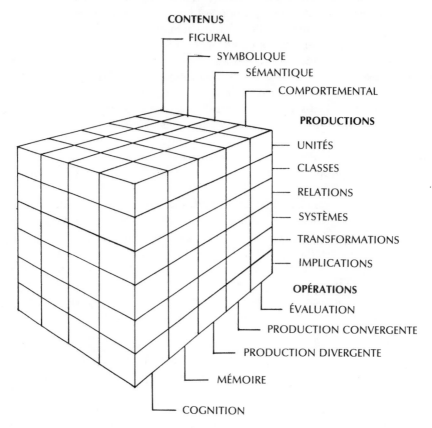

que la pensée épistémique « fait partie de ce que les psychologues ont habituellement appelé pensée *productive* ou *créatrice* », et qu'elle diffère de la pensée reproductive en ce sens que son rôle est d'engendrer chez l'individu une connaissance nouvelle et permanente.

En rapport avec le problème de la pensée créatrice, Berlyne (p. 282) réfère à un article dans lequel Guilford (1956) analyse une dimension ou un facteur intellectuel appelé sensibilité aux problèmes. Comme Berlyne le fait remarquer, le comportement épistémique semble dépendre de cette dimension.

Maddi (Fiske et Maddi, 1961), dans un chapitre sur le comportement exploratoire et la recherche du changement chez l'être humain, reconnaît (p. 265) qu'il est impossible dans l'état actuel de nos connaissances d'en arriver à des conclusions définitives en ce qui a trait aux variables qui interviennent dans le comportement exploratoire. Une conclusion provisoire suggérée par Maddi est que la nouveauté, la complexité, l'incongruité des stimuli sont des facteurs qui influencent l'exploration ainsi que le jeu. Dans sa recherche d'une variable fondamentale qui pourrait susciter l'exploration, Maddi (p. 267) en arrive à suggérer que la complexité, le conflit et le changement sont parmi les concepts qui pourraient définir une telle variable. En ce qui a trait au changement, il précise que le besoin de changement qu'éprouve un individu peut être satisfait d'une façon passive lorsque l'individu se contente de varier ses lectures, mais il peut aussi satisfaire son besoin d'une façon plus active, en écrivant par exemple, alors que la nouveauté résulte des processus de pensée impliqués dans la tâche. Considérant enfin la variable changement dans l'apprentissage, il y a des données qui indiquent, ainsi que le note Maddi (p. 264), qu'un environnement plus changeant a des effets positifs sur le tonus, la flexibilité et l'adaptabilité de l'organisme humain. Les résultats obtenus par Nusbaum (1965) avec des animaux tendent vers la même conclusion.

Dans l'approche d'une théorie de l'exploration que présente Lester (1968), l'exploration est conçue comme une tentative de l'organisme d'élever le niveau de stimulation dont il a besoin. Houston et Mednick (1969, p. 139 à 149) rapportent une expérience qui suggère une relation possible entre la créativité et le besoin de nouveauté. Et dans une analyse théorique, Maslow (1969, p. 199 à 217) met en contraste le besoin de connaître et la peur de connaître. Pour Maslow, la peur de se connaître est souvent concomitante à la peur de la réalité extérieure. Mais cette peur de se connaître, remarque-t-il, peut refléter la peur de croître et de se développer avec la conséquence que l'individu peut en arriver parfois à nier en quelque sorte ses ressources, ses talents, ses impulsions les plus positives, ses potentialités les plus riches, sa créativité. En d'autres termes, Maslow interprète la peur de connaître comme la peur d'agir, la peur d'assumer des responsabilités. Et il conclut que les facteurs psychologiques et sociaux qui contribuent à la peur sont susceptibles de bloquer le besoin de connaître, alors que les facteurs qui suscitent le courage, la liberté, et l'audace vont permettre l'expression de ce besoin.

Jusqu'ici, nous avons considéré le comportement exploratoire en général. Il importe de le considérer, toutefois, d'un point de vue vocationnel. Sous ce rapport, l'analyse qu'a faite Jordaan (Super et coll., 1963, p. 42 à 78) du comportement exploratoire dans la formation de l'image de soi et de l'image des occupations nous facilite considérablement la compréhension de ce processus. Jordaan identifie cinq éléments qu'il considère essentiels à une définition du comportement exploratoire : la recherche, l'expérimentation, l'investigation, l'essai et le test d'hypothèse. Il voit le comportement exploratoire comme permettant d'accumuler des données utilisables dans la formation de l'image de soi et des occupations, et comme un moyen de vérifier ces perceptions au contact de la réalité.

Les résultats de l'exploration, ou plus spécifiquement du comportement exploratoire, ne dépendent pas seulement des habiletés, mais aussi des attitudes. Jordaan signale, par exemple, que l'individu peut rester dans l'ignorance de certaines choses parce qu'il les symbolise mal, mais aussi parce qu'il ne se permet pas de les symboliser. Mais de toute manière, l'habileté à résoudre des problèmes reste sans contredit essentielle, selon Jordaan, à l'exploration vocationnelle. Elle s'avère nécessaire à la formulation de jugements et d'inférences. Cette habileté, comme la conçoit Jordaan, implique l'aptitude à formuler des hypothèses à propos de ce qu'il faut chercher, à propos de la façon et de l'endroit où il faut chercher ; elle implique l'aptitude à interpréter les informations obtenues et l'aptitude aussi à décider quelles informations et quels aspects d'une situation sont pertinents au choix des objectifs et au comportement approprié à la poursuite de ces objectifs.

Cette brève revue des auteurs nous révèle que l'exploration est une activité complexe qui dépend d'un certain nombre d'attitudes et d'habiletés ; la peur de sa propre créativité peut inhiber l'exploration ; l'individu peut bloquer le processus de symbolisation ; celui qui explore doit observer, procéder à des essais, doit être capable de porter des jugements, de formuler des inférences, d'interpréter des informations. Mais il semble aussi que la pensée créatrice joue un rôle important dans cette activité ; l'individu qui explore est amené à expérimenter, à investiguer, à formuler des hypothèses concernant l'objet et les modalités de l'investigation ; la nouveauté, la complexité, l'incongruité (peut-être précisément en vertu de la divergence qu'elles introduisent dans le champ perceptuel) sont des variables susceptibles de provoquer l'exploration ; l'activité créatrice peut constituer pour l'individu un moyen de satisfaire son besoin de variété et de stimulation.

Il peut être intéressant, à ce stade, de jeter un coup d'œil sur la réalité que nous côtoyons, pour voir si les observations que l'on peut faire correspondent à l'image que nous venons d'esquisser. Pour ce faire, observons des élèves qui se situent dans les premières années du cours secondaire. Il s'agit d'adolescents qui sont en train d'essayer de nouveaux comportements et qui vivent une expérience intense de croissance. Il est facile de constater qu'ils éprouvent des enthousiasmes soudains, qu'ils s'engagent dans des activités nombreuses et qu'ils abandonnent souvent ce qu'ils considéraient pourtant avec ferveur. Ils vivent toutes sortes de contradictions. Leurs alternances vont de l'autonomie à la dépendance, de l'activisme à la passivité, du clan à la solitude. Ce qui constitue en partie leur crise d'identité, c'est une conscience de ces alternances, de toutes ces différences entre ce qu'ils étaient et ce qu'ils deviennent, entre ce qu'ils sont et ce qu'ils pourraient être, entre ce qu'ils veulent et ce qu'ils font, entre ce qu'ils pensent d'eux et ce que les autres en disent. Bref, ils apparaissent instables et ouverts à l'expérience. Les enseignants diront d'eux qu'ils sont incapables de concentration soutenue, qu'ils manquent de logique, qu'ils sont inconséquents. Les conseillers d'orientation et professeurs d'information diront d'eux qu'ils ont des projets éphémères, qu'ils formulent des choix fantaisistes, qu'ils expriment des préférences incohérentes, qu'ils questionnent d'une manière désordonnée, qu'ils n'ont pas accès à leur vie intérieure et qu'ils ne savent pas expliciter leurs sentiments et leurs émotions. Ces indices concourent à matérialiser le concept d'exploration, et à faire comprendre qu'il s'agit d'une période où les sujets tentent de se décentrer de leur monde enfantin pour former de nouvelles images d'eux-mêmes et pour essayer des rôles d'adultes.

Sans nier, encore une fois, que plusieurs habiletés intellectuelles et un certain nombre d'attitudes jouent un rôle dans l'exploration, *il nous apparaît encore plus clairement que la recherche active de la nouveauté et du changement, de même que l'observation et la curiosité, la démarche par essais-erreurs, les identifications successives et multiples, la production d'hypothèses, le goût du risque et le désir d'autonomie sont autant de composantes de l'exploration faisant appel à la pensée créatrice.* Il est par conséquent intéressant de se demander si les habiletés de pensée créatrice isolées par Guilford et ses collaborateurs ne joueraient pas un rôle primordial dans cette tâche.

Guilford (1967, p. 220) distingue la pensée créatrice de ce que l'on appelle souvent la pensée logique. Alors que la production convergente (pensée logique) s'intéresse à ce qui est logiquement *nécessaire*, la production divergente (ou pensée créatrice) s'intéresse à ce qui est logiquement *possible*. L'individu en instance d'exploration n'a pas, par définition, à prendre des décisions finales. Pour faire une exploration valide, il doit être en mesure de voir tous les aspects possibles d'une situation, tous les éléments d'un problème. En rapport avec cette question, Guilford et ses collaborateurs ont testé l'hypothèse que la personne créatrice est en mesure de dépasser l'aspect superficiel des choses qu'elle observe, qu'elle peut pénétrer davantage le sens de ses expériences. Ils en sont arrivés à déterminer l'existence d'un facteur identifié comme la cognition de transformations sémantiques. Dans leur description de ce facteur, Guilford et Hoepfner (1971, p. 187) signalent que la personne qui possède cette forme de pensée *pénétrante* voit plus d'aspects dans une expérience donnée, et qu'il en est ainsi parce qu'elle voit facilement les transformations. L'importance de cette habileté est évidente pour l'individu impliqué dans la tâche développementale d'exploration vocationnelle ; plus il peut voir d'aspects dans une situation, plus il peut accroître sa connaissance des occupations à l'occasion de conférences sur les carrières, de visites industrielles ou de rencontres avec des travailleurs.

La sensibilité aux problèmes a été définie (Guilford et Hoepfner, 1971, p. 86) comme l'habileté à voir les implications découlant d'une information donnée. Dans la classification tridimensionnelle de l'intelligence proposée par Guilford, c'est l'habileté appelée cognition d'implications sémantiques. Comme nous l'avons déjà souligné (Berlyne, p. 282), cette habileté semble reliée au comportement exploratoire.

La fluidité et la flexibilité sont deux autres catégories d'habiletés susceptibles de jouer, croyons-nous, des rôles importants dans l'exploration. La personne fluide (Guilford et Hoepfner, 1971, p. 187) peut produire de l'information à partir de celle qu'elle a en mémoire, cette production impliquant un rappel d'information en réponse à des indices auxquels cette information n'avait pas été associée lors de l'apprentissage (ce que Guilford nomme un rappel de transfert). Nous pouvons inférer que la personne fluide est susceptible de profiter davantage de son exploration que la personne qui n'a pas cette habileté, étant donné qu'elle peut en quelque sorte enrichir l'information qu'elle acquiert par l'information qu'elle a déjà en sa possession. En ce qui a trait aux données de recherches en rapport avec cette question, il faut noter que l'on a démontré l'existence de la plupart des douze habiletés de fluidité dont Guilford a fait l'hypothèse dans son modèle.

La flexibilité (Guilford et Hoepfner, 1971, p. 187) a été définie en termes de classes et de transformations. La flexibilité de classe réfère à la diversité que l'individu introduit dans la classification de l'information, chaque item pouvant appartenir à plusieurs classes à la fois. La flexibilité par rapport aux transformations se traduit par la versatilité de l'individu à modifier, permuter, transposer les items d'information.

Nous pouvons supposer, encore une fois, qu'une exploration fructueuse dépend de l'aptitude de l'individu à ne pas enfermer son information dans des classes rigides et dans des organisations fixées.

Si les recherches de Guilford et de ses collaborateurs ont permis d'identifier plusieurs habiletés de pensée créatrice, il faut noter que d'autres études expérimentales concernant la créativité (Barron, 1955 ; Cropley, 1967 ; Kagan, 1967 ; Mackinnon, 1962 ; Vernon, 1970) ont également abouti à la découverte d'un certain nombre de composantes cognitives et de variables personnelles susceptibles de jouer un rôle dans l'exploration.

Il est étonnant que dans le domaine du développement vocationnel, le rapprochement entre habiletés et tâches n'ait pas été proposé plus tôt.

Cela tient probablement au fait que le concept d'exploration évoque des comportements dans le temps et dans l'espace, alors qu'il suggère pour nous une façon de traiter les informations : questionner, inventorier, imaginer.

L'analyse opératoire de la tâche d'exploration nous amène donc à proposer une nouvelle formulation de cette tâche. Nous nous sommes limités, comme il a été mentionné au début de ce chapitre, à une étude théorique des rapports entre quelques-unes des habiletés isolées par Guilford et la tâche en question. Mais d'autres habiletés et certaines attitudes cognitives sont également susceptibles d'être impliquées dans l'exploration.

Dans le modèle que nous proposons, explorer veut dire :

— *découvrir qu'il existe, dans le milieu immédiat et dans la société en général, des problèmes à résoudre et des tâches à réaliser (sensibilité aux problèmes) ;*
— *accumuler en abondance des informations sur l'environnement et sur soi (fluidité) ;*
— *disposer d'un répertoire diversifié d'informations (flexibilité) ;*
— *obtenir des informations difficilement accessibles et inhabituelles par rapport au milieu socio-culturel immédiat de l'individu (originalité, autonomie, pénétration) ;*
— *reconnaître que la question d'orientation se pose et qu'elle est d'importance (sensibilité aux problèmes) ;*
— *accepter que la question d'orientation soit complexe et n'offre pas de réponses uniques et définitives (tolérance de l'ambiguïté) ;*
— *essayer des rôles professionnels en imagination (risque et hypothèses).*

La cristallisation

Les nombreuses expériences accumulées par les processus exploratoires ne vont pas sans créer un certain état de confusion chez l'individu. Cela se traduit chez lui par le besoin de clarifier sa situation, de mettre de l'ordre dans ce qu'il est, dans les multiples informations qu'il possède sur lui. Cela se traduit aussi par la nécessité d'organiser ses perceptions relativement aux rôles professionnels, au monde du travail et à la structure scolaire.

Ce besoin de cristalliser se reconnaît à des expressions telles que : « Je connais bien des choses sur moi mais je ne sais pas comment les mettre ensemble ». Ou encore : « Il y a certaines professions qui m'intéressent. Je ne les connais pas toutes mais j'aimerais avoir une vue d'ensemble de toutes les possibilités, car j'ai peur d'en ignorer qui seraient justement faites pour moi ».

Les données d'une situation apparaissent d'abord dans leur abondance et dans leur diversité, mais provoquent tôt ou tard une quête de cohérence et d'organisation interne. La tâche de cristalliser, rappelons-le, consiste à se faire une idée générale de son orientation. Cette idée générale va se manifester dans la préférence pour un champ d'intérêt donné, c'est-à-dire pour une classe donnée d'objets ou d'activités.

Par quels processus le sujet parvient-il à une telle structuration ? Il faut insister d'abord sur le fait que l'orientation vers un champ d'intérêt correspond à la tentative que fait le sujet de traduire l'image qu'il a de lui-même sur le plan professionnel. Bujold (1972) a relevé plus de vingt-cinq études qui ont cherché à vérifier la relation entre l'image de soi et la perception des occupations. Ces études offrent un support empirique considérable à la thèse de Super voulant que les individus en instance d'orientation recherchent la transposition de l'identité personnelle en identité professionnelle. Autrement dit, c'est l'identité de l'individu, c'est sa cohérence qui fonde et qui organise les informations qui vont servir à l'élaboration du projet professionnel. Le sujet découvre peu à peu les composantes de son identité et découvre du même coup les critères à partir desquels il peut prendre connaissance, interpréter et évaluer les possibilités professionnelles.*

Nous avançons l'hypothèse qu'une telle cristallisation est rendue possible par le processus de catégorisation et de conceptualisation.

En effet, lorsqu'une personne doit se définir et lorsqu'elle doit trouver pour elle-même ce qui la caractérise essentiellement, elle ne peut considérer une à une les nombreuses expériences qu'elle a vécues. Se comprendre consiste précisément, en langage opératoire, à les mettre ensemble sur la base de leurs similitudes et de leurs récurrences.

On aura reconnu dans cette organisation du vécu la fonction formative des concepts et plus largement la pensée conceptuelle. C'est grâce à des opérations *d'assemblage* que les expériences vont prendre un sens, qu'elles vont être saisies ensemble sur la base d'une même motivation, d'un même trait, d'une même aspiration.

Soit dit en passant, ce n'est pas une coïncidence si la cristallisation s'accompagne d'une stabilisation de ses préférences et surtout d'une sorte de parenté entre les professions envisagées. En effet, le sujet qui n'a pas cristallisé sa représentation de lui-même modifie ses attributs et ses évaluations en fonction de ce qui vient tout juste d'arriver, en fonction bien souvent de la dernière situation rencontrée, d'où son sentiment de confusion, d'où son instabilité et son interminable exploration. Celui qui, au contraire, recourt à une sorte d'abstraction affective de lui-même, échappe au dispersement de la concrétude et parvient à une définition plus fondamentale et mieux fondée.**

Si nous essayons d'identifier, selon la terminologie de Guilford, les catégories d'opérations intellectuelles qui sont particulièrement importantes dans la tâche de cristallisation, il semble que les opérations de cognition et de production convergente (Guilford et Hoepfner, 1971, p. 121 et 122) y jouent un rôle fondamental. Pour en arriver à cristalliser sa préférence, l'individu doit être conscient des éléments impliqués dans le problème, et il doit être en mesure d'ordonner ces éléments, de les classifier selon certains principes logiques. Il lui faut décider que certains champs d'activité sont susceptibles de correspondre à ses aptitudes, intérêts et valeurs, alors que d'autres ne le sont pas. Il doit avoir la capacité de discerner les caractéristiques communes à plusieurs occupations. Il doit être en mesure d'identifier les attributs qui, chez lui, peuvent correspondre aux exigences de plusieurs occupations. Il doit pouvoir penser en termes de systèmes logiquement organisés. Toutes

---

* Le modèle de M. Huteau (1982) illustre cette transposition.
** Comme le dira L. Bégin dans la quatrième partie de cet ouvrage, il passe des identifications à l'identité.

ces opérations sont susceptibles de faire appel à diverses habiletés de cognition et de pensée logique. Les recherches de Guilford l'ont amené à réaliser, par exemple, que le fait de traiter avec des classes et des relations fait appel à des habiletés différentes. En fait, il est encourageant et assez impressionnant de constater le support empirique considérable que ces recherches ont apporté puisque l'on a démontré l'existence des vingt-quatre habiletés de cognition et de quinze des vingt-quatre habiletés de production convergente que l'on avait supposées.

Le point central de la cristallisation nous paraît être le suivant : l'individu ne peut considérer pour elles-mêmes les nombreuses occupations dont il prend connaissance ; il lui faut les interpréter en fonction de son identité personnelle, en fonction des traits et des motivations qui le caractérisent essentiellement. Or, quelques expérimentations ont été menées par Pelletier (1971a ; 1971b) sur les processus cognitifs responsables de la représentation de soi, et l'une des conclusions les plus probantes est qu'une meilleure connaissance de soi et une plus grande stabilité dans les attributs personnels correspondent à un *niveau conceptuel* plus élevé chez les Français et Québécois âgés de quatorze à dix-huit ans.

Si la pensée créatrice sert à des fins d'exploration, les modes de pensée définis par Guilford, et que l'on pourrait appeler pensée catégorielle, semblent bien reliés à la tâche de cristallisation. Cette pensée catégorielle aurait la fonction économique de ramener le multiple et le complexe à des classes générales, à des familles larges, à des concepts fondamentaux, à des convergences englobantes (Bruner, 1956 ; Klausmeier et Harris, 1966 ; Mucchielli, 1966).

D'un point de vue opératoire, cristalliser veut dire :
— *constater la nécessité de faire des choix ;*
— *réaliser la multiplicité des points de vue à partir desquels associer les occupations ;*
— *dégager les significations que peuvent avoir résultats, rendement, performances scolaires et extrascolaires en les situant dans une grille d'habiletés et de talents ;*
— *trouver pour soi quelques attributs essentiels qui ont le pouvoir d'inclure un grand nombre d'expériences ;*
— *identifier parmi un grand nombre d'activités celles pour qui se révèlent des intérêts durables ;*
— *organiser le monde du travail sur la base des composantes de l'identité personnelle.*

La spécification

La troisième tâche développementale à l'étude est la spécification. En spécifiant une préférence, l'individu, ainsi que le suggère Super (Super et coll., 1963, p. 87 et 88), convertit une préférence vocationnelle générale ou provisoire en une préférence spécifique. Une des caractéristiques d'une préférence de cette nature est que l'individu se sent jusqu'à un certain point engagé. Il connaît d'une façon plus spécifique l'occupation qui est l'objet de sa préférence, et ses plans en vue de réaliser ses goûts sont également plus précis. Son information est aussi, peut-être, plus exacte, plus variée et mieux assimilée. Une préférence spécifique devrait être plus consistante qu'une préférence qui n'est que cristallisée, quoique l'assurance avec laquelle s'exprime une préférence spécifique est l'attitude qui distingue le mieux la spécification de la cristallisation.

Cette assurance se traduit de fait par une plus grande concordance entre les intérêts et valeurs exprimés et ceux inventoriés par des questionnaires (O'Hara et Tiedeman, 1959 ; O'Hara, 1966). Ces résultats suggèrent l'idée d'un moi qui évolue d'une manière consistante et conséquente. Les observations de C. Bujold (1972) révèlent, pour leur part, une transposition des intérêts et des aptitudes en termes d'occupation qui s'accentue de la neuvième à la douzième année.

La spécification pourrait être envisagée comme le point d'intersection des valeurs de l'individu avec les possibilités du milieu. La décision qui est prise implique en premier lieu que les buts poursuivis soient clairement définis. Cela correspond à la nécessité pour le sujet d'identifier les valeurs qu'il tend à réaliser dans son futur rôle professionnel. Il se peut que la liste des exigences soit considérable et qu'une des premières difficultés soit pour l'adolescent de déterminer les priorités dans ses attentes vis-à-vis de l'avenir. Il lui faut donc hiérarchiser ses valeurs de façon à ce que ce soient des critères essentiels et vraiment importants qui lui servent de guides dans la comparaison de ses divers projets. D'autre part, les projets les plus désirables sur le plan des besoins ne sont pas nécessairement ceux dont la réalisation est la plus probable. Aussi, l'individu devra confronter ses projets avec des facteurs tels que ses limites personnelles, son dossier scolaire, le contingentement, la situation socio-économique de façon à envisager les possibilités professionnelles les mieux appropriées à ses besoins. Il lui faut donc formuler des hypothèses concernant les moyens qui peuvent lui permettre d'atteindre les buts poursuivis. Il lui faut coordonner le désirable avec le probable, ce qui exige notamment une tolérance de la complexité et une capacité de tenir compte de plusieurs variables à la fois.

D'un point de vue opératoire, la spécification se ramène à une multitude de comparaisons à faire. Ce sont des jugements à poser sur la valeur des informations, sur les possibilités elles-mêmes, sur les représentations professionnelles parfois contradictoires. Le sujet est donc engagé dans une activité de vérification et de réalisme. Ses démarches le conduisent pratiquement vers une réponse unique qui doit être la bonne pour lui.

Si nous nous référons au modèle de l'intellect de Guilford, il est sûr que des opérations de cognition sont impliquées dans la spécification comme dans n'importe quelle autre tâche. Mais un groupe d'habiletés intellectuelles est susceptible d'être fondamentalement important dans la spécification ; c'est celui que Guilford et Hoepfner appellent le groupe des habiletés d'évaluation. Leurs recherches en rapport avec cette catégorie d'opérations intellectuelles les ont amenés à définir l'évaluation comme l'activité cognitive par laquelle le sujet compare divers items selon des critères logiques d'identité et de cohérence ou selon des critères expérientiels de satisfaction et de réalisation par rapport à des besoins ressentis et à des buts fixés (1971, p. 288).

Si la pensée évaluative compare, ordonne, hiérarchise et choisit, spécifier veut dire, dans notre modèle :

— *identifier les valeurs et les besoins qui sous-tendent les comportements ;*
— *ordonner selon l'importance les besoins et les valeurs ;*
— *obtenir des informations selon des critères déterminés ;*
— *trouver des possibilités qui sont conséquentes aux besoins et valeurs identifiés ;*

— *évaluer ces projets selon la désirabilité et la probabilité ;*
— *décider en intégrant tous les éléments déjà considérés.*

La réalisation

La dernière tâche développementale de ce que Super appelle le stade exploratoire du développement vocationnel (Super et coll., 1963, p. 79 à 95) est la réalisation. Après avoir exploré ses possibilités et celles que lui offre le monde du travail, après avoir restreint le nombre des choix possibles pour ensuite spécifier son choix professionnel, l'individu doit s'engager en entreprenant un cours d'étude ou en prenant son premier emploi dans l'occupation choisie. La tâche de réalisation n'implique pas seulement l'expression d'une préférence mais aussi un comportement moteur (Super et coll., 1963, p. 83). Avant d'en arriver à réaliser sa préférence, l'individu doit cependant, comme le signale Super (p. 88 et 89), être conscient de la nécessité de la réaliser, et il doit planifier, c'est-à-dire considérer différents moyens de la réaliser, et choisir ces moyens.

L'individu qui est parvenu à réaliser sa préférence manifeste en somme un certain attachement au projet qu'il a retenu. Cet attachement s'exprime par des préoccupations concernant la matérialisation de ce projet : quelles sont les démarches à faire pour être admis dans telle ou telle école de formation ? Comment améliorer son rendement dans les disciplines en rapport avec son choix ? Comment protéger sa décision ? Quelles sont les difficultés qu'il faut anticiper ? Cette implication plus marquée de l'individu, implication qui le motive à s'engager concrètement et efficacement, nous explique pourquoi il est difficile d'inviter à l'exploration un individu qui nous semble avoir fait un choix irréaliste.

Ce qui précède nous semble indiquer avec assez d'évidence que la tâche de réalisation fait appel à des habiletés d'anticipation, de planning, d'élaboration. Les études de Guilford sur les habiletés de planification nous éclairent sur certains des processus susceptibles de rendre possible la réalisation d'une préférence professionnelle. Après un examen préliminaire du genre d'activités que peut impliquer la planification, Guilford et Hoepfner (1971, p. 142 à 150) en arrivèrent à formuler et à tester six hypothèses. Selon l'hypothèse concernant l'*orientation,* le plan que va formuler un individu dépend de la façon dont il s'oriente dans une situation donnée : l'individu doit être capable de reconnaître les variables impliquées dans une situation, et il doit être capable de voir l'ordre ou le désordre qui existe dans une masse d'informations. On a aussi supposé l'existence d'habiletés de *prédiction,* dans ce sens que l'individu qui a à planifier doit se préoccuper des conséquences possibles de sa démarche, et doit être capable d'extrapoler ces conséquences à partir de l'information qu'il possède. Les autres hypothèses avaient trait aux capacités d'*élaborer* (c'est-à-dire d'envisager des possibilités), d'*ordonner* les éléments d'un problème ou les étapes conduisant à sa solution, d'*inventer* de nouvelles méthodes ou de nouvelles applications, d'*évaluer* l'importance des variables impliquées et de détecter les failles dans la démarche envisagée.

L'analyse des résultats a démontré que des habiletés de cognition sont impliquées dans l'orientation et la prédiction. Dans les termes du modèle, l'orientation a rapport surtout avec les systèmes, et la prédiction fait appel à l'implication. Des habiletés pour la production divergente d'implications sont associées à l'élaboration. Le test de l'hypothèse concernant l'ingéniosité (inventer de nouvelles méthodes ou de nouvelles applications) a conduit les chercheurs à relier l'ingéniosité à la production divergente de transformations sémantiques. Enfin, il a été démontré que des habiletés d'évaluation sont aussi impliquées dans la planification. Comme nous l'avons vu dans le cas des autres tâches développementales, il semble qu'une large gamme d'habiletés sous-tendent la tâche de réalisation. Les habiletés d'implication et de transformation sont cependant parmi celles qui semblent jouer un rôle important dans cette tâche.

Dans le contexte de ce que nous pourrions appeler la pensée implicative, réaliser veut dire :
— *réviser les étapes de la décision et en éprouver la stabilité et la certitude ;*
— *opérationnaliser et planifier les étapes de la décision ;*
— *anticiper les difficultés ;*
— *protéger sa décision ;*
— *formuler des choix de rechange.*

La conception opératoire du développement vocationnel suggère donc des relations entre des tâches développementales, d'une part, et des habiletés intellectuelles et des attitudes cognitives, d'autre part. En ce qui a trait plus spécifiquement aux rapports entre tâches et habiletés, elle nous amène à relier théoriquement l'exploration à la pensée créatrice, la cristallisation à la pensée catégorielle-conceptuelle, la spécification à la pensée évaluative et la réalisation à la pensée implicative.

EXPLORATION	CRISTALLISATION	SPÉCIFICATION	RÉALISATION
PENSÉE CRÉATRICE	PENSÉE CATÉGORIELLE	PENSÉE ÉVALUATIVE	PENSÉE IMPLICATIVE

CARACTÈRE AFFECTIVO-COGNITIF DE LA SÉQUENCE VOCATIONNELLLE

Cette interprétation opératoire en termes d'habiletés et de processus pourrait laisser croire à une définition strictement cognitive du problème d'orientation. Cela tient à l'insistance de notre analyse sur le traitement qui est fait de l'information. Il ne faut cependant pas perdre de vue la nature essentiellement subjective de l'information en cause. Elle est information sur soi et information sur un milieu à considérer en lui-même certes mais surtout en fonction de sa subjectivité propre d'être choisissant et voulant pour cela comprendre son identité et ses motivations intrinsèques.

Ainsi Peter Blos (1971), dans un essai de psychanalyse sur l'adolescence, présente les phases du développement affectif dans une perspective fort apparentée à la séquence vocationnelle. Il observe qu'en début d'adolescence l'individu fait preuve de créativité.

Grâce au profond pouvoir d'introspection qu'accentue la distanciation par rapport aux objets extérieurs, l'adolescent jouit d'une liberté d'expérience intime, d'une clairvoyance pour ses propres sentiments qui lui confèrent une sensibilité délicate, une grande finesse de perception (p. 151).

La consolidation de la personnalité dans l'adolescence tardive amène une plus grande stabilité et une plus grande uniformité dans la vie sentimentale du jeune adulte et dans ses activités. Il se produit une cristallisation du caractère... Ce gain en stabilité dans la pensée et l'action s'acquiert au détriment de la sensibilité introspective si caractéristique de l'adolescence. Ses audaces pâlissent peu à peu jusqu'à disparaître complètement.

L'auteur explique que la pensée est d'abord pour l'adolescent un moyen de mettre à l'essai, d'avance, ses interactions possibles avec l'environnement actuel ou futur et que la pensée devient ensuite associée à l'action réelle, ce qui fait évoluer l'individu depuis l'imaginaire jusqu'à l'application opérationnelle et objective. Nous dirions depuis l'exploration jusqu'à la réalisation. Citons une dernière fois Peter Blos.

On sous-estime souvent l'effort d'intégration que l'adolescent doit fournir pour passer des tâtonnements expérimentaux dans plusieurs directions à la poursuite d'un but unifié. On peut résumer en disant que la période qui succède au moment culminant de l'adolescence proprement dite est caractérisée par les processus d'intégration, que pendant l'adolescence tardive ces processus opèrent une discrimination des buts et sélectionnent ceux qui peuvent être pris comme tâches vitales, et qu'ensuite la vocation de la post-adolescence est d'opérer une distribution de ces buts dans des relations, des rôles et des choix permanents (p. 179).

Le développement affectif de l'adolescence semble donc être régi par les mêmes principes. La séquence vocationnelle ne serait en fait qu'un cas particulier d'une loi plus générale d'évolution.

Dans un ouvrage remarquable publié en 1971, Michel Lobrot a consacré plusieurs chapitres à l'étude de la motivation et des pulsions. Il s'est intéressé surtout à leur croissance et à leur évolution. Il rappelle que chaque événement, chaque situation, chaque objet sont expérimentés affectivement par l'individu. L'expérience est toujours chargée positivement ou négativement ou confusément porteuse de positif et de négatif. De ce point de vue, la vie est essentiellement affective puisqu'elle est essentiellement éprouvée comme plus ou moins bonne.

Au fur et à mesure que l'homme avance dans son existence, dit-il, les expériences ne cessent de se multiplier. Chaque activité, chaque comportement, chaque pensée entraînent avec eux une expérience spécifique. Il se produit, selon Lobrot, une sorte de généralisation qu'il appelle l'abstraction affective puisque des expériences proches ou de même nature tendent à être vécues d'une manière semblable. Le sujet en vient à s'attacher davantage aux objets ou aux situations dans leur généralité.

Peu à peu, ce monde affectif se structure, c'est-à-dire que l'enfant devient capable de vouloir un objet, une situation, une activité, parce qu'ils présentent un caractère commun. Il est attiré vers tous les enfants du même âge que lui, vers tous les jardins, vers tous les véhicules, vers toutes les femmes ayant une apparence de mère, etc. Il a une répulsion pour tous les objets sales ou bizarres, pour tous les enfants méchants, pour toutes les activités ennuyeuses, pour tout ce qui sent l'école (Lobrot, p. 135).

Nous sommes témoins ici d'une véritable cristallisation des affects fondée sur des processus catégoriels. L'auteur note avec perspicacité que « parallèlement à ce progrès vers la généralisation des affects, se produit une évolution, à certains points de vue inverse, vers l'individualisation des affects » (p. 136). Nous dirions plus volontiers « vers la spécification des affects ». Cela s'explique par l'impossibilité de se disperser dans toutes les directions, par la nécessité de renoncer à l'étendue illimitée des objets à expérimenter et d'approfondir affectivement quelques objets privilégiés.

D'où provient cette évolution dans le sens d'un rétrécissement ? Voici ce que répond Lobrot :

En réalité, il se produit une extension de la pulsion, en ce sens que de nouveaux affects, généralement positifs, viennent s'ajouter aux affects anciens. Ces nouveaux affects portent sur des détails, des aspects jusqu'ici ignorés... Cette accumulation d'affects sur une même portion de la réalité, par exemple, sur une même personne, produit évidemment un accroissement considérable des satisfactions éprouvées (p. 137).

Comble de la similitude avec la séquence vocationnelle, l'auteur poursuit en démontrant qu'une pulsion, en s'investissant ainsi sur un objet spécifique, entraîne une série d'apprentissages et d'acquisitions instrumentaux susceptibles d'augmenter la satisfaction vis-à-vis de l'objet privilégié. Il nous est facile de reconnaître ici la phase dite de réalisation.

Le caractère affectivo-cognitif de la séquence vocationnelle apparaît plus clairement encore dans la formation des buts telle que la décrit J. Nuttin (1980, chapitre 5). Il explique comment l'individu motivé met en marche l'ensemble du système cognitif.

Il importe de souligner que cette démarche cognitive est effectivement une activité de recherche motivée, recherche qui, en se servant (...) des moyens opératoires décrits, aboutit à la construction d'un objet-but et d'un projet pour l'atteindre (p. 214).

C'est ici que Nuttin fait l'esquisse générale du but tel qu'il est élaboré par l'adulte en mettant en valeur la disponibilité plus grande des objets représentés et la souplesse des manipulations possibles au niveau imaginaire (exploration).

Les objets cognitivement contactés et les voies ainsi parcourues ne sont pas simplement des produits de l'imagination ; ce sont des objets-buts, c'est-à-dire des objets qui établissent les contacts requis par le besoin. Ainsi, le but et le projet sont les premières réalisations d'un besoin actif. En d'autres mots, ce but est le besoin *mis au point* ou *centré (focused)* au niveau cognitif (p. 216).

L'auteur poursuit en décrivant le passage des possibilités imaginaires aux possibilités réelles de la situation où doivent se combiner les deux aspects du processus cognitif : son caractère créatif et son caractère réaliste.

Ces dernières réflexions sur la motivation nous permettent de faire la boucle en rappelant les conclusions de Ginzberg sur le développement vocationnel. Il va du désir à la réalité. La séquence vocationnelle qui apparaissait sans doute comme une résolution de problème prend davantage l'aspect d'un phénomène existentiel et subjectif reliant cognition et motivation. De fait, la séquence pourrait se décrire comme l'approfondissement des besoins jusqu'à ce qu'ils soient compris et mis en présence cognitive d'une manière permanente.

Il importe de se rappeler que le besoin, cognitivement élaboré, n'est pas soumis à la périodicité qui caractérise plusieurs états motivationnels. Comme il est vrai que des objets actuellement absents peuvent rester présents ou être représentés (...), il est vrai aussi que le besoin, une fois éprouvé, reste présent au niveau cognitif (...). De ce fait, les besoins existent, chez lui, comme des conditions permanentes de sa personnalité ; ils sont intégrés à sa conception de soi (Nuttin, 1980, p. 216).

Le sujet en instance d'orientation, en considérant ses affects (exploration) dans leur abondance et leur diversité, ne peut faire autrement que de les conceptualiser en tendances et en intérêts (cristallisation) et de les formuler d'une manière telle qu'ils deviennent des critères durables (valeurs) dans l'exercice des choix à faire (spécification) et des actions à poser (réalisation).

L'interprétation opératoire de la séquence vocationnelle avec l'élaboration cognitive du besoin qu'elle suppose explique de fait des propositions de base telles que le développement vocationnel va du désir à la réalité et va du simple au complexe, les affects, intérêts et valeurs intervenant dans un ordre hiérarchique d'intégration.

La conception opératoire du développement vocationnel ouvre des perspectives théoriques intéressantes puisqu'une bonne partie de la psychologie cognitive pourrait contribuer à la compréhension des comportements vocationnels.

Si notre référence principale est celle de J.P. Guilford jusqu'à maintenant, ce n'est pas pour des raisons strictement de recherche. Les conceptions piagétiennes sont susceptibles en effet d'expliquer plus profondément encore le développement vocationnel. C'est une voie d'exploration prometteuse, à peine entamée, que des collaborateurs ne manqueront pas de mettre en évidence dans les sections suivantes de cet ouvrage.

Ce sont des raisons pratiques qui nous ont fait opter pour le modèle de l'intellect avec ses multiples facteurs. Toute une psycho-pédagogie peut être associée aux contenus, opérations et produits de ce modèle. Il y a toujours pour nous la conséquence éducative d'agir sur le développement au moyen des consignes permises par cette vaste taxonomie des habiletés cognitives.

Nous avons eu la préoccupation constante de trouver un modèle d'intervention qui résulte d'une conception développementale de l'orientation et qui puisse se substituer à l'approche parsonnienne.

Nul doute que l'interprétation opératoire que nous proposons permette de définir ce qu'est la compétence vocationnelle et ce que sont les finalités éducatives à poursuivre. Elle indique en même temps les moyens cognitivo-affectifs susceptibles de favoriser l'expérience et la réussite du processus d'orientation. C'est d'ailleurs ce qui fait l'objet de la cinquième partie portant sur l'activation vocationnelle.

RÉFÉRENCES

BARRON, F. : The Disposition Toward Originality, *Journal of Abnormal and Social Psychology*, n° **51** : p. 478-485, 1955.

BEILIN, H. : The Application of General Developmental Principles to the Vocational Area, *Journal of Counseling Psychology*, n° **2** : p. 37-53, 1955.

BERLYNE, D.E. : *Conflict, Arousal and Curiosity*, McGraw-Hill, New York, 1960.

BLOS, P. : *Les adolescents. Essai de psychanalyse*, Éditions Stock, Paris, 1971.

BRUNER, J. : GOODNOW et G.A. AUSTIN, *A Study of Thinking*, Wiley and Sons, New York, 1956.

BUJOLD, C. : *The Role of Self Concepts, Occupational Concepts and Reality Considerations in the Occupational Choice of French Canadian Secondary School Boys*, (thèse de doctorat non publiée), Teachers College, Columbia University, 1972.

CROPLEY, A.J. : *Creativity*, Longmans, Green, 1967.

FISKE, D.W. et S.R. MADDI : *Functions of Varied Experience*, Dorsey, Illinois, Homewood, 1961.

GINZBERG, Eli, S. GINSBURG, S. AXERALD et J. HERMA : *Occupational Choice : An Approach to a General Theory*, Columbia University Press, New York, 1951.

GUILFORD, J.P. : The Structure of Intellect, *Psychological Bulletin*, n° **53** : 267-293, 1956.

GUILFORD, J.P. : *The Nature of Human Intelligence*, McGraw-Hill, New York, 1967.

GUILFORD, J.P. et R. HOEPFNER : *The Analysis of Intelligence*, McGraw-Hill, New York, 1971.

HOUSTON, P.P. et S.A. MEDNICK : Creativity and the Need for Novelty, in : Lester, David (éd.), *Explorations in Exploration : Stimulation Seeking : An Enduring Problem in Psychology* : 139-145, Van Nostrand Reinhold Co., New York, 1969.

HUTEAU, M. : Les mécanismes psychologiques de l'évolution des attitudes et des préférences vis-à-vis des activités professionnelles, in : *L'Orientation scolaire et professionnelle*, n° **2** : 107-125, 1982.

KAGAN, J. : *Creativity and Learning*, Beacon Press, Boston, 1967.

KLAUSMEIER, H.J. et C.W. HARRIS : *Analysis of Concept Learning*, Academic Press, New York, 1966.

LESTER, D. : The Effect of Fear and Anxiety on Exploration and Curiosity : Toward a Theory of Exploration, *Journal of General Psychology*, n° **79** : 105-120, 1968.

LOBROT, M. : *Les effets de l'éducation*, Éditions ESF, Paris, 1971.

MACKINNON, D.W. : The Nature and Nurture of Creative Talent, *American Psychologist*, n° **20** : 273-281, 1962.

MASLOW, A.H. : The Need to Know and the Fear of Knowing, in : Lester, David (Éd.) *Explorations in Exploration : Stimulation Seeking : An Enduring Problem in Psychology* : 199-217, Van Nostrand Reinhold Co., New York, 1969.

MUCCHIELLI, R. : *Introduction à la psychologie structurale*, Charles Dessart, Bruxelles, 1966.

NUSBAUM, K.M. : Differential Novelty, Complexity and Affective Stimulation as Variables in Exploratory Behavior, *Dissertation Abstracts*, **25,** (12, Pt. 1) : 7395, 1965.

NUTTIN, J. : *Théorie de la motivation humaine*, P.U.F., Paris, 1980.

O'HARA, R.P. et D.V. TIEDEMAN : Vocational Self-Concept in Adolescence, *Journal of Counseling Psychology*, n° **6** : 292-301, 1959.

O'HARA, R.P. : Vocational self concepts and high school Achievement, *The Vocational Guidance Quarterly*, **15** : 106-112, 1966.

PELLETIER, D. : *La représentation de soi*, Éditions du Renouveau Pédagogique, Montréal, 1971 a.

PELLETIER, D. : Par quels processus en arrive-t-on à se connaître ? *L'Orientation professionnelle*, **Vol. 7, n° 4,** Québec, 1971 b.

PELLETIER, D., G. NOISEUX et C. BUJOLD : *Développement vocationnel et croissance personnelle*, McGraw-Hill, Montréal, 1974.

PELLETIER, D. : L'approche opératoire du développement personnel et vocationnel, in : *Conseiller Canadien*, **Vol. 12, n° 4** : 207-217, 1978.

SUPER, D.E., R. STARISHEVSKY, N. MATLIN et J.P. JORDAAN : *Career Development : Self-Concept Theory*, College Entrance Examination Board, New York, 1963.

TIEDEMAN, D.V. et R.P. O'HARA : *Career development : Choice and Adjustment*, College Entrance Examination Board, New York, 1963.

VERNON, P.E. : *Creativity*, London, Penguin Books, 1970.

Chapitre **2**

Analyse opératoire des comportements vocationnels dans le contexte du modèle de J.P. Guilford : données empiriques

Charles Bujold

Stimulés par Ginzberg, Ginsburg, Axelrad et Herma (1951), plusieurs théoricien(ne)s et chercheurs(euses) se sont employés à conceptualiser de diverses façons le processus du choix professionnel. Certain(e)s ont voulu identifier les facteurs susceptibles d'exercer sur le choix professionnel une influence directe ou indirecte, prochaine ou éloignée (Bordin, Nachmann et Segal, 1963 ; Roe, 1953, 1957 ; Roe et Siegelman, 1964 ; Blau, Parnes, Gustad, Jessor et Wilcok, 1956 ; Krumboltz, 1979). D'autres se sont intéressés aux processus décisionnels impliqués dans le choix d'un métier ou d'une profession (Gelatt, 1962 ; Hilton, 1962 ; Hershenson et Roth, 1966). Holland (1959, 1964, p. 272-284, 1966a, 1966b, 1973) s'est distingué par une étude extensive des rapports entre la personnalité et le choix d'une occupation. D'autres enfin, envisageant résolument le choix professionnel dans une optique développementale, ont voulu identifier et analyser les stades et les tâches qui pouvaient marquer le processus du développement vocationnel (Havighurst, 1964), et ont de plus contribué à intégrer les données de la psychologie différentielle, de la psychologie développementale, et les théories de l'image de soi pour illustrer comment le choix professionnel peut constituer une transposition et une actualisation de l'image de soi (Super, 1953, 1957, 1969a, 1969b, 1973 ; Super, Crites, Hummel, Moser, Overstreet et Warnath, 1957 ; Super, Starishevsky, Matlin et Jordaan, 1963). Tiedeman et O'Hara (1963), de même que Hershenson (1968) ont aussi contribué à ce secteur de théorie et de recherche.

L'examen de la littérature dans le domaine de la psychologie vocationnelle nous amène vite à constater que parmi les diverses conceptions du choix professionnel qui ont fait leur apparition depuis plus d'un quart de siècle, la conception développementale est certes l'une de celles qui ont suscité un intérêt notable tant dans le secteur de la pratique que dans celui de la recherche. Selon cette conception, les choix professionnels, ainsi qu'il vient d'être rappelé, s'élaborent au cours d'un processus marqué de stades et caractérisé par des tâches dont l'individu doit s'acquitter pour parvenir à faire des choix qui soient satisfaisants pour lui et pour la société. Cette conception met en évidence l'aspect séquentiel du comportement vocationnel, en illustrant les liens entre les multiples décisions qui précèdent, accompagnent et suivent l'entrée dans un secteur d'activités, et les éléments qui tissent la trame du développement de carrière des individus. On s'attache aussi dans cette approche à décrire les processus, telles la différenciation et l'intégration, par lesquels la personne se développe sur le plan vocationnel.

Dans une publication antérieure (Pelletier, Noiseux et Bujold, 1974), cette approche a été évaluée comme étant celle qui propose l'explication la plus complète et la mieux articulée du comportement vocationnel, en plus d'avoir subi avec succès l'épreuve du temps. Dans cet ouvrage, dans un récit qui l'avait précédé (Pelletier et Noiseux, 1971), et dans la présentation d'un projet de recherche (Pelletier, Noiseux et Bujold, 1971) ont été exposés les aspects fondamentaux et méthodologiques d'une théorie d'intervention en orientation qui s'inscrit dans un contexte développemental. Ces exposés ne seront pas repris ici en détail, mais pour faciliter la compréhension des principaux résultats d'une étude exploratoire dont il va être question plus loin dans ce texte, il importe de résumer brièvement la démarche théorique qui nous a amenés à déboucher sur cette recherche, et de préciser les questions que nous voulions explorer.

L'ANALYSE OPÉRATOIRE

Une des notions essentielles dans la conception développementale est la notion de *tâche développementale vocationnelle,* qui réfère aux actes que doit poser l'individu pour parvenir à prendre des décisions d'orientation. Le moment où il s'acquitte de ces tâches et la façon dont il s'en acquitte reflètent sa *maturité vocationnelle.*

Si on se situe dans une perspective développementale, les problèmes de choix scolaires et professionnels peuvent être considérés en somme comme des problèmes à long terme dont la solution implique un certain nombre de tâches. La réussite d'une tâche donnée est susceptible, logiquement, de faciliter la réussite de la tâche suivante.

Nous inspirant de la psychologie vocationnelle, d'une part, et des théories de résolution de problème, d'autre part (Guilford, 1967, chapitre 16), il nous a semblé que quatre tâches principales, soit l'exploration, la cristallisation, la spécification et la réalisation jalonnent le processus du développement vocationnel. Dans la section qui précède, Pelletier a traité de ces tâches que l'on peut aussi voir comme composant une séquence heuristique dans un processus de recherche. Il importe toutefois de noter que la présentation séquentielle des tâches n'implique pas pour autant qu'une tâche soit négociée une fois pour toutes. Au contraire, à diverses étapes de son développement vocationnel, la personne doit procéder à de nouvelles explorations, doit cristalliser ses choix, etc. En somme, l'analyse du processus ne doit pas nous faire oublier que ce processus est par définition récurrent.

Plusieurs auteurs se sont attachés à décrire et à analyser les tâches développementales. Super, notamment (Super, Starishevsky, Matlin et Jordaan, 1963, p. 78 à 95), a présenté une analyse de cinq tâches développementales dans laquelle il décrit les attitudes et comportements qui s'y rapportent, par exemple la conscience de la nécessité de réaliser une tâche donnée, la recherche d'information, la connaissance des ressources du milieu.

Il nous a semblé toutefois qu'il était possible d'en arriver à une compréhension plus approfondie des tâches développementales, et notamment des quatre que nous venons de mentionner, si nous essayions d'en faire une analyse opératoire, c'est-à-dire de spécifier les opérations qu'elles impliquent ou, en d'autres termes, les processus internes d'ordre cognitif et attitudinal qui les sous-tendent. C'est ce qui nous a amenés à nous intéresser aux habiletés et aux attitudes cognitives susceptibles de jouer un rôle dans la réalisation de ces tâches.

Pour conceptualiser les relations entre ces tâches développementales et les habiletés susceptibles d'y contribuer, nous avons examiné (Pelletier, Noiseux et Bujold, 1974, chapitre 2) les quatre tâches développementales d'exploration, de cristallisation, de spécification et de réalisation en rapport avec le modèle de l'intellect de Guilford (1967 ; Guilford et Hoepfner, 1971), et nous avons tenté une analyse structurale de ces relations au moyen de rapprochements de caractère déductif et inductif.

Un examen de la littérature sur le comportement exploratoire nous a permis de constater tout d'abord que l'exploration s'avère une activité complexe, reposant sur un certain nombre d'habiletés et d'attitudes qui sont du ressort de la pensée créatrice. En effet, l'exploration comporte de l'expérimentation, de l'investigation, de la formulation d'hypothèses. Elle est susceptible d'être provoquée par la nouveauté, la complexité, l'incongruité, peut-être à cause de la divergence que ces facteurs introduisent dans le champ perceptuel. Il se dégage aussi que l'activité créatrice peut constituer pour la personne un moyen de satisfaire son besoin de variété et de stimulation, alors que la peur de sa propre créativité peut bloquer l'exploration.

Nous référant aux études de Guilford et de ses collaborateurs sur la pensée créatrice ou divergente (c'est-à-dire s'intéressant à ce qui est logiquement *possible* plutôt qu'à ce qui est logiquement *nécessaire*), et à d'autres études ayant trait à la créativité, il nous a semblé se dégager clairement que l'exploration fait appel à des dimensions de la pensée créatrice que Guilford a appelées : la pénétration, ou la capacité de voir beaucoup d'aspects dans une situation donnée ; la sensibilité aux problèmes ; la fluidité et la flexibilité, qui sont susceptibles de faciliter l'accumulation d'un répertoire abondant et diversifié d'informations sur soi et sur l'environnement. Il nous est également apparu que des attitudes telles que l'autonomie, l'originalité, la propension au risque, la tolérance de l'ambiguïté et de la complexité sont susceptibles de faciliter d'une façon importante le comportement exploratoire.

Par une démarche similaire, nous en sommes venus à relier conceptuellement la tâche de cristallisation à ce que Guilford et Hoepfner (1971, p. 121-122) appellent production convergente, ou pensée conceptuelle catégorielle, étant donné que pour en arriver à cristalliser sa préférence, la personne qui a pris conscience, au cours de l'exploration, des éléments impliqués dans le problème, doit être capable de mettre ces éléments en ordre, de les classifier. Elle doit pouvoir déterminer dans quelle mesure ses capacités, ses intérêts et ses valeurs correspondent à certains domaines d'activité et non à d'autres, et découvrir les caractéristiques qui sont communes à plusieurs occupations, en même temps que celles qui, chez elle, peuvent s'actualiser dans plusieurs domaines. Il ressort de ceci que la pensée conceptuelle semble avoir un rôle important à jouer à cette étape pour permettre à la personne d'organiser les différents éléments d'information dont elle dispose en les regroupant dans des classes générales et autour de concepts englobants, pour les interpréter en fonction de son identité personnelle. À ce sujet, Pelletier (1971a, b) a observé que la connaissance de soi et la stabilité dans les attributs personnels correspondaient à un niveau conceptuel plus élevé chez des jeunes Français et Québécois de 14 à 18 ans. Sur le plan des attitudes, par ailleurs, la tolérance pour la complexité, l'autonomie, l'estime de soi et le sens de la continuité apparaissent logiquement comme pouvant favoriser la démarche de cristallisation.

La tâche de spécification, pour sa part, nous semble faire appel à une autre catégorie d'habiletés identifiées par Guilford et Hoepfner comme des habiletés d'évaluation. Point de rencontre entre les valeurs de la personne et les possibilités qui lui sont offertes, la spécification exige par nature que la personne hiérarchise ses valeurs, compare ses projets, en confronte la désirabilité avec le réalisme, et opte finalement pour une alternative. Sur la base de leurs recherches, Guilford et Hoepfner (1971, p. 288) ont défini l évaluation comme « le processus qui consiste à comparer des items d'information, en termes de spécifications connues, à partir de critères logiques tels que l'identité et la consistance ». Au moyen de cette pensée évaluative qui compare, ordonne, hiérarchise et choisit, la personne est susceptible de s'acquitter de la tâche de spécification, ainsi qu'elle a été définie en termes opératoires (Pelletier, Noiseux et Bujold, 1974, p. 38), c'est-à-dire d'identifier les valeurs et les besoins qui sous-tendent ses comportements, de mettre par ordre d'importance ses besoins et ses valeurs, d'obtenir des informations selon des critères déterminés, de trouver des possibilités qui sont conséquentes aux besoins et aux valeurs identifiées, d'évaluer ses projets en fonction de leur désirabilité et de leur probabilité de réalisation, et enfin de décider. À ces fins, une attitude réflexive, c'est-à-dire la disposition de la personne à considérer la relativité des éléments et des valeurs en jeu (Pelletier, Noiseux et Bujold, 1974, p. 154), la tolérance de l'ambiguïté, la propension au risque et l'autonomie sont les qualités qui nous semblent susceptibles de faciliter cette tâche.

Enfin, la tâche de réalisation nous est apparue comme faisant appel, dans le langage opératoire, à des habiletés de pensée implicative, et aux attitudes qui lui sont reliées. Au moment de passer aux actes en vue de traduire son choix en une réalité, la personne doit notamment planifier les étapes de sa démarche, anticiper les difficultés, formuler des choix de rechange. À ce propos, les études de Guilford et Hoepfner (1971, p. 142 à 150) sur les habiletés de planification nous ont apporté des précisions sur certains des processus susceptibles de rendre possible la réalisation d'un projet d'orientation, suggérant notamment que même si, comme dans le cas des autres tâches développementales, une large gamme d'habiletés semblent sous-jacentes à la tâche de réalisation, les habiletés d'implication et de transformation sont parmi celles qui semblent y jouer un rôle important. Quant aux attitudes, l'affirmation de soi et le sens des responsabilités devraient normalement, nous semblet-il, s'avérer utiles, sinon précieux, au moment de traduire la décision en une réalité.

ÉTUDE EXPLORATOIRE

La conception opératoire qui vient d'être évoquée, et les rapports entrevus entre les tâches développementales et la maturité vocationnelle ouvrent la voie à de nombreuses recherches. Sans prétendre épuiser, loin de là, la liste des avenues possibles, il nous a semblé (Pelletier, Noiseux et Bujold, 1971) que les questions suivantes demandaient d'être explorées empiriquement :

a. Existe-t-il, tel que supposé par la conception opératoire, des rapports entre certaines habiletés intellectuelles et certaines attitudes ou corrélats personnels ?

b. Les habiletés de pensée créatrice sont-elles en relation avec les habiletés d'exploration ?

c. Quels rapports entretiennent avec les habiletés d'exploration les habiletés de pensée conceptuelle-catégorielle, évaluative, implicative ?

d. Quelles relations existent, à divers niveaux du cours secondaire, entre la maturité vocationnelle, d'une part, et les habiletés d'exploration, de même que certaines habiletés intellectuelles et corrélats personnels, d'autre part ?

Au cours de l'année scolaire 1971-72 nous avons mené une étude exploratoire qui était principalement de caractère fondamental, étant donné qu'on y mettait l'accent sur les questions qui viennent d'être énumérées. Elle avait toutefois un aspect appliqué, puisqu'elle comportait aussi un programme d'intervention basé sur la conception opératoire, et la mesure des effets de ce programme. Cette recherche constituait en fait la première phase d'un projet qui s'est poursuivi ensuite de 1972 à 1975, période au cours de laquelle les effets d'un programme d'intervention ont été vérifiés auprès d'une population plus considérable que celle qui avait servi au cours de l'étude exploratoire.

Les principaux résultats de l'étude exploratoire, en ce qui a trait à sa dimension fondamentale, seront présentés ici, après une brève description de l'échantillon, accompagnée d'une énumération des variables considérées et de leurs mesures. Les limitations d'espace ne permettent évidemment pas de présenter ici le rapport exhaustif des deux phases de la recherche, incluant les informations ayant trait à l'instrumentation.

Échantillon, variables et mesures

Ginzberg, Ginsburg, Axelrad et Herma (1951) ont souligné le caractère provisoire du choix professionnel au cours de l'adolescence, et des recherches s'étendant sur plus de 20 ans ont amené Super (1973) à proposer que c'est au cours de l'adolescence que l'image de soi se clarifie et se traduit en termes occupationnels, pour s'actualiser à l'adolescence et au début de l'âge adulte. Il nous a donc semblé qu'un échantillon d'adolescents serait particulièrement indiqué pour une recherche de ce genre.

L'échantillon se composait de 647 garçons et de 448 filles répartis sur les 5 niveaux du cours secondaire. Environ 40 p. cent des sujets provenaient d'un milieu socio-économique légèrement supérieur à la moyenne, les autres appartenant à un milieu moyen. Au niveau du secondaire I, le nombre de garçons était plus de trois fois supérieur à celui des filles, alors qu'aux niveaux II et III la proportion garçons-filles était de l'ordre de 6 à 4. Alors que le groupe des filles de secondaire I était de 43, le nombre de personnes dans les autres groupes aux divers niveaux variait de 88 à 147. Pour diverses raisons, plusieurs dossiers ont dû être éliminés. Mais le nombre de sujets sur lequel reposent les données rencontre et dépasse presque toujours largement les exigences des calculs statistiques.

Compte tenu des questions sous-jacentes à l'étude exploratoire, les variables considérées peuvent être classées sous quatre chefs : les processus cognitifs, c'est-à-dire les modes de pensée définis plus haut, les corrélats personnels, les habiletés d'exploration et enfin, la maturité vocationnelle.

En ce qui a trait aux *processus cognitifs,* la pensée créatrice a été mesurée par des tests de fluidité, de flexibilité et d'originalité idéative de Torrance, de même que de sensibilité aux problèmes (tests *Apparatus* de Guilford). Ces tests ont été administrés aux sujets de secondaire I et II. La pensée conceptuelle-catégorielle a été évaluée, chez les sujets de secondaire III, par une mesure de type divergent, le TGM, ou *test de groupements multiples,* un instrument élaboré par le *College entrance examination board* et adapté par Gérard Scallon (Faculté des sciences de l'éducation, Université Laval). La pensée conceptuelle-catégorielle a aussi été évaluée par un test de type convergent (*facteur G* de Cattell). Enfin, on a administré aux étudiant(e)s de secondaire IV et V des tests de pensée évaluative et implicative consistant en une épreuve de *dépistage d'erreurs* (Guilford) et un test de *logique propositionnelle* construit par F. Longeot.

Les *corrélats personnels* ont été mesurés, aux niveaux de secondaire I et II, par l'*échelle d'anxiété* de Cattell, et par le *Welch,* un indice de préférence pour la complexité. Les sujets de secondaire II, à l'instar de ceux des niveaux III, IV et V, ont répondu à la *liste d'adjectifs* (**LA**), un questionnaire comportant l'échelle d'estime de soi (**EST**) élaborée par Heath, mais aussi quatre autres échelles élaborées par Pelletier et qui ont été utilisées à titre expérimental. Ces échelles mesurent, respectivement, l'image de soi comme créateur (**IC**), l'image de soi comme non-créateur (**NIC**), l'empan des traits désirables (**ED**), c'est-à-dire la somme des écarts, pour chacun d'une série de traits désirables, à l'estimation moyenne de la personne, et l'empan des traits non désirables (**END**), c'est-à-dire la somme des écarts, pour chacun des traits non désirables, à l'estimation moyenne de la personne. Pelletier (1971a, p. 79 à 83, et 102 à 106) discute de cette notion de l'empan, et à partir de résultats empiriques, a associé un empan large, chez des personnes, à un faible niveau de conceptualisation de leur identité.

Les sujets de secondaire II ont également répondu, avec ceux de secondaire IV et V, à l'*inventaire d'orientations personnelles* (**POI**) de Shostrom, dont les composantes se ramènent à trois dimensions : compétence-incompétence à vivre son présent, motivation interne-externe et considération positive de soi. Enfin, les sujets de secondaire IV et V ont répondu à l'*inventaire de valeurs de travail* de Super, version 1970, et à un questionnaire élaboré par nous-même pour les fins de notre thèse de doctorat et portant sur les *facteurs de réalité* considérés dans le choix d'une occupation.

Ainsi qu'on peut le remarquer, les mesures de processus cognitifs et de corrélats personnels ont été appliquées d'une façon sélective, en tenant compte des déductions et des inférences suggérées par le modèle opératoire.

En fonction de la conception opératoire, la tâche d'exploration sera accomplie si la personne parvient à acquérir une grande variété d'informations sur elle-même et sur l'environnement, si ce répertoire d'informations est diversifié, et si enfin il contient des éléments rares témoignant d'une investigation poussée. La compétence vocationnelle pour s'acquitter de cette tâche reposera donc sur des *habiletés d'exploration* révélées par la fluidité, la flexibilité et l'originalité de l'information dont dispose la personne. Une mesure de ces variables, le FLOP *(fluidité, flexibilité et originalité professionnelles)*, a été élaborée par Pelletier et Noiseux, en même temps qu'une autre mesure divergente d'exploration, le CP *(catégorisations professionnelles)*, qui demande aux sujets de faire le plus grand nombre de groupements possibles à partir d'une liste d'occupations, en indiquant les raisons des groupements. Ces deux instruments ont été administrés à tous les sujets.

Enfin, la *maturité vocationnelle* a également été mesurée chez tous les sujets à l'aide de 3 instruments. Tout d'abord, on a utilisé une version abrégée de l'*inventaire de développement professionnel* de Crites, qui touche les attitudes et conceptions manifestées par la personne vis-à-vis son futur travail et surtout vis-à-vis l'acte même de choisir. Perron et Rodrigue (1969) avaient retenu du questionnaire original les 39 items les plus discriminatifs. L'inventaire a subi une épuration supplémentaire, étant ramené par Pelletier et Noiseux à 31 items.

Un instrument relatif à l'identité personnelle a également été introduit dans l'expérimentation : le NDCS *(niveau déclaré de connaissance de soi)*. Ce questionnaire, élaboré par Pelletier dans le cadre de sa thèse de doctorat, demande aux sujets d'évaluer des aspects tels que la clarté de leurs perceptions, l'accord entre leurs sentiments et leur comportement, etc.

Par ailleurs, comme il existe des indices révélant que la maturité vocationnelle est liée aux résultats scolaires et à l'intérêt que porte l'étudiant(e) à son école et à ses pairs (Super et Overstreet, 1960, p. 112), l'*échelle AE* de Rousseau a été utilisée. Cet instrument demande aux sujets de réagir à 22 opinions relatives aux études.

Résultats

En ce qui a trait aux statistiques descriptives, la comparaison des moyennes et écarts types entre les garçons et les filles a révélé que ces mesures étaient en général assez semblables. Quelques différences ressortaient cependant, et même si aucun test statistique de la signification de ces différences n'a été effectué, il peut être utile de les noter.

Au niveau du secondaire I, les filles ont obtenu des moyennes plus élevées que les garçons aux mesures suivantes : AE, *Apparatus, Torrance* (fluidité) et CP (partiel). Elles apparaissaient donc comme plus motivées aux études, plus créatrices, et ayant de meilleures habiletés d'exploration que les garçons.

En secondaire II, chez les garçons, l'écart type à l'échelle fluidité du FLOP était plus élevé que chez les filles, tandis qu'au niveau de secondaire III, les données descriptives étaient assez uniformes, si ce n'est une différence qui sera soulignée plus loin.

En secondaire IV, des différences sont apparues en ce qui a trait à l'échelle EST *(estime de soi)* du questionnaire LA *(liste d'adjectifs)*. Les garçons ont obtenu une moyenne de 88,02, avec un écart type de 23,12. Chez les filles, par contre, la moyenne était plus élevée (96,78), alors que l'écart type était de 13,02. L'estime de soi était donc plus forte chez les filles, et les cotes étaient moins dispersées. En secondaire III, la moyenne des filles à cette échelle était également plus élevée (96,25) que celle des garçons (89,42).

En secondaire V, comme en secondaire I, la moyenne des filles était plus élevée que celle des garçons à l'échelle AE *(motivation aux études)*. Nous avons également noté de faibles écarts types pour les deux sexes à l'*inventaire de développement professionnel* (première partie). Enfin, l'écart type des cotes obtenues par les garçons était plus élevé que pour les filles à l'échelle NIC *(image de soi non créatrice)* du questionnaire LA.

Une comparaison des cotes d'un niveau à l'autre a permis de constater qu'en secondaire V, chez les garçons et les filles, l'importance accordée aux facteurs de réalité était moins forte que chez les sujets des niveaux III et IV. Aussi, les garçons de secondaire V ont obtenu des cotes plus élevées que les garçons des autres niveaux à l'échelle *estime de soi* du LA, et l'écart type de ces cotes était moins élevé que celui que l'on observait chez les garçons de secondaire II, III et IV.

En résumé, il ressort que c'est surtout à certaines mesures d'habiletés d'exploration, de pensée créatrice, de motivation aux études, d'estime de soi et de considération de facteurs de réalité que des différences ont été observées.

RAPPORTS ENTRE PROCESSUS COGNITIFS ET CORRÉLATS PERSONNELS

Ainsi qu'il a été mentionné plus haut, une des questions auxquelles s'intéressait cette étude était la suivante : existe-t-il, tel que supposé par la conception opératoire, des rapports entre certaines habiletés intellectuelles et certaines attitudes ou corrélats personnels ? Des précisions ont été apportées concernant les habiletés intellectuelles considérées, qui ont été regroupées sous les termes *processus cognitifs*, et concernant les corrélats personnels. Il convient de souligner que les termes *corrélats personnels* font référence à des variables qui ne représentent pas spécifiquement, ou du moins pas uniquement, des attitudes, si l'on entend par ce terme une prédisposition à agir, telle que la propension au risque, ou la curiosité. Par ailleurs, il nous a semblé que les mesures de corrélats personnels qui ont été choisies étaient de nature à permettre une exploration intéressante des relations entre divers modes de pensée et des variables personnelles. Ainsi, il peut être important d'examiner quels rapports existent entre l'anxiété ou l'estime de soi et l'exercice de la pensée créatrice, ou encore ceux qui se manifestent entre la pensée évaluative et implicative, d'une part, et l'importance accordée à certains facteurs de réalité ou à certaines satisfactions qu'une personne peut rechercher dans un travail, d'autre part.

L'étude de ces rapports a été corrélationnelle. L'examen des coefficients de corrélation de Pearson révèle qu'au niveau du secondaire I, les 2 corrélations significatives qui émergent sur un total de 28 sont entre l'anxiété, mesurée par l'*échelle* de Cattell, et la sensibilité aux problèmes, mesurée par le test *Apparatus* (le seuil minimal de signification a été établi à 0,05). Une faible corrélation de $-0,16$ a été observée dans le cas des garçons, ce qui va dans le sens de ce à quoi on pourrait théoriquement s'attendre. Par contre, le taux d'anxiété était positivement relié à la sensibilité aux problèmes dans le cas des filles, comme en témoignait une corrélation de 0,30. Les autres corrélations n'étaient pas significatives et s'avéraient en général faibles ou très faibles, mais il convient de noter que parallèlement à ce qui vient d'être mentionné, les corrélations entre anxiété et pensée créatrice étaient toutes négatives dans le cas des garçons, alors qu'à l'exception d'une, elles étaient toutes positives chez les filles.

Chez les garçons de secondaire II, 5 corrélations sur 70 étaient significatives. La préférence pour la complexité, qui peut être considérée comme une attitude propre à faciliter la pensée créatrice, et qui était mesurée par le *Welch*, avait des corrélations de 0,24, 0,19 et 0,17, respectivement, avec la sensibilité aux problèmes, la fluidité et la flexibilité. Par ailleurs, des résultats moins consistants ont été observés en ce qui a trait à la mesure de l'image de soi comme non-créateur qui était en corrélation positive (0,21) avec l'originalité, alors qu'elle était par contre en corrélation négative ($-0,30$) avec la fluidité.

Le nombre de corrélations significatives n'était pas sensiblement plus élevé dans l'échantillon des filles de secondaire II, puisque seulement 8 des 70 corrélations dépassaient le seuil de signification de 0,05, et encore là, ces corrélations étaient modestes, allant de $-0,22$ à 0,26. De plus, 5 de ces corrélations n'étaient pas conformes à ce qui pourrait être théoriquement prévisible. L'estime de soi était en relation négative avec la sensibilité aux problèmes, la fluidité et la flexibilité. De plus, l'anxiété était positivement reliée à la sensibilité aux problèmes. En ce qui a trait à l'empan des traits désirables (**ED**), échelle utilisée à titre expérimental, il était en corrélation positive avec les mesures de flexibilité, et une mesure d'originalité. En d'autres termes, il semble qu'il y avait un lien, chez ces filles, entre la pensée créatrice et un faible niveau de conceptualisation de leur identité.

Au niveau du secondaire III, des corrélats personnels ont été étudiés en rapport avec la pensée catégorielle. Les données relatives à cette question nous révèlent tout d'abord que les processus de pensée catégorielle n'étaient pas significativement en rapport avec l'importance que les adolescents et adolescentes de ce niveau accordaient dans leurs choix à certains facteurs de réalité. En ce qui a trait aux valeurs de travail telles que mesurées par l'*inventaire des valeurs de travail* de Super, environ 1 valeur sur 4 était significativement reliée aux mesures de pensée catégorielle. L'observation la plus frappante est que toute ces corrélations significatives, à l'instar de presque toutes celles qui n'atteignaient pas le seuil de 0,05, étaient négatives. Il semblerait donc que le niveau de satisfaction recherché dans le travail ou comme résultat du travail était en rapport inverse, chez ces sujets, avec le niveau de pensée catégorielle.

Une observation intéressante est que chez les garçons de secondaire III, le niveau de conceptualisation de l'identité, tel que mesuré par ED et EDN, était en relation positive et significative avec le niveau de pensée catégorielle. Encore ici cependant, il convient de noter que même les corrélations significatives étaient modestes, allant de 0,16 à $-0,33$.

Aux niveaux de secondaire IV et V, des mesures de pensée évaluative et implicative ont été mises en relation avec des mesures de corrélats personnels. L'observation déjà faite au niveau de secondaire III en ce qui a trait au questionnaire *facteurs de réalité* s'est répétée aux deux niveaux terminaux du secondaire : aucun rapport significatif n'a été observé entre la pensée évaluative et implicative, d'une part, et l'importance accordée à certains facteurs de réalité, d'autre part.

Chez les garçons de secondaire IV, une corrélation significative et positive a été observée entre la mesure de logique propositionnelle et la mesure *compétence à vivre son présent*, de même que la mesure de considération positive de soi, alors qu'une corrélation significativement négative a été observée dans le cas de l'échelle *incompétence à vivre son présent*. En secondaire V, il n'y avait que 2 corrélations significatives sur 12 entre le POI (aux échelles *compétence* et *incompétence à vivre le présent*) et les mesures de pensée évaluative et implicative, et ces 2 corrélations étaient négatives.

Chez les sujets de secondaire IV, il n'y avait que 5 corrélations significatives (sur un total possible de 60) entre les valeurs de travail et les processus cognitifs. Chez les sujets de secondaire V, par ailleurs, il y en avait 19. Mais, conformément à ce qui a déjà été souligné par rapport au secondaire III, ces corrélations étaient presque toutes négatives.

En ce qui a trait, enfin, au questionnaire d'*estime de soi* de la *liste d'adjectifs* et aux échelles de cet instrument qui ont été utilisées à titre expérimental, des corrélations significatives et positives, quoique modestes, (0,21, 0,26), ont été observées entre l'estime de soi et la pensée évaluative et implicative chez les garçons de secondaire IV. Des corrélations de même ordre sont apparues en ce qui a trait à l'image de soi comme créateur ou non-créateur. Enfin, le degré de conceptualisation de l'identité s'est avéré en rapport significatif (tel qu'indiqué par des corrélations négatives) avec le niveau de pensée évaluative et implicative.

Chez les filles de secondaire IV et chez les sujets de secondaire V, il n'y avait pratiquement pas de corrélation significative entre les variables mesurées par le questionnaire LA et les processus de pensée évaluative et implicative.

RAPPORTS ENTRE HABILETÉS D'EXPLORATION ET PROCESSUS COGNITIFS

Il eût été désirable que les quatre modes de pensée qui ont été évoqués à plusieurs reprises (modes de pensée créatrice, catégorielle, évaluative et implicative) soient étudiés en relation avec, respectivement, les habiletés d'exploration, de cristallisation, de spécification et de réalisation vocationnelles. Ainsi qu'il a été mentionné, des mesures d'habiletés d'exploration vocationnelle ont été construites et utilisées, mais nous n'avons pas appliqué de mesures d'habiletés relatives aux autres tâches. Il est quand même intéressant d'examiner tout d'abord si, tel qu'espéré, des rapports positifs et significatifs existent entre les habiletés d'exploration et la pensée créatrice. Dans un deuxième temps seront examinées les relations entre les habiletés d'exploration et les autres modes de pensée, relations qui, théoriquement, ne devraient pas être significatives.

HABILETÉS D'EXPLORATION ET PENSÉE CRÉATRICE

En secondaire I, sur un total de 70 corrélations, 30 étaient significatives au moins au seuil de 0,05, et 27 de ces 30 corrélations étaient positives.

Un examen un peu plus détaillé de ces résultats révélait que les habiletés cognitives de sensibilité aux problèmes étaient reliées, pour les deux sexes, avec les habiletés de catégorisation professionnelle (nombre de catégories), de même qu'avec les habiletés d'exploration ayant trait à l'originalité. On notait aussi que plus du tiers des rapports observés entre les habiletés d'exploration et les dimensions de fluidité, de flexibilité et d'originalité de le pensée créatrice étaient positifs et significatifs.

Par ailleurs, quelques corrélations significatives, mais négatives, sont apparues entre le nombre moyen de raisons données pour la catégorisation professionnelle et certaines dimensions de la pensée créatrice mesurées par le *Torrance*.

En secondaire II, le nombre de corrélations positives et significatives entre les habiletés d'exploration et les processus de pensée créatrice était légèrement plus élevé qu'en secondaire I, 32 corrélations sur 70 atteignant ou dépassant le seuil de signification de 0,05. Aucune corrélation significativement négative n'a été obtenue. Plusieurs relations significatives sont apparues entre les habiletés d'exploration et les dimensions de la pensée créatrice mesurées par le test *Apparatus* et le *Torrance*, et ce, dans une proportion comparable chez les sujets des deux sexes. Tout comme au niveau du secondaire I, les corrélations entre le *Torrance* et les dimensions fluidité et flexibilité du FLOP (habiletés d'exploration) étaient nombreuses chez les filles.

La force des corrélations significatives et positives entre les habiletés d'exploration et les processus de pensée créatrice, par ailleurs, était relativement modeste, ces corrélations variant de 0,16 à 0,60 en secondaire I, et de 0,15 à 0,43 en secondaire II, les médianes étant de 0,31 et de 0,25, respectivement.

HABILETÉS D'EXPLORATION ET PENSÉE CATÉGORIELLE, ÉVALUATIVE ET IMPLICATIVE

Rappelons que si la pensée créatrice a été conçue, dans le cadre de cette recherche, comme devant être significativement en rapport avec les habiletés d'exploration, les modes de pensée catégorielle, évaluative et implicative ne nous sont pas apparus comme susceptibles d'avoir des liens conceptuels et empiriques avec ces habiletés. Les épreuves de pensée catégorielle ont été administrées aux sujets de secondaire III. La présomption qui vient d'être mentionnée s'est avérée assez juste dans leur cas, étant donné que seulement 4 corrélations sur 20 étaient positives et significatives entre les habiletés d'exploration et la pensée catégorielle. Il y a lieu de remarquer, de plus, que ces 4 corrélations impliquaient le TGM, une mesure divergente de pensée catégorielle, donc plus proche de la pensée créatrice que le *facteur G*, mesure convergente de pensée catégorielle, qui n'était en corrélation significative, mais négative, qu'une fois (sur 10 possibilités) avec les habiletés d'exploration. Nous pouvons noter aussi que les corrélations positives s'avéraient très modestes, étant de l'ordre de 0,18 et 0,19.

Des résultats semblables, du moins en termes de nombre de corrélations significatives, ont été observés en secondaire IV et V en ce qui a trait aux rapports entre les habiletés d'exploration et la pensée évaluative-implicative. Au niveau du secondaire IV, 4 corrélations sur 20 étaient positives et significatives, dont 3 au seuil de signification de 0,05, et une au seuil de 0,01. Ces corrélations étaient observées surtout chez les filles, alors que 2 corrélations significativement négatives étaient observées du côté des garçons. Quoique légèrement plus élevées qu'en secondaire III, ces corrélations demeuraient modestes, la plus élevée étant 0,32.

Les résultats en secondaire V ne s'écartaient pas sensiblement de ceux de secondaire IV : une seule corrélation positive et significative (0,23, p<0,01) a été obtenue (sur un total de 10) chez les garçons, alors que chez les filles 2 corrélations positives et significatives étaient contrebalancées par 2 qui étaient significativement négatives. L'étendue des corrélations significatives allait de −0,21 à 0,32.

RAPPORTS ENTRE MESURES DE MATURITÉ VOCATIONNELLE ET MESURES DE PROCESSUS COGNITIFS ET DE CORRÉLATS PERSONNELS

Un nombre relativement considérable de données ont été recueillies concernant la nature des rapports entre la maturité vocationnelle et les mesures d'habiletés d'exploration, de même que celles des autres processus cognitifs et des corrélats personnels.

Chez les garçons de secondaire I, sur un total de 126 corrélations, 23 étaient significatives et dans le sens attendu, alors que 2 étaient significatives, mais dans le sens contraire. Quatre corrélations sur 6, allant de 0,14 à 0,28, étaient significatives entre l'*inventaire de développement professionnel* de Crites, et le FLOP, qui mesure les habiletés d'exploration. Des corrélations de même ordre (0,17 à 0,28) ont été observées entre le FLOP et les parties du NDCS *(Niveau déclaré de connaissance de soi)* qui mesurent l'implication de la personne dans des rôles, de même que l'accord entre ses sentiments et ses comportements. Par ailleurs, en ce qui a trait aux habiletés d'exploration mesurées par l'épreuve de catégorisation professionnelle, on n'a observé qu'une seule corrélation significative avec la maturité vocationnelle, et cette corrélation était négative.

S'il n'y a pratiquement pas de liens qui sont apparus entre la maturité vocationnelle et les processus de pensée créatrice tels que la fluidité, la flexibilité et l'originalité mesurés par le *Torrance* (une seule corrélation de 0,18), la sensibilité aux problèmes était en rapport avec certaines dimensions de la maturité vocationnelle mesurées par l'IDP et le NDCS, dont l'implication de la personne dans des rôles et la cohérence entre ses sentiments et ses comportements (corrélations de 0,17 à 0,21).

Par ailleurs, 8 corrélations sur 9 étaient négativement significatives, tel qu'attendu, entre l'*échelle d'anxiété* de Cattell et les *mesures de maturité vocationnelle*, même l'*échelle d'attitudes vis-à-vis les études,* pour laquelle on ne décelait aucune corrélation significative avec les mesures de processus cognitifs. Les corrélations ci-haut mentionnées allaient de −0,18 à −0,54. Cependant, ce qui est un peu surprenant, une corrélation significative de −0,23 a aussi été observée entre l'échelle AE et la préférence pour la complexité mesurée par le *Welch*.

En ce qui a trait aux filles de secondaire I, 35 corrélations sur 126 atteignaient le niveau de signification de 0,05 ou au-delà, mais 17 n'étaient pas dans le sens espéré. Les rapports les plus étroits se sont manifestés entre les indices de maturité vocationnelle mesurés par l'IDP et les habiletés d'exploration (FLOP). En dépit du nombre relativement restreint de sujets (un maximum de 43), ces corrélations allaient de 0,39 à 0,65, et atteignaient les seuils de signification de 0,001 et de 0,01 (0,39). Deux corrélations sur 4 entre l'IDP et le CP étaient significatives à 0,27 et 0,31, p<0,05. Quelques rapports significatifs sont aussi apparus entre le NDCS, d'une part, et le FLOP de même que le CP, d'autre part (6 sur 39). Ces corrélations étaient modestes, allant de 0,26 à 0,43.

Les corrélations obtenues entre le NDCS et le *Torrance* offrent une particularité : alors que dans le cas des garçons, toutes les corrélations sauf une étaient en deçà du seuil minimal de signification, chez les filles, 17 sur 54 étaient significatives, mais toutes négatives, à l'exception d'une. Elles allaient de 0,30 à − 0,46. Les processus de pensée créatrice mesurés par le *Torrance* ne semblaient donc pas être reliés, au contraire, à la connaissance de soi comme indice de maturité vocationnelle.

Un autre contraste qui s'est manifesté par rapport aux résultats obtenus par les garçons de secondaire I est que chez les filles du même niveau, les relations négatives entre l'anxiété et la maturité vocationnelle étaient moins nombreuses, puisque l'on n'a observé qu'une seule corrélation significative : − 0,44.

Chez les garçons de secondaire II, sur un total de 198 corrélations, 60 atteignaient ou dépassaient le seuil de signification de 0,05. Des relations ont été observées entre les habiletés d'exploration (FLOP et CP) et la maturité vocationnelle mesurée par l'IDP et le NDCS, ainsi qu'en témoignaient les 18 corrélations positives et significatives sur un total de 45, corrélations qui n'étaient cependant que de l'ordre de 0,13 à 0,23.

En ce qui a trait aux rapports entre la pensée créatrice mesurée par le *Torrance* et l'*Apparatus*, d'une part, et les mesures de maturité vocationnelle, d'autre part, une corrélation sur 6 environ était significative et ces corrélations étaient faibles, allant de 0,14 à 0,21. Mais ainsi qu'on avait pu l'observer en secondaire I pour les garçons et les filles, l'attitude vis-à-vis les études (échelle AE) n'était pas reliée, chez les garçons de secondaire II, à la maturité vocationnelle. Cette mesure (**AE**) était cependant en corrélation négative (− 0,25, p<0,01) avec l'anxiété telle que mesurée par l'auto-analyse, et toutes les dimensions mesurées par le NDCS étaient également en corrélation négative (p<0,001) avec l'anxiété, les corrélations allant de − 0,27 à − 0,57. Ces résultats étaient pratiquement identiques à ceux qui ont été obtenus avec les garçons de secondaire I.

Concernant les autres corrélats personnels, il a été observé que l'estime de soi était en relation avec la maturité vocationnelle mesurée par l'IDP et le NDCS, puisque 6 des 8 corrélations étaient positives et significatives, quoique modestes (0,19 à 0,31). Quant aux autres échelles de la *Liste d'adjectifs,* elles n'étaient utilisées, rappelons-le, qu'à titre strictement expérimental, mais il y a lieu de souligner que le *niveau déclaré de connaissance de soi* (NDCS) était en corrélation positive et significative (0,26 à 0,43) dans tous ses aspects avec l'échelle IC de Heath qui mesure l'image de soi comme créateur. Par ailleurs, seules 3 corrélations sur 18 étaient significativement négatives (− 0,20 à − 0,28) entre l'empan et la maturité vocationnelle, n'offrant que peu d'évidence à l'effet que le niveau de conceptualisation de l'identité était associé, chez ces sujets, à la maturité vocationnelle.

L'examen des données relatives aux rapports entre la maturité vocationnelle et l'orientation personnelle telle que mesurée par le POI de Shostrom a révélé que seulement 7 corrélations sur 27 étaient significatives, quoique modestes (− 0,21 à 0,23), mais elles étaient consistantes avec ce à quoi on pouvait théoriquement s'attendre, suggérant que la compétence ou, par opposé, l'incompétence à vivre son présent, de même que la considération positive de soi étaient en relation avec certains aspects de la maturité vocationnelle mesurés par l'IDP et le NDCS (à savoir l'intégration et la cohérence). Toutefois, l'absence de relations significatives entre l'échelle d'attitudes envers les études et les autres variables a continué de se manifester.

Dans le groupe des filles de secondaire II, 39 corrélations sur 198 étaient significatives, mais l'examen des données révélait que les relations significatives entre la maturité vocationnelle et les processus cognitifs, y compris les habiletés d'exploration, étaient beaucoup moins nombreuses que dans le cas des garçons du même niveau. En effet, il n'y avait que 6 corrélations significatives sur un total possible de 108, et encore faut-il remarquer que ces corrélations étaient non seulement modestes, se situant autour de 20, mais encore que 2 étaient négatives. Cette absence chez ces sujets, à toutes fins pratiques, de relation entre la maturité vocationnelle et la pensée créatrice, de même que les habiletés d'exploration, est assez surprenante.

Par contre, à l'instar de ce que l'on pouvait observer chez les garçons de secondaire II, les corrélations entre la maturité vocationnelle et l'anxiété étaient significatives ($p < 0,001$) et dans le sens espéré, allant de $-0,30$ à $-0,55$. Seules deux corrélations, quoique négatives, n'atteignaient pas le seuil de signification de 0,05.

D'autres différences par rapport aux garçons de secondaire II se sont manifestées, cependant, en ce qui a trait aux liens entre la maturité vocationnelle et certains corrélats personnels mesurés par le LA et le POI. Aucune corrélation significative n'a été observée entre l'échelle d'estime de soi et les variables de maturité vocationnelle. Quelques rares corrélations significatives (5 sur 36) sont apparues entre la variable *image de soi comme créateur* et la maturité vocationnelle ($-0,17$ et $0,23$), de même qu'entre la variable *image de soi comme non-créateur* et la maturité ($-0,30$, $-0,25$ et $-0,20$). Par ailleurs, plusieurs rapports significatifs ont été constatés entre les dimensions de l'orientation personnelle définie par Shostrom et la maturité vocationnelle chez ces filles de secondaire II. Dix-sept corrélations sur 27 étaient significatives et dans le sens attendu, allant de $-0,37$ à $0,38$, et atteignant souvent le seuil de signification de 0,001. Il semble que la compétence à vivre le présent et la considération positive de soi étaient en rapport avec l'autonomie chez les filles de ce niveau.

Enfin, conformément à ce qui avait été observé en secondaire I et chez les garçons de secondaire II, l'attitude envers les études, telle que mesurée par l'échelle AE, n'était pas en relation avec les habiletés d'exploration, la pensée créatrice et les corrélats personnels.

Chez les garçons de secondaire III, 61 corrélations sur 252, soit environ 1 sur 4, étaient significatives au moins au seuil de 0,05. En ordre d'importance, elles variaient de $-0,14$ à $0,35$.

L'examen des rapports entre la maturité vocationnelle, d'une part, et les habiletés d'exploration de même que la pensée catégorielle, d'autre part, n'a pas révélé de convergence particulière, quoique 7 des 14 corrélations étaient positives et significatives entre l'IDP de Crites et les habiletés d'exploration, de même que les épreuves de pensée catégorielle. La situation était un peu semblable en ce qui a trait aux corrélats personnels, quoique certains points méritent d'être soulignés. À en juger par les corrélations négatives ($-0,14$ à $-0,28$, $p < 0,05$ à $p < 0,001$) entre l'ED (*empan des traits désirables*) et l'IDP, de même que le NDCS, il appert que chez ces sujets la maturité vocationnelle tendait à être associée à un bon niveau de conceptualisation de leur identité en termes de traits désirables.

Enfin, l'importance accordée aux facteurs de réalité ne semblait pas reliée à la maturité vocationnelle chez ces garçons de secondaire III, à en juger par les corrélations surtout négatives, dont 2 étaient significatives, entre le questionnaire FC et les mesures de maturité.

Les résultats obtenus par les filles différaient encore une fois des résultats observés chez les garçons du même niveau. En effet, chez les filles de secondaire III, seules 35 corrélations sur 252, corrélations qui allaient de $-0,32$ à $0,39$, atteignaient le seuil de signification de $0,05$ et encore, certaines d'entre elles étaient à l'inverse de ce que certaines considérations théoriques permettraient d'espérer. De plus, on ne décelait pas de « patron » dans les résultats. Qu'il suffise de mentionner que la fluidité, comme habileté d'exploration, était en corrélation positive et significative avec 6 des 9 variables de maturité vocationnelle $(0,18$ à $0,22$, $p<0,05)$. En ce qui a trait à l'importance accordée aux facteurs de réalité en relation avec la maturité vocationnelle, les résultats étaient inconsistants : sur les 3 corrélations significatives (sur un total de 9), 2 étaient négatives, ces corrélations étant de $-0,19$, $-0,19$ et $0,22$, $p<0,05$.

Un premier examen des résultats pour les garçons et les filles de secondaire IV et V indiquait que pour chacun des groupes de secondaire IV et pour les garçons de secondaire V, 48 corrélations sur un total de 279 étaient significatives au moins au seuil de $0,05$. Ces corrélations allaient de $-0,29$ à $0,50$ (secondaire IV, garçons), de $-0,30$ à $0,37$ (secondaire IV, filles), et de $-0,51$ à $0,43$ (secondaire V, garçons). Chez les filles de secondaire V, 53 corrélations sur 279 étaient significatives, et variaient de $-0,45$ à $0,50$. En termes de nombre et d'étendue des corrélations significatives, il y avait donc chez ces sujets une certaine homogénéité.

Mais là également, une étude plus détaillée de chaque groupe s'avérait intéressante. Chez les garçons de secondaire IV, à côté de certaines données qui ne semblaient pas avoir de liens entre elles, quelques points retenaient l'attention. La fluidité, comme habileté d'exploration, était en rapport significatif avec le niveau déclaré de connaissance de soi. Les corrélations allaient de $0,18$ à $0,27$. Les mesures de pensée évaluative et implicative (*dépistage des erreurs* et *logique propositionnelle*) étaient en rapport positif et significatif avec l'*inventaire de développement professionnel*, de même que les attitudes face aux études. Il convient de noter d'une façon particulière les rapports significativement positifs entre le NDCS et la *considération positive de soi* telle que mesurée par l'échelle SR du POI, les corrélations allant de $0,25$ $(p<0,05)$ à $0,50$ $(p<0,001)$. Par ailleurs, l'importance accordée aux facteurs de réalité chez les garçons de ce niveau était à peu près complètement en corrélation négative avec la maturité vocationnelle, 3 de ces corrélations étant significatives $(-0,27, -0,24, -0,18)$.

L'attitude envers les études, pour sa part, était en relation positive et significative avec 9 des 31 variables de processus cognitifs, incluant les habiletés d'exploration, et de corrélats personnels, mais il n'y avait pas vraiment de « patron » qui se dessinait.

Chez les filles de secondaire IV, la première partie de l'*inventaire de développement professionnel* était en relation positive et significative avec les mesures de pensée évaluative et implicative, mais on observait par contre des corrélations négatives entre ces mesures et une autre mesure de maturité vocationnelle, le NDCS, et 4 de ces 6 corrélations étaient significatives.

En examinant les liens entre le LA et les variables de maturité vocationnelle, on observait une relation positive entre l'estime de soi et le *niveau déclaré de connaissance de soi,* les corrélations allant de 0,18 à 0,28. Mais les convergences les plus marquées apparaissaient en ce qui a trait aux relations entre l'orientation personnelle et la maturité vocationnelle. Des liens significatifs, et dans le sens espéré, se manifestaient entre la maturité vocationnelle mesurée par l'IDP et la compétence à vivre son présent. La considération positive de soi, pour sa part, était en relation positive et significative avec la maturité vocationnelle mesurée par le NDCS et l'échelle AE. Ces corrélations étaient parmi les plus élevées, allant de 0,28 (p<0,01) à 0,37 (p<0,001).

Enfin, concernant la relation entre l'importance accordée aux facteurs de réalité et la maturité vocationnelle, on observait des résultats semblables à ceux obtenus avec les garçons du même niveau : les corrélations étaient presque exclusivement négatives, et 2 sur 9 (− 0,27 et − 0,28) atteignaient le seuil de signification de 0,01.

L'étude des données concernant les garçons de secondaire V permettait de voir tout d'abord que les corrélations significatives entre la maturité vocationnelle et les habiletés d'exploration, de même que la pensée évaluative et implicative, étaient rarissimes. Les corrélats personnels mesurés par la *liste d'adjectifs* et le POI étaient un peu plus reliés à la maturité vocationnelle, puisque 22 des 72 corrélations étaient significatives et dans le sens espéré, sauf 2. On notait spécialement les corrélations de − 0,50, − 0,34, − 0,51, − 0,36 et − 0,42 entre le NDCS et l'échelle ED du *Heath,* ce qui suggérait que les sujets plus matures vocationnellement dénotaient un meilleur niveau de conceptualisation de leur identité. De plus, la considération positive de soi apparaissait encore comme reliée positivement (p<0,05 et p<0,01) à la maturité vocationnelle mesurée par le NDCS.

Les corrélations en ce qui a trait aux valeurs ne dénotaient pas de tendance bien identifiée. Mais contrairement à ce qui avait surtout été observé précédemment, les corrélations entre l'importance accordée aux facteurs de réalité et la maturité vocationnelle étaient toutes positives sauf une, et 3 des 8 corrélations positives étaient significatives.

Pour les filles du secondaire V, les résultats étaient assez semblables à ceux des garçons en ce qui a trait aux relations entre la maturité vocationnelle et les processus cognitifs. Les corrélations significatives étaient très rares.

S'il était un peu surprenant de trouver des corrélations de 0,40 (p<0,01) et de 0,28 (p<0,05) entre l'image de soi comme non créatrice et l'échelle *implication* du NDCS, de même que l'échelle AE, on pouvait par contre noter que les corrélations entre les indices de maturité vocationnelle et l'empan (**ED** et **END**) étaient presque toutes négatives, et que 7 étaient significatives, allant de − 0,31 à − 0,48, ce qui suggère un certain rapport chez ces sujets entre la maturité vocationnelle et un bon niveau de conceptualisation de son identité.

Les corrélations entre le POI et la maturité vocationnelle étaient en général dans le sens espéré, mais il n'y en avait que 5 sur 27 qui atteignaient le seuil de signification de 0,05 ou plus.

Les valeurs étaient en relation parfois positive, parfois négative, avec les variables de la maturité vocationnelle, mais ici comme aux autres niveaux, il était difficile de déceler une tendance quelconque.

Enfin, une tendance observée dans tous les groupes, sauf chez les garçons de secondaire V, a continué de se manifester : la maturité vocationnelle était associée de façon négative avec l'importance accordée aux facteurs de réalité, ainsi qu'en témoignaient les 9 corrélations négatives, dont 4 étaient significatives, allant de $-0,20$ à $-0,38$.

RÉSUMÉ, CONCLUSION ET DISCUSSION

En ce qui a trait aux *rapports entre les processus cognitifs et les corrélats personnels*, il ressort de l'analyse des résultats que 72 corrélations sur 448, soit un peu plus de 1 sur 7, étaient significatives au moins au seuil de 0,05, malgré la modestie de ces corrélations qui se situaient en moyenne autour de $\pm 0,20$. Certaines d'entre elles étaient dans le sens contraire des attentes que l'on pouvait théoriquement entretenir, surtout chez les filles de secondaire I et II. Il a été intéressant de noter, chez les garçons de secondaire III, un rapport positif entre la conceptualisation de l'identité et la pensée catégorielle. Au niveau du secondaire IV, on a observé davantage de corrélations significatives dans l'échantillon des garçons que dans celui des filles, où elles étaient très rares. Enfin, il y a lieu de noter de nouveau les rapports négatifs observés entre les diverses échelles de valeurs de travail et les divers modes de pensée.

Si nous faisons abstraction des corrélations relatives aux valeurs de travail, de même que de celles qui étaient dans le sens contraire de ce qui était attendu, il faut constater que seulement 19 corrélations sur 268, soit 1 sur 14, étaient significatives, et surtout chez les garçons de secondaire II et III. Ces résultats s'avèrent donc peu probants.

Par ailleurs, l'ensemble des résultats en ce qui a trait aux *rapports entre les habiletés d'exploration vocationnelle et les processus cognitifs* apporte, semble-t-il, un support empirique réel, quoique modeste, à la présomption que la pensée créatrice joue, dans la tâche d'exploration vocationnelle, un rôle plus significatif que les autres modes de pensée, ce qui est consistant avec la conception opératoire, même s'il faut reconnaître que les mesures de pensée créatrice et les mesures d'habiletés d'exploration ne sont pas indépendantes les unes des autres.

Si nous faisons enfin la synthèse des résultats concernant les *relations entre la maturité vocationnelle*, d'une part, et les *processus cognitifs (incluant les habiletés d'exploration) et les corrélats personnels*, d'autre part, nous remarquons que le nombre de corrélations positives et significatives entre la maturité vocationnelle et les habiletés d'exploration est allé décroissant de secondaire I à secondaire V, le nombre de ces corrélations, par niveau, étant respectivement de 24, 21, 17, 10 et 5. Ces corrélations étaient sensiblement plus nombreuses chez les garçons de secondaire II et IV que chez les filles de ces niveaux. Des résultats de cette nature peuvent être interprétés comme supportant la présomption, qui rejoint d'ailleurs les conclusions de Super et Overstreet (1960), que la maturité vocationnelle repose dans une bonne mesure, au début de l'adolescence, sur la capacité d'explorer.

Pour ce qui est des rapports entre la maturité vocationnelle et les modes de pensée mesurés aux divers niveaux scolaires, rien de particulier ne s'est dessiné du côté des filles, si ce n'est qu'au niveau de secondaire II, 17 corrélations sur 63 étaient négativement significatives entre la maturité vocationnelle et la pensée créatrice, alors que 2 seulement étaient positives. Du côté des garçons, les résultats, quoique modestes, étaient cependant meilleurs, puisqu'on observait en secondaire I et II, respectivement, 5 et 10 corrélations positivement significatives (sur 63) entre ces mêmes variables, et 1 qui était négative. Au niveau de secondaire III, 4 corrélations sur 18 étaient positives et significatives entre la maturité vocationnelle et la pensée catégorielle. Pour ce qui est des niveaux IV et V, alors que la maturité vocationnelle était étudiée en relation avec la pensée évaluative et implicative, on observait, respectivement, 5 et 1 corrélations positivement significatives entre ces variables, sur un total de 18 corrélations à chaque niveau.

De l'étude des corrélats personnels en rapport avec la maturité vocationnelle, il est ressorti essentiellement que l'anxiété était négativement reliée à la maturité vocationnelle, ce qui semble conforme aux attentes que l'on peut logiquement entretenir. L'importance accordée aux facteurs de réalité tendait, sauf chez les garçons de secondaire V, à être en corrélation négative avec la maturité vocationnelle. Dans une étude antérieure avec des garçons de secondaire II, III, IV et V (Bujold, 1972), l'importance accordée à ces facteurs était significativement plus grande chez les garçons de secondaire II et III que chez ceux de secondaire V, ce qui avait été interprété comme appuyant la notion de compromis dans le choix professionnel, notion proposée par Ginzberg, Ginsburg, Axelrad et Herma (1951). Ce questionnaire n'a pas été administré aux sujets de secondaire I et II dans la présente étude, mais il convient de rappeler que la moyenne des sujets de secondaire V était inférieure à celle des sujets de secondaire III et IV. Dans la ligne d'interprétation qui vient d'être évoquée, les résultats obtenus avec le FR dans la présente étude pourraient être interprétés comme indiquant que les sujets du milieu et de la fin du secondaire s'avéraient capables de compromis, ces derniers peut-être davantage.

Pour le reste, il n'est pas ressorti de « patron » consistant entre les divers niveaux scolaires, quoique sur un total de 576 corrélations entre la maturité vocationnelle, d'une part, et des variables telles que l'estime de soi, l'image de soi, la conceptualisation de son identité, la compétence à vivre son présent et la considération positive de soi, 134 corrélations étaient significatives, et dans le sens espéré, alors que 13 étaient significatives dans le sens contraire. Ces résultats font ressortir, du moins à certains niveaux scolaires, des tendances qui vont dans le sens de présuppositions conceptuelles qui, parallèlement à la conception opératoire, étaient présentées dans cette recherche.

Le caractère essentiellement exploratoire de l'étude doit évidemment être considéré face à des résultats qui sont parfois non significatifs, ou même contraires à ce qui serait logiquement attendu. Les critères présidant au choix des mesures ont été moins rigoureux qu'ils ne l'eussent été dans une recherche impliquant des hypothèses directionnelles. De plus, à côté d'instruments dont les qualités métrologiques sont solidement établies, la recherche comportait l'utilisation de certaines mesures qui en étaient encore, du moins en partie, au stade expérimental.

Au-delà de ces limites, il reste que certains résultats sont surprenants, notamment, les différences observées entre filles et garçons à certains niveaux. Il se peut que des variations dans l'échantillonnage soient à la base de ces différences, mais les données que nous avons ne permettent pas de répondre d'une façon satisfaisante aux questions que soulèvent ces divergences.

En dépit des limites de cette étude, il semble que les résultats obtenus apportent à la conception opératoire un appui suffisant pour justifier une investigation plus précise et plus approfondie de la validité de cette interprétation appliquée à la séquence vocationnelle.

RÉFÉRENCES

BLAU, P.M., H.S PARNES, J.W. GUSTAD, R. JESSOR, et R.L. WILCOCK : Occupational choice : A conceptual framework. *Industrial and Labor Relations Review*, **9** : 531-543, 1956.

BORDIN, E.S., B. NACHMANN, et S.J. SEGAL : An articulated framework for vocational development, *Journal of Counseling Psychology*, **10** : 107-117, 1963.

BUJOLD, C.E. : *The role of self-concepts, occupational concepts, and reality considerations in the occupational choice of French-Canadian secondary school boys*, (Thèse de doctorat non publiée), Teachers College, Columbia University, 1972.

GELATT, H.B. : Decision-making : A conceptual frame of reference for counseling, *Journal of Counseling Psychology*, **9** : 240-245, 1962.

GINZBERG, E., S.W. GINSBURG, S. AXELRAD, S. et J. HERMA : *Occupational choice : An approach to a general theory*, Columbia University Press, New York, 1951.

GUILFORD, J.P. : *The nature of human intelligence*, McGraw-Hill, New York, 1967.

GUILFORD, J.P. et R. HOEPFNER : *The analysis of intelligence*, McGraw-Hill, New York, 1971.

HAVIGHURST, R.J. : Youth in exploration and man emergent, in : Borow, H. (Éd.), *Man in a world at work* : 215-236, Houghton-Mifflin, Boston, 1964.

HERSHENSON, D.B. : A life stage vocational development system, *Journal of Counseling Psychology*, **15** : 23-30, 1968.

HERSHENSON, D.B. et R.M. ROTH : A decisional process model of vocational development, *Journal of Counseling Psychology*, **13** : 368-370, 1966.

HILTON, T.L. : Career decision-making, *Journal of Counseling Psychology*, **9** : 291-298, 1962.

HOLLAND, J.L. : A theory of vocational choice, *Journal of Counseling Psychology*, **6** : 35-45, 1959.

HOLLAND, J.L. : Major programs of research on vocational behavior, in : Borow, H. (Éd.), *Man in a world at work* : 259-284, Houghton-Mifflin, Boston, 1964.

HOLLAND, J.L. : A psychological classification scheme for vocations and major fields, *Journal of Counseling Psychology*, **13** : 278-288, 1966a.

HOLLAND, J.L. : *The psychology of vocational choice : A theory of personality types and model environments*, Ginn, New York, 1966b.

HOLLAND, J.L. : *Making vocational choices : A theory of careers*, Prentice-Hall, Englewood Cliffs, N.J., 1973.

KRUMBOLTZ, J.D. : A social learning theory of career decision making, in : Mitchell, A.M., J.B. Jones et J.D. Krumboltz, (Éds), *Social learning and career decision making*, Carroll Press, Cranston, R.I., 1979.

PELLETIER, D. : *La représentation de soi*, Éditions du Renouveau Pédagogique, Montréal, 1971a.

PELLETIER, D. : Par quels processus en arrive-t-on à se connaître ? *L'Orientation Professionnelle*, **7** : 263-272, 1971b.

PELLETIER, D. et G. NOISEUX : *Méthodes créatives appliquées aux activités d'orientation*, (Édition préliminaire), Université Laval, Québec, 1971.

PELLETIER, D., G. NOISEUX, et C. BUJOLD : Activation du développement vocationnel et personnel, Université Laval, Projet de recherche DGES-FCAC-72-04. *Programme de formation de chercheurs et d'action concertée*, Gouvernement du Québec, Québec, 1971.

PELLETIER, D., G. NOISEUX et C. BUJOLD : *Développement vocationnel et croissance personnelle : Approche opératoire*, McGraw-Hill, Montréal, 1974.

PERRON, J. et Y. RODRIGUE : *Results obtained with the ATVDI at l'Institut de Psychologie de l'Université de Montréal, A summary report to J.O. Crites*, document miméographié. 1969.

ROE, A. : A psychological study of eminent psychologists and anthropologists, and a comparison with biological and physical scientists. *Psychological Monographs*, **67,** (n° 352), 1953.

ROE, A. : Early determinants of vocational choice. *Journal of Counseling Psychology*, **4 :** 212-217, 1957.

ROE, A. et M. SIEGELMAN : *The origins of interests*, American Personnel and Guidance Association, Washington, 1964.

SUPER, D.E. : A theory of vocational development, *American Psychologist*, **8 :** 185-190, 1953.

SUPER, D.E. : *The psychology of careers*, Harper & Row, New York, 1957.

SUPER, D.E. : The natural history of a study of lives and vocations, *Perspectives on Education*, **2 :** 13-22, 1969a.

SUPER, D.E. : Vocational development theory : Persons, positions and processes, *The Counseling Psychologist*, **1 :** 2-14, 1969b.

SUPER, D.E. : Les théories du choix professionnel : Leur évolution, leur condition courante et leur utilité pour le conseiller, in : Laflamme, C. et A. Petit : *L'information scolaire et professionnelle dans l'orientation : Approche multidisciplinaire*. Centre de documentation scolaire et professionnelle, Faculté des sciences de l'éducation, Université de Sherbrooke, Sherbrooke, 1973.

SUPER, D.E., J.O. CRITES, R. HUMMEL, H.P. MOSER, P.L. OVERSTREET et C. WARNATH : *Vocational development : A framework for research*, Bureau of Publications, Teachers College, Columbia University, New York, 1957.

SUPER, D.E. et P.L. OVERSTREET : *The vocational maturity of ninth grade boys*, Bureau of Publications, Teachers College, Columbia University, New York, 1960.

SUPER, D.E., R. STARISHEVSKY, N. MATLIN et J.P. JORDAAN : *Career development : Self-concept theory*, College Entrance Examination Board, New York, 1963.

TIEDEMAN, D.V. et R.P. O'HARA : *Career development : Choice and adjustment*, College Entrance Examination Board, New York, 1963.

Quatrième partie
Psychologie cognitive
et tâches de développement

Chapitre **1**

L'intégration psychologique à la lumière de la théorie de Jean Piaget

Jean-Yves Guinard

« L'activation du développement implique des expériences à intégrer logiquement et psychologiquement. » C'est le troisième principe de l'A.D.V.P.

Ce principe est la base de toute pédagogie puisqu'il s'agit de faciliter l'incorporation du réel chez un sujet, qui par nature est déjà structuré sur le plan cognitif et affectif. L'interaction sujet-objet, les déséquilibres provoqués et le nouvel équilibre qui en découle expliquent le développement de l'individu. En agissant sur l'objet, le sujet se construit en même temps qu'il construit l'objet.

Le conseiller d'orientation a une double mission dans l'éducation des choix. Il n'a pas seulement un rôle de conseil, mais il doit aussi faciliter la connaissance des milieux scolaires et professionnels. Cela définit clairement son champ d'action. Il ne s'agit pas uniquement d'aider à la résolution de problèmes (d'orientation pour ce qui nous concerne) mais aussi de permettre la construction d'un réel scolaire et professionnel en termes opératoires, autrement dit de développer les compétences du sujet en ce qui concerne le choix et de rendre intelligible en termes de choix le monde des études et des professions.

Dans une première partie, nous nous poserons la question de la représentation professionnelle. Ensuite, nous essaierons de cerner la position de Piaget sur la représentation et la connaissance en général. Enfin à la lumière de cette théorie nous essaierons d'émettre quelques hypothèses sur la construction du réel d'orientation et du sujet qui choisit.

INFORMATION ET REPRÉSENTATION PROFESSIONNELLE

Pour les conseillers d'orientation, la question d'une pédagogie de l'information est une question essentielle ; elle est débattue de plusieurs manières :
- sur le plan de l'identité professionnelle, il existe de nombreuses discussions autour du thème : « Sommes-nous des informateurs ou des psychologues ? » ;
- sur le plan des méthodes, on oppose la connaissance de soi et la connaissance des professions ; on oppose également des méthodes d'information systématique sur les

différents secteurs d'activités pour tous les élèves et des réunions sur thème pour élèves intéressés. Ces différents débats continuent lorsque l'on parle d'évaluation. Qu'est-ce qu'un progrès en orientation et en information ?

Ces différentes questions posent le problème de la connaissance en orientation. Il est évident que le jeune de 15 ans ne connaîtra jamais un métier comme le professionnel qui le pratique, mais ce n'est pas pour cela qu'il ne le connaîtra pas. L'objet est connu différemment suivant le projet et suivant l'expérience. Le métier n'est pas vu tout à fait de la même manière lorsqu'on le choisit et lorsqu'on le pratique, car il n'a pas la même fonction pour le sujet.

Face à l'angoisse du choix, les partenaires de l'orientation (jeunes, familles, institution scolaire) demandent souvent au conseiller de les informer sur tous les métiers pour les aider à choisir. Il est bien évident que la connaissance sans projet n'est pas possible. Mais en même temps, le projet sans savoir reste flou et vague. La connaissance, en information comme ailleurs, est une construction. Elle passe d'intention globale et d'informations parcellaires liées à l'expérience et au désir du sujet à une élaboration plus socialisée permettant au sujet d'appréhender les professions à l'aide d'outils qui peuvent être communs à de nombreux jeunes et à de nombreuses professions. C'est en construisant son information que le sujet se construit en tant que sujet choisissant. Il n'y a donc pas d'opposition entre connaissance de soi et connaissance du monde des professions, mais une connaissance de plus en plus articulée de soi et des professions. Il ne s'agit pas de « tout soi » en tant qu'entité structurée, quelle que soit l'activité, ni de toutes les professions en tant que catalogue des occupations des hommes, mais du soi impliqué dans le projet de choix, structuré par ce projet, le soi choisissant, face à un monde des professions structuré par le même projet, le monde des professions à choisir.

Toute information se situe dans ce cadre. Il peut donc exister une psycho-pédagogie de l'information. Cette psycho-pédagogie aura pour but de faire évoluer les représentations professionnelles. Huteau a posé les problèmes de cette évolution. Il distingue les représentations concrètes de l'activité professionnelle liées aux expériences propres du sujet qui auront de nombreux points communs avec l'image mentale que l'on peut avoir d'un objet physique, des représentations abstraites et impersonnelles qui définissent l'objet comme un groupe d'activités se ressemblant par certains caractères.

Ces images mentales des professions donnent un contenu à la représentation : image, valeur, attrait, etc.

Les représentations abstraites fournissent la structure. Elles permettent de différencier les traits descriptifs de la profession.

Ces représentations s'appuient sur le stéréotype dans un premier temps. Elles s'étendent par analogie à ce qui est connu. Elles se structurent et se différencient par la résistance de l'objet ou de l'autre qui lui fournissent une autre image. Le besoin de cohérence oblige le sujet à structurer différemment son savoir.

L'A.D.V.P. a pour objet d'instrumenter le sujet face au choix, c'est-à-dire lui donner les moyens de résoudre des problèmes de choix. Il est bien évident que cette instrumentation dépendra du niveau opératoire du sujet face à l'orientation et plus généralement du niveau opératoire global du sujet.

Nous allons étudier les différentes étapes du développement opératoire selon Piaget, les facteurs de ce développement, le modèle logique et les conditions pratiques d'apprentissage.

PROBLÈMES DU DÉVELOPPEMENT DE LA CONNAISSANCE EN TERMES PIAGÉTIENS

Les étapes du développement

Pour Piaget, le développement mental apparaît comme « une succession de trois grandes constructions dont chacune prolonge la précédente, en la reconstruisant d'abord sur un nouveau plan pour la dépasser ensuite de plus en plus largement ».

Ce développement est une suite de décentrations successives. Partant d'une vision du monde ou il y a confusion entre soi et l'extérieur, l'enfant progressera vers toujours plus de différenciation et de relativité.

— La première étape du développement (la période sensorimotrice) permet au sujet de développer une logique de l'action. Au terme de cette période de dix-huit mois environ, « l'enfant finit par se situer comme un objet parmi les autres en un univers formé d'objets permanents structurés de façon spatio-temporelle et siège d'une causalité à la fois spatialisée et objective dans les choses ».

— La seconde, c'est la construction de la représentation et des opérations concrètes. La logique de l'action devient une logique de l'opération. L'enfant passe de la notion d'objet permanent à la notion de conservation.

— Enfin, vers 11-12 ans, « la pensée formelle restructure les opérations concrètes en les subordonnant à des structures nouvelles (combinatoire, et groupe des deux réversibilités) qui se traduisent par une différenciation de la forme et du contenu, ce qui permet au sujet de raisonner sur les possibles.

Les facteurs du développement

Quatre facteurs généraux interviennent dans l'évolution mentale :
1. la croissance organique, et spécialement la maturation du complexe formé par le système nerveux et les systèmes endocriniens ;
2. l'expérience acquise dans l'action effectuée sur les objets ;
3. les interactions et transmissions sociales ;
4. un mécanisme interne qui est en fait observable lors de chaque construction.

C'est un processus d'équilibration, non pas dans le sens d'une simple balance des forces comme en mécanique, ou d'un accroissement d'entropie comme en thermo-dynamique, mais dans le sens cybernétique d'une autorégulation, c'est-à-dire d'une compensation active du sujet en réponse aux perturbations extérieures et d'un réglage à la fois rétroactif (système en boucles ou *feed-back*) et anticipateur constituant un système permanent de telles compensations. Cette équilibration constitue le processus formateur des structures décrites. Elle concilie les apports de la maturation, de l'expérience des objets et de l'expérience sociale.

Le modèle logique de Piaget

Pour Piaget, toute adaptation est un équilibre toujours provisoire entre l'assimilation et l'accommodation du sujet. L'assimilation est l'incorporation du réel dans le système des schèmes du sujet, c'est-à-dire l'incorporation d'éléments du monde extérieur dans sa manière de comprendre les choses.

L'accommodation est l'enrichissement d'un schème d'action à la suite d'une expérience qui le rend plus flexible et plus universel.

La pensée dans son rôle adaptatif peut prendre deux aspects : l'un opératif, l'autre figuratif.

L'opératif. L'aspect opératif recouvre la suite des conduites menant des actions sensori-motrices jusqu'aux opérations logico-mathématiques en tant qu'opérations portant sur des transformations.

Sur le plan logique, l'opératif prend la forme de la déduction ; c'est le « regroupement des schèmes sensori-moteurs de l'assimilation intelligente ».

Ces opérations sur les transformations sont concrétisées par la science moderne qui ne s'intéresse qu'aux qualités relationnelles et non substantielles des choses. Toute réalité scientifique est toujours une opération. Le simple est toujours le simplifié. L'explication scientifique ramène le divers et le changeant à l'identique et au permanent, dès lors elle élimine le temps. La logique est une abstraction du temps.

Le figuratif. L'aspect figuratif comprend les perceptions, l'imitation sous toutes ses formes, les images mentales. La fonction du figuratif est de fournir la signalisation et la représentation des états. Le figuratif fournit une esquisse approchée et symbolique du réel. Il sera à la source de l'accommodation, fournissant des signes et images qui obligent le sujet à transformer ses schèmes. Il porte sur le contenu, la substance. La connaissance peut porter sur la recherche d'éléments premiers, absolus qui ne peuvent être atteints qu'en essayant de détruire la construction de l'objet : pour Descartes, la construction ne reste claire que si elle s'accompagne d'une sorte de conscience de la destruction.

Dans ses aspects opératifs, la pensée élimine le temps et développe l'espace ; dans ses aspects figuratifs, elle atteint des entités de plus en plus petites en utilisant l'accumulation des données.

Dans la conduite intelligente, il y a équilibre entre l'assimilation et l'accommodation. Lorsque le sujet a compris, il a intégré un objet à ses connaissances antérieures sans le déformer. On peut rechercher des situations de déséquilibre où l'un des deux pôles de l'adaptation l'emporte sur l'autre.

Dans les conduites de jeu symbolique, le sujet déforme le réel pour l'incorporer. L'assimilation est presque pure. On a alors des mécanismes de projection des schèmes du sujet sur le monde extérieur. Pour Piaget, le jeu symbolique correspond à la fonction essentielle que le jeu remplit dans la vie de l'enfant. Pour s'adapter à un monde social d'aînés, l'enfant a besoin d'un secteur d'activités dont la motivation ne soit pas l'adaptation au réel, mais au contraire l'assimilation du réel au moi sans contraintes ni sanctions : tel est le jeu qui transforme le réel par assimilation plus ou moins pure aux désirs du sujet.

Dans les conduites d'imitation, le sujet accommode systématiquement ses schèmes en fonction de l'objet. Au lieu d'agir sur le milieu nouveau avec d'anciennes habitudes, le sujet remanie ses habitudes en fonction de l'acte d'autrui. Il s'agit alors d'une accommodation globale d'un rôle ou d'une conduite qui ne sera pas directement intégrée aux schèmes antérieurs.

Nous le voyons : pour être adapté, un sujet doit pouvoir assimiler un réel complexe sans le déformer. Il le fera d'autant plus facilement qu'il possèdera des schèmes plus nombreux, plus différenciés et plus universels. Ces schèmes s'enrichissent par l'accommodation du sujet. Les conditions de tout apprentissage et tout développement sont déterminés par les conditions qui rendent possible l'accommodation.

Apprentissage et structures

La prise de conscience. Pour Piaget, l'accommodation n'est possible que s'il y a eu prise de conscience des schèmes logiques employés pour résoudre un problème.

Le passage de l'inconscient au conscient est « un processus de conceptualisation reconstruisant puis dépassant au plan de la sémiotisation et de la représentation ce qui était acquis à celui des schèmes d'action. »

La conscience comme la pensée est une construction véritable qui consiste à élaborer non pas la conscience considérée comme un tout mais ses différents niveaux en tant que systèmes plus ou moins intégrés des structures en équilibre de plus en plus complexes et dont les mécanismes d'autorégulations sont de plus en plus nombreux.

C'est de la prise de conscience que surgit le projet, projet d'un nouvel équilibre plus stable et plus flexible.

En effet, tout progrès n'existe qu'en passant par un nouveau projet, c'est-à-dire une nouvelle manière de se poser des problèmes. Être doué d'un projet permet d'inventer, de faire face à un déséquilibre par une équilibration majorante. Être doué d'un projet, c'est être possesseur d'un savoir. Ce savoir, même dans le cas de l'explication scientifique, n'est jamais pour Piaget une vérité absolue. Ce n'est pas non plus une convention entre les hommes, c'est un projet des hommes, donc une construction, un jugement sur eux, sur le monde, un engagement de l'homme face au monde.

Conditions de la prise de conscience. La prise de conscience n'apparaît que lorsque le sujet est en relation avec un objet au sens large. C'est l'interaction sujet-objet qui provoque la connaissance et la prise de conscience.

La prise de conscience peut apparaître dans deux conditions :

a. elle est la conséquence d'une désadaptation ; *exemple :* le sujet s'est fixé un but et il rencontre l'échec, il réfléchit alors sur l'objet (mauvaise accommodation, déformation) et sur l'action (moyens employés, corrections, remplacements, etc.) ;

b. la prise de conscience peut venir du processus assimilateur lui-même. Le fait même de construire un projet, de se fixer un but, c'est-à-dire d'assimiler l'objet en schème pratique d'action permet la prise de conscience, car ce schème devient concept. Temporaliser un schème, c'est-à-dire le distancier du temps de l'action, permet d'en prendre conscience et de l'analyser.

Toutes les conditions d'apprentissage ne sont pas susceptibles de provoquer des prises de conscience :

— lorsque les observables de l'action ne correspondent pas au niveau de pensée, au projet du sujet, ils ne provoquent aucun déséquilibre, et ne sont donc pas source de progrès ;

— l'acquisition de termes corrects ne permet pas au sujet d'accéder à la notion si celle-ci ne se situe pas dans son projet, mais elle peut orienter l'attention vers des points pertinents ;

— enfin, quelles que soient les conditions de la prise de conscience, elles nécessitent une exploration des possibles dans plusieurs directions (combinatoire) ; sans cette exploration, aucun apprentissage n'est possible.

Connaissance de soi et connaissance du monde extérieur. Pour Piaget, il y a au départ indifférenciation entre le sujet et le monde extérieur. Il y a relation circulaire entre le sujet et l'objet. Le sujet apprend à se connaître en agissant, sa connaissance progresse en fonction des progrès de l'action. Les schèmes nouveaux apparaissent lorsque le sujet a pris conscience de ses actions à travers leurs résultats, donc en se connaissant mieux. Cette prise de conscience est souvent élaborée lorsqu'il y a une différence entre le résultat observé et le résultat attendu. La prise de conscience précise en même temps l'image de soi. Ce progrès se fait à la fois sur les plans opératif et figuratif. On pourrait schématiser cette double intersection par le tableau suivant :

Équilibration majorante	Science (connaissance du monde extérieur)	Conscience (connaissance de soi)
Figuratif	Meilleure connaissance de l'objet	Meilleure définition de son identité
Opératif	Développement de la pensée logique	Conscience réflexive des schèmes d'action

On voit donc comment, pour Piaget, toute adaptation est un équilibre entre les structures du sujet et les problèmes qu'il peut résoudre. Cet équilibre est remis en question lorsque de nouveaux projets apparaissent. Tout le développement du sujet, allant de décentration en décentration, s'effectue par l'acquisition de nouveaux schèmes plus souples et plus universels.

Nous pouvons faire l'hypothèse que le développement du savoir en orientation procède des mêmes mécanismes. Aussi, sous forme d'hypothèse, nous allons reprendre ces différents points en les appliquant au choix professionnel.

APPLICATION DU MODÈLE PIAGÉTIEN AU DÉVELOPPEMENT DU PROJET PROFESSIONNEL

Le développement du projet professionnel peut être une construction. Cette construction peut avoir plusieurs étapes ou stades. Ce développement peut être une suite de décentrations. Partant d'une confusion entre soi et le métier, illustrée le plus souvent par des expressions telles que : « J'aime ça, ça me plaît, c'est un bon métier », le jeune progressera vers davantage de différenciation et de relativité. Il développera sa capacité d'analyse des métiers, percevant leur évolution dans un monde économique et d'analyse de lui-même se transformant dans un milieu psycho-social.

Il est bien évident que ce développement n'est pas indépendant du développement de la pensée logique du sujet. Toutefois, il n'en dépend pas entièrement ; un sujet peut avoir atteint un stade formel sur le plan logique et rester à un niveau très infantile sur le plan du projet professionnel.

Les étapes du développement du projet professionnel

La première étape peut être rapprochée de la période sensorimotrice. C'est l'étape de l'acquisition de la notion de métier en tant qu'entité ne se réduisant pas au désir du sujet et pouvant être l'objet de connaissance. C'est en même temps que le sujet acquiert l'idée qu'il ne se réduit pas au métier qu'il aime et qu'il a des goûts qui ne s'inscrivent pas dans ce métier.

L'invariant est le métier en tant qu'objet structuré et permanent et, pour l'individu, une identité de sujet choisissant sans se réduire à son choix. Cette étape expérientielle motrice et sensible est à la base de tout projet.

La seconde étape. Au-delà des perceptions, du sensible, de l'image, il y a une conservation de l'identité et des professions. Au-delà de l'évolution des choix, des transformations, des métiers, il y a une conservation de leur identité liée à des descripteurs sociaux (catégories socio-professionnelles, conditions de salaire, niveau de qualification, statut social, mode de transformation du réel à travers l'approche scientifique, littéraire, technique, sociale, etc.). Cette conservation permet les regroupements, la classification, la sériation des métiers suivant plusieurs critères, des individus suivant leurs qualités, leurs défauts, leurs goûts, etc.

La troisième étape correspond à celle des opérations formelles. Au-delà des catégories de métier, il y a une compréhension des systèmes économiques, des rapports des professions entre elles, et de l'évolution de ces systèmes. Il y a en même temps et en relation, une compréhension de sa propre place face aux autres, de son histoire et de ses conditionnements.

Aspects opératifs et figuratifs

Les aspects figuratifs de la représentation professionnelle correspondent aux images mentales. Images de soi face au métier, images des métiers fruits de l'expérience sensible, du vécu ; ces images permettent, lorsqu'elles sont décrites, de faire prendre conscience des schèmes de choix, car elles sont structurées par ces schèmes.

Le figuratif est lié à la réception du réel (visites, films, lecture, expériences). Toutefois, ce réel n'est assimilé sous forme de choix que dans la mesure où il pose un problème au sujet.

L'opératif, c'est le projet, c'est-à-dire la projection sur le monde de ses désirs, de ses goûts, de ses manières de voir et de construire. Il structure les images et se modifie lorsqu'il prend conscience d'un déséquilibre.

Apprentissage et représentation professionnelle

Toutes les situations qui mettent en contact un sujet cherchant à choisir et des possibilités de choix sont des situations à la fois assimilatives et accommodatives. Toutefois, certaines sont beaucoup plus assimilatives et d'autres essentiellement accommodatives.

La situation assimilative demande la projection des désirs du sujet. Elle peut prendre la forme de l'exploration, de la cristallisation, de la spécification ou de la réalisation.

Elle permet au sujet d'agir, de s'exprimer suivant ses schèmes actuels. Il explore dans toutes les directions suivant son projet, il choisit, il classe, il série. C'est aussi le moment où il parle de ce qu'il aime, où il décrit le métier qu'il envisage en termes positifs ou négatifs.

Cette situation favorise une prise de conscience des schèmes existants, elle permet une conceptualisation.

Dans ces exercices, il n'y a pas de conflits externes. Toutefois, certains conflits internes peuvent exister, tels que la peur de choisir, de parler, de montrer ses contradictions. Ces conflits seront aussi des sources de prise de conscience.

Les situations accommodatives, au contraire, sont des situations de confrontations et de conflits. Confrontation des images et des représentations professionnelles à partir de films d'expériences, de discussions entre jeunes. Ces situations permettent au sujet de prendre conscience des schèmes inadaptés à la situation, trop simples, trop rigides, trop particuliers, etc.

Les discussions avec un conseiller d'orientation qui met en évidence des aspects du métier qu'il n'avait pas perçus, la rencontre avec des professionnels obligent le sujet à s'accommoder. Cette accommodation modifie l'image des métiers et en même temps l'image du sujet, en les précisant et les différenciant.

Techniquement, il nous semble que les situations assimilatives doivent précéder les situations accommodatives au début. Mais on doit rapidement faire alterner les deux types de séances pour à la fois renforcer les convictions intimes du sujet d'un côté, et l'intégration des données d'environnement par ailleurs. D'autre part la séquence A.D.V.P. devient l'outil logique qui structure les deux situations.

Enfin à l'aide de la description des étapes du développement du projet professionnel, il est possible de faire une évaluation cohérente.

L'ÉVALUATION

Toute évaluation est associée à la notion d'évolution. Cette évolution ne prend un sens que s'il y a un savoir.

Le projet d'intégration psychologique des données et de l'expérience a pour but d'amener le jeune vers de plus en plus de décentration et de différenciation dans son projet professionnel, autrement dit de développer la maturité professionnelle. Il nous semble assez aisé de construire des grilles d'observation des sujets afin de déterminer le stade atteint. Cette grille pourrait avoir deux aspects : image des métiers et image de soi. Toutefois, il nous semble assez important de différencier, comme le fait Piaget, réussir et comprendre.

En effet, lorsque nous tentons d'élever le niveau de maturité professionnelle, nous nous fixons un but différent de celui que l'on se fixe lorsqu'on aide, même dans un processus à long terme, le sujet à résoudre son problème d'orientation.

Cette différence peut difficilement être réduite, même si les relations entre les deux démarches paraissent évidentes. En effet, lorsqu'on propose à un sujet des expériences pour l'instrumenter face au problème de choix, on lui donne en même temps les moyens de son développement. Cependant, un sujet peut avoir un niveau de maturité professionnelle suffisant et éprouver des difficultés à choisir alors qu'un autre choisira plus facilement même s'il analyse très globalement la situation.

Il est bien évident qu'en théorie, lorsqu'il y a réussite d'un développement harmonieux, les deux projets sont confondus à l'extrême et qu'alors la certitude du sujet correspond à la compréhension de ses déterminismes, sans aucune réduction de part et d'autre.

Ces remarques obligent à se poser la question du contenu de cette grille afin de bien éprouver l'intégration psychologique en termes de projet d'action, de savoir-faire, et non d'acquisition de connaissances uniquement.

On doit enfin faire remarquer que toute éducation a ses limites, elle n'a aucune prise sur le désir du sujet ou sur son non-désir.

D'autre part, la manière dont le sujet se situe face à l'avenir, autrement dit son projet, est toujours singulière.

En conséquence, toute évaluation se situera par rapport à deux normes : la comparaison des sujets entre eux, et le projet du sujet en tant que référent premier.

Chapitre **2**

Motivation et cognition :
comparaison avec quelques
conceptions piagétiennes

Joseph Nuttin

Plusieurs auteurs (de Montpellier, 1964 ; Reuchlin, 1977 ; Eckblad, 1981) ont attiré notre attention sur certaines ressemblances entre nos conceptions générales du comportement et celles qui se trouvent à la base du système de Piaget. Une brève comparaison concernant quelques thèmes fondamentaux est de nature à éclairer nos positions.

Alors que la psychologie de Piaget est centrée sur l'étude du processus cognitif, notre conception envisage surtout l'aspect dynamique de l'action et l'intégration des différentes fonctions à l'intérieur du comportement humain. On comprend que l'étude de la cognition ait amené le grand psychologue suisse à aborder le comportement sous l'angle de l'adaptation, étant donné que l'objectif de la connaissance consiste précisément à établir des structures cognitives conformes ou adaptées à la réalité telle qu'elle se manifeste au cours du comportement global. Au contraire, le psychologue étudiant l'action de l'homme adulte ne peut s'empêcher d'être frappé par l'effort, déployé par l'être humain, en vue de changer et de transformer cette même réalité pour la rendre de plus en plus conforme, non à ses structures cognitives *antérieures,* mais à ses désirs et aux buts toujours renouvelés qu'il se pose. C'est cette différence de perspective, je pense, qui a donné naissance à deux notions-clés d'orientation différente : les *schèmes adaptatifs* chez l'un, et les *projets d'action* chez l'autre. Aussi différentes qu'elles soient, ces deux notions sont les produits d'une interaction entre les aspects cognitifs et dynamiques du fonctionnement comportemental. Pour nous, il s'agit d'expliciter et d'accentuer ici l'aspect dynamique de ces notions.

SCHÈME ET PROJET D'ACTION

Le besoin cognitivement élaboré et concrétisé que nous appelons *projet d'action* correspond à la notion piagétienne de « schème » *sous son aspect dynamique.* En effet, nous considérons le projet comme un besoin qui, au niveau du fonctionnement cognitif, cherche son issue *(outlet)* dans une relation avec le monde et revêt ainsi une forme comportementale concrète : une structure moyen-fin. Comme le dit de Montpellier (1964, p. 105), « la notion de schème utilisée (par Piaget) est très proche de celle de besoin, telle que l'entend Nuttin, puisque *le schème implique une tendance — issue d'un besoin — à fonctionner d'une certaine manière,* comme le besoin comporte un schème de contact comportemental ». Il s'agit ici du besoin dans sa forme concrétisée (projet d'action). Pour nous, en effet, le besoin abstrait se concrétise, soit en projet d'action grâce à un processus d'élaboration cognitive comme nous venons de le dire, soit en comportement conditionné grâce à un processus de canalisation.

Pour mieux comprendre le parallélisme et la différence entre les deux notions, il nous faut insister sur la différence entre l'aspect cognitif et l'aspect motivationnel du schème. Pour Piaget, toute unité d'action ou de perception qui possède une signification pour le sujet est appelée un schème. Ainsi, les gestes par lesquels un bébé secoue ou attire les objets suspendus au-dessus de sa tête sont des schèmes ou des « concepts moteurs », c'est-à-dire des unités *significatives* de mouvement. Quant à la motivation, Piaget dit que le bébé répète l'acte de tirer les cordons qui pendent de la toiture de son berceau parce que le résultat de cet acte *l'intéresse* (à savoir les objets qui se mettent à danser). Nous disons que cet « intérêt » implique une motivation et une expérience de satisfaction : l'enfant aime produire un effet (cf. nos expériences sur la *causality pleasure*). En d'autres mots, le résultat n'intéresserait pas l'enfant s'il n'y avait pas une motivation à produire un effet visible et audible à l'aide de ces mouvements. La répétition de l'acte dont le résultat *intéresse* l'enfant est l'amorce de l'acte instrumental : l'enfant forme, pour ainsi dire, l'hypothèse que le fait de tirer les cordons est le « moyen » pour atteindre le résultat intéressant qui est le « but ». À l'aide de la répétition, il confirme l'hypothèse et renouvelle son plaisir. Pour Piaget, la notion de schème implique la tendance au fonctionnement. Il dira même qu'un élément (un moyen, par exemple) ne sera assimilé à un schème préalable que lorsqu'il est capable de satisfaire *le besoin impliqué dans le schème*. À notre avis, il est nécessaire d'expliciter l'élément motivationnel pour spécifier *ce que* le sujet trouve *intéressant* et cherche à répéter, en opposition avec une assimilation purement cognitive. Supposons, par exemple, l'acte qui consiste à tirer un cordon rouge qui aboutit à un choc électrique. Ce résultat peut être assimilé à un schème (cognitif), mais il n'y aura pas de tendance à le répéter, quoique ce soit un résultat significatif et intéressant à connaître *pour pouvoir l'éviter*. En plus de l'élément information, il y a l'élément motivationnel. Le but ou le résultat à obtenir ou à éviter est plus qu'un résultat assimilable à des schèmes cognitifs antérieurs ; il porte un cachet positif ou négatif. Il faut donc y ajouter le schème « à faire » ou « à ne pas faire », et cet élément est précisément la contribution de la motivation. On n'apprend pas seulement une information (i.e. *the sign-Gestalt of Tolman*), mais on apprend aussi à *faire* ou à *ne pas faire* quelque chose en fonction de la motivation. C'est là la différence entre l'apprentissage au niveau purement cognitif et l'apprentissage au niveau de l'action complète. C'est pourquoi la *direction* motivationnelle est essentielle dans l'étude du comportement, comme spécification de la tendance générale à fonctionner. Il y a une assimilation cognitive qui ne peut pas se traduire en action ; toutes les structures cognitives ne sont pas programmées pour fonctionner.

Le fait que, chez Piaget, l'aspect dynamique du comportement — et plus spécialement du schème — passe en second plan s'explique, partiellement, par la conception qu'il se fait du besoin. Sur ce point, le psychologue suisse est resté sous l'influence de la notion freudienne de *Trieb*. Le besoin y est conçu comme le « moteur physiologique de l'activité mentale », c'est-à-dire comme une émanation de la vie physiologique et le moteur de la vie psychique, comme c'est le cas aussi du besoin homéostatique et du *drive* qui en découle. Au niveau psychologique, le besoin n'est alors rien d'autre que « l'aspect introspectif » de ce moteur physiologique, c'est-à-dire le besoin physiologique *senti*. On ne comprend donc pas, nous dit Piaget dans *La naissance de l'intelligence* (chapitre 1), comment ce « moteur » pourrait *orienter* le comportement.

Pour nous, au contraire, le besoin est une notion fonctionnelle. Même dans sa forme pré-comportementale, le besoin est une exigence sélective de certaines formes spécifiques de relation comportementale ; il est donc intrinsèquement orienté. Au lieu d'être un moteur *physiologique,* il est pour nous l'aspect dynamique propre à chacune des potentialités fonctionnelles (psychologiques et physiologiques) d'un être vivant. Il en a la nature psychologique ou physiologique selon qu'il s'agit d'une fonction psychologique ou physiologique. Ceci n'exclut aucunement qu'un besoin psychologique ait aussi son substrat biologique, comme c'est le cas de la fonction même dont il est l'aspect dynamique. Ainsi, l'activité intellectuelle, comme le besoin cognitif qui y correspond, ont leur aspect biologique dans le fonctionnement psychophysiologique intégré de l'individu humain, mais cela n'implique pas que l'activité intellectuelle et son besoin inhérent se réduisent au fonctionnement physiologique de l'organisme. La psychologie étudie précisément l'aspect comportemental et relationnel des fonctions et de leurs dynamismes, sans pour autant exclure l'aspect physiologique étudié éventuellement par la psychophysiologie.

Quant à l'orientation du comportement, elle est inhérente au besoin et à la motivation en général ; elle se manifeste surtout dans le fait que certains contacts comportementaux produisent des effets recherchés et agréables, alors que d'autres sont évités ; elle est donc à la base du renforcement et de l'apprentissage, plutôt que d'en être le produit.

SCHÈME ET SIGNIFICATION

En plus de l'aspect dynamique du schème piagétien, il y a son aspect structural. C'est le schème qui donne à un mouvement ou à un objet sa structure et son unité et qui en fait ainsi un comportement ou un objet *significatif* qui porte un nom. C'est le schème qui fait qu'un objet quelconque est un « triangle » ou une « chaise ». C'est le « schème » d'un mouvement qui fait en sorte qu'il s'agit, par exemple, d'un « écartement d'obstacle » ou de la « préhension d'un objet », c'est-à-dire d'un comportement significatif et non d'une simple contraction musculaire. Pour nous, c'est l'élément *signification* d'un comportement qui constitue son « schème » au sens structural du terme. Cette signification s'établit progressivement, à partir d'éléments sensorimoteurs et sur la base des relations que le sujet perçoit et comprend entre un mouvement, d'une part, et un but ou élément dynamique de l'autre (voir notre théorie comportementale de la signification). C'est la direction intentionnelle d'un ensemble de mouvements vers l'objet-but qui donne à cet ensemble son unité et sa signification, de même que c'est l'incorporation d'un objet quelconque dans un comportement motivé qui lui donne sa signification fonctionnelle.

Il est donc souhaitable de distinguer deux aspects dans la notion complexe de schème. Du point de vue structural, le schème correspond à ce que nous appelons la signification d'un objet ou d'un mouvement comportemental. Du point de vue dynamique, il correspond au projet d'action ou intentionnalité qui anime tout comportement. Dans les deux cas, il s'agit de l'élément cognitivo-dynamique qui constitue le noyau même de tout comportement et qui lui donne son orientation dynamique, aussi bien que sa signification. Quant à la signification d'un objet statique — tel un téléphone, par exemple — elle dérive du comportement évoqué par l'objet perçu, comportement dans lequel cet objet a été incorporé lors d'une action ou perception d'action antérieure. Dans une publication antérieure (Nuttin, 1953, p. 445 à 452), nous avons démontré comment un objet significatif est un genre de résidu (précipité ou cristallisation) ou du comportement effectué ou du comportement perçu. La cognition est un comportement résiduel de la même façon que le comportement est cognition en mouvement et motivation ou intentionnalité. Lorsque, à un autre moment, le même objet ou la même situation est à nouveau perçu, les modèles comportementaux impliqués (plans, structures ou paradigmes) sont virtuellement évoqués de telle façon que la perception de l'objet devient souvent une invitation, une attente, ou même un début virtuel de comportement similaire (*ibid.* p. 448). Des points de vue similaires ont été exposés récemment par Hewitt (1974). Ainsi, nous reconnaissons à quel point les phases cognitives, motivationnelles et opérationnelles du comportement sont interreliées. L'écart considérable entre le comportement et la cognition, proposé par les behavioristes, n'existe pas en réalité.

FONCTIONNEMENT ET BESOIN

Certains auteurs (Eckblad, 1981) ont soulevé le problème du caractère primaire ou secondaire du *besoin* par rapport au *fonctionnement* de l'organisme. Pour la « théorie du schème » élaborée par Eckblad à l'aide de certaines notions piagétiennes, le *fonctionnement* du système serait primaire et sa *motivation* secondaire ; pour Nuttin, nous dit l'auteur, ce serait le contraire (Eckblad, 1981, p. 101 et 102). Notons que pour nous comme pour Piaget, c'est le fonctionnement même qui est dynamique ; l'être vivant, c'est-à-dire fonctionnant, est un dynamisme intrinsèque. Il faut souligner qu'à notre avis, il est impossible de faire surgir, dans un système, la motivation ou le besoin comme un élément secondaire. Pour reprendre l'exemple d'Eckblad, nous dirions que le fait d'entraver un schème dans son activité d'assimilation ne peut engendrer un motif, si l'activité d'assimilation même n'est pas un besoin. En d'autres mots, les besoins ne surgiront pas d'un *déséquilibre* dans les schèmes — comme le propose Eckblad — si une *tendance* à l'équilibre n'est pas supposée à la base du système. Le facteur dynamique doit donc être présent, de façon inhérente et primaire, dans le système fonctionnel même, pour que le fait d'entraver son activité puisse avoir un effet motivationnel. Quoique nous n'admettions pas la tendance à l'équilibre comme base de la motivation humaine, nous insistons sur le caractère dynamique du fonctionnement même. C'est même là notre point essentiel. Quant à Piaget, il admet le besoin comme « l'aspect conatif ou affectif d'un schème en tant que réclamant *les objets qu'il peut assimiler* ». Il y voit même la raison pour ne pas recourir à un facteur séparé de motivation, étant donné que celui-ci est inclus dans les processus d'assimilation et d'accommodation. À notre avis, au contraire, il est nécessaire de bien mettre en évidence — et de façon explicite — l'importance du facteur motivationnel comme tel, étant donné qu'il est responsable de la direction du fonctionnement comportemental, ce qui est sa caractéristique principale. Dans ce comportement, l'homme, en effet, ne cherche pas à atteindre n'importe quoi parmi *les objets qu'il peut assimiler* de façon cognitive ; il s'approche des uns et évite les autres, comme il a été montré ci-dessus.

Il y a une autre raison pour bien distinguer le processus motivationnel de celui du fonctionnement. Prenons comme exemple le fonctionnement cognitif : il est évident que la motivation à percevoir ou la curiosité cognitive doit s'étudier comme un processus différent de celui de la perception même. La même distinction s'impose entre le fonctionnement du contact social et sa motivation. Ce que nous voulons souligner se résume donc comme suit : d'une part, les besoins ne doivent pas se concevoir comme des entités en soi, mais comme des différenciations à partir d'un dynamisme fonctionnel central qui est inhérent à la vie même ; d'autre part, il faut éviter de les confondre avec le fonctionnement comme tel, étant donné qu'ils lui donnent sa direction et obéissent à des lois différentes.

FONCTIONNEMENT ET ADAPTATION

Un dernier mot concernant le caractère adaptatif du fonctionnement comportemental. Comme nous disions au début de cette section, le fait que Piaget aborde sa théorie du comportement du point de vue de l'activité cognitive, alors que nous partons de son aspect motivationnel, a eu pour résultat un déplacement de perspective.

Ce que Piaget appelle d'emblée *processus d'adaptation* en y discernant l'assimilation et l'accommodation, correspond à notre notion neutre et non différenciée de *fonctionnement interactionnel avec l'environnement*. Au niveau psychologique, ce fonctionnement est le comportement au sens large du terme. Il inclut l'activité intégrée de l'ensemble de nos fonctions — motrices, cognitives, motivationnelles, émotives, etc. — qui, toutes, se déroulent selon leurs lois propres qui ne sont pas nécessairement de nature adaptative. Pour nous, comme pour Piaget, ce fonctionnement implique un aspect dynamique : l'être vivant n'est pas seulement un fait, il est surtout un dynamisme fonctionnel. Pour Piaget, ce dynamisme est une tendance à l'assimilation et à l'accommodation, c'est-à-dire à l'adaptation ; pour nous, l'être vivant est essentiellement une tendance au fonctionnement interactionnel au service de son autodéveloppement sous des formes très variées.

Pris sous sa forme comportementale d'action humaine, le fonctionnement en vue de l'autodéveloppement n'est pas essentiellement adaptatif. Beaucoup plus que l'animal, l'être humain est incapable de laisser les choses telles qu'elles sont ; il tend à transformer — par son action — un état de choses donné dans la direction de ses projets d'action. C'est ainsi qu'il change le monde de la nature en culture en y réalisant ses propres projets. Ces projets sont les élaborations cognitives de ses besoins, y compris le besoin de dépasser toujours le niveau atteint. Ainsi, on peut dire que, de façon active, l'homme adapte son monde à ses propres constructions, plutôt que d'adapter ses constructions à l'environnement donné. Plutôt qu'une assimilation du réel, cette « adaptation active » est, pour lui, un but à réaliser. Le but ne consiste pas — comme dans le cas de la cognition — à construire une image cognitive conforme (adaptée) à la réalité donnée, ni à accommoder les schèmes existants de manière à pouvoir assimiler le donné, mais à transformer carrément la réalité même.

Bien sûr, à l'intérieur de ce processus de transformation de la réalité, l'adaptation proprement dite joue un certain rôle en ce sens que l'être humain se conforme et s'accommode effectivement aux données trop résistantes, c'est-à-dire à celles qui ne cèdent pas à ses efforts de transformation. Dans ce cas, le sujet s'adapte partiellement dans le but de réaliser au maximum ce qui reste de son projet initial. L'adaptation devient ainsi un processus secondaire au service du dynamisme d'autodéveloppement du sujet.

Au cas où on désirerait conserver, à tout prix, l'image de l'adaptation, on pourrait dire que l'être humain, en essayant d'adapter son monde à l'image qu'il s'en fait, cherche, somme toute, à s'adapter à soi-même (Fraisse, 1967, p. 182 à 184). Toutefois, il s'agit alors de préciser en quoi consiste cette adaptation à soi-même. Pour un être qui, comme l'homme, se caractérise par une tendance au dépassement du niveau acquis, l'*in*adaptation fondamentale semble être celle qui consiste à ne pas pouvoir réaliser le but ou l'idéal qu'il s'est assigné. Sa déficience permanente est l'idéal non atteint. Dans ce cas, l'homme ne réussit à s'adapter à soi-même que dans la mesure où il réussit à changer son monde selon ses projets. Ce serait là ajouter une signification de plus à celles, déjà multiples, du terme adaptation.

RÉFÉRENCES

DE MONTPELLIER, G. : L'apprentissage. In P. Fraisse & J. Piaget (eds) *Traité de psychologie expérimentale. Vol. IV. Apprentissage et mémoire.* Paris : Presses universitaires de France, 1964, 43-114.
ECKBLAD, G. : *Schemes theory. A conceptual framework for cognitive-motivational processes.* London-New York : Academic Press, 1981, 131 p.
HEWITT, C. : A larger context. Review of Meltzer, B. & Michie, D. Machine intelligence. *Information and Control,* 1974, *26*, 392-400.
KOCH, S. : Behavior as ‹ intrinsically › regulated : work notes towards a pre-theory of phenomena called ‹ motivational ›. In M.R. Jones (ed.), *Nebraska symposium on motivation.* Lincoln : University of Nebraska Press, 1956.
REUCHLIN, M. : *Psychologie.* Paris : Presses universitaires de France, 1977, 445 p.

Extrait de :
Pelletier, D. et Bujold R. (éd.) (1984) *Pour une approche
éducative en orientation.* Montréal : Gaëtan Morin.

Chapitre **3**

Évolution des représentations professionnelles et approche constructiviste de l'information en orientation

Alain Rufino

LA PLACE DES REPRÉSENTATIONS PROFESSIONNELLES DANS LES PROBLÉMATIQUES D'ORIENTATION

Dans la problématique du choix professionnel

Quelle que soit la problématique de l'orientation à laquelle on se réfère, les processus représentatifs y jouent un rôle central : il s'agit toujours, en fin de compte, de la confrontation et de la recherche d'une certaine adéquation entre la représentation d'un individu et celle de situations sociales, de métiers.

Dans les approches diagnostiques, l'orientation consiste en un conseil délivré par un spécialiste à un consultant passif et censé incapable d'élaborer des représentations fiables de lui-même et des métiers, de confronter efficacement celles-ci afin de prendre une décision rationnelle. La justification de l'intervention du spécialiste repose sur la compétence de celui-ci à dégager des représentations opérationnelles des professions et des individus, à procéder à des comparaisons entre les deux groupes de données (ou profils) et à trouver la solution la plus pertinente. Le problème posé est donc celui de savoir si le spécialiste dispose de sources d'informations fiables, si ses investigations sont complètes, si ses représentations reposent sur des descripteurs pertinents, sur de bonnes méthodes et de bons instruments, afin de fonder valablement son pronostic. Une telle approche, qui se veut *scientifique,* n'est concevable que dans la mesure où les deux entités confrontées présentent une certaine stabilité dans le temps : des individus en fin de scolarité (les jeux du développement étant faits), désirant une insertion professionnelle à court terme dans un métier qui s'exercera longtemps sous une forme identique.

Des facteurs socio-économiques liés à l'évolution des techniques de production ont déstabilisé les modèles traditionnels de vie professionnelle. Avec l'avènement de la production de masse, les fonctions de conception et d'exécution se dissocient de plus en plus nettement, de sorte que la notion de métier disparaît souvent pour laisser la place à celle d'emploi, de fonction dans des structures complexes.

L'accélération du rythme d'évolution des moyens de production entraîne pour les individus la nécessité d'une grande adaptabilité pour faire face aux nécessités de recyclage ou de reconversion, et l'histoire individuelle de ces changements ou *carrière personnelle* devient une notion heuristique en orientation. Avec l'extension des études longues et générales, tendance commune à tous les pays industrialisés, l'orientation scolaire se développe. Dans un contexte idéologique d'éducation permanente, celle-ci tend à devenir un processus continu, et, dans l'idéal, vise à aider l'individu à concevoir un *plan de carrière* qui prendra en compte les articulations entre formation initiale et formation continue. Si une telle conception est très compatible avec l'évolution sociale et peut devenir une finalité assez unanimement partagée, un tel projet ne peut échapper à l'utopie que dans la mesure où se développent les moyens d'analyse théorique et les techniques appropriées. Les attitudes non directives en psychologie (Rogers) et en pédagogie, la psychologie cognitive du développement viennent renforcer les positions des pionniers en la matière comme MM. Ginsberg et Super, en facilitant les analyses dynamiques de processus. En s'intéressant à l'activité des élèves dans le cadre de leur développement général et vocationnel, on a pu conclure à la possibilité d'une action éducative en matière de choix professionnel qui vise à permettre aux individus de traiter cognitivement les données utiles et de parvenir, en fin de processus, à effectuer des *choix autonomes,* conscients et motivés.

Dans une conception éducative, la fonction du conseiller d'orientation n'est plus de délivrer un conseil motivé, mais d'aider chaque individu à préparer et *prendre ses propres décisions* après avoir réuni et traité les données utiles pour les fonder valablement. Il s'agit donc d'éveiller, de sensibiliser, de faire saisir aux intéressés les paramètres importants de la question et d'identifier des sources d'information sur chacun d'entre eux, de les aider à maîtriser des méthodes de recueil et de traitement des données, à mettre de l'ordre dans leurs représentations, à ordonner leurs préférences, à s'exercer au choix, à la prise de décision en dressant la liste des implications et des conséquences possibles, à concevoir des stratégies de carrière. C'est l'élève qui doit pouvoir décider en fin de compte et parcourir personnellement tout le processus d'élaboration des représentations de soi-même et des données socio-économiques ; mais une tâche aussi complexe nécessite une aide, à certains moments, afin que les efforts effectués soient convergents, et il y a donc de la place pour une action éducative qui portera sur toutes les phases préparatoires à la décision. Dans cette perspective, lorsque nous nous intéressons aux représentations, il ne s'agit pas bien entendu de celles du spécialiste, mais de celles des élèves, et la connaissance de la manière dont ceux-ci traitent cognitivement les données et les situations relatives à l'orientation devient une préoccupation essentielle des théoriciens. Dans ce domaine, l'étude des représentations avec leurs caractéristiques liées à l'âge et au référent, des mécanismes de leur évolution et de leur transformation, peut contribuer à mieux comprendre le phénomène et ainsi à fonder plus solidement les pratiques éducatives.

Orientation, information, représentation

Derrière la précision apparente d'un mot unique, l'orientation recouvre de multiples références parmi lesquelles nous retiendrons :
— le résultat immédiat d'un choix individuel, d'une sélection ou d'une affectation qui place, à un moment donné, un individu dans une situation scolaire ou professionnelle ;
— le processus durant lequel cette issue est préparée, et qui peut être considéré dans ses aspects administratifs (paliers et procédures) ou éducatifs (étapes de la préparation que reçoit un individu pour être en mesure de prendre une décision autonome).

La distinction de ces deux aspects relève d'une double dichotomie :
— le ponctuel opposé au continu ;
— le choix et la démarche autonomes opposables aux contraintes et aux déterminants institutionnels.

L'élément commun à toutes ces approches est la référence à une décision (à prendre ou à préparer) ; en outre, analyser l'orientation comme une décision ponctuelle à un palier donné est une attitude réductionniste qui prive de toute l'information sur la succession des événements et des décisions qui ont déterminé les conditions et les contraintes de la situation étudiée.

On peut donc raisonnablement considérer l'orientation comme une suite plus ou moins intégrée de phases de préparation et de réalisation de décisions relevant de l'individu ou de l'institution. L'approche éducative se caractérise par une double focalisation :
— sur les phases de préparation de la décision et non sur ses résultats (induction de la démarche, permissivité relative aux contenus) ;
— sur l'autonomie des intéressés : équiper l'individu pour lui permettre de conduire une analyse personnelle qui le mette en mesure d'opérer, le moment venu, des choix conscients et motivés.

Pour être fondée, une décision doit reposer sur des connaissances pertinentes, et la première étape de sa préparation consiste à réunir et à s'approprier les données nécessaires et suffisantes, ce qui nous conduit à l'information.

Ce terme recouvre aussi de nombreuses acceptions chez les spécialistes ; il désigne à la fois un but, un moyen et un résultat ; il a en outre fait l'objet d'une extension de sens dans le langage courant.

Pour les spécialistes qui se réfèrent à la *théorie de l'information,* il y a information lorsqu'il y a réduction d'une incertitude et ce terme est synonyme de connaissance. Une donnée ne peut devenir une information que dans la mesure où des individus l'ont assimilée (l'information se mesure au niveau des individus).

• En didactique, on s'intéresse au *résultat* d'une interaction individu-système de données (A. Rufino, 1983) en évaluant les transformations d'une représentation sous l'effet d'une séquence éducative.

• Dans le contexte de l'orientation, au niveau institutionnel, on parlera aussi de l'information en tant que mission des services intégrée à la problématique générale de l'orientation. En tant que finalité, il s'agit de *rendre informés* les élèves en éliminant leurs erreurs et leurs incertitudes concernant les contenus nécessaires pour fonder valablement des prises de décisions autonomes, conscientes et motivées.

• Enfin, pour atteindre ce but, les conseillers mettent en jeu des moyens didactiques, et l'information devient une *activité* recouvrant l'ensemble des actions conduites dans le but d'aider l'élève à s'approprier les connaissances nécessaires pour fonder leurs stratégies d'orientation.

L'extension dans le langage courant fait de l'information le synonyme de donnée, de contenu, alors que chez le spécialiste, une donnée, un document ne sont que des *sources d'information potentielles* et n'auront le statut d'information que dans la mesure où les destinataires les auront assimilées, l'information apparaissant pour l'essentiel comme *le résultat d'une transformation des représentations chez les individus.*

La représentation apparaît à la réflexion comme un concept pivot dans l'orientation :

— c'est une évidence à propos de la didactique de l'information pour laquelle, techniquement, les représentations constituent l'objet dont on observe les variations (variable dépendante) sous l'effet de séquences éducatives destinées à les transformer ;

— on retrouve cette importance à propos de la mission d'information qui consiste à mettre en œuvre les moyens nécessaires pour améliorer les représentations des élèves jusqu'à un état jugé satisfaisant pour aborder des phases de décision ;

— au niveau de la problématique générale d'orientation, on retrouve encore ce concept en bonne place, puisqu'il s'agit, en fin de compte, de préparer des prises de décision qui consistent pour l'essentiel à rechercher la meilleure adéquation entre une représentation de soi (qui peut intégrer une certaine dynamique) et une représentation des environnements socio-professionnels et éducatifs.

Ce constat nous a conduit à beaucoup investir dans l'étude des représentations pour fonder théoriquement notre approche de l'orientation. Afin de gagner en clarté dans la démarche, nous avons *préféré limiter notre champ à la mission d'information* en abandonnant totalement pour l'instant tout ce qui touche aux préférences et aux mécanismes du choix scolaire ou professionnel. En outre, nous avons choisi de concentrer nos efforts sur le versant *représentation de l'environnement scolaire et socio-professionnel* en abandonnant clairement tout ce qui touche à l'image de soi, à sa construction et à ses transformations. Une telle réduction du champ de nos recherches indique les limites de notre contribution dans le domaine des approches éducatives de l'orientation. Si l'on se réfère à l'A.D.V.P., nous dirons que notre approche se limite strictement aux phases d'exploration et de cristallisation portant sur les contenus concernant les études et les professions.

L'ÉTUDE DES REPRÉSENTATIONS DANS UNE PERSPECTIVE CONSTRUCTIVISTE

Pourquoi une étude des représentations

Tout d'abord, les choix relatifs aux thèmes de recherche développés se réfèrent à une préoccupation fondamentale : contribuer à fonder théoriquement une problématique constructiviste de l'information et de l'orientation.

Une telle conception s'inscrit bien évidemment dans la ligne des approches éducatives, et si l'on peut considérer (G. AVANZINI, 1975) qu'un acte éducatif peut s'analyser à partir de la triple référence à des finalités, à des contenus et à un modèle du sujet à éduquer, l'approche constructiviste trouve sa *cohérence à partir de l'étude du sujet* en tant que système de traitement de la réalité. Or, lorsqu'on désire se référer à un « modèle du sujet qui s'oriente », on est frappé par le manque de données opérationnelles concernant les caractéristiques des *systèmes de représentation* dont disposent les individus pour traiter cognitivement les données utiles qui, en tant qu'objets sociaux, présentent des particularités qui influencent fortement les processus et les résultats de l'interaction individu-contenu à assimiler. Nous avons donc choisi de consacrer notre effort à une contribution dans ce domaine en étudiant les systèmes de représentation construits par les élèves à différents âges et les transformations de ces représentations sous l'effet d'interventions éducatives.

La notion de représentation

Dans le langage courant, la représentation est synonyme d'image ; d'un point de vue descriptif-analytique, c'est le contenu de la pensée relatif à un objet donné, ce contenu pouvant se présenter comme un ensemble plus ou moins structuré de connaissances, d'idées, de croyances, de clichés, d'opinions, de stéréotypes, etc. On a déjà étudié les représentations d'objets sociaux comme la psychanalyse (S. Moscovici, 1961), les professions (M. Huteau, 1972) en cherchant à repérer certaines de leurs caractéristiques liées à des particularités du public (catégories socio-professionnelles ou culturelles, sexe, âge, etc.).

En tant que fonction, la représentation est un moyen d'évoquer un objet ou un événement absent, parce qu'il appartient au passé, à l'avenir, ou bien au présent mais sans être perceptible directement. Ceci nous entraîne sur les champs conceptuels de la perception, de l'intelligence et de la mémoire... Afin d'éviter une dispersion entre des problématiques spécifiques à chaque domaine, on aura recours à une conception piagétienne qui présente l'intérêt de permettre une approche intégrative autour des notions fondamentales du fonctionnement cognitif : « Les schèmes organisent la perception, la mémorisation, et s'exercent sur le matériel mémorisé lui-même (...). La mémoire au sens strict est un cas particulier de connaissance, qui est la connaissance du passé, et comme telle, elle rentre dans l'ensemble des mécanismes cognitifs interdépendants que l'on peut qualifier globalement d'intelligence » (J. Piaget, 1970).

On retrouve chez S. Moscovici (1961) une conception proche lorsqu'il fait jouer à la représentation le rôle d'un « système cognitif », puisque celle-ci pilote la perception en déterminant les observables et les stratégies de prise d'information, et conditionne le traitement des données par confrontation entre celles-ci et les structures déjà construites, pour aboutir en fin de processus à un nouvel état marquant théoriquement un progrès. L'expression de « système cognitif » semble très heuristique car les approches cognitives des représentations témoignent d'une structure, d'une organisation mentale des données, au point que leur étude peut être utilisée pour apprécier le développement, la maîtrise de certains instruments cognitifs, ou bien encore l'existence de certains problèmes affectifs. Les matériaux de la représentation tels que les croyances, idées, connaissances, opinions en constituent la part subjective, introduisant des valeurs personnelles qui, combinées aux aspects cognitifs tels que le niveau d'élaboration des structures construites, forment un véritable système de traitement de l'information.

Si l'on dépasse l'approche des structures, des états, pour s'intéresser à la dynamique de ce système par l'étude de ses transformations, on rencontre les grandes lois du fonctionnement cognitif : assimilation/accommodation, recherche de cohérence, catégorisation, schématisation. Dans une conception constructiviste, la représentation résulte d'une activité du sujet, d'une activité orientée (consciemment ou non) qui se manifeste par des tris actifs dans les informations, par un travail *ininterrompu de réélaboration* à la recherche d'une meilleure adaptation. D'un point de vue psycho-pédagogique, on pourra la définir comme la reconstruction mentale du substitut d'un objet, présentant un caractère opérationnel dans un contexte finalisé (répondre à une question, résoudre un problème). Mais le modèle piagétien du fonctionnement cognitif a été élaboré sur des représentations d'objets physiques, et l'auteur insiste sur l'importance de certaines caractéristiques de ces objets : « Pour qu'un objet se montre assimilable, il doit être consistant, continu dans le temps et dans l'espace, isolable, accessible à la manipulation » (J. Piaget, 1975, p. 106). Dans la même perspective théorique, on peut aussi se référer aux travaux de F. Bresson (1971) sur la genèse des propriétés des objets, à propos de laquelle il souligne l'importance de l'action exercée sur les objets, mais aussi celle de la stabilité des « réponses » de ces derniers, qui permet progressivement d'anticiper certains effets, l'information essentielle résidant dans une rétro-information qui permet au sujet de construire à la fois sa perception (identifier des indices) et ses schèmes d'action ; or, ce que l'on peut savoir des objets sociaux : abstraits, non manipulables ... conduit à penser que la transposition du modèle piagétien dans ce domaine ne s'impose pas comme une évidence.

Quelles sont donc les spécificités de l'objet social, quelles conséquences peut-on en attendre sur le fonctionnement cognitif ?

Le système éducatif, les métiers dont les conseillers d'orientation étudient les représentations chez les élèves ne sont pas des objets simples se prêtant à une représentation seulement imagée ; il s'agit d'ensembles complexes de données souvent abstraites, dispersées dans l'espace et le temps, déterminant des classes d'objets définies par des propriétés fonctionnelles ou des relations, en un mot, des concepts. On voit donc qu'il ne s'agit pas d'objets consistants, ni continus dans le temps et l'espace, ni manipulables, et ces caractéristiques vont fortement influencer la forme des représentations d'objets sociaux.

Tous les auteurs sont frappés par le schématisme de ces représentations, mais aussi par le fait que celui-ci ne résulte pas d'un appauvrissement aléatoire, certains éléments étant retenus de façon privilégiée.

S. Moscovici, en 1961, fait appel à 3 facteurs dont les effets convergent pour donner à la représentation d'un objet social ses caractéristiques :

— le décalage et la dispersion des données disponibles pour élaborer la représentation : la multiplicité, la dispersion des sources, leur qualité inégale et leurs éventuelles discordances ne peuvent que très rarement fournir des indications fiables et immédiatement disponibles pour qui s'informe.

Ce premier facteur tient aux caractéristiques spécifiques du contenu à traiter et qui sont les suivantes :

— la pression à l'inférence, qui traduit une contrainte de situation : les rapports sociaux exigent le plus souvent de chaque individu des réponses adaptatives immédiates, incompatibles avec une analyse et une réflexion suffisantes. Les informations, même partielles ou douteuses, doivent devenir sans délai fondements de conduites (rôle important de l'inférence, du raisonnement analogique dans la construction des représentations) ;

— la focalisation autour d'intérêts ou de relations sélectifs (aboutissant à des tris, des valorisations, des « oublis » en fonction des attitudes antérieures, de la formation reçue...). Ce dernier facteur, qui commence à décrire un mécanisme, rappelle le « processus de subjectivisation » évoqué par G. Allport et L. Postman à propos du schématisme progressif constaté dans la propagation d'une rumeur (1945), avec l'observation d'une tendance à réduire quantitativement les données (pour en faciliter la mémorisation et la transmission) même s'il doit en résulter des déformations dénaturant le contenu de référence.

Ce tri s'opère qualitativement sur la base de deux autres tendances :

— l'accentuation de certains aspects frappants à un titre quelconque, même s'ils sont peu importants pour la compréhension ;

— l'assimilation, qui consiste à déformer les données dans le sens d'une plus grande cohérence avec les idées et les attitudes antérieures du sujet.

Ces constats évoquent des processus cognitifs connus comme le caractère générique et prédictif de la perception chez J.S. Bruner, ou l'assimilation au sens piagétien.

Depuis, en ce qui concerne les recherches dans ce domaine liées aux problématiques d'orientation, on se réfère classiquement aux travaux de M. Huteau concernant les représentations socio-professionnelles chez les adolescents. Dans un texte de 1975, il propose deux niveaux d'analyse :

— celui de « l'image » (analyse d'état), où il insiste sur la structure, l'organisation de la représentation : « La représentation des professions choisies s'organise autour d'un élément central focalisé. Cet élément central dominant (...) assure à la représentation sa cohérence », et joue, selon l'auteur, le rôle d'un « point d'ancrage » qui constitue le « noyau » de la représentation (p. 4 et 5) ;

— celui de la dynamique de ces représentations, par une approche ontogénétique menée dans une perspective différentielle : catégorisation, hiérarchisation des métiers et des éléments constitutifs de la représentation, en rapport avec les variables « niveau scolaire » et « origine sociale ».

Dans des écrits plus récents, (M. Huteau et J. Lautrey, 1978, M. Huteau, 1979), on voit se confirmer et s'approfondir une approche cognitive d'inspiration piagétienne et des préoccupations pédagogiques. Sur les mêmes thèmes, on peut citer les recherches menées à l'Institut de biométrie humaine et d'orientation professionnelle (**IBHOP**) de Marseille avec des productions régulières depuis 1975, Chatillon et coll. jusqu'en 1976, Rufino et coll. depuis 1977.

Cadre d'analyse des représentations d'objets sociaux

Pour la clarté de la démarche, nous distinguerons l'étude des états de celle des transformations, sachant que tout état est transitoire et s'inscrit dans un processus évolutif aussi longtemps qu'un individu continue à traiter l'information.

Les analyses d'états. L'état d'une représentation peut être analysé selon deux dimensions complémentaires : l'extension du champ pris en compte, son organisation. Lorsqu'on demande à des élèves d'exprimer spontanément leur représentation d'un objet social complexe (J.F. Chatillon, M. Rayssac, C. Taillard, 1976), on obtient d'emblée des données organisées d'une certaine façon, et les exercices de classification aboutissent souvent à un enrichissement de l'évocation par rapport à sa forme primitive (les auteurs parlent de « récupération »). La séparation de ces deux aspects de la représentation (extension du champ et structuration) paraît donc artificielle, mais le gain escompté en clarté justifie, pour une phase analytique, cette démarche « réductionniste », d'autant plus que le problème peut être repris dans toute sa complexité lors des analyses dynamiques.

Le champ d'une représentation peut être défini en extension ; on peut considérer, avec M. Huteau (1979) que celui-ci couvre, pour un objet social donné, « l'ensemble des propriétés qui lui sont attribuées, ou l'ensemble des descripteurs qui permettent de le décrire » (p. 325). Il s'agit donc d'énumérer les composantes, éventuellement d'en réaliser une classification superficielle, l'objectif de présentation en extension l'emportant sur l'approche en compréhension.

Les dimensions d'analyse seront donc :

— le nombre d'éléments pris en compte (celui-ci augmente avec la complexité de la représentation, avec la compétence des individus) ;

— la nature des éléments retenus, les aspects privilégiés et ceux qui sont « oubliés ». Cet inventaire des composants constitue une base matérielle de la représentation. Mais la représentation se caractérise aussi par sa structure, son organisation. En effet, *les éléments n'y sont pas simplement juxtaposés, ils sont intégrés dans des structures complexes, dans un tissu de relations ;*

— les caractéristiques formelles des structures (niveau de complexité qui témoigne de la maîtrise de certains instruments cognitifs), par exemple, îlots non coordonnés, chaînes dont les éléments sont reliés de proche en proche, structure arborescente qui témoigne de l'existence de niveaux distincts et intégratifs d'analyse ;

— la logique d'organisation et de fonctionnement, qui prend en compte la nature des éléments, la fonction de chacun dans la structure, le réseau de relations entre éléments ou groupes d'éléments. Cette dimension permet de repérer les pôles organisateurs, les points d'ancrage qui peuvent caractériser des types de représentations liées à l'âge, à l'appartenance socio-culturelle... L'étude des représentations professionnelles chez les adolescents montre par exemple que celle du métier d'infirmière s'organise essentiellement autour de deux idées majeures : les soins (dans leur aspect technique comme piqûres, pansements...) et l'altruisme, le dévouement (aider, rassurer, sourire). Les représentations de l'orientation par les spécialistes n'échappent pas à cette polarisation, les « théories » produites restant fragmentaires (Osipow, 1968) et privilégiant par exemple les aspects individuels ou socio-économiques, dans des perspectives concurrentielles plutôt que coordonnées.

Si des descripteurs comme l'extension et la structure formelle caractérisent les analyses d'état, la logique de fonctionnement prépare aux analyses dynamiques (transformations dans une perspective ontogénétique ou bien didactique (transformations immédiates sous l'effet d'une prise d'information).

Les analyses de transformation. À l'échelle ontogénétique, on s'intéressera à l'évolution des systèmes de représentation en rapport avec l'âge : « Il serait fort utile de disposer, pour les diverses composantes des représentations professionnelles, d'une description de l'évolution en termes de stades, du même type que celle fournie pour la représentation du monde physique » (M. Huteau, 1978, p. 165). Cette proposition est sous-tendue par l'idée (défendue par P. Mounoud, 1971, p. 263) qu'« à tout système de traitement constitué correspond au moins un système de représentation défini ». On peut donc chercher à repérer des niveaux d'organisation de la représentation pour les mettre en parallèle avec ce que l'on connaît des stades du développement intellectuel des enfants (caractérisés par des systèmes de traitement). Il est possible, par exemple, de comparer les structures formelles, l'étendue du champ, le type d'organisation des représentations produites à différents âges ; ou bien encore d'évaluer les décalages temporels entre les âges moyens où sont obtenues certaines performances, selon qu'elles portent sur des contenus concrets, matériels, ou sur des contenus conceptuels comme les métiers. On peut rechercher aussi les étapes d'une « décentration » progressive des représentations avec l'âge des sujets, attestée par une libération graduelle des descripteurs concrets et familiers, au profit d'éléments inactuels, plus généraux, plus abstraits. Ces étapes (états isolables des systèmes de représentation, ou « stades ») étant dégagées, nous sommes en présence d'un modèle discontinu qui peut être complété par une approche des processus d'élaboration, de transformation, expliquant les mécanismes du passage d'un état à l'autre.

À l'échelle des transformations immédiates, on est essentiellement préoccupé par l'analyse des mécanismes en jeu dans la modification des représentations. On peut, par exemple, se demander comment sera « traitée » une information nouvelle ; quels seront les mécanismes sous-jacents pour l'accueillir, l'intégrer, la déformer, la rejeter ; quelle(s) modification(s) elle est susceptible de provoquer dans la représentation initiale.

L'étude de ces mécanismes suppose le choix de descripteurs, la formulation d'hypothèses, c'est-à-dire une référence théorique, un « modèle » de l'interaction individu-données. Dans ce domaine, nous nous référons assez largement aux théories piagétiennes :

— au niveau ontogénétique, on aura recours à la notion de « sujet épistémique », modèle structurel à états successifs résultant d'une construction, par intégration progressive, de structures de traitement de plus en plus complexes et offrant au sujet des moyens de plus en plus puissants pour traiter cognitivement la réalité ;

— pour l'étude du fonctionnement qui permet cette élaboration complexifiée des instruments de traitement, nous retiendrons la notion d'« équilibration majorante » qui caractérise l'adaptation cognitive et résulte d'un rapport actif entre deux mécanismes complémentaires : l'assimilation et l'accommodation.

ÉTUDE EXPÉRIMENTALE DE L'ÉVOLUTION DES REPRÉSENTATIONS D'OBJETS SOCIAUX

Évolution des systèmes de représentations en fonction de l'âge

Une première étape a été consacrée à une approche des caractéristiques des systèmes de représentation d'objets sociaux en liaison avec l'âge des sujets ; l'étude a été conduite au cours de deux expérimentations qui avaient aussi un but méthodologique : dégager des descripteurs pertinents pour l'analyse et la comparaison d'états des systèmes de représentation.

L'ensemble des métiers connus : comparaison 6ᵉ, 5ᵉ, 4ᵉ, 3ᵉ (de 11 à 16 ans). Des travaux antérieurs ayant montré un progrès quantitatif et qualitatif de la représentation entre la 6ᵉ et la 3ᵉ (MM. Cardinet et Delcour, 1971, Huteau, 1972, J.F. Chatillon, M. Rayssac et C. Taillard, 1976), cette expérimentation (A. Rufino, F. Launay, 1977) a pour but d'explorer l'évolution d'un certain nombre de dimensions en fonction de l'âge des élèves : celle-ci est-elle régulière et constante sur tous les paramètres ? Seulement sur certains ? Marque-t-elle des plateaux ?

On demandait aux sujets de citer le plus possible de noms de métiers à partir d'une liste de mots-stimuli. Une première phase était consacrée à une production spontanée, une seconde à l'organisation des éléments produits dans la première.

Tableau 3.1
Résultats de la phase I (production spontanée)

NIVEAU ET ÂGE DES ÉLÈVES	6ᵉ 11-12 ans	5ᵉ 12-13	4ᵉ 13-14	3ᵉ 14-15
NOMBRE DE MÉTIERS PRODUITS	60,5	64	72,5	65,25
NOMBRE DE GÉNÉRALISATIONS	1,5	1,75	3,5	6,25
NOMBRE DE RÉFÉRENCES À DES SECTEURS OU DES BRANCHES PROFESSIONNELLES	3	2	6	5,5

Un résultat difficile à interpréter : le nombre moyen de métiers produits est significativement plus important chez les garçons (78,5) que chez les filles (52,7), différence qui disparaît complètement dans la phase II.

Sur toutes ces dimensions, on note une coupure nette et régulière entre 5ᵉ et 4ᵉ.

On peut remarquer une rupture très nette entre 5ᵉ et 4ᵉ qui confirme les résultats de la phase I.

Pour la phase d'organisation, les tests sont significatifs pour tous les critères en ce qui concerne la comparaison 6ᵉ et 5ᵉ/4ᵉ et 3ᵉ.

Les restes diminuent régulièrement de la 6ᵉ à la 3ᵉ avec une rupture assez nette après la 5ᵉ. Ceci témoigne d'une progression constante des capacités taxonomiques (maîtrise des

Tableau 3.2
Résultats de la phase II (réorganisations)

NIVEAU ET ÂGE DES ÉLÈVES	6e 11-12	5e 12-13	4e 13-14	3e 14-15	
NOMBRE DE MÉTIERS UTILISÉS ET RÉUTILISÉS	78,2	55,25	225,5	323	ce critère est une indication de l'extension du champ de la représentation
NOMBRE DE CLASSES PRODUITES	8,75	7,5	14,25	17,5	ce critère traduit le degré de différenciation de la représentation
NOMBRE MOYEN D'ÉLÉMENTS PAR CLASSE	9	7,6	21,3	18,9	ce critère traduit la puissance d'abstraction des critères de classification
RESTES APRÈS CLASSIFICATION	5,5	4	1,25	0	aucun élève de 3e n'a produit une classification avec reste

opérations de différenciation et de regroupements par équivalence), et l'on peut remarquer le saut qualitatif opéré en 3e où l'accès à un plus haut degré d'abstraction permet désormais les classifications *sans restes*. On peut rapprocher ces observations des concepts d'exploration et de cristallisation, de pensée divergente et de pensée convergente ; une approche onto-génétique permet en outre de situer le *niveau de compétence* dans ces domaines *en liaison avec l'âge des élèves*.

Une autre donnée remarquable est la *régression de la performance* sur les trois premiers critères *au niveau de la 5e*, qui était moins évidente dans la phase de production spontanée. Cette inflexion fait penser aux courbes d'apprentissage avec régression que l'on explique par certaines difficultés dues à un changement de stratégie. En termes opératoires, ce niveau correspond à la période où de nombreux élèves commencent à dépasser le stade des opé-rations concrètes mais ne maîtrisent pas suffisamment les nouveaux instruments qu'ils sont en train de construire. Il serait éclairant de compléter ces approches quantitatives par une analyse des critères de classification utilisés à ce niveau pour établir dans quelle mesure il y a rupture des systèmes de taxonomie. Les données concernant notre variable « chemins d'accès », qui sont des critères de classification très généraux de l'ensemble des métiers (matières traitées, type d'activité, outils utilisés, produit du travail, proximité topologique, temporelle ou fonctionnelle), sembleraient montrer qu'*il n'y a pas de changement brutal de critères,* mais plutôt enrichissement progressif du répertoire : si certains n'apparaissent qu'au-delà d'un âge donné, ils s'ajoutent mais ne se substituent pas intégralement aux anciens, moins performants, dont on continue à trouver trace aux âges les plus avancés. Cette donnée peut avoir un grand intérêt pédagogique dans la conception d'exercices de classification adaptés aux âges des élèves, ainsi que dans le choix des clés d'accès aux données pour la constitution de logiciels de dialogue individu-système de données dans le cadre d'une auto-documentation informatisée.

Conclusion générale :

On vérifie bien un progrès global en fonction de l'âge, mais son rythme n'est pas régulier et l'on observe même un fléchissement de nombreux paramètres en 5ᵉ. Les variables les plus sensibles sont celles qui *touchent à l'organisation des données* dans la représentation (aspects taxonomiques).

Il resterait à approfondir un certain nombre de points et en particulier à reprendre pour une étude beaucoup plus systématique la *composition du répertoire des instruments de classification aux différents âges* afin de fonder une certaine progression dans les exercices didactiques concernant l'exploration et la cristallisation.

Représentations du système éducatif : comparaison CM₂ — 4ᵉ. Dans le système français, l'âge normal en CM₂ (dernière année du primaire) est 10-11 ans ; en 4ᵉ (troisième année du secondaire), il est de 13-14 ans. Dans cette expérimentation (A. Rufino et P. Laporte, 1977) conduite parallèlement à la précédente, les sujets sont invités à exprimer leur représentation du système éducatif en situation d'entretien individuel guidé. Les éléments produits sont notés dans l'ordre d'apparition par l'expérimentateur sur de petits rectangles de carton afin de rester disponibles aux phases ultérieures de réorganisation des données.

Une première phase est consacrée à l'expression spontanée de la représentation, la seconde à des réorganisations successives.

a. Résultats de la première phase : production spontanée

La taille des ensembles produits augmente entre CM₂ et 4ᵉ ; on observe même une absence de recouvrement entre les productions :
— la meilleure performance en CM₂ comporte 19 éléments ;
— la plus basse en 4ᵉ atteint 26 éléments.

Le vécu de l'éducation est commun à tous jusqu'en CM₂, et les productions reflètent bien cette identité (très homogènes aux deux âges à propos de l'enseignement élémentaire).

L'analyse de contenu montre une différence dans les degrés de décentration :
— en CM₂, on se réfère à son vécu, on parle d'abord de M. X, Mme Y, avant de donner leur fonction caractérisée par des *actions :* « Mme Z, la directrice, c'est elle qui distribue les cahiers » ; les établissements sont spécifiés, on ne parle pas de l'école en général, mais de « l'école X, en bas, à côté du super-marché » ;
— en 4ᵉ, ces aspects disparaissent, on mentionne les fonctions sans les rattacher à des individus ou à des établissements précis.

b. Résultats de la phase 2 : réorganisation des éléments produits

1. La démarche :
— En CM₂, les élèves procèdent de proche en proche, les critères évoqués sont concrets, (âge des élèves, catégories d'élèves, types et lieux d'activité, hiérarchie : qui obéit à qui), très divers et dépendent de proximités fortuites, ce qui donne l'impression d'une absence d'anticipation (dominante différenciation).

— En 4e, on observe une première organisation rapide qui ne témoigne pas de l'existence d'un plan d'ensemble, puis dans un second temps, il est procédé à des réunions de sous-groupes par référence à des critères plus généraux, et l'on finit par arriver, dans environ la moitié des cas, à une construction intégrant tous les éléments. Les élèves parviennent en général à une vue d'ensemble, et, bien que schématiques, les systèmes produits apparaissent comme des totalités pourvues d'une logique de fonctionnement, aspect totalement absent dans les productions des CM$_2$.

Les critères d'organisation en 4e sont plus abstraits (niveaux d'étude, niveaux de qualifications, hiérarchie des fonctions).

La hiérarchie semble être un élément important de l'organisation des représentations du système éducatif puisqu'elle a été utilisée par tous (CM$_2$ — 4e) au moins une fois pour définir la logique de fonctionnement (dans des systèmes non intégrés en CM$_2$).

2. La plasticité des critères : après une première classification, on demandait aux élèves d'en produire de nouvelles jusqu'à épuisement des possibilités de classification. Le nombre d'organisations successives ne présente pas une grande amplitude de variation (de 1 à 4), mais en général, les élèves de CM$_2$ produisent plus de classifications différentes. Il faut toutefois remarquer que *l'absence d'intégration* du système de représentation facilite chez les élèves de CM$_2$ la production d'organisations différentes (les classes y sont plus nombreuses mais non reliées entre elles).

— Les classifications successives gardent la même structure formelle. Ainsi, en CM$_2$, on verra se succéder des organisations en « îlots indépendants » ne regroupant jamais plus de 3 éléments. Alors que le nombre d'éléments à classer est en moyenne moitié moindre chez les élèves de CM$_2$, ceux-ci produisent un grand nombre de classes (jusqu'à 8 pour 19 éléments à classer).

— Les critères évoqués diffèrent selon le niveau des élèves ; si, en CM$_2$, les relations établies relèvent souvent d'une appartenance partitive (« *Transition* va avec *écoles pour handicapés* parce qu'il y a des élèves spéciaux dans les deux »), en 4e, les critères correspondent plus à des relations d'inclusion : les « établissements d'enseignement secondaires » regroupent CEG, CES, LEP et lycées.

En 4e, les liaisons entre les éléments fondant la structure sont plus fortes, les critères plus abstraits ; le système est réellement intégré selon une certaine logique de fonctionnement. Les différences observées peuvent s'expliquer en se référant aux caractéristiques des systèmes de représentations construits à 10-11 ans et à 13-14 ans.

En 4e, le champ de la représentation est plus vaste (en moyenne 31,4 éléments), plus stable, plus pertinent et mieux géré grâce à une organisation plus élaborée : avec une meilleure maîtrise des instruments de classification, les éléments sont mieux différenciés et les critères d'équivalence plus pertinents (plus abstraits et mieux adaptés au problème spécifique). Il en résulte une meilleure structure générale avec des liaisons assez fortes entre éléments et entre classes. De plus, le système, différencié assez finement en même temps que *très intégré* selon une logique de fonctionnement opérationnelle, se trouve donc plus performant, renforcé, et acquiert une certaine stabilité chez un même individu. On observe aussi, grâce à un certain niveau d'efficacité, une stabilisation qui se traduit par une bonne homogénéité inter-individuelle de représentations, lesquelles commencent à se rapprocher de celles produites par les experts. Des représentations ainsi organisées (ce stade est atteint pour environ la moitié des élèves de 4e) permettent de traiter les données à partir d'un plan d'ensemble, de trier l'information en sachant mieux la référer, enfin, de régler plus efficacement les conflits cognitifs par un processus d'assimilation-accommodation.

En CM$_2$, au contraire, le système de représentation construit n'a pas de consistance et l'étendue plus réduite de son champ (en moyenne 16,3 éléments) ne permet pas pour autant des classifications satisfaisantes. Les éléments produits sont très directement liés aux histoires individuelles et à des données fortuites, hétérogènes, et l'on aboutit à des systèmes très différenciés mais sans aucune intégration. L'absence de décentration, l'incapacité de généraliser combinée à une déficience des outils de classification aboutissent à des représentations dont les liaisons entre éléments n'ont aucune stabilité et sont rarement pertinentes. Lorsque les éléments s'efforcent de donner une structure à leur système, la logique de fonctionnement est éclatée en une multitude de sous-systèmes non compatibles. La difficulté pédagogique à ce stade vient du fait qu'en l'absence de toute structure de la représentation, les données nouvelles ne peuvent être référées ; leur traitement sera aléatoire faute de pouvoir faire apparaître des conflits cognitifs.

Après avoir repéré un certain nombre de caractéristiques des systèmes construits, liées aux analyses d'états, nous avons décidé d'effectuer une série d'observations concernant le fonctionnement de ces systèmes. Lorsque les élèves avaient produit leur organisation finale, les expérimentateurs leur proposaient des éléments à intégrer. Sans se préoccuper de la nature des éléments intégrés ou rejetés, l'observation a été centrée sur la démarche des élèves.

Réactions de la représentation à des éléments nouveaux. — En CM$_2$, on observe des intégrations directes ou des rejets immédiats, sans modification de la structure de départ. Une caractéristique remarquable est l'importance des pseudo-assimilations avec des éléments « flottants », juxtaposés à la structure antérieure sur la base d'un (vague) rapport avec l'éducation, mais non intégrés à une classe quelconque faute de critères d'équivalence. Une structure non intégrative, en « îlots indépendants », aboutit à la fois à des intégrations et à des rejets discutables, effectués sans règles bien définies. Les tris sont effectués sur la base de pseudo-arguments : on intègre un élément parce qu'il « va avec », souvent sans le lier à d'autres, et on en rejette d'autres parce qu'ils « ne vont pas », sans plus de justification.

— En 4e, le système élaboré dans lequel les relations entre éléments sont plus importantes que les éléments eux-mêmes a permis des tris et des traitements plus efficaces : les intégrations et les rejets sont opérés et justifiés sur une gamme d'arguments plus variés et plus pertinents.

La disparition totale des « éléments flottants » à ce niveau nous semble être un aspect remarquable, témoignant d'une sorte d'exigence de cohérence interne qui peut conduire, lorsqu'un élément n'est pas directement assimilable, à une modification de la structure d'accueil (accommodation).

En conclusion de cette expérimentation, on vérifie bien un progrès quantitatif et qualitatif de la représentation sur toutes les dimensions d'analyse :

— le contenu (extension et composition du champ de l'objet) ;

— la forme (type de classification, degré d'intégration de la structure, logique de fonctionnement) ;

— les processus de réaction aux données nouvelles (fonctionnement).

Sur le plan didactique

Le manque de consistance du système de représentation chez les élèves de 10-11 ans aboutit à un traitement déficient des données utiles par intégration ou rejets immédiats et éphémères car peu justifiés.

Si l'on désire mettre progressivement en place chez ces élèves une représentation opérationnelle de l'organisation des études en vue de l'orientation, il faut donner une structure à la représentation afin de faciliter l'intégration des données utiles. Ceci pourrait s'opérer à partir d'un *modèle de système très simplifié* qui servirait d'ancrage pour une représentation capable de s'enrichir alors de manière efficace. On rejoindrait ainsi les recommandations des experts en didactique des sciences sociales (I.U.E., 1962, p. 32-33), des psychologues tels que J.S. Bruner (1961) qui insistent sur l'importance de la constitution de représentations initiales simples et solides jouant le rôle de système cognitif de traitement des données ultérieures.

Étude des transformations en situation didactique

Bien qu'il reste encore beaucoup à faire pour approfondir la connaissance des systèmes de représentation des objets sociaux à différents âges, il nous a semblé important de poursuivre une investigation concernant le fonctionnement de ces systèmes construits dans une perspective didactique, recherches que nous mentionnerons rapidement avant de conclure, car il nous semblerait peu cohérent de préconiser une approche constructiviste sans parler du fonctionnement des mécanismes de transformation des systèmes de représentation. En effet, si le repérage d'étapes dans la construction des systèmes de représentation avec leurs caractéristiques psychopédagogiques permet de fonder théoriquement une approche éducative en termes de développement, opposable aux approches ponctuelles des conceptions diagnostiques, il reste à connaître les caractéristiques du fonctionnement du sujet en situation de travail indépendant afin de disposer de références théoriques utiles pour concevoir des situations éducatives permettant une démarche autonome et efficace des individus. Les études concernant les transformations des représentations en situation didactique ont été menées en plaçant des élèves de 14-15 ans en situation d'interaction avec un système de données (auto-documentation sur documents écrits).

Après des observations du comportement spontané des élèves, nous avons pu identifier certaines difficultés liées à la situation de travail autonome :

— les élèves n'ont pas toujours une idée claire de leurs besoins d'information et leurs stratégies de recherche ne sont pas très performantes ;

— ils butent souvent sur des difficultés linguistiques, les documents n'étant pas toujours bien adaptés au public ;

— leur comportement nettement assimilateur fait que les erreurs à l'état initial de la représentation sont très difficiles à corriger.

Certaines expérimentations ont été conduites pour illustrer ces comportements.

L'objet social n'est accessible dans sa globalité que par la médiation du langage, et un système cognitif donné aura d'autant plus de facilité à trier et à traiter les données utiles que celles-ci lui seront présentées dans un niveau de langue accessible. Une expérience (A. Rufino, J. Bedos, M. Emery, 1980) a pu mettre en lumière une meilleure efficacité informative d'un document en langage simplifié. L'augmentation des bonnes réponses par rapport à un état initial contrôlé est de 19,3 p. cent lorsque les élèves lisent le document habituel (fiche métier O.N.I.S.E.P.) ; elle passe à 28,6 p. cent avec un document en langage simplifié. Les erreurs dépistées au départ y sont aussi mieux corrigées : la diminution est de 36 p. cent avec un document simplifié contre 27 p. cent avec le document courant. Ces deux résultats s'expliquent par le fait que les difficultés lexicales ou syntaxiques génèrent de l'ambiguïté, empêchent la prise de conscience de conflits cognitifs et diminuent les chances de correction des erreurs. Plus grave encore, la non-perception d'un conflit conduit le lecteur à considérer le texte comme compatible avec ses représentations antérieures qui, mêmes fausses, vont en ressortir renforcées. Ainsi, si le travail autonome de l'élève est souhaité, il convient de faire en sorte qu'il s'opère dans les meilleures conditions d'efficacité et l'une des premières exigences est la prise de conscience par l'individu de ses propres erreurs. Nous avons expérimenté à cette fin un instrument permettant une individualisation de la recherche d'erreur : un questionnaire auto-correctif (A. Rufino, B. Perroy, M.F. Sahel, 1980). Nous formulions l'hypothèse qu'avec cet instrument, il serait possible d'améliorer le score en correction d'erreurs : les résultats ont montré une meilleure correction des erreurs pour les élèves ayant lu le questionnaire auto-correctif : − 59,5 p. cent contre − 43,7 p. cent à ceux qui avaient simplement lu le document en langage simplifié. Si notre hypothèse est vérifiée, nous avons pu constater un phénomène assez surprenant : la déstabilisation de certains éléments erronés de la représentation a eu un effet beaucoup plus ample par répercussion sur certaines chaînes de relations dans lesquelles se trouvaient intégrés les éléments visés, et la correction d'erreurs importantes s'est effectuée au prix d'une perturbation qui a créé de nouvelles erreurs à partir d'éléments incertains. Cette régulation interne de la représentation fonctionnant comme un système fermé a fait l'objet d'une autre étude : après avoir analysé l'état initial de la représentation pour un groupe d'élèves (E1), ceux-ci avaient une séance d'auto-documentation (document simplifié et questionnaire auto-correctif) et un nouveau contrôle de la représentation était opéré à la fin de la séance (E2) ; enfin, après un délai d'un mois sans information systématique, temps pendant lequel s'opérait une « décantation » ou régulation interne, un nouveau contrôle était effectué (E3). Dans cette expérimentation de synthèse (A. Rufino, C. Develotte, C. Francal, 1980), la comparaison E1/E2 confirme les résultats précédents, et pour E2/E3, on fait deux observations intéressantes :

— quantitativement, la diminution des bonnes réponses un mois après la séance est très faible (environ 5 p. cent, dont 1,5 p. cent sont devenues des erreurs et 3,5 p. cent des incertitudes) ;

— cette relative stabilité n'est qu'apparente, car elle résulte de deux mouvements inverses d'assez grande ampleur qui se compensent à 5 p. cent près, confirmant nettement l'existence d'une régulation et d'une réélaboration interne qui nous mènent bien loin des visions simplistes de la connaissance-copie et de l'oubli de données ponctuelles indépendantes. Ceci illustre aussi combien la référence didactique à l'activité cognitive du sujet n'est pas un rêve d'idéaliste puisque non seulement le système cognitif constitué par la représentation d'un objet donné est actif dans la phase d'acquisition, mais encore, cette activité se poursuit bien longtemps sans sollicitation extérieure.

CONCLUSIONS GÉNÉRALES

La perspective ontogénétique nous montre que les caractéristiques les plus sensibles de l'évolution en fonction de l'âge portent sur les aspects organisationnels avec la pertinence et la puissance des critères de classification, et surtout la capacité *à intégrer* les classes et sous-classes produites dans un ensemble cohérent.

Ces aspects structuraux conditionnent pour une grande part le fonctionnement dans la recherche et le traitement des données, et l'une des tâches les plus urgentes des conseillers dans une approche éducative de l'orientation consiste selon nous à équiper les jeunes élèves de quelques schémas fondamentaux qui pourraient permettre d'entreprendre un processus de développement autonome. En effet, faute de ces schémas pertinents fonctionnant en références constituées, ceux-ci se trouvent dans l'impossibilité d'anticiper, donc de développer la moindre stratégie autonome de recherche de données pertinentes, ou de traitement opérationnel, et l'autonomie devient un leurre.

Il reste encore à poursuivre ce genre d'étude sur le terrain de l'application en cernant plus finement les capacités moyennes des élèves à un âge donné en matière d'exploration et de structuration des objets sociaux utiles. Le « cube » de Guilford étant tiré de la psychologie de l'adulte, il serait très intéressant de connaître les caractéristiques spécifiques du fonctionnement des pensées divergente, convergente, évaluative et implicative à des âges donnés entre 10 et 16 ans sur des contenus sociaux afin d'adjoindre à ce modèle une dimension développementale qui l'intégrerait plus clairement dans un cadre théorique constructiviste. Les études présentées ici sur l'évolution des représentations veulent témoigner de la possibilité d'une telle articulation et du bien-fondé théorique des analyses de l'orientation en tant que processus développemental.

Enfin, les études sur le fonctionnement cognitif des élèves en situation d'auto-documentation montrent que cette méthode est aussi efficace que beaucoup d'autres et que l'autonomie des élèves en matière de documentation n'est pas une vision utopique à condition que l'on se serve de ce que l'on sait du « modèle du sujet apprenant » pour concevoir situations didactiques et documents. La clé d'une réussite dans ce domaine nous semble résider dans la conception de dispositifs d'auto-régulation des représentations sur le modèle de l'enseignement programmé ou à travers des programmes didactiques de dialogue individu-système de données que l'informatique pourrait bientôt nous fournir.

Il resterait encore tant à dire alors que ce texte est déjà probablement trop long... Terminons donc en remerciant les promoteurs de cet ouvrage pour avoir mis en contact tant de chercheurs et de praticiens et souhaitons avec eux une poursuite de cette initiative sous la forme de collaborations scientifiques fructueuses.

RÉFÉRENCES

ALLPORT, G. et L. POSTMAN : The basic psychology of rumor, in : Levy : *Textes fondamentaux de Psychologie sociale anglais et américains :* 170-185, Éd. Dunod, Paris, 1965.

AVANZINI, G. : *Immobilisme et novation dans l'éducation scolaire,* Éd. Privat, Toulouse, 1975.

BRUNER, A.S. : *The processus of education,* Harvard University Press, Harvard, 1961.

BRESSON, F. : La genèse des propriétés des objets, *Journal de Psychologie normale et pathologique,* **n° 2 :** 143-168, avril-juin 1971.

CARDINET — DELCOURT : Représentation de l'activité professionnelle à 6-11 et 16 ans, in : *B.I.N.O.P. :* 231-248, 1971.

CHATILLON, J.F., M. RAYSSAC et TAILLARD : *Les représentations professionnelles. Notion de référentiel des professions : extension et niveaux d'organisation,* Université d'Aix-Marseille II, I.B.H.O.P., Marseille, 1976.

HUTEAU, M. : *Aspirations et représentations professionnelles chez les élèves du premier cycle de l'enseignement secondaire,* (thèse de 3ᵉ cycle), Université de Paris, Paris, 1972.

HUTEAU, M. : La représentation du monde professionnel chez l'adolescent, *Exposé au Congrès de l'A.C.O.F.,* **Numéro spécial :** 18-23, septembre 1975.

HUTEAU, M. : L'évolution des critères de catégorisation des métiers, in : *L'O.S.P.* **8,** n° 4 : 325-346, 1979.

HUTEAU, M. et J. LAUTREY : L'utilisation des tests d'intelligence et de la psychologie cognitive dans l'éducation et l'orientation, in : *L'O.S.P.* **7,** n° 2 : 99-174, 1978.

INSTITUT DE L'UNESCO POUR L'ÉDUCATION : L'enseignement des sciences sociales au niveau pré-universitaire, Hambourg, Réunions des 16-21 janvier 1961.

MOSCOVICI, S. : *La psychanalyse, Son image et son public. Étude sur la représentation sociale de la psychanalyse,* P.U.F., Paris, 1961.

MOUNOUD, P. : Développement des systèmes de représentation et de traitement chez l'enfant, in : *Bulletin de Psychologie :* 261-272, 1971.

OSIPOW, S. : *Theory of career development.* (2ᵉ éd.), Ed. Prentice-Hall Inc., Englewood Cliffs, New Jersey, 1973.

PIAGET, J. : Mémoire et intelligence, in : *Association de Psychologie scientifique de langue française,* La Mémoire, P.U.F., Paris, 1970.

PIAGET, J. : *L'équilibration des structures cognitives — Problème central du développement,* P.U.F., Paris, 1975.

RUFINO, A. et P. LAPORTE : *Représentation du système éducatif : expression spontanée et organisation des ensembles produits, comparaison CM₂ — 4ᵉᵐᵉ,* Université d'Aix-Marseille II, I.B.H.O.P., Marseille, 1977.

RUFINO, A. et F. LAUNAY : *Les représentations professionnelles. Production d'un référentiel induit,* Université d'Aix-Marseille II, I.B.H.O.P., Marseille, 1976.

RUFINO, A., J. BEDOS et M. EMERY : *Effet de la simplification linguistique du document sur la performance des élèves en auto-documentation. Étude de la fiche O.N.I.S.E.P. : « Le professeur adjoint d'éducation physique et sportive »,* Université d'Aix-Marseille II, I.B.H.O.P., Marseille, 1981.

RUFINO, A., B. PERROY et M.F. SAHEL : *Effet d'une méthode auto-corrective en auto-documentation,* Université d'Aix-Marseille II, I.B.H.O.P., Marseille, 1981.

RUFINO, A., C. DEVELOTTE et C. FRANCAL : *Auto-documentation et mémoire à terme (3 semaines),* Université d'Aix-Marseille II, I.B.H.O.P., Marseille, 1981.

RUFINO, A. : *Interaction entre un système cognitif et un système de données. Essai de modélisation de la situation d'auto-documentation.* Université d'Aix-Marseille II, I.B.H.O.P., Marseille, à paraître, 1983.

Chapitre **4**

Genèse des schèmes
de conceptualisation,
organisation du moi
et éducation à la carrière

Luc Bégin

Le « problème » de l'orientation des jeunes et des adultes a été posé diversement depuis Parsons (1909). On l'a d'abord perçu comme un problème d'appariement entre les qualités du sujet et les exigences professionnelles, puis comme un processus développemental capitalisant sur les habiletés de décision et de choix du « s'orientant » (Super, Ginzburg, Tiedeman et O'Hara entre autres), ou encore comme l'expression d'un déterminisme enraciné dans les expériences infantiles (Anne Roe). On s'intéresse depuis quelques années à peine, en Amérique du moins, aux possibilités explicatives qui pourraient émerger de la psychologie cognitive (Pelletier, Noiseux, Bujold, 1974) et de la psychologie du développement cognitif* (Knefelkaump et Slepitza, 1976).

De ces diverses conceptions du « problème » de l'orientation, des programmes « d'éducation à la carrière » sont nés, chacun s'inspirant plus ou moins — voire plus ou moins fidèlement — d'une conception théorique particulière. Il serait trop long de revoir en détail ici toutes les conceptions théoriques — dont nous évoquions plus haut celles qui nous paraissent avoir davantage marqué l'orientation. D'autant plus qu'Osipow (1973) y a consacré un ouvrage entier et que, finalement, Pelletier, Noiseux, Bujold (1974) nous en ont proposé une synthèse fort utile dans leur ouvrage. La classification des théories qu'ils proposent, soulignons-le, s'avère un outil didactique indispensable.

Il semble donc que l'éducation à la carrière puise à deux sources traditionnellement bien distinctes les fondements de son action. Des théories du développement vocationnel,

---

* On voit ici comment le mot cognitif peut emprunter des sens divers. Il semble qu'au sens américain traditionnel, le mot cognitif réfère essentiellement aux *habiletés* intellectuelles que manifeste l'individu qui connaît. Au sens de la psychologie développementale cognitive, il semble que le terme cognitif réfère davantage à l'activité intellectuelle qui prend place dans l'acte de connaître. On pourrait ainsi dire que la théorie de l'intellect de Guilford s'intéressera aux *classes* que possède le sujet alors que l'école développementale cognitive s'intéressera davantage à la *classification*.

elle retiendra les objectifs qu'elle se donnera et des théories de l'apprentissage, la raison d'être des méthodes pratiques grâce auxquelles elle compte rencontrer ces objectifs. À notre connaissance, pourtant, peu de théoriciens de l'orientation se sont penchés explicitement sur les fondements épistémologiques des premières et, a fortiori, sur leur réunion dans un projet d'éducation à la carrière.

Sans entreprendre une critique élaborée des fondements des théories bien connues du développement vocationnel, nous tenterons, au cours de l'exposé de notre vision du problème de l'orientation et de la solution que nous explorons, de faire ressortir les difficultés que tout projet d'éducation à la carrière doit parvenir à résoudre pour être applicable. Lorsque nous en viendrons enfin à discuter de l'application de nos propositions dans un contexte éducatif, nous tenterons de montrer qu'en dernier ressort, les difficultés posées par les unes sont les difficultés posées par les autres et que finalement, il y a moyen de concevoir une solution commune à toutes les deux.

Notre exposé comportera donc quatre grandes parties. Dans une première, nous situerons notre vision du problème vocationnel. Dans une seconde, nous verrons, de façon critique, les solutions qui ont été soutenues jusqu'ici. Dans un troisième temps nous proposerons ce qui nous semble être l'amorce d'une solution originale dont nous verrons, dans un quatrième temps, les conséquences pour un programme d'éducation à la carrière. Bien sûr l'espace de ce chapitre nous forcera à nous en tenir à l'essentiel. Mais nous aurons sans doute l'occasion ailleurs de compléter, par exemple, notre revue critique des théories du Moi, ou encore d'élaborer sur la place de la prise de décision en orientation.

LE PROBLÈME DE L'ORIENTATION

Au risque de procéder à une simplification qu'on pourrait nous reprocher parce qu'elle reflète mal autant la complexité que la diversité et l'originalité conceptuelles des théories qui ont cours en orientation, nous en sommes venus à la conclusion — point de départ de notre réflexion — que les théories actuelles, autant développementales que typologiques, ont toutes pour principe que l'orientation professionnelle d'un individu est la manifestation de son identité (ou concept de soi). Super (1953) le maintient en soutenant que « le processus de développement vocationnel consiste essentiellement en le développement et la mise en œuvre du concept de soi » (p. 189-190). Pour Tiedeman et O'Hara (1963) « le développement de carrière réfère à ces aspects du flot continu et sans cassure de l'expérience d'une personne qui contribuent au façonnement de son identité *au travail* » (p. 2). On pourrait ainsi accumuler les références des diverses écoles de pensée, mais là n'est pas notre propos. Soulignons seulement combien les liens qui conduisent, par exemple, de la réalisation des tâches développementales, proposées par Don Super, à la formation progressive d'un concept de soi professionnel ou encore des étapes de la prise de décision, proposées par Tiedeman et O'Hara, à la formation de l'identité du Moi s'avèrent peu explicites, dans l'un et l'autre cas, en termes psychologiques. Pourtant, nous semble-t-il, ce n'est que dans la mesure où nous rendrons explicites ces liens et les mécanismes qui y donnent lieu que nous saurons comprendre le caractère central de l'idée que se développer vocationnellement, c'est essentiellement acquérir une identité (ou un concept de soi) et les moyens nécessaires à sa transposition dans le monde du travail.

Dans notre conception, dès lors, toute réflexion sur le problème vocationnel se devait de prendre comme point de départ l'étude de la formation de l'identité. C'est, en effet, grâce à ce processus que l'individu parvient à donner un sens *au* monde qui l'entoure et, du même coup, à se donner un sens et une place *dans* ce monde. À cet égard, l'identité vocationnelle, croyons-nous avec Super et bien d'autres, n'est que l'un des multiples environnements dans lequel l'individu doit se situer pour agir. Plus loin, cependant, nous espérons démontrer, au moins implicitement puisque la démonstration explicite occuperait trop d'espace, que ce n'est que d'un certain point de vue que l'on peut ainsi considérer les multiples identités individuelles : du point de vue structural que nous adoptons ici, cette distinction perd de son utilité, voire même contribue au cloisonnement indu des champs dans le domaine de la psychologie.

Partant donc de ce thème central que de poser le problème du développement vocationnel revient à poser celui de la formation de l'identité vocationnelle, nous nous proposons d'aborder cette partie de notre exposé en deux étapes. Dans un premier temps, nous présenterons de façon schématique les grands thèmes qui ont inspiré la psychologie du Moi. Un tableau synoptique tentera de situer les principaux auteurs qui se sont intéressés au problème. Dans un second temps, nous aborderons l'étude critique des propositions de deux auteurs, Erikson et Rogers, considérant que ce sont finalement eux qui ont inspiré les deux théories les plus en vogue présentement en développement vocationnel, celles de Tiedeman et O'Hara, d'une part, et de Super, d'autre part.

SOI-COMME-OBJET, SOI-EXÉCUTANT, SOI-STRUCTURAL

Comme on le sait déjà, c'est William James (1890) qui a posé les premiers jalons d'une conception psychologique du Moi. Et, jusqu'à ce jour, il semble que peu d'auteurs aient mis en doute la division qu'il en a proposée en deux grandes dimensions : le « Je » percevant ou exécutant et le « Soi » ou Sujet-comme-objet. Seul Cattell* (1950) — qui a par ailleurs reconnu les deux autres dimensions en les rebaptisant Soi senti (Je) et Soi contemplé (Soi) — a jugé bon d'introduire un troisième terme, le Soi *structural*, sous-tendant l'intégration des deux premiers en ce qu'il est responsable du fait que l'individu « soit attentif à certains objets ou à des classes d'objets, qu'il sente et réagisse à leur égard d'une certaine manière (p. 231). »

Nous proposons, au tableau 4.1, une synthèse sommaire des conceptions que différents auteurs se sont faites du Moi selon la dimension ou les dimensions privilégiée(s) par chacun. (Pour réaliser ce tableau, la présentation de Hall et Lindsay (1957) nous a été grandement utile en ce qu'elle offrait déjà une première systématisation des idées des différents auteurs.) Si on peut observer des différences marquantes d'un auteur à l'autre quant aux mécanismes responsables de la formation du Soi-sujet-comme-objet, il n'en demeure pas moins que cette

---

* Cette proposition de Cattell nous avait échappé jusque-là en dépit de l'importance certaine qu'elle revêt pour justifier l'orientation que nous avons prise dans notre étude du Moi. Nous devons à Burns (1979) qui est sans doute le seul à en faire état, de l'avoir portée à notre attention.

Tableau 4.1

Les conceptions du Moi selon les dimensions privilégiées par les auteurs

AUTEURS	INSTANCES		SOI STRUCTURAL
	SOI-COMME-OBJET (MOI)	SOI-COMME-SUJET (JE)	
JAMES, William	• Soi : spirituel, matériel, social et corporel	• pure expérience	
MEAD, G.H. (1934) et C.H. COOLEY (1902)	• formé à partir du *feed-back* social	• incontrôlé, sans organisation (similaire au *id* freudien)	
SYMONDS, P.M.	• comment l'individu se perçoit, se valorise		
SNYGG, D. et A.W. COMBS	• Soi phénoménal qui se différencie à partir du champ phénoménal		
SHERIF, M. et H. CANTRIL	• maturation sociale à travers la conscience progressive de son statut		
SARBIN, T.A.	• l'idée que l'on a de soi		
BERTOCCI, P.A.	• valeurs • Soi-comme-objet	• sensitif, se souvient, perçoit, imagine	
CHEIN, J.	• ce dont je suis conscient	• groupe de processus agissant	
ALLPORT, G.W.	• sensation d'existence continue, affirmation de soi, identification, image de soi, motivations à rehausser l'image de soi		
KOFFKA, K.	• ego phénoménal tiré du champ	• organisation de systèmes de tension	
ROGERS, C.	• portion différenciée du champ phénoménal • objet consc. symbolisé	• organisations	
SUPER, D.	• ce qui est perçu de soi et traduit en termes professionnels, familiaux, etc. (plusieurs concepts de soi)		
CATTELL, R.B.	• contemplé	• senti	• permet de réagir aux objets ou classes d'objets
ERIKSON E.H. (Tiedman et O'Hara)	• identité résultant des identifications « Je » • les Soi : pré-conscients qui deviennent conscients dans le « Je »	• Moi • différenciation et intégration qui assure la cohérence et la continuité de l'identité • filtre et synthétiseur de l'expérience	

dimension du Soi-global occupe la place importante chez presque tous. Quant à l'autre dimension, cet exécutant ou « cette machine psychologique qui structure le sens de l'identité personnelle de l'individu » comme la décrivait Adams (1976), les rouages autres que logico-mathématiques qui en assurent l'activité — et on pourrait aisément se laisser tenter d'y faire appel comme nous le verrons plus loin — semblent avoir échappé à l'investigation scientifique.

Erikson (1972), bien sûr, a largement exposé les rôles réciproques du « Je » et du « Soi », intégrés par un Moi (le Soi global de James) :

> (...) Instance interne cautionnant une existence cohérente en filtrant et en synthétisant, dans la série des instants, toutes les impressions, les émotions, les souvenirs et les impulsions qui essaient de pénétrer dans notre pensée et réclament notre activité et qui nous mettraient en pièces s'ils n'étaient pas triés et contrôlés par un système de protection progressivement établi et constamment en éveil (p. 219).

Ces stades du développement de l'identité du Moi, pourtant, négligent de faire ressortir la nature même des rouages de cette « machinerie psychologique » (Adams, 1976) ou Moi sous-tendant l'identité à chaque étape de son évolution. On nous objectera sans doute que l'introjection et l'identification représentent les mécanismes primitifs (ou rouages) qui président aux premiers pas, pour ainsi dire, de l'identité naissante (p. 157) et que dès le moment où l'identité se substitue aux identifications (et à l'identification), le mécanisme social — par l'intermédiaire de la « communauté qui identifie l'individu » (p. 157) — jouera le rôle de « machine » régulatrice :

> Grâce à la multiplicité et à la succession de ces identifications à caractère expérimental, dit encore Erikson, l'enfant commence très tôt à édifier une série d'attentes pour savoir à quoi cela va ressembler d'être plus âgé et ce qu'il éprouvera d'avoir été plus jeune — attentes qui feront partie de l'identité dans la mesure où, pas à pas, elles seront vérifiées à l'aide d'expériences décisives d'*ajustement psychosocial* (p. 159).

D'où ces identifications tiennent-elles leur caractère nécessaire, inéluctable ? Pour quelles raisons certaines d'entre elles réussissent et d'autres échouent ? Quelles transformations subissent-elles pour devenir « identité » ? Autant de questions auxquelles le niveau d'analyse adopté (psycho-social) interdit de répondre autrement que par des successions d'événements personnels singuliers excluant d'emblée toute généralisation (histoire individuelle) ou encore par un recours à des phénomènes inconscients auxquels leur nature interdirait d'avoir accès sinon de façon métaphorique.

Dans le prolongement de la théorie psycho-sociale d'Erikson, mais aussi dans une tentative, du moins l'interprétons-nous ainsi, d'apporter des réponses aux questions mentionnées dans le paragraphe précédent, Adams (1976) a proposé une synthèse développementale cognitive qui s'inspire des théories d'Ausubel et de Sullivan (1970), d'Elkind (1967), de Looft (1972), et enfin de Harvey, Hunt et Schroder (1961) et rend le système cognitif responsable de l'articulation des éléments qui composent le Moi : « *Apparently, the cognitive component is the overall organizational unit that structures the inter-relation between thought, perception and social interaction* » (p. 162). Mais chez Adams, comme c'est fréquemment le cas chez les psychologues américains du développement cognitif, c'est un mécanisme global, aux propriétés opératoires mal définies (« décentration »), qui rend compte des « opérations » cognitives responsables du progrès développemental : « *The ability to make such a comparison* [entre les positions ou les sentiments de l'adolescent et ceux de ses parents et des autres] *hinges upon a mature cognitive system that has completed the* **decentering** *process* » (p. 163).

Si les questions que nous soulevons à propos du passage de l'identification à l'identité chez Erikson s'appliquent aussi au passage de la centration à la décentration, c'est en effet que cette tentative d'application au problème du développement de l'identité de la thèse piagétienne (*La naissance de l'intelligence*, p. 18), qui renvoie à un système cognitif *ensembliste* (« l'organisation »*) la responsabilité des grandes coordinations (« processus adaptatifs en acte » ou opérations), n'éclaire en rien ni les opérations cognitives en jeu ni les grandes coordinations nécessaires au niveau de l'organisation *en acte*. Tout au plus arrive-t-on à souligner avec plus de force encore le rôle, jusque-là seulement évoqué, que pourrait jouer l'appareil cognitif dans cette saisie de l'expérience interne autant qu'externe grâce à laquelle émergera l'identité.

Pour réaliser ce lien entre la pensée scientifique et logique étudiée par Piaget et la pensée « sociale »** — au sens large —, il ne suffira pas, d'une part, d'affirmer que toutes deux font partie du Moi global et d'autre part, d'appliquer à la seconde les mécanismes de la première. Ce serait du même coup attribuer aux deux des propriétés et une finalité identiques lors même que l'observation la plus élémentaire montre bien qu'il ne saurait en être ainsi. Quant à nous, nous proposerons que si les deux formes de pensée tiennent bien du Moi global, c'est que l'une et l'autre puisent à un troisième terme commun, jusque-là à peine évoqué sous le titre de dimension structurale (appellation qui pourrait porter à confusion et à laquelle nous substituerons pour cela celle de Moi percevant), les fondements de leur action.

Quant à la théorie du concept de Soi de Rogers, phénoménologie du Soi-comme-objet en son essence, elle n'est guère plus éclairante (même si elle en reconnaît l'existence) des opérations psychologiques qui prennent place lorsque « *the organism racts to the field* **as it is experienced** *and perceived* » (1951, p. 484). Pour des raisons de prudence, en effet, et à l'encontre des critiques qui lui ont été adressées à cet égard, Rogers préfère s'en tenir au Soi phénoménal, quitte à négliger du même coup des sources importantes de motivation qui ne proviendraient pas du Soi conscient (Hall et Lindzay, 1957).

Au plan vocationnel, comme nous le mentionnions plus haut, Tiedeman et O'Hara se sont inspirés de la théorie psychosociale de l'identité du Moi d'Erikson affirmant : « *Ego-identity is the accumulating meaning one forges about himself as he wrestles with his meeting with society* » (p. 4, 1963), alors que Super rejoint la position de Rogers et celle de Wylie (1961) en affirmant : « *Whereas the assessment of personality must take into account non phenomenal date, the assessment of self concepts must, as Wylie points out, rely on self reports and on self reports only* » (pp. 21-22, 1963). Il apparaît ainsi que le problème vocationnel auquel est confronté un jour ou l'autre l'individu, bien que tributaire de l'ensemble du fonctionnement psycholo-

---

* Encore faut-il ne pas confondre *organisation active* — qui semble relever de *l'adaptation* chez Piaget (*op. cit.* p. 18) — et organisation passive (état de ce qui est organisé) qui semble seule relever de l'organisation comme telle. La première renvoie sans doute à cette dimension du Soi que nous appelions plus haut « exécutant » alors que l'autre relève nettement du Soi-comme-objet.

** Nous comprendrons sous le terme « sociale » toute activité intellectuelle dont l'objet formel n'est pas la logique ou le raisonnement démonstratif.

gique, phénoménal ou non, qui donne lieu à sa personnalité, ne peut être résolu qu'en faisant appel aux données conscientes de l'expérience.

De notre point de vue développemental cognitif, cependant, nous soutenons que si les « significations » *(meanings)* ou les « concepts de soi » (selon la théorie vocationnelle que l'on adopte) jouent effectivement un rôle dans le processus d'orientation en conférant son contenu spécifique à la direction professionnelle que privilégiera un individu (médecin, psychologue, physicien nucléaire ou éboueur), le fait qu'un individu attribue des significations à son expérience (ou possède des concepts de soi) ne peut suffire à lui seul à rendre compte de son comportement et son évolution vocationnels. D'une part, en effet, les significations attribuées à l'expérience par l'individu évoluent en se complexifiant (on peut le montrer) et, d'autre part, le fait d'attribuer aujourd'hui une signification à une expérience n'assure en rien que cette expérience ne sera pas investie demain ou dans l'instant suivant d'une signification non pas nouvelle mais différente qui fera osciller le cheminement de l'individu d'une signification à l'autre. De ce point de vue, tant les significations que les concepts de soi représentent des produits ponctuels du fonctionnement psychologique individuel et de par leur caractère idiosyncratique s'avèrent inaccessibles, sans les vider de leur substance même, à l'investigation scientifique et par conséquent à l'intervention contrôlée.

Si donc le Soi-comme-objet ne présente dans notre perspective, qu'un intérêt relativement secondaire, on pourrait être tenté de conclure que c'est à l'étude du Moi-exécutant que seront consacrées les prochaines pages. Car même si d'un point de vue cognitif, comme nous l'avons souligné, on s'est peu arrêté à décrire les opérateurs autres que logico-mathématiques à l'œuvre dans le Moi-en-action, il suffirait peut-être d'aborder autrement l'activité humaine non logico-mathématique pour que l'expérience à laquellle cette dernière donne lieu devienne un objet, comme dans la théorie piagétienne, susceptible d'être classé, sérié, situé dans le temps et dans l'espace. Dans un tel cas, l'étude du fonctionnement du Moi reviendrait alors, comme dans celle du fonctionnement de l'intelligence, à suivre la complexité croissante et les compositions des « trajectoires entre le sujet et les objets de son action » (Piaget, *P.I.* p. 17). Il suffirait, comme l'affirme Piaget, de considérer que « la conduite verbale est une action, sans doute amenuisée et demeurant intérieure, une esquisse d'action qui risque même sans cesse de demeurer à l'état de projet, mais une action tout de même, qui remplace simplement les choses par des signes et les mouvements par leur évocation, et qui opère encore, en pensée, par le moyen de ces truchements » *(P.I.,* p. 39). Et toute psychologie du fonctionnement social — comme bien des approches de la psychologie clinique pourraient nous porter à le croire — se réduirait alors à une psychologie de la communication.

Mais encore faudrait-il que le raisonnement psychologique général, au même titre que le raisonnement logico-mathématique qu'a étudié Piaget, satisfasse au moins à une condition : que le premier, comme le second, ressortisse essentiellement d'un raisonnement déductif — ce qui ne nous paraît pas être tout à fait le cas. Non pas que certaines conduites sociales n'aient pas ce caractère logique ; au contraire : sans lui, les agences de publicité, par exemple, qui savent si bien tirer profit des connaissances psychologiques pour vendre des produits de consommation à la masse, auraient bien du mal à jouer efficacement leur rôle. Mais la conduite de tous les jours, qui puise sa raison d'être à l'expérience propre plutôt qu'à des connaissances générales, relève de ce fait d'un raisonnement essentiellement pré-logique, nous ne nous y arrêterons pas pour le moment. Nous y reviendrons plus loin.

En résumé, l'analyse cognitive que nous venons de faire des théories du Moi nous a conduit à reconnaître le bien-fondé de cette division du Soi en deux dimensions fonctionnelles que la littérature depuis James a consacrée : le Soi-comme-objet et le Moi-exécutant. Quant au premier, nous avons affirmé qu'il ne pouvait jouer qu'un rôle relativement secondaire dans notre compréhension du processus développemental puisqu'il en est le produit. Quant au second, nous avons souligné jusque-là combien son activité semble avoir échappé à l'analyse. Pourtant, les théories développementales semblent bien avoir cherché à en donner une formalisation. En effet, nous semble-t-il, en raison des propriétés démonstratives des raisonnements dont elles s'inspirent, c'est de ce second aspect du Moi que relèvent les théories centrées sur la prise de décision ou la solution de problèmes d'orientation ; à partir de buts à atteindre, généralisables à des ensembles d'activités professionnelles, elles proposent, chacune à leur manière, une démarche systématique qui permet de connaître l'activité professionnelle particulière qu'il convient pour le sujet d'envisager. (Le fait de multiplier les démarches décisionnelles ou de solution de problème en les appliquant de façon récursive à des segments de plus en plus restreints du processus total d'orientation ne change en rien le principe que nous évoquons ici.)

Or, l'efficacité de ces démarches, il faut bien le souligner, repose entièrement sur la signification psychologique de ces buts puisque c'est avec eux que commencent les démarches. Et bien que leurs propositions portent à croire que ce sont ou de l'identité du Moi ou du concept de Soi qu'ils émergent, l'insuffisance des théories du Moi à en rendre compte devient évidente lorsque Tiedeman et O'Hara reconnaissent : « *We have no definitive theory to offer about the origin of career goals as will become apparent as we progress* » (op. cit., p. 11). C'est donc, nous semble-t-il, à cette insuffisance des théories du Moi qu'il fallait nous attaquer. La prochaine section fera état de la démarche que nous avons amorcée dans ce but et des résultats qu'elle a pu donner.

LE MOI PERCEVANT

Déjà, nous avons souligné dans notre brève présentation des théories du Moi notre intérêt pour la proposition de Cattell qui affirme l'existence d'une autre dimension du Moi, la dimension structurale. Nous avions aussi noté qu'en raison des confusions possibles que l'emploi d'une telle terminologie risquait de susciter, nous croyions nécessaire de faire appel à une autre désignation, tirée du langage même des théories du Moi. Nous proposons d'y substituer la notion de Moi *percevant,* qui se distingue du Moi *exécutant* en ce qu'il est responsable des structurations de l'expérience qui deviendront des buts à atteindre, des objets mentaux à l'intérieur desquels autant l'intelligence logico-mathématique que l'intelligence sociale pourront se mouvoir.

Contrairement à Symond et Bertocci, nous considérons les dimensions de Moi percevant et de Moi exécutant comme distinctes, même si toutes deux renvoient à des mécanismes d'organisation. On doit, en effet, distinguer deux groupes dans ces mécanismes.

Un premier, celui du Moi percevant, est responsable, comme nous le mentionnions précédemment, de la formation des objets mentaux (que nous appellerons *concepts* ou *catégories*) alors qu'on doit au second les coordinations, opérations, etc., qu'il est permis d'effectuer à l'intérieur de ces objets*. Un exemple, trivial en apparence, permettra sans doute de mieux faire comprendre ce que nous entendons ici. Supposons un sujet placé devant les objets suivants : deux *chiens* et trois *chats*. Il devrait être clair que l'addition des *chiens* et des *chats* ne sera permise qu'à l'intérieur du concept *animaux domestiques* qui les comprend tous deux. A fortiori la soustraction *animaux domestiques — chiens = chats* dépend-elle de la même condition. Dans cet exemple, le Moi exécutant effectue les opérations d'addition et de soustraction alors que le Moi percevant est responsable de la formation de l'objet : *animaux domestiques*. C'est le développement de ce Moi percevant dont il sera maintenant question.

La perception active ou la formation de concepts

Il y a quelques années déjà (Bégin, 1979), nous avions souligné l'intérêt qu'une approche développementale hiérarchique, à la Piaget, pouvait représenter pour l'étude du développement vocationnel. À cette époque, nous avions aussi insisté sur le fait que s'il pouvait y avoir avantage à recourir aux principes méthodologiques de cette approche, il ne suffisait pas de plaquer, pour ainsi dire, la théorie genevoise du développement intellectuel sur le problème du développement vocationnel pour trouver la solution de ce dernier. Ce qui ne nous apparaissait alors que comme un simple principe de non-transférabilité est aujourd'hui soutenu par l'analyse qui précède et qui nous montre qu'en dernier ressort, la théorie piagétienne se doit d'être sensiblement élargie, voire même modifiée, avant que l'on ne puisse y faire appel. Aussi devrait-il être clair que les idées dont nous entreprenons maintenant l'exposé, si elles s'inscrivent dans le courant piagétien, ne constituent pas une tentative d'appliquer la théorie de Piaget au problème vocationnel, comme on pourrait le croire. Sans doute aurons-nous malgré tout à en référer à Piaget, mais alors ce seront plutôt les lacunes que les explications qui nous retiendront, ou bien encore les communautés d'explication que la perspective développée ici nous permettra d'établir quant aux sources possibles auxquelles puisent l'intelligence logico-mathématique et l'intelligence sociale.

La place nous faisant ici défaut, nous ne reprendrons pas la description des étapes qu'il nous a fallu franchir pour parvenir aux définitions opérationnelles dont il va être question dans les paragraphes qui suivent**. Nous nous contenterons ici de situer brièvement la solution pratique que nous avons adoptée dans son contexte méthodologique général, après quoi nous exposerons les grandes lignes des étapes développementales que cette façon de procéder nous a permis d'établir.

En bref, notre tâche consistait à découvrir une méthode pratique qui permette de faire ressortir comment les individus parviennent implicitement à attribuer une signification

---

* En dépit des rapprochements certains que l'on pourrait faire entre cette discussion et celle qu'ont eu Piaget et Chomsky à Royaumont, puisqu'elle portait sur les thèmes dont il est difficile de ne pas voir la parenté avec ceux que nous abordons ici, nous éviterons pour le moment d'y faire référence. Plus loin, cependant, nous y reviendrons, quand il s'agira de préciser encore davantage notre position.

** Une première version non publiée de ce travail est disponible auprès de l'auteur, comme d'ailleurs un rapport sur la validité de construit de l'épreuve *Groupements* dont il sera question un peu plus loin.

explicite à leur expérience. Nous avons alors défini l'expérience comme l'activité qu'exerce un sujet sur l'univers des objets (personnes, choses matérielles ou symboles) qui l'entourent. Partant de cette définition, nous avons préparé trente activités (que, pour des raisons pratiques que nous n'avons pas à exposer ici, nous avons tirées de l'*Inventaire canadien d'intérêts professionnels,* Bégin et Lavallée, 1980) et nous les avons portées chacune sur un carton séparé (on en trouvera à l'annexe 4.1 la liste complète). Puis nous avons demandé à des sujets, dont l'âge variait de 10 à 50 ans et plus, de « mettre ensemble les activités qui vont ensemble » (en n'utilisant chaque activité qu'une seule fois) puis de justifier les groupements qu'ils percevaient ainsi. Grâce à une analyse systématique tant des groupements réalisés par les sujets que des justifications qu'ils en offraient, il nous est maintenant possible de rendre compte de plus de 95 p. cent des réponses que nous recevons. (Chez des juges bien entraînés, leur entente quant aux cotes à attribuer se situe aux environs de 90 p. cent).

Notons enfin, avant de passer à l'analyse des caractéristiques des grandes périodes, que ce mode d'interrogation s'avère pratiquement inutilisable chez les sujets de moins de 10 ans*. Et même à cet âge, la production est souvent tellement mince et les justifications tellement peu articulées que les protocoles ne peuvent être cotés utilement. Il en résulte que les premiers stades de notre échelle (depuis le premier de la première période jusqu'au second de la seconde période) n'ont pas pu être soumis encore aux tests statistiques. Ainsi, l'ordre de leur émergence, tel qu'il apparaît en annexe 4.2, est établi bien plus logiquement qu'empiriquement.

L'analyse statistique a cependant permis d'établir l'émergence ordonnée des périodes. Pour toutes ces raisons, nous avons jusque-là limité nos interprétations, comme on le verra plus loin, aux seules *périodes du développement* plutôt qu'aux stades particuliers que ces derniers comprennent. Soulignons enfin qu'à l'occasion d'une étude visant à établir la validité de construit, nous avons pu obtenir une corrélation de 0,53 (coefficient C : P<0,01) entre notre échelle et celle du développement de la notion de proportion (Noelting, 1980).

Finalement, notre cotation tient compte non seulement des activités groupées, mais encore de la justification qu'apporte le sujet à ses groupements. C'est d'ailleurs en bonne partie à partir de ces derniers qu'il est possible de déterminer ce qui, des objets ou des actions des activités, a été retenu par le sujet pour construire ses groupements.

La période configurative

Dans cette première période, encore incomplètement étudiée, la conceptualisation porte essentiellement sur les objets : d'abord les objets identiques — même forme, même couleur — puis les objets équivalents quant à la fonction qu'ils remplissent (par exemple, la couverture et la courtepointe qui sont réunies parce qu'elles servent à se tenir chaud). Mais là encore, on sent nettement que seuls les objets dont les formes physiques sont suffisamment similaires peuvent être réunis. Bien qu'il s'agisse là d'une différence qui pourrait paraître bien minime, elle marque quand même un pas important vers la capacité de concevoir la

---

* Nous tentons présentement de mettre au point un matériel qui nous permettra d'interroger les enfants depuis l'âge de 3 ans jusqu'à l'âge de 10-12 ans.

propriété des objets qui couronnera la prochaine période dans la mesure où l'identité configurative des objets qui limitait jusque-là la conceptualisation est enfin brisée.

La période trans-configurative

D'abord marquée par une sorte de flottement dans l'esprit du sujet, qui sent bien la nécessité de réunir entre eux des objets de formes très hétérogènes, c'est surtout grâce à un troisième terme que cette conceptualisation devient possible. En effet, les objets deviendront réunissables dans la mesure où on les retrouve dans un même lieu (un *réfrigérateur* et un *téléphone* que l'on trouve *dans une maison* ou des *histoires* et la *poésie* que l'on retrouve dans les *livres*) ou encore parce qu'ils sont habituellement associés à une même personne (la *garderie* et les *jouets* qui renvoient aux *enfants*). Nous avons aussi considéré les juxtapositions d'objets à travers des fables comme typiques de ce niveau. C'est qu'en effet la fable nous paraît alors jouer le rôle de ce troisième terme (lieu physique, temps, etc.) dont nous venons de parler.

Dans un troisième temps, finalement, les objets sont enfin réunis grâce aux propriétés (au sens philosophique du terme *proprium,* c'est-à-dire ce qui appartient en propre et nécessairement à une ou des natures, Gardeil, p. 147) qu'ils partagent.

Nous concevons donc ces deux premières périodes (il pourrait y en avoir d'autres comme nos études plus récentes le suggèrent), qui paraissent occuper les douze ou quatorze premières années du développement, comme consacrées essentiellement à réduire la diversité configurale des objets. Cette capacité apparaît importante à un triple point de vue. La théorie du traitement de l'information, avec Miller (1955) et Scandura (1977) en particulier, a montré que l'esprit humain ne pouvait traiter efficacement plus de 7 unités ($\pm$ 2) d'information à la fois. Or, limitée à l'aspect configural des objets, il est bien clair que la réduction de la charge informative serait insuffisante pour que l'esprit puisse rendre compte et tirer partie de la diversité du monde moderne. De même, on s'expliquerait mal comment un concept comme la « relativité » d'Einstein, pour ne prendre que cet exemple plus extrême, aurait pu émerger. Par ailleurs, et dans le même sens, à s'en tenir aux seuls objets du monde réel, on voit mal comment l'esprit humain pourrait avoir accès au mode de raisonnement formel, comme l'a décrit Piaget, puisque ce mode impose de pouvoir réfléchir sur des actions, l'opération formelle étant définie *comme une action sur une action.* Or, et c'est là le troisième point de vue, la réflexion conceptuelle sur les actions exige de transcender l'aspect configural de ces dernières : sans cette capacité, les actions demeureraient de simples déroulements spatio-temporels irréductibles conceptuellement.

Ce n'est qu'avec la prochaine période, que nous avons appelée *proto-réflexive,* que cette conceptualisation des actions est entreprise.

La période proto-réflexive

Au cours de cette période, le sujet commence à réunir les activités à partir des actions qui s'exercent sur les objets. Mais cette prise en considération de l'action a une double caractéristique. D'une part, elle est limitée aux seuls objets réunissables selon leurs propriétés physiques, comme à la fin de la période précédente. D'autre part, lorsque les objets sont réunissables de ce dernier point de vue, certaines activités seront jointes à un groupe même si l'action qui y est mis en cause n'a pas strictement le sens des autres du même groupe. Un exemple illustrera ce phénomène. Ainsi, beaucoup de sujets de cette période construisent le groupe *Recherche* à partir des activités suivantes : « Localiser la source de pollution d'une rivière (9) », « Classer des échantillons de terre (14) », « Analyser des échantillons de terre (16) », et « Mener des expériences sur des animaux (23) ». Bien sûr, dans ce cas, le sens de l'action dans « Classer des échantillons de terre » provient de l'objet « échantillon de terre » et non pas de l'action « Classer... » qui fait davantage appel à une activité répétitive, au sens littéral, qu'à une activité scientifique comme le montre bien le groupement *Routine* des sujets de la période suivante.

Malgré le caractère incomplet, parfois aussi sur-généralisateur, d'une réflexion qui s'appuie sur une telle conceptualisation de l'expérience, l'accession à ce nouveau mode d'organisation marque une étape importante du point de vue de l'orientation des sujets. Grâce à lui, en effet, l'action même du sujet sur son environnement s'organise, devient accessible à sa considération. Lié qu'il était jusque-là au seul monde extérieur, aux personnes et aux choses de l'environnement, le Moi s'intériorise en prenant en considération l'action qui modifie, manipule, transforme l'univers. Le Moi devient ainsi capable d'initiative, mais surtout devient accessible à la conscience : le Moi devient réflexif dans la mesure où l'action qu'il déclenche devient accessible à la conceptualisation et généralisable à d'autres actions.

La période réflexive

Avec cette quatrième période, seconde phase de l'accession à la maîtrise de l'action, on assiste à une sorte d'inversion. Si, au cours de la phase antérieure, l'action acquiert son sens à partir des objets sur lesquels elle porte (objet ◊ action), ce sera précisément l'inverse que l'on observera dorénavant : la « créativité » s'exercera autant sur des objets matériels que sur des idées, de même « la vente », etc. La science, cependant, ne comprendra plus « Classer des échantillons de terre » etc. Au cours de cette quatrième période, l'accent passe définitivement de l'objet à l'action, et c'est de cette dernière que dépendront toutes les coordinations.

On voit aisément le déplacement auquel on pourra assister alors quant à la source de l'action des sujets. C'est le Moi intériorisé dorénavant qui prendra charge de la destinée individuelle, compte tenu bien sûr de la situation — qui dans ce cas joue le rôle d'objet, c'est-à-dire ce qui est extérieur par rapport au Moi — mais toujours en se prenant comme point de référence. Et si, en ce sens, on peut parler, avec cette période, d'accession à l'autonomie, on aurait pu parler sans doute, à la période précédente, d'accession à l'indépendance.

La période trans-réflexive

Ultime étape du développement que nous avons pu identifier, cette période comprend deux stades. Dans un premier, l'individu oppose systématiquement des concepts tels que ceux formés à la période précédente. La construction ne porte donc plus sur les activités comme telles mais sur des concepts. On pourrait aisément voir, dans cette façon de conceptualiser, les fondements mêmes du raisonnement dialectique.

Finalement, ces concepts se fondent entre eux pour aboutir à la dichotomie Personne/ Chose si familière en orientation mais aussi si difficile à comprendre. C'est qu'en effet ces concepts résultent non pas des strictes similitudes entre activités, mais de la réunion de concepts dont la puissance se reflète dans l'extension considérable qui les caractérise.

Jusqu'ici, très peu de sujets nous ont fourni des productions de ce niveau. En fait, nous avons seulement une vingtaine de protocoles de ce type. Et dans tous les cas, sauf un, il s'agissait d'universitaires qui avaient terminé un Ph. D. dans leur domaine de formation. Avec aussi peu de sujets, bien sûr, il est difficile de calculer des statistiques fiables. Faute de statistique, toutefois, les tests de limite que nous avons effectués avec des sujets de niveau Réflexif, en leur suggérant les critères Personnes/Choses nous ont permis de constater qu'il ne suffit pas de posséder ces critères pour construire les groupements correspondants. Les sujets de la période réflexive continuent donc de catégoriser à partir des activités elles-mêmes, ce qui les laisse sans ressource pour catégoriser des activités comme « Écrire de la poésie » (2) et « Mener des expériences sur des animaux » (23).

En résumé, donc, cette étude de la formation de concepts nous a permis de faire ressortir cinq grandes périodes de développement. (Nous décrirons ailleurs plus en détail comment chacune de ces périodes se construit sur la précédente et introduit, au moins potentiellement, la suivante. De même, l'analyse du lien pouvant exister entre ces structures conceptuelles et le développement de l'intelligence fera l'objet d'une discussion dans un autre contexte. Il nous faudrait en effet introduire des concepts que le propos de ce chapitre ne justifierait pas.) Chacune de ces périodes permet aussi bien un raffinement qu'un élargissement de la capacité perceptuelle de l'individu. Nous avons, au passage, souligné ce que chacun de ces gains ajoutait de puissance au Moi. Bien des choses encore ont pu être observées qui nous paraissent significatives pour la compréhension de l'orientation de l'individu. Mais avant d'y arriver, qu'on nous permette de revenir un instant sur ce que notre analyse des protocoles a permis de faire ressortir quant au Moi *percevant*.

Dans *La psychologie de l'intelligence*, Piaget a insisté longuement sur le fait que ce n'est pas la « classe » qui importe mais bien la « classification », la classe n'étant qu'un élément « structuré » et non pas « structurant », ou du moins elle est déjà structurée dans la mesure où elle est structurante (p. 42). Du point de vue de l'étude du Moi, il est bien clair que la « classe » ressortit au Soi-comme-objet alors que la classification ressortit au Moi exécutant. Mais si nous souscrivons d'emblée à ce point de vue de Piaget, nous ne pouvons pas en faire autant de l'affirmation suivante : « Une *classe* suppose une *classification*, et le **fait premier*** est constitué par celle-ci car ce sont les opérations de classement qui engendrent les classes particulières » (p. 42). Bien sûr, la classification engendre les classes particulières ; le « fait premier » n'est cependant constitué ni par celles-ci ni par celles-là, mais bien par le fait que les éléments soient *classables* d'un certain point de vue. En effet, la réunion des *chiens* et des *chats* dans une classe que l'on pourrait appeler des *animaux domestiques* n'est possible (autant d'ailleurs, comme nous l'avons déjà souligné, que les additions, les sous-

---

* C'est nous qui soulignons.

tractions, etc. que l'on peut effectuer sur les éléments de cette classe) que dans la mesure où les *chiens* et les *chats* sont classables du point de vue de leur forme commune (ils ont quatre pattes, etc.) ; de l'identité : ils ont du poil ; de l'équivalence fonctionnelle : ils sont domestiques, etc. (On remarquera d'ailleurs que suivant le point de vue selon lequel les éléments sont classables, l'extension des classes varie considérablement en ne se recoupant pas nécessairement d'un niveau à l'autre. C'est précisément grâce à la classification active (et c'est là le rôle essentiel de celle-ci) que les limites de la classe aussi bien que ses articulations avec les autres classes et les rapports réciproques du tout et des parties sont déterminés. Mais encore une fois, l'opération de réunion en elle-même demeure quelconque tant et aussi longtemps qu'elle ne s'effectue pas à l'intérieur d'un schème d'ensemble qui la dirige. Les décalages horizontaux que l'on observe aussi bien dans les opérations de classification que dans d'autres domaines d'opération en sont la preuve même.

Qu'il s'agisse là de schèmes d'assimilation ou de schèmes d'anticipation dont parle Piaget, par exemple dans *La naissance de l'intelligence* (p. 353), nous le voulons bien. C'est d'ailleurs ce que semble clairement laisser entendre l'affirmation suivante tirée du passage que nous citions plus haut : « Pour ce qui est de l'intelligence réfléchie, tout d'abord, il va de soi que l'implication suppose un système de concepts et par conséquent l'activité assimilatrice du jugement ». Mais s'il en est ainsi, il importe, d'une part, de mieux saisir comment évoluent ces systèmes de concepts, ne serait-ce que pour pouvoir répondre à la question de savoir s'ils sont innés, comme Chomsky et Fodor le prétendent (1975), ou s'ils résultent d'un développement et, d'autre part, de saisir comment ils se présentent chez les sujets, avec les conséquences qui en découlent pour ces derniers.

Avant de clore cette section, nous voudrions encore brièvement discuter d'un point. Dans *Connaissance objective* (1973), Popper concluait à l'impossibilité de l'induction par répétition tant au plan logique qu'au plan psychologique. C'était là un problème qui avait amené Hume à conclure à l'irrationnalisme de la connaissance (puisqu'il acceptait l'induction au plan psychologique tout en la réfutant au plan logique) et, avant lui, Platon (Ménon, 80 d-e et suiv.) à proposer la théorie de la réminiscence pour rompre le cercle vicieux résultant du fait que toute connaissance résulte des principes et que nous ne pouvons poser les principes sans connaissance. Quant à Claude Bernard, il concluait que la déduction et l'induction ne sont pas essentiellement distinctes. Ce que montre cette étude du développement des mécanismes de conceptualisation, c'est que si les concepts sont en quelque sorte les principes sur lesquels s'appuie le raisonnement déductif, ils ne résultent pas directement de l'expérience mais d'une organisation active de cette dernière à partir de mécanismes qui ne sont pas, eux, des principes au sens où nous définissions ce terme plus haut. En effet, qu'un sujet fasse appel à la similitude des formes d'objets divers pour les réunir en une seule totalité qui deviendra une classe (par exemple celle des fleurs) sur laquelle un ensemble d'opérations logiques pourra être effectué, la notion de forme dont il est ici question n'est pas suffisamment spécifique pour qu'un prédicat quelconque, qui fasse progresser la connaissance, puisse encore lui être attribué. Il en résulte que la capacité d'appréhender des formes est une propriété du système psychologique qui lui permet de réunir entre eux des objets discrets dans le but évident de réduire la diversité de l'expérience. Or ce mécanisme de réunion à partir de la similitude de leur forme est, lui, répétable sur un même ensemble d'objets et peut s'appliquer à autant d'ensembles d'objets qu'on voudra bien se l'imaginer. À la section réservée aux *Conséquences pour l'éducation à la carrière,* nous reviendrons sur l'importance d'apporter une solution au problème de l'induction en soulignant que de cette solution dépendront pour une bonne part les méthodes d'apprentissage auxquelles nous pourrons faire appel.

Le niveau conceptuel et le moi

Comme nos remarques le laissaient déjà entendre au moment où nous décrivions les grandes périodes du développement conceptuel, nous considérons que le *Moi percevant* croît en puissance au rythme même des propriétés nouvelles qu'introduit chaque nouveau schème de structuration (catégorisation) de l'expérience auquel il accède*. Ainsi, les actions demeurent singulières, en tout cas minimalement catégorisables, pendant les deux premières périodes du développement. Pendant ces deux périodes, en conséquence, les expériences significatives pour le Moi seront essentiellement tirées d'objets matériels (personnes ou choses) à manipuler, à transformer. Mais ce ne seront pas les manipulations ni les transformations en tant que telles qui auront un sens, mais bien les états successifs des objets, etc. Il faudra attendre la période suivante pour que naissent la conscience réflexive des manipulations comme telles et du même coup un intérêt à la manipulation des manipulations. Au plan vocationnel, mais aussi au plan personnel, on voit immédiatement les conséquences de chacun des deux modes de pensée. Dans le premier cas, l'intérêt portera essentiellement sur les objets rencontrés dans l'exercice d'une profession, et les professions elles-mêmes seront perçues en fonction des objets qui y sont manipulés. Dans le second cas, par ailleurs, ce seront les actions exercées sur les objets, en d'autres termes les fonctions professionnelles, qui retiendront l'attention (bien sûr à l'intérieur des limites respectives imposées par les périodes *proto-réflexive* et *réflexive*).

Il découle aussi de ce qui précède que les individus tendent à rechercher des environnements qui ont des exigences correspondant à ce que leur système psychologique leur permet de saisir et, en conséquence, d'apprécier. Si les exigences de l'environnement sont trop fortes, en effet, l'individu se sentira, et sera de fait, rapidement dépassé. Si elles sont trop faibles, au contraire, il ressentira ennui, dévalorisation.

L'organisation du Moi

Notes préliminaires : la cohérence du Moi. Pour faciliter la présentation, nous avons procédé jusqu'ici dans notre exposé comme si la production d'un sujet, à notre épreuve, reflétait un niveau unique de fonctionnement**. À nous en tenir, par exemple, à la méthode de cotation et d'attribution de scores à d'autres épreuves comme celles de *jugement moral* de Kohlberg (1972) ou encore de la *Méthode de paragraphe à compléter* de Hunt (1975), c'est

---

* Quant aux forces en jeu qui propulsent le sujet d'un stade à l'autre, nous travaillons présentement à identifier la part qui revient (1) à la maturité neurologique ; (2) aux pressions environnementales — famille, culture, etc. — ; et (3) à l'interaction de ces facteurs. Nous avons déjà envisagé certaines hypothèses, mais il serait trop long d'en faire état ici.

** Soulignons qu'un protocole comprend en général de 5 à 7 groupements.

là, semble-t-il, une façon parfaitement acceptable de rendre compte de la production des sujets. Le fait, par ailleurs, d'attribuer ainsi le fonctionnement d'un individu à *une* position dans une échelle développementale ou à une catégorie développementale offre non seulement l'avantage de la clarté et de la précision, mais encore s'avère souvent nécessaire pour les calculs statistiques que nous devons effectuer. Pourtant, la diversité de production que nous avons pu observer dans les protocoles que nous avons recueillis nous a conduits à résister à cette pratique et à tenter de donner un sens à la diversité même de la production du sujet. C'est ainsi que nous en sommes venu à considérer deux scores : le premier, que nous avons appelé le niveau fonctionnel, correspond à la période à laquelle le sujet produit le plus fréquemment dans son protocole et le second récapitule, en partant du plus fréquent jusqu'au moins fréquent, les divers stades qui apparaissent dans le protocole. Sans rien perdre de la richesse des protocoles, il nous a été ainsi possible, croyons-nous, d'éviter les aberrations auxquelles le calcul d'une moyenne aurait pu nous conduire (par exemple, qu'un sujet qui ne présenterait aucune stratégie de niveau III obtienne un score final de ce niveau en présentant 3 stratégies de niveau IV et 3 stratégies de niveau II).

Notre analyse de l'organisation du Moi cherchera donc à donner un sens à la plus ou moins grande cohérence (intra-période) de la production du sujet. Par cohérence, nous entendons le fait que les regroupements produits appartiennent à la même période de développement. En cela, nous avons été guidés par des raisons qui relèvent des propriétés mêmes des structures conceptuelles et des conséquences qui découlent du fait que le sujet doive y faire appel pour diriger sa conduite. C'est de ces propriétés et de ces conséquences dont il sera maintenant question.

La compréhension et l'extension des catégories. Rappelons d'abord que les schèmes auxquels fait appel l'individu pour structurer son expérience conduisent celui-ci à catégoriser celle-là. Signalons encore, pour éviter une embûche sur laquelle nous reviendrons plus loin, que les catégories que nous retenons ici sont des catégories d'équivalence (pré-logiques, peut-être, mais qui sont sans doute le fondement des classes logiques) et non des catégories relationnelles, qui ont des propriétés nettement distinctes des premières.

Or, et c'est là l'essentiel de la thèse que nous soutenons ici, ces catégories d'équivalence constituent de fait les objets sur lesquels l'esprit opère. Prenons comme exemple l'expérience classique de Piaget[1] sur les fleurs.

Bien avant que le sujet ne règle les *tous* et les *quelques* qui assureront à la classe ses propriétés logiques, la catégorie d'équivalence *fleurs* préexiste chez ce sujet. Sans cette catégorie d'ailleurs, il n'y a ni *tous* ni *quelques* à régler puisque les primevères et les autres fleurs demeurent des objets discrets qui ne peuvent être composés entre eux. Dans ce cas donc, fleurs joue le rôle d'*objet* sur lequel l'esprit opérera. Soulignons encore une fois que l'objet *fleur* préexiste à sa logicisation et marque essentiellement l'identité de réaction du sujet à tous les éléments qui appartiennent à la catégorie *Fleurs*. Au plan social, c'est précisément cette identité de réaction aux expériencees qui nous intéresse.

Il découle de ce qui précède que la catégorie d'équivalence que nous venons de décrire peut être définie avant même sa logicisation, *et* en compréhension (fleurs) *et* en extension

---

[1] Voir Piaget et Inhelder, *La genèse des structures logiques élémentaires*, Delachaux et Niestlé, 1959.

(les éléments de la catégorie : *primevères* et autres fleurs). Dans l'extension de la catégorie sont compris, bien sûr, tous les éléments connus jusque-là du sujet mais aussi tous ceux, inconnus, qui sont susceptibles d'appartenir à la catégorie. Du point de vue vocationnel qui nous intéresse ici, cette propriété des catégories offre la possibilité de concevoir, sans avoir à faire appel à des métaphores linguistiques du type de celle de Starishevsky (1963), comment le Moi peut se « traduire en termes professionnels ». Mais encore faut-il pouvoir définir dans quelles conditions cette propriété des catégories est susceptible de jouer son rôle de façon efficace.

L'interprétation de la cohérence et des incohérences. Comme nous l'avons laissé entendre précédemment, il appert à la cotation des protocoles de l'épreuve *Groupements* que les sujets font appel à des schèmes de catégorisation qui varient à l'intérieur d'une même production : certains sujets fourniront des groupements qui font appel à des schèmes d'organisation typiques tantôt d'une seule période, tantôt de deux périodes et chez certains de trois périodes et plus. Quelles hypothèses pouvons-nous tirer de telles productions ?

Au départ, bien sûr, il faut poser le postulat que, dans les limites de la tâche à accomplir au moins, le sujet reproduit dans son comportement les propriétés de son système psychologique.

Ainsi, il faut supposer que d'une façon ou de l'autre le sujet qui produit des réponses appartenant à trois périodes dispose dans son système psychologique des schèmes de catégorisation de ces trois périodes. Asymétriquement, bien sûr, car on ne peut pas affirmer que celui ou celle qui produit des réponses appartenant à une seule période ne possède *que* des schèmes de cette période. La pratique pourtant nous imposera de le faire, et nous nous y sentirons d'autant plus autorisés, comme c'est l'habitude, que les hypothèses comportementales découlant de telles productions pourront être effectivement observées, d'une part, et, d'autre part, que le comportement effectif des sujets qui produisent de tels protocoles cohérents différera significativement de ceux dont la production apparaît incohérente.

Lorsqu'un sujet fournit dans son protocole des réponses attribuables à une seule période, toutes les activités qui appartiennent à une catégorie n'appartiennent qu'à cette catégorie et ne peuvent appartenir à aucune autre (exclusivité des catégories). En vertu du postulat dont il a été question au paragraphe précédent, il est alors permis de supposer que ce sujet interprète : a) ses expériences en des catégories exclusives ; b) en retenant de l'expérience vécue ce que ses schèmes de conceptualisation lui permettent de prendre en considération.

Lorsqu'au contraire le sujet fournit des réponses dont l'une appartient à un niveau, l'autre à un second, etc., cette exclusivité réciproque des catégories est perdue. La signification attribuée à l'expérience dépend alors du point de vue momentané qu'il adopte pour la recevoir, l'importance des variations de signification dépendant de la distance entre les schèmes de catégorisation qui peuvent être adoptés par le sujet. (Nous reviendrons plus loin sur les facteurs qui peuvent déterminer le sujet à passer d'un point de vue à l'autre.)

La plus ou moins grande cohérence et la puissance relative du système *percevant* ont des implications considérables pour l'orientation professionnelle du sujet (elles en ont aussi à bien d'autres points de vue mais nous nous en tiendrons pour le moment à ceux qui intéressent l'orientation). Pour bien le comprendre, il n'est pas inutile de rappeler que ce que suppose l'auto-orientation, c'est d'abord que l'individu ait vécu des expériences, bien sûr, mais surtout qu'il ait donné une signification stable à ces dernières. Ces significations ou *objets* personnels doivent être traduits en des objets vocationnels (le but) potentiels que l'individu actualisera ou anticipera actualiser dans une activité professionnelle quelconque. Il y a là, il faut bien le remarquer, deux pôles essentiels qui ont chacun leur rôle à jouer : le pôle du sujet, d'une part, avec l'organisation qui le sous-tend et d'autre part, le pôle de l'environnement professionnel dont l'organisation propre impose ses exigences au sujet qui tente de s'y adapter. L'ajustement vocationnel résultera, bien sûr, de l'adéquation relative entre l'objet vocationnel formé par le sujet et les exigences de l'environnement professionnel.

L'objet vocationnel. Dans ce contexte, l'objet vocationnel résulte de l'application au monde professionnel (ou aux activités qui s'y déroulent) des schèmes organisateurs de l'expérience dont l'individu dispose. Encore faudra-t-il cependant que ce dernier dispose en plus des mécanismes *quantificateurs** appropriés pour ordonner les catégories qu'il construit de ce type d'expériences. Par exemple, l'objet personnel pourrait prendre la forme conceptuelle ordonnée suivante : *aidant* (de niveau IV) ; *chercheur* (de niveau IV ou III) ; *dirigeant* (de niveau IV ou III), qui peut être retrouvée, de façon équivalente, dans les professions suivantes : psychologue (travailleur social, conseiller d'orientation, etc.) ; clinicien, avec fonctions de supervision dans un organisme préoccupé de recherche ou encore responsable d'un programme de recherche médicale, etc. Si un sujet qui se concevait ainsi avait une décision à prendre, notons-le, celle-ci porterait alors sur les professions (*psychologiquement équivalentes*, on le voit) qui appartiennent à l'extension conjointe des catégories déjà ordonnées.

Advenant, au contraire, une incohérence importante dans les schèmes qui sous-tendent la conceptualisation d'un sujet (par exemple des schèmes de niveau IV et de niveau II), le même sujet disposerait alors vraisemblablement des concepts suivants qui ne peuvent que partiellement être ordonnés : *aidant, êtres vivants, dirigeant*. Il en résulterait nécessairement de l'ambivalence chez le sujet puisqu'*aidant* s'adresse, comme nos protocoles nous l'ont appris, à des personnes qui ont besoin d'assistance (blessés, personnes qui ont des problèmes psychologiques, enfants etc.) alors qu'*êtres vivants* comprend aussi bien les gens qui ont besoin d'assistance et ceux qui n'en ont pas besoin que les animaux, etc. De cette façon aussi, les catégories *aidant* et *êtres vivants* ne peuvent pas être ordonnées puisque l'une est partiellement comprise dans l'autre et que, par là-même, elle participe *à* aussi bien qu'elle est exclue *de* l'importance de l'autre. Finalement, si la catégorie *aidant* est applicable directement à des activités du monde professionnel, l'application simultanée de la catégorie *êtres vivants* débordera largement les professions où l'aide domine. Il en résultera que le sujet ne parviendra pas à composer un objet vocationnel unique. Au contraire, ses tendances à satisfaire ces deux composantes non exclusives le conduiront à considérer tantôt un groupe

---

* Nous nous apprêtons à étudier le développement des catégories relationnelles qui, coordonnées avec les catégories d'équivalence, donneront naissance aux préférences.

professionnel, tantôt un autre, sans que ni l'un ni l'autre des objets vocationnels contemplés ne s'avère entièrement satisfaisant. Et dans ce cas, toute décision ne pourrait être qu'artificielle et conduire progressivement à la démotivation du sujet puisqu'en tous les cas, une part importante de son Moi demeurera insatisfaite.

Les catégories relationnelles. Avant de clore cette section, il nous reste encore à parler d'un type de réponses que l'on obtient fréquemment à l'épreuve *Groupements* : il s'agit de réponses où le concept est fondé non pas sur un principe d'équivalence entre des objets et/ou des actions, mais au contraire sur une différence commune. Ainsi, des objets pourraient être réunis parce qu'ils sont grands ou petits, laids ou beaux, sales ou propres, ou que les actions exigent beaucoup ou peu de scolarité, des connaissances que l'on a ou que l'on n'a pas, etc. L'extension de ces concepts est évidemment très différente, comme nous le soulignions plus tôt, des concepts d'équivalence, puisqu'ils ne sont pas limités à l'essence des objets ou des actions. Par exemple, on pourra trouver sous le concept *sales* des objets aussi divers qu'un « moteur d'automobile », un « bouton échappé dans le sable », du « linge sale » ou même un « blessé ». Or, certains protocoles ne comprennent que ce type de groupements.

Ces sujets semblent donc confondre, spontanément, la sériation et la classification. On pourrait être porté à croire qu'il suffit dans ces cas de mieux poser la question pour que ces sujets reviennent à une catégorisation d'équivalence. Pourtant, il n'en est rien. Le feraient-ils que les difficultés qu'ils semblent éprouver dans divers domaines débordant considérablement la question vocationnelle nous interdiraient de ne pas étudier en profondeur les conséquences de cette organisation. Et même si cette étude n'a pas encore été systématisée, l'observation suivante mérite d'être rapportée : les sujets qui présentent de tels protocoles semblent capables de définir assez précisément le niveau professionnel qu'ils désirent atteindre, mais sans parvenir à déterminer dans quel domaine.

Finalement, beaucoup de protocoles présentent, dans des proportions variables, et des catégories d'équivalence et des catégories relationnelles. La présence d'une seule de ces catégories relationnelles dans un protocole nous est apparue jusqu'ici être associée (sauf dans certaines circonstances que nous décrirons dans la prochaine partie) avec des difficultés psychologiques identifiables. D'ailleurs, une étude non rapportée que l'une de nos étudiantes (Martel, 1980) a effectuée a permis d'établir qu'il existe un lien significatif ($r = 0,70$, $P < 0,01$) entre le fait qu'un sujet s'avère anxieux à l'*échelle d'anxiété* (IPAT) de Cattell et le fait qu'il présente au moins une catégorie relationnelle et/ou plus de deux niveaux de catégories d'équivalence dans son protocole (la relation étant quasi parfaite pour les sujets féminins). Si nous avons raison de croire que la capacité de se définir un objectif vocationnel tient à la cohérence des mécanismes organisateurs de l'expérience dont nous avons fait état dans les paragraphes précédents, le lien significatif que d'autres (Kimes et Toth, 1974) ont identifié entre l'indécision vocationnelle et l'anxiété pourrait bien trouver là son explication.

Les rapports avec l'environnement. On a l'habitude d'attribuer à l'environnement un rôle important dans le développement individuel. Si on n'a certes pas tort de le faire, il n'est pas certain que les explications offertes pour rendre compte de la façon dont il exerce ses effets sur l'individu soient entièrement satisfaisantes. Ne serait-ce qu'à cet égard, la discussion parallèle que nous avons entretenue jusqu'ici autour du développement du Moi et du problème de l'induction devrait montrer qu'il y a là une difficulté qu'on a peut-être eu tort de négliger en sciences de l'orientation. Dans le même ordre d'idées, nous sommes loin d'être convaincus que l'ébauche de solution au problème de l'induction que nous avons offerte plus tôt règle celui-ci une fois pour toutes. Mais la solution que nous avons esquissée plus haut offre au moins l'avantage de donner lieu à des hypothèses testables et nous nous efforcerons dans les paragraphes qui suivent d'en proposer quelques-unes, celles surtout qui nous apparaissent les plus pertinentes au problème éducatif qui nous préoccupe ici.

L'analyse que nous avons faite plus haut des conséquences des incohérences observables dans le système organisateur de l'expérience des sujets ne tenait justement pas compte de l'environnement du sujet. Or, ce dernier a un rôle très important à jouer dans la mesure où il pourra, par exemple, fournir au sujet en développement le cadre minimal nécessaire vers lequel peut se tourner ce dernier lorsque l'insécurité et/ou l'anxiété qui accompagnent inéluctablement ce développement deviennent trop fortes. Il pourrait par contre s'avérer tellement peu exigeant qu'il entraîne, au contraire, l'arrêt du développement (en ce sens, l'application inconsidérée de techniques rogériennes pourraient s'avérer particulièrement négatives pour le développement de l'enfant). Mais comment doser tout cela ? Voilà sans doute la question fondamentale qui préoccupe l'éducateur.

Au départ, il faut le souligner, l'environnement n'est pas neutre. Composé de personnes qui imposent leurs structures à leurs rapports réciproques et aux rapports avec les objets matériels qui les entourent, etc., l'environnement se présente avec une complexité définissable dans des termes similaires à ceux qui nous ont servi pour décrire l'organisation du sujet. (On en a vu un exemple à propos des professions.) Pour y évoluer à l'aise, les sujets qui entrent en interaction avec ces environnements doivent saisir les articulations et les significations qui s'en dégagent : trop complexe pour un environnement donné, le sujet cesserait d'y trouver les stimulations nécessaires à l'entretien de son propre système avec toutes les frustrations et l'insatisfaction qui peuvent en découler. Inversement, si son système s'avérait trop peu complexe pour saisir les rapports en jeu dans une situation environnementale donnée, un sujet tenterait tout naturellement de s'en retirer faute de comprendre la signification des événements qui s'y déroulent.

Il découle de ce qui précède que tant l'organisation interne du sujet que l'environnement de ce dernier ont chacun leurs exigences qui doivent être respectées réciproquement pour que s'instaure une relation sujet — environnement satisfaisante. Il en découle aussi, tout naturellement, qu'un sujet cherchera, dans son orientation, des environnements capables de satisfaire les exigences de ce système cognitif en plus de mettre en œuvre les significations personnelles les plus importantes pour lui.

En soi, cette équilibration sujet/environnement ne poserait aucune difficulté si ce n'était le fait que, pour la réaliser en vue de son orientation, le sujet doit nécessairement partir de lui seul et ne peut compter en rien sur l'encadrement que l'environnement peut lui procurer en cas d'incohérence dans son système organisateur de l'expérience. Et précisément parce que l'école, la famille, etc., fournissent ce cadre qui se substitue aux incohérences intérieures, il n'est souvent pas possible de déceler au plan comportemental les signes qui pourraient permettre de diagnostiquer le problème à temps.

En effet, l'anxiété et l'insécurité étant réduites à leur minimum par un cadre environnemental qui semble bien jouer son rôle, les formes d'apprentissage que l'école exige (qui tiennent plus souvent qu'autrement de la mémorisation de solutions algorithmiques de problèmes tout structurés à l'avance plutôt qu'à la saisie des problèmes posés par une situation et à la découverte active des règles qui en permettent la solution) ne font pas ressortir les difficultés intérieures qu'éprouve le sujet. Jusqu'à ce que ce dernier, moins encadré dans les phases les plus avancées de sa scolarisation ou encore forcé de faire appel à ses seules ressources intérieures pour infléchir significativement son orientation scolaire ou professionnelle, manifeste toutes sortes de symptômes imprévus et jusque-là, au moins, imprévisibles.

Les conséquences pour l'éducation à la carrière

Les fondements théoriques de l'apprentissage. Jusqu'ici, nous avons discuté du développement des schèmes de conceptualisation sans trop nous soucier de les situer dans un contexte d'application. Avant de passer aux interventions éducatives auxquelles pourraient donner lieu les éléments dont nous avons fait état plus haut, il nous paraît important, pour que notre position soit bien comprise, de situer la problématique dans son contexte épistémologique général.

Nous ne dirons rien de neuf en affirmant que toute théorie de l'apprentissage repose essentiellement sur une théorie de l'induction logique. En effet, la théorie de l'apprentissage ne peut, en dernière analyse, que tenter d'expliquer comment, à partir d'événements particuliers, on en arrive à tirer des hypothèses générales vérifiables. Cette question est doublement importante en éducation à la carrière puisque l'orientation même d'un individu suppose que ce dernier tire de ses expériences propres des hypothèses générales (but vocationnel) qu'il mettra en œuvre dans une profession (vérification). Ainsi posé, le problème de la possibilité de l'apprentissage revient à poser le problème de la possibilité d'une orientation qui ne soit pas le fruit du hasard et des circonstances, ou celui d'un simple déterminisme génétique sur lequel nous ne pourrions pas intervenir.

Déjà Hume, au XIXe siècle, avait montré que l'induction par répétition ne pouvait logiquement suffire à expliquer l'acquisition de connaissances et réservait ce type de raisonnement au fonctionnement psychologique (formation des croyances). Poussant plus loin l'analyse, Popper soutient que l'induction est impossible non seulement au plan logique, mais encore au plan psychologique. Chomsky (1979) abonde tout à fait dans le même sens au point où pour lui les concepts sont, par essence, innés. La conséquence logique de cette impossibilité de l'induction, et c'est Jerry Fodor (1978) qui la formule dans un court texte très explicite, revient donc à ceci : pas plus que l'on n'apprend par induction ne peut exister une théorie de l'apprentissage. Et par la même occasion se trouve réfutée l'idée que l'on peut *apprendre* aux individus à s'orienter.

En fait, il pourrait fort bien se faire qu'il y ait un fond de vrai dans tout cela et que la possibilité de former des concepts de plus en plus complexes soit liée à la maturation neurophysiologique. Mais point n'est besoin, dans ce cas, de supposer que ce sont les concepts qui sont innés ; ce qui est inné, c'est plutôt la capacité progressive de percevoir des relations entre des objets, des événements, etc., d'abord lorsqu'ils sont identiques, puis lorsqu'ils sont similaires, etc. L'induction du nombre réalisée par la *perception* de Seymour Papert à partir de cette capacité qu'il a de réduire des tâches discrètes et pleines, mais de contour varié, à une constante en s'inspirant du théorème d'Euler, lequel démontre que la somme algébrique du contour de tout objet plein est égal à 2π, constitue une formalisation de ce principe. Grâce à ce principe, l'ordinateur parvient à réaliser une équivalence entre les éléments en jeu (classe logique) et peut très bien les ordonner à partir de la différence « après/avant », etc. Or, on trouve bien là les qualités opératoires du nombre telles que les a décrites Piaget (1941, *GNE,* p. 192-193). Dans ce cas, bien sûr, l'induction se fonde non sur la répétition — Hume, Popper, Fodor et Chomsky ont raison sur ce point — qui ne saurait la justifier, mais sur une capacité dans les mécanismes de perception de l'organisme qui feront que, nécessairement, il percevra comme équivalents les objets présents et qu'il les percevra toujours ainsi faute de pouvoir les percevoir autrement. C'est de ce type d'induction dont il sera dorénavant question pour nous, et si l'éducation à la carrière est possible, c'est dans ce contexte épistémologique que nous la comprendrons.

L'éducation à la carrière en pratique. Partant de ce point de vue, l'objectif de l'éducation à la carrière ne saurait résider dans l'acquisition pure et simple, par répétition ou pratique, d'éléments de connaissance sur les professions, ou encore d'algorithmes de prise de décision ou de solution de problème. Si, comme nous l'avons proposé, le problème de l'orientation en est d'abord un qui a trait au Moi et à son organisation harmonieuse, il devient clair que l'objectif premier des programmes d'éducation à la carrière réside dans le développement des mécanismes qui permettront à l'individu d'appréhender de façon cohérente tant son univers interne que son environnement externe.

Cela suppose aussi que le matériel habituel des cours sur les carrières : monographies professionnelles, données personnelles, etc., soit mis au service de la stimulation du développement des étudiants, voire aussi des adultes, plutôt que de faire l'objet d'apprentissages purement mnésiques comme trop souvent ce fut le cas jusqu'ici. En tant que prétexte au développement et parce qu'il représente l'environnement professionnel d'une complexité « X » que l'on cherche à faire saisir aux sujets, il faudra que le matériel soit approprié à leur complexité non pas seulement dans sa présentation linguistique (bien que cette dernière doive être appropriée), mais dans la complexité des rapports en jeu que l'on cherchera à faire comprendre. Elle sera égale à la complexité des sujets lorsque l'on vise à harmoniser les schèmes d'organisation de l'expérience entre eux, d'un niveau supérieur lorsque l'on vise à actualiser de nouveaux schèmes. On évitera le développement en asperge en surstimulant l'appareil cognitif ; on évitera également, de cette façon, le sous-développement qui résulterait d'un défaut permanent de remise en question des perceptions.

Il existe plusieurs techniques susceptibles de favoriser le développement tel que nous venons de l'esquisser. Par exemple, on pourrait faire appel à des techniques du type de celles développées par Paul Watzlawick (1980) dans sa thérapie paradoxale, ou aux techniques de conflits conceptuels que nous utilisons présentement dans nos consultations. Il nous faut noter que si ces techniques nous ont permis à plus d'une occasion de rétablir la cohérence dans les schèmes organisateurs de l'expérience de nos sujets, nous n'en avons pas encore fait l'essai dans ce contexte où l'objectif serait de permettre l'émergence d'un schème qui n'était pas déjà présent. Dans un tel cas, en effet, le problème est en quelque sorte doublé du fait que non seulement une perspective jusque-là inutilisée par le sujet doit être activée, mais encore qu'il faut vaincre les résistances naturelles que le confort éprouvé par le sujet dans ses structures présentes et la naissance inéluctable de l'anxiété opposeront au changement.

Quant au rythme qu'il faudra adopter dans ce processus éducatif, il semble qu'il soit possible (nous verrons à le vérifier prochainement), grâce à une formule proche de celle de la *glotochronologie* (Swadesh, 1960), de calculer le rythme moyen et même la courbe individuelle du développement. Grâce à une telle courbe, il serait sans doute possible de doser les interventions de façon à respecter les rythmes naturels du développement.

Annexe 4.1

1. Tisser une couverture
2. Écrire de la poésie
3. Mettre sur pied une garderie populaire
4. Convaincre quelqu'un d'acheter un produit
5. Changer le système de refroidissement d'un réfrigérateur
6. Présider une assemblée
7. Isoler un plafond
8. Décorer un appartement
9. Localiser la source de pollution d'une rivière
10. Travailler comme agent dans un bureau de location d'automobiles
11. Dessiner de nouvelles robes
12. Raconter des histoires
13. Travailler le métal
14. Classer des échantillons de terre
15. Soigner un blessé
16. Analyser des échantillons de terre
17. Donner des informations à des touristes
18. Remplir une machine à laver le linge
19. Refaire la bobine d'un moteur électrique
20. Fabriquer une courtepointe
21. Être maître de cérémonie à l'occasion d'un spectacle
22. Vendre des jouets pour les enfants
23. Mener des expériences sur des animaux
24. Superviser un groupe de travailleurs
25. Perforer des cartes d'ordinateur
26. Écouter des gens qui vous parlent de leurs problèmes
27. Faire du macramé
28. Coller des objets
29. Démonter un carburateur pour le réparer
30. Répondre au téléphone

Annexe 4.2

PHASE CONCEPTUELLE	STADE	DESCRIPTION	EXEMPLE DE GROUPEMENTS
CONFIGURATIF	IA	Groupement d'objets identiques.	A. Un moteur à explosion peut être groupé avec un moteur du même type, mais pas avec un moteur électrique.
	IB	Groupement des objets fonctionnellement équivalents.	B. Une courtepointe et une couverture peuvent être mises ensemble.
TRANS-CONFIGU-RATIF	IIA	Groupement des objets configurativement hétérogènes (le critère ne peut être justifié).	A. Téléphone et réfrigérateur vont ensemble.
	IIB	Juxtaposition d'objets parce qu'ils peuvent se trouver dans un même lieu, appartiennent à la même personne. Les groupes sont similaires à ceux produits en IIA.	B. « Vendre des jouets » et « Établir un centre de jour pour enfants » parce que les deux sont pour les enfants.
	IIC	Comme IIA et IIB, mais pour les objets qui ont des propriétés physiques communes.	C. « Réfrigérateur, carburateur », etc., sont faits en métal, mais le téléphone ne l'est pas.
PROTO-RÉFLEXIF	IIIA	Groupement d'activités fonctionnellement équivalentes. Ces actions ne sont cependant pas indépendantes de l'objet sur lequel elles portent (les objets sont conceptualisés comme en IIC). Dominance de l'objet lorsqu'il y a conflit entre l'action et l'objet.	A. « Vendre des jouets » et « Convaincre quelqu'un d'acheter un produit », mais n'inclut pas « Vendre des idées ».

	IIIB	Groupement dirigé par les caractéristiques du sujet accomplissant les actions, conceptualisées comme au niveau IIIA.	B. Mêmes points que A mais parce que ces choses sont accomplies par les sujets possédant des caractéristiques, qualités, habiletés, etc. (ceci correspond à la capacité de coordonner des stratégies classificatoires avec des stratégies de sériation).
	IIIC	Chosification des actions conceptualisées et des caractéristiques du sujet.	C. « Au niveau IIIA nous avons *vendre*, à IIIB nous avons *vendeur* et à IIIC la *vente* ou, aux mêmes stades, nous avons *créer, créateur, créativité*. Mais *vendre des objets* ou *vendre des idées* sont des concepts différents comme *créer des objets* et *créer des idées*.
RÉFLEXIF	IVA	Groupement d'actions équivalentes indépendamment des objets sur lesquels ces actions prennent place.	A. « Donner des informations aux touristes », « Répondre au téléphone » et « Prendre soin d'un malade » signifient « Aider ».
	IVB	Comme dans IVA, mais basé sur les caractéristiques partagées par les personnes accomplissant ces actions.	B. (Même que A)
	IVC	Les objets conceptualisés dans IIC et les actions conceptualisées dans IVA, sont pris en considération indépendamment les uns des autres et coordonnés (comme l'exige l'exercice).	C. « Localiser la source de pollution d'une rivière », « Analyser des échantillons de terre » et « Mener des expériences sur les animaux » sont regroupés comme activités scientifiques, mais pas « Classifier des échantillons de terre », comme c'était le cas à IIIC.

| TRANS-RÉFLEXIF | VA | Les concepts formés au stade IVC sont opposés. | A. *Routine* est opposée à *créativité, science* à *vente*, *(affaires, relations publiques,* etc.). |
| | VB | Intégration de tous les concepts en deux superconcepts. | B. Objets opposés à personnes. |

RÉFÉRENCES

ADAMS, G.R. : Personal identity formation : a synthesis of cognitive and ego psychology, *Adolescence,* **Vol. XII :** 46, summer 1976.

AUSUBEL, D.P. et E.V. SULLIVAN : *Theory and problems of child development* (2ᵉ éd.), Grune & Stratton, New York, 1970.

BÉGIN, L. : Pour une approche renouvelée de la psychologie du développement vocationnel, *Canadian Counsellor,* **Vol. 13,** (nᵒ 4), juillet 1979.

BÉGIN, L. et L. LAVALLÉE : *L'inventaire canadien d'intérêts professionnels,* CEIC, 1980.

BURNS, R.B. : *The self-concept in theory, measurement and behaviour.* Longman, London, 1979.

CATTELL, R.B. : *Personality : A systematic, theoretical and factual study,* McGraw-Hill, New York, 1950.

ELKIND, D. : Egocentrism in adolescence, *Child Development,* **38 :** 1025-1034, 1967.

ERIKSON, E.H. : *Adolescence et crise,* Flammarion, Paris, 1972.

GARDEIL, H.D. : *Initiation à la philosophie de S. Thomas d'Aquin,* (3ᵉ éd.), Éditions du Cerf, Paris, 1964.

HALL, C.S. et G. LINDZAY : *Theories of personality,* John Wiley & Sons, N.Y., 1957.

HARVEY, O.J., D.E. HUNT et H.H. SCHRODER : *Conceptual systems and personality organisation,* Wiley, New York, 1961.

HUNT, D.E., L.F. BUTLER, J.E. NOY et M.E. ROSSER : *Assessing conceptual level by the Paragraph Completion Method,* Ontario Institute for Studies in Education, 1977.

KIMES, H.G. et W.A. THOTH : Relationship of trait anxiety ot career decisiveness, *Journal of Counseling Psychology,* **21 :** 277-280, 1974.

KNEFELKAMP, L.L. et R. SLEPITZA : A cognitive-developmental model of career development — An adaptation of the Perry Scheme, *Counseling Psychologist,* **Vol. 6,** (nᵒ 3) : 53-58, 1976.

KOHLBERG, L et E. TURIL (Éds) : *Recent research in moral development,* Holt, Rinehart & Winston, New York, 1972.

LOOFT, W.R. : Egocentrism and social interaction across the life span, *Psychological Bulletin,* **78 :** 73-92, 1972.

MILER, G.A. : The magical number seven plus or minus two : some limits on our capacity for processing information, *Psychological Review :* 81-97, 1956.

PARSONS, F. : *Choosing a vocation,* Houghton Mifflin, Boston, 1909.

PELLETIER, D., G. NOISEUX et C. BUJOLD : *Développement vocationnel et croissance personnelle,* McGraw-Hill, Montréal, 1974.

PIAGET, Jean : *La naissance de l'intelligence chez l'enfant* (2ᵉ éd.), Delachaux et Niestlé, Paris, 1977.

ROGERS, C.R. : *Client-centered therapy : its current practice, implications, and theory,* Houghton, Boston, 1951.

SCANDURA, S.M. : *Problem-solving : a structural/process approach with instructional implications,* Academic Press, 1977.

SUPER D.E. : A theory of vocational development, *American Psychologist,* 8 : 189-190, 1953.

SWADESH, Mauricio : Estudios sobre lengua y cultura, *Acta Anthropologica,* **2a,** (Epoca, II-Z), Escuela Nacional de Antropologia e Historia, Sociedad de Alumnos, Mexico, 1960.

TIEDEMAN, D.V. et R.P. O'HARA : *Career development : choice and adjustment,* CEEB, N.Y., 1963.

WYLIE, R.C. : *The self concept,* University of Nebraska Press, Lincoln, 1961.

WATZLAWICK, P. : *Le langage du changement : éléments de communication thérapeutique* (Trad. de Jeanne Wjener-Renucci), Éditions du Seuil, Paris, 1980.

Cinquième partie
L'activation
vocationnelle
(A.D.V.P.)*

À partir du moment où l'orientation apparaît comme un processus de recherche, une question s'impose : comment favoriser ce processus ?

Quelles sont les conditions qui permettent aux individus d'être en état de recherche ?

Il s'agit assurément d'un état actif qui dépend du sujet lui-même. Il faudrait pour cela qu'il conçoive son orientation comme quelque chose d'important pour lui-même. Or, que peut faire le conseiller en présence d'un individu dépendant comme il en existe plusieurs, davantage enclin à composer avec les événements qu'à se fixer des buts ? Peut-il intervenir d'autorité et l'exhorter à devenir autonome ?

Cela fait comprendre les limites de toute intervention extérieure au sujet. Il faudrait donc pouvoir trouver une approche éducative dans laquelle l'individu découvre l'importance de son développement et se mette à la recherche de ses motivations les plus personnelles. Il faudrait, en quelque sorte, une approche qui puisse impliquer le sujet dans tout ce qui concerne son actualisation et qui puisse mobiliser chez lui les processus cognitifs dont il a été fait mention dans l'interprétation opératoire. Il faudrait une approche qui puisse, à la limite, instrumenter le sujet en lui faisant acquérir les compétences nécessaires à sa recherche vocationnelle. C'est pourquoi l'ensemble de ces objectifs a été désigné par le concept d'activation, concept que nous allons approfondir tout au cours du premier chapitre de cette partie.

---

* Activation du développement vocationnel et personnel.

Chapitre 1
Les principes d'activation

Denis Pelletier

L'activation implique, de fait, trois principes :
- la centration sur les contenus expérientiels ;
- l'induction des processus de recherche ;
- l'intégration logique et psychologique de l'expérience.

LE PRINCIPE EXPÉRIENTIEL

Comme l'orientation s'avère un processus de recherche et qu'elle suppose une motivation intrinsèque, on devrait pouvoir imaginer une approche dans laquelle le sujet se sente impliqué. La situation éducative devrait être conçue de manière telle que celui-ci fasse partie intégrante de l'apprentissage. Ainsi le conseiller pourrait être désireux de faire prendre conscience aux individus des déterminismes par lesquels ils rétrécissent leur horizon professionnel. Comment va-t-il procéder ? Une certaine habitude pourrait l'inciter à discourir devant les élèves sur les facteurs en cause. Ceux-ci vont-ils se sentir personnellement concernés ? Ils sauront sans doute les nommer, mais seront-ils conscients des limitations concrètes qu'ils vivent spécifiquement ? Pourront-ils transposer cette connaissance théorique à la situation particulière qu'est la leur ? Pour le faire, ils devront se surprendre en train de limiter leur quête d'information. C'est précisément cette expérience qu'il faudrait pouvoir provoquer immédiatement plutôt que de s'en remettre à une hypothétique circonstance qui consoliderait cet apprentissage. Alors, tout simplement, il suffirait à l'élève d'être confronté pratiquement.

Le conseiller demande à ce que chacun écrive, dans un temps donné, la définition d'un certain nombre de professions. Il communique les bonnes réponses et fait identifier, à main levée, pour chaque profession, les élèves qui savent et ceux qui ne savent pas. Chacun est requis de dire pourquoi il connaît telle profession ou pourquoi il ignore telle autre. Les raisons invoquées pourront être de tout ordre : « La profession est inconnue dans mon milieu », « elle me paraît trop masculine ou trop féminine pour moi », « trop savante et spécialisée », « trop rare », « trop récente »...

Tous les déterminismes auront été ainsi mentionnés, mais non par a priori. Ils se seront imposés dans l'évidence impérative de l'expérience personnelle.

Chaque rencontre d'orientation devrait de quelque manière impliquer l'individu en tant que sujet qui expérimente un phénomène donné, cela pour une raison de motivation intrinsèque et pour, également, une question d'assimilation et d'apprentissage.

Ce passage de Piaget vaut d'être repris :

> Pour qu'un objet se montre assimilable, il doit être consistant, continu dans le temps et dans l'espace, isolable, accessible à la manipulation. (Cité par A. Rufino dans la partie précédente.)

L'état en quelque sorte idéal d'assimilation se trouve dans la rencontre d'un objet physique qui marque son identité en même temps que sa résistance avec celui qui exerce là-dessus une action ou une série d'actions qui lui fait comprendre de quoi il s'agit.

Comme le souligne A. Rufino, les représentations professionnelles ne sont pas des objets simples mais des ensembles complexes de données souvent abstraites. On peut choisir la communication verbale pour rendre les objets sociaux compréhensibles. Une solution raisonnable consiste à travailler le langage jusqu'à ce qu'il évoque des notions simples directement accessibles. Une autre, celle de l'activation, vise à transformer l'objet social en objet expérientiel, directement offert à la conscience du sujet.

Quelques exemples vont suffire à démontrer cette possibilité (Pelletier, Noiseux, Pomerleau, 1983). Prenons un objet social aussi abstrait que les relations de travail. Les élèves devraient comprendre les divergences d'intérêt qu'il y a entre patrons et employés, la raison d'être du syndicalisme, les mécanismes d'une négociation et la nature d'une convention collective. L'enjeu actuel est de rendre ces concepts le plus près possible de l'expérience de chacun. La solution pourrait être ici de proposer la situation d'un frère et d'une sœur qui ne s'entendent pas sur l'émission de télévision à regarder. Les élèves doivent inventorier toutes les possibilités qui découlent de cette situation de conflit. Ils seront conduits inévitablement à faire état de trois scénarios : l'une des parties abuse de l'autre et impose arbitrairement son pouvoir ; l'une des parties plus faible se cherche des alliances et tente de se constituer une majorité ; les deux parties, étant dans un rapport de force égale, tentent de s'entendre, conviennent d'une procédure à suivre tout de suite et dans l'avenir ou encore font appel à l'arbitrage d'une tierce partie. La production des hypothèses faites par les élèves eux-mêmes devient le support analogique permettant l'assimilation de l'objet social.

Autre exemple : le concept de carrière. Il ajoute de la complexité à l'idée de profession, il suggère une orientation continue. La carrière devient un objet expérientiel si le sujet doit mettre en ordre une histoire en images qui raconte diverses étapes d'une vie de travail, ou encore s'il doit supposer l'histoire d'un personnage qu'on montre à cinq moments différents de sa carrière.

L'objet social devenu objet d'expérience se prête ainsi à des opérations mentales, à des interprétations, à des transformations par lesquelles l'objet va trouver place dans le contexte familier du sujet et va devenir de l'information intégrée à son organisation conceptuelle.

Le principe expérientiel se justifie donc par la motivation intrinsèque qu'il favorise et par l'assimilation qu'il rend plus facile. À y regarder de près, on peut observer que la motivation intrinsèque et l'assimilation représentent une double description de la même réalité. Cela signifie dans les deux cas que le pouvoir de structuration appartient à l'individu plutôt qu'à l'environnement. Il assume la responsabilité d'élaborer sa conception des choses et celle aussi de se donner des buts qui en soient conséquents.

L'art d'introduire dans la situation éducative une dimension expérientielle ne relève pas d'une totale improvisation. S'il fait appel à la créativité de l'intervenant, il s'appuie également sur une définition opérationnelle qu'il s'agit maintenant de maîtriser.

Il nous faut comprendre à la fois ce qu'est l'implication personnelle et ce qu'est l'expérience. On peut deviner tout de suite une sorte d'interchangeabilité entre les deux phénomènes, l'expérience la plus intense étant celle où la personne est la plus impliquée.

Qu'est-ce qu'une expérience intense ? Que chacun se reporte à un moment particulièrement intense qu'il a connu. L'événement n'a pas nécessairement un caractère exceptionnel. Il peut être agréable ou désagréable, peu importe. Formulons d'abord une vérité première : c'est un événement dont on se souvient. Il vient tout juste d'être rappelé. Il se tient dans la mémoire avec une présence des détails qui étonne. Il arrive que sa seule évocation ravive des sentiments. C'est dire que le moment intense si vécu au présent conserve encore quelque chose de son actualité.

Nous avons pour tâche de saisir la nature de cette intensité. Qu'est-ce qui caractérise cette expérience ? Pourquoi cette promenade en forêt s'impose-t-elle comme un moment marquant ? Pourquoi cette rencontre a-t-elle produit un tel effet ? Pourquoi ce silence a-t-il comblé à ce point ? Ceux qui en témoignent s'accordent sur le fait d'une totale implication. L'expérience intense produit une sensation d'unité, de présence totale à ce qui arrive. Le sujet n'est pas divisé, dissocié de ce qu'il pense ou de ce qu'il éprouve. Il se vit dans une entière participation. Cela se passe hors de la durée. L'attention ne se trouve pas ailleurs, attachée à d'autres buts ou accrochée à quelque chose d'inachevé. Elle se fait disponible pour un objet absolument investi de tout ce qui compte. Que la personne soit en état d'euphorie ou en position dangereuse, cela est vécu comme une entière absorption dans l'événement. Cela veut dire concrètement qu'une situation atteint son maximum expérientiel quand les modes d'appréhension — le sens — fournissent en même temps des données convergentes et pertinentes à la connaissance de l'objet. Il y a appréhension complète lorsqu'une réalité m'est révélée à la fois par ce que j'entends, ce que je vois, ce que je touche, ce que je ressens, ce que je fais. Toutes les façons de connaître étant mises simultanément à contribution produisent un effet de rassemblement instantané de ce qui serait autrement donné sous une forme analytique et fragmentaire. Dans ces moments privilégiés, l'expérience et son assimilation coïncident tellement que le sujet n'est pas obligé de recourir à une pensée qui l'informe de ce qui arrive.

Nous pouvons donc supposer une variation d'intensité dans l'expérience qui serait liée aux sens mis à contribution dans la connaissance d'un objet donné. Cette correspondance se comprend davantage en définissant cette fois ce qu'est une situation de faible intensité. Mettons-nous dans la situation d'un cours. Le professeur s'applique à faire comprendre un concept ou un principe comme, disons, celui de l'entropie. La communication se fait surtout par les mots. Si seulement il pouvait donner des exemples assez connus pour être représentés, visualisés dans l'imaginaire de chacun de nous, s'il y avait un film à voir qui ferait la démonstration du processus ! mais non, nous n'avons que l'entendement pour nous rattacher au phénomène de l'entropie. Alors ce que je vois dans la classe me sert bien peu. Plus encore, cela me distrait. Il vaudrait mieux, en un sens, ne pas regarder, ne pas tenir compte des informations visuelles. Elles n'ont rien à voir — si on peut s'exprimer ainsi —

avec l'objet d'apprentissage. Les sensations d'inconfort que j'éprouve, la fatigue qui se loge dans mes lombaires ne devraient pas s'introduire dans mon champ de conscience, pas plus d'ailleurs que le besoin que j'ai d'attirer l'attention de Sylvie. Ce qui compose mon expérience concourt très peu, finalement, à la découverte de l'entropie. Je suis placé dans une situation de désharmonie intérieure, sollicité par des stimulations qui fragmentent mon attention et rendent difficile mon rapport avec l'objet à connaître. Si je pouvais, tout au contraire, faire l'expérimentation de l'entropie par une série d'actions sur un matériel donné, plusieurs de mes sens pourraient s'y prêter et me rapprocher de ce que je dois comprendre.

Le principe expérientiel de toute situation éducative ferait en sorte que les sujets s'impliquent avec leurs sens, retrouvant le précepte ancien que toute connaissance procède de l'expérience.

Le fait nouveau qui nous permet d'avancer dans la voie de l'opérationnalisation, c'est la possibilité de répartir les sens ou les modes d'appréhension selon un ordre hiérarchique d'implication. Cela nous ramène encore une fois à la structure de l'intellect proposée par J.P. Guilford (1967).

Les études factorielles ont démontré que l'intelligence humaine exerce ses opérations sur quatre contenus : symbolique, sémantique, figural, comportemental. Le matériel symbolique comprend les lettres, les mots, les chiffres en tant que convention et code. On peut s'intéresser au mot *expérientiel* en tant qu'adjectif qui comporte douze lettres au masculin singulier et prenant un *t* plutôt qu'un *c* devant *iel*. Le matériel sémantique renvoie pour sa part au sens, à la signification. C'est ce que l'on comprend quand on lit, écoute, communique. C'est le vocable en tant que signifiant. Le figural se rapporte aux données sensorielles. Il prend la forme d'images, de stimulations auditives et tactiles. Il inclut aussi l'imaginaire, ce qu'on se représente à soi visuellement. Enfin, le contenu comportemental désigne les attitudes, les émotions, les besoins, les intentions que l'on perçoit chez soi et chez les autres.

Sans que Guilford l'ait voulu, il est possible de considérer ces différents contenus comme des niveaux différents d'expérience.

Le matériel symbolique et sémantique offre le niveau expérientiel le plus faible dans la mesure où il communique une réalité non présente, où il réfère à des données qui ne sont pas actuellement appréhendées par l'individu. Les thérapeutes reconnaissent, entre autres, une grande différence entre celui qui parle d'événements qui lui sont arrivés et celui qui rend compte de ce qui lui arrive et de ce qu'il ressent dans la situation présente.

Le matériel figural offre pour sa part un niveau d'implication intermédiaire. La connaissance qu'on peut avoir du *Misanthrope* de Molière est évidemment plus expérientielle à le voir jouer qu'à le lire. Au lieu d'être présenté verbalement, le contenu à découvrir est perçu ou imaginé. Les moyens audio-visuels constituent dans leur ensemble un effort pédagogique d'apprentissage expérientiel. Il existe aussi d'autres moyens d'implication comme ceux de faire représenter graphiquement certains concepts ou de faire visualiser certaines circonstances ou certains phénomènes, tout cela dans le but d'assurer une certaine présence à l'objet de connaissance.

Quant au contenu comportemental, il offre le plus haut niveau puisque le sujet n'est pas seulement immergé dans la sensorialité de son environnement, mais aussi dans le proprioceptif de ses émotions et de ses réactions. La connaissance du *Misanthrope* est nécessairement plus complète à le jouer qu'à le voir jouer.

Il y a lieu, à propos du contenu comportemental, de distinguer le senti et l'agir. Si on demande à quelqu'un à quoi il associe spontanément l'autorité, la consigne fait appel en l'occurrence au senti, à la manière idiosyncrasique de la vivre, à la connotation, à la valeur positive ou négative liée à l'autorité. Chaque fois qu'on demande à quelqu'un ce qu'il ressent en rapport avec quelque chose, on lui fait porter son attention sur des contenus subjectifs qui l'impliquent dans ses impressions et ses sentiments. Les représentations qu'il se fait de la réalité contiennent une bonne part d'expérimentation affective et il devient lui-même concerné par une question quand il peut tenir compte du rapport concret qu'il entretient avec elle. Que l'on m'interroge sur mon idée de l'avenir ou encore sur les attitudes que j'ai vis-à-vis de lui. Mon avenir m'apparaît-il comme l'occasion de réaliser une bonne part de mes désirs ou évoque-t-il, au contraire, un ensemble imprévisible d'éléments que je ne puis parer ? S'offre-t-il à moi ouvert, lointain, fermé, organisé, confus, échappant à mon contrôle ? L'interrogation n'est pas théorique ; elle engage, elle implique.

Le contenu comportemental en tant qu'agir est constitué pour sa part de l'ensemble des actions, réactions et interactions que manifeste l'individu dans une situation donnée. Il n'y a pas de plus grande implication que celle de quelqu'un en train d'agir seul ou d'interagir avec d'autres. Il existe, de fait, des apprentissages faits pour la vie qui ne peuvent se réaliser que dans l'action : les savoir-faire moteurs et techniques sont de cet ordre. Quiconque se rappelle son apprentissage du vélo ou de la natation se souvient du degré intense d'implication et d'application qu'ont pu exiger pareilles épreuves.

L'action induit des comportements spontanés à cause précisément du fait que l'attention est tout investie sur l'objet. Si on demande à quelqu'un de partager un carton avec un partenaire et de dessiner ce que bon lui semble, l'engagement dans l'action devient tel que le sujet révèle un comportement spontané de collaboration, d'isolement ou de compétition. Il est ainsi surpris en flagrante vérité de lui-même. Bon nombre de découvertes sur soi pourront se réaliser à partir d'expériences ainsi induites. Les comportements révélés deviennent objets de connaissance et d'évaluation.

S'agit-il de faire comprendre l'importance des stéréotypes sexistes, le conseiller cherchera non pas à résoudre verbalement le problème mais à créer une situation où les participants manifesteront leurs préjugés. S'agit-il de faire comprendre le concept de compétence, il pourrait demander à ce que chaque élève devienne pour un instant un travailleur donné et qu'il raconte à la classe quelque chose qu'il a fait — comme travailleur — et qui lui vaut d'être fier. Cela conduit le sujet à expérimenter sa représentation professionnelle et à l'éprouver en regard des observations et des commentaires qui surgissent du jeu de rôles.

Le contenu comportemental ne s'applique donc pas uniquement à la connaissance de soi ou à la compréhension des phénomènes psychologiques. Il est pertinent à beaucoup d'objets. S'il s'agit, entre autres, de faire réaliser aux élèves que les inventions sont des extensions des capacités humaines, on pourrait leur faire explorer divers mouvements qu'ils peuvent faire avec leurs mains, avec la tâche de trouver pour chacun d'eux des outils, machines ou instruments qui servent à les amplifier.

Pour l'intervenant qui veut mettre les sujets en état de recherche, qui veut favoriser leur pouvoir personnel d'assimilation et de structuration, la question devient donc : comment traduire un thème à discuter en activité à faire ? Comment matérialiser un principe à découvrir ? Comment transformer ce qui est sémantique (objet abstrait) en figural ou comportemental ? Ainsi posée, l'exigence devient opérationnelle et sans devoir s'imposer d'une manière obsessive et abusive, elle devrait inspirer toute approche éducative en orientation.

En résumé, l'analyse opérationnelle du concept d'expérience laisse voir différents niveaux expérientiels :

a. le niveau symbolique-sémantique ;
b. le niveau perceptuel-imaginaire ;
c. le niveau subjectif-émotionnel ;
d. le niveau actif-comportemental.

Savoir, percevoir, sentir, agir représentent des niveaux d'implication croissants et des probabilités croissantes aussi d'une véritable connaissance, ce qui est habilement évoqué par le proverbe chinois : « J'entends et j'oublie : je vois et je me rappelle ; je fais et je comprends. »

LE PRINCIPE HEURISTIQUE

Partant de l'idée que l'orientation est un processus de recherche et que ce processus fait appel dans son déroulement à des opérations et à des habiletés spécifiques, la stricte logique exige que l'intervenant en tienne compte dans son entreprise de facilitation.

Le principe heuristique vise à prendre en considération les moyens dont dispose le sujet pour réaliser sa propre recherche. On peut, en effet, définir l'heuristique comme le savoir-faire propice à la découverte.

Or, l'interprétation opératoire du développement vocationnel nous renseigne sur les compétences requises à chacune des étapes de ce processus. Ainsi, la pensée créative sera mise à profit dans les tâches d'exploration alors que les autres modes de pensée le seront pour les autres tâches. Cela veut dire que les comportements cognitifs de l'individu varient selon les finalités différentes qu'il poursuit.

On a trop souvent tendance à croire que l'information est traitée d'une manière uniforme alors que son traitement, de fait, varie beaucoup selon les circonstances. Ainsi, la vie quotidienne nous en fournit des exemples abondants où on peut remarquer l'effet variable que provoque une information. Il y a des moments où l'information s'ajoute à notre répertoire. Elle est reçue comme une donnée nouvelle qu'il s'agit d'enregistrer et de rendre disponible au moment opportun. Cette information se caractérise par son aspect instructif et additif. Elle est appréciée surtout par quelqu'un à l'esprit ouvert, sensitif, désireux de connaître pour satisfaire, sans doute, un besoin d'appropriation symbolique. Il va sans dire en outre que l'accueil de l'information procède d'une règle sélective qui lui donne, pour ainsi dire, une valeur à l'avance, un préjugé favorable, ou ce que nous verrons subséquemment (principe intégrateur), une signification potentielle.

Il y a d'autres moments où l'information prend un caractère non pas additif, mais explicatif. Un certain nombre de faits et d'observations qu'on arrivait mal à mettre ensemble s'éclairent par une remarque, une lecture, un événement. L'information arrive, pour ainsi dire, à point pour achever une situation ou pour dissiper un malentendu. C'est comme si certaines informations conféraient la bonne forme, la bonne interprétation à un ensemble de données encore mal défini.

L'information prend un caractère organisateur chez le sujet engagé activement dans une problématique donnée, la problématique étant précisément la condition inconfortable d'être en présence d'éléments pour lesquels les interrelations ne sont pas apparentes. L'effet de cohérence que provoque parfois l'information serait vraisemblablement la réponse la plus thérapeutique à certaines formes d'anxiété (voir L. Bégin dans la partie précédente).

Il y a d'autres moments où l'information fait plaisir parce qu'elle vient appuyer une conviction, une préférence, une décision. Cet effet se traduit spontanément par de l'approbation et par l'expression d'un contentement du genre : « Cela me réconforte beaucoup » ; « c'est exactement ce que je voulais entendre » ; « c'est toujours ce que j'ai pensé » ; « le contraire m'aurait surpris ».

Il se trouve, en effet, que le contraire surprend et choque. L'information, alors, déplaît parce qu'elle contrarie le mouvement amorcé dans le sens d'un choix ou d'une action donnée. Elle s'oppose à des valeurs qu'on croyait sûres. Nous dirons de cette information qu'elle n'est pas indifférente et qu'elle revêt un caractère d'importance subjective. Elle se révèle décisive.

Ce genre d'information répond à un besoin d'engagement et de certitude dans l'action. C'est en effet dans l'assurance d'avoir raison qu'une personne trouve son énergie et elle ne saurait souffrir le doute sans devenir démobilisée à plus ou moins longue échéance.

Disons, en quatrième lieu, que l'information prend parfois un caractère utilitaire. Elle est considérée comme pratique dans le contexte d'un projet qu'on réalise et d'une action qu'on exerce sur un milieu. Ce qui frappe alors, c'est le potentiel d'efficacité que comporte une information donnée. Elle fournit les moyens pour atteindre ses objectifs. Elle se trouve en abondance chez celui qui recherche une méthode et veut améliorer son rendement. Il recourt à une sorte d'opportunisme qui lui fait relier presque tout à ce qu'il tente de faire ou d'obtenir.

Ces quelques remarques montrent que l'information apparaît nouvelle, explicative, décisive, utile selon l'état de recherche dans lequel se trouve l'individu.

C'est donc le contexte heuristique du sujet qui donne à l'information son caractère particulier.

En effet, dans l'enchevêtrement existentiel du quotidien, les informations rejoignent, dans une espèce de chassé-croisé, des contextes divers correspondant à des contenus différents et à des temps différents de recherche.

Le rôle de l'intervenant consiste donc à proposer, en dehors du réseau aléatoire des événements, une démarche systématique permettant dans un temps donné et à propos d'un contenu donné l'exercice d'un processus complet se résumant, comme nous l'avons vu, aux tâches d'exploration, de cristallisation, de spécification et de réalisation.

Ce processus peut se dérouler sur une brève période à propos d'un contenu relativement simple comme il peut durer des années en s'appliquant à des données multiples et complexes. La séquence heuristique peut tout autant accompagner une suite d'entretiens individuels de consultation qu'un programme institutionnel d'éducation à la carrière.

Le point à retenir, pour le moment, est bel et bien celui qu'un état de recherche peut être induit par le conseiller selon la connaissance qu'il a des opérations cognitives nécessaires à chacune des étapes, ce que nous allons tenter d'approfondir dès maintenant.

Le contexte heuristique de l'exploration

L'exploration vise essentiellement à faire l'inventaire des possibles et son heuristique peut être définie comme l'ensemble des moyens cognitifs par lesquels le sujet traite son expérience pour produire de l'information nouvelle, instructive, additive. Le principe heuristique fait en sorte que l'individu soit incité à considérer la réalité d'une manière telle qu'il découvre des éléments nouveaux.

Lorsqu'un sujet, par exemple, veut résoudre un problème personnel, il cherche quelqu'un avec qui en parler non pas tant pour obtenir des solutions (et encore moins des conseils) mais pour relire sa situation. Il tente de produire de l'information nouvelle en élargissant son champ de conscience. Aussi espère-t-il rencontrer une personne qui sache l'écouter et qui lui permette de repartir vers un espace ouvert chaque fois qu'il s'enferme dans le connu. Cela implique qu'il ne soit pas interrompu dans son mouvement par une considération qui n'est importante que pour autrui ou par une solution présumée qui coupe court à la production des hypothèses et qui le contraint à s'occuper de réalisme alors que l'objet véritable de la recherche n'apparaît pas encore.

L'heuristique de l'exploration suppose le maintien d'une ouverture et l'accès au plus grand nombre d'aspects possible à connaître. Aussi le conseiller devra-t-il activer la recherche par des questions qui mènent, en principe, dans toutes les directions.

Au lieu de recevoir l'information, l'individu la génère lui-même une fois placé dans la démarche inductive de recherche. S'agit-il pour l'élève de découvrir la nature transformatrice du travail (Pelletier, Noiseux, Pomerleau, Marchand, 1982), il est mis au défi de trouver, dans le local de sa classe (niveau perceptuel), un seul objet qui ne soit pas le résultat d'une transformation ; après quoi, il lui est demandé d'identifier ce que l'homme fait, par ses activités de transformation, pour pallier des insuffisances comme la faim, l'ignorance, l'injustice, l'isolement, l'inconfort, la maladie, la pauvreté, etc.

Il se peut fort bien que des erreurs soient introduites et que des contradictions apparaissent dans ces productions spontanées. Elles peuvent être corrigées mais jamais au point d'inhiber le sujet. Ce qui est perdu en réalisme et en rigueur logique dans l'activité de divergence est largement compensé par la propension à la découverte.

Font partie également de l'heuristique exploratoire les processus analogiques et métaphoriques. Se mettre à la place d'un objet, trouver un symbole pour représenter un phénomène, jouer le rôle d'un travailleur, se mettre par empathie dans la situation sociale de l'autre sexe, exploiter des comparaisons s'avèrent des traitements qui génèrent de l'information nouvelle.

L'élève peut ainsi couvrir un grand territoire d'exploration en complétant des comparaisons telles que :

— une pharmacienne est un peu comme une gérante de banque parce que... ; comme une chimiste parce que... ; comme une policière parce que... ; comme une comptable parce que... ; etc.

— si j'étais couleur, je serais _____ parce que _____ ;

— si j'étais une chanson, je serais _____ parce que _____ ; etc.

Le jeu imaginaire de même que les consignes ouvertes stimulent la fluidité et l'expression du sujet. Cela pose une difficulté théorique que pourraient mentionner les tenants d'une approche documentaliste : comment, en effet, quelqu'un peut-il obtenir de l'information nouvelle qui ne provient finalement que de lui ? À remarquer que la question posée témoigne d'une sensibilité aux problèmes, ce qui fait partie de l'heuristique exploratoire. La question donne l'envie d'aller voir, mais où ? ailleurs ? non, dans son répertoire actuel, de sorte qu'en raisonnant, en transformant ou combinant les apprentissages déjà réalisés, des réponses surgissent, inédites, originales, satisfaisantes, sans qu'elles proviennent pour autant d'un apport extérieur immédiat.

On est en droit de supposer que l'élève est exposé depuis l'enfance à une quantité phénoménale d'informations fortuites. Est-il pertinent d'ajouter d'autres informations à celles qu'il détient déjà ? Il lui en faut d'autres sans doute moins informelles, mieux intégrées, mais la priorité éducative n'est-elle pas de lui permettre, avant ou en même temps, l'exercice d'un traitement cognitif moins simpliste que celui de la mémorisation et de la reproduction des données ? Les recherches sur les représentations professionnelles et spécialement celles de M. Huteau (1979) et A. Rufino (1977) font état des schématisations excessives et des définitions parfois seulement nominales dont sont l'objet l'école et le travail.

La mise en exercice des processus exploratoires vise l'émergence et la consolidation d'une structure cognitive capable de produire de l'information substantielle.

L'information est dite substantielle quand elle rend compte d'une réalité implicite, sous-jacente, et requiert la transformation d'une donnée évidente en une autre qui était cachée. C'est ce que J.P. Guilford appelle le facteur de redéfinition. Ainsi, quand l'individu prend conscience de quelque chose, c'est qu'il fait une nouvelle lecture de son expérience. Il réinterprète l'information dans un autre contexte. En s'appliquant à transformer une connaissance donnée, il trouve un autre sens. C'est d'ailleurs de cette façon que s'explique l'humour. Un mot signifiant m se met à vouloir dire w parce que sa référence habituelle a été modifiée.

L'heuristique exploratoire comporte nécessairement une recherche de l'originalité qui déjoue la référence habituelle. Le sujet va être encouragé à voir autrement son milieu et à revoir ses idées toutes faites concernant de multiples aspects de l'école et du travail.

Quelques exemples vont servir à bien illustrer la traversée des apparences et l'atteinte d'une réalité plus essentielle. Ainsi, on demande à l'élève de faire le portrait d'un camarade sur le plan de l'agir en rapportant un comportement observable dans ses relations avec les autres et, dans un second temps, le portrait du même camarade en trouvant, cette fois, un motif qui pourrait le faire agir ainsi (Pelletier, Noiseux, Pomerleau, Marchand, 1982). Le mouvement qui va de l'agir à la motivation s'applique aussi à soi. Il se généralise en plus au travailleur. Il y a des gestes qui décrivent en apparence sa profession, mais quelles sont ses raisons de travailler ? Plus encore, l'individu agit mentalement, la pensée étant une sorte de banc d'essais. Ce travailleur, bien au-delà des gestes professionnels, tente de résoudre des problèmes.

L'information devient substantielle quand l'individu dirige son exploration sur les problèmes à résoudre et sur les comportements cognitifs d'une fonction donnée. Un élève ne sait rien de l'enseignement s'il ignore les objectifs poursuivis par le professeur dans la structuration de sa discipline et dans l'efficacité de sa communication. S'il fait un traitement simple et habituel de l'information, il croira avoir tout dit en affirmant, en fin de scolarisation, que l'enseignant enseigne et qu'il doit avoir de l'autorité sur sa classe.

Il entre dans le savoir-faire de l'exploration de supposer une réalité moins visible à laquelle on accède par inférence, par empathie et par jeu de rôles. Le sujet peut, entre autres, penser à la pensée des autres. Il arrive que sa conduite soit réglée sur ces pensées supposées. En constatant les attributions qu'il donne et qu'il reçoit, il accède à un concept de lui-même plus complexe.

En s'inspirant des travaux de Miller (1970), il nous a été possible de concevoir un exercice où les élèves doivent comprendre les emboîtements illustrant des personnages en train de penser (Pelletier, Noiseux, Pomerleau, 1983). Des adolescents de 13 et 14 ans parviennent ainsi à décoder des construits aussi formels que :

— je pense à ce que mon père pense de moi ;
— je pense à ma mère en train d'imaginer ce que mon professeur pense de moi ;
— je pense à mon frère en train d'imaginer ce que je pense de lui ;
— je pense à la différence entre ce que je voudrais être et ce que mes camarades voudraient que je sois ;
— je pense à la différence entre ce que je pense de mon professeur et ce que le professeur imagine que je pense de lui.

Le contexte heuristique de la cristallisation

C'est le contexte heuristique du sujet, disions-nous, qui donne à l'information son caractère particulier si le contexte exploratoire favorise la multiplicité des éléments nouveaux, s'il a pour but la diversité de l'information et l'éclatement des manières habituelles de percevoir. L'heuristique de la cristallisation sera faite de tous les moyens cognitifs par lesquels le sujet produit de l'information éclairante et explicative. C'est qu'en effet l'individu ne peut rechercher indéfiniment de l'information nouvelle sans s'exposer à une réalité cahotique et imprévisible pour laquelle il serait en constant état d'ajustement. Le développement perceptif ne va pas dans le sens unique de la différenciation (Frances, 1962). L'être humain a un besoin non seulement de connaître, mais aussi de reconnaître. C'est pourquoi il élabore des stratégies de reconnaissance et de compréhension qui lui permettent de réagir à des classes d'événements. L'information dite explicative est celle qui rend possible une certaine indépendance du sujet par rapport aux variations de l'environnement.

Que le lecteur imagine devant lui un étalement de petits morceaux de papier. Ils sont là dispersés, divers, nombreux. Il voit un éparpillement quelconque. Va-t-il examiner ces morceaux un à un ? Qu'est-il en train d'observer ? Chacune des quatre-vingt-quatre unités qui s'y trouvent ? assurément non. Ce qui s'impose à l'attention, c'est plutôt la répétition que cela comporte. Certains morceaux présentent la même couleur, d'autres la même forme, d'autres la même dimension. Bref, il lui suffit de recourir à quelques grandes catégories pour contenir et pour résumer en une formule simple le divers et le multiple auxquels il est exposé.

Le besoin de se comprendre et celui également de comprendre son milieu engagent la recherche de ce qui est constant et invariant. L'heuristique de la cristallisation vise essentiellement à produire de l'information assez abstraite et assez générale pour ne pas obliger à une mise à jour constante de la réalité. Même si la personne change, même si son milieu ne cesse d'évoluer, la conception qu'elle a d'elle-même et du monde qui l'entoure est assurée d'une certaine permanence. Et cela est rendu possible par les processus de la pensée catégorielle.

Une façon vivante et « comportementale » de faire saisir la dynamique interne de celle-ci est de demander à trois sujets volontaires d'un groupe donné de se mettre à l'écart et de convenir d'une caractéristique observable qu'ils ont en commun. Dès leur retour dans le groupe, ils doivent désigner une quatrième personne qui n'entre pas dans la catégorie qu'ils viennent de former. Les participants identifient tous les attributs communs qui ont pu être utilisés, après quoi on fait connaître la base unique et réelle du regroupement.

Cette situation montre, d'une part, qu'il y a beaucoup de critères à partir desquels catégoriser, et d'autre part qu'une catégorisation vise fondamentalement à établir les similitudes entre des éléments par ailleurs différents sous bien d'autres aspects.

Ainsi, un adolescent ou un adulte en instance d'orientation peut envisager les possibilités professionnelles une à une, ce qui l'oblige à des apprentissages innombrables. Il peut devenir sensible toutefois au fait que des professions se ressemblent et qu'il y a avantage à les constituer en classes. Cela permet, de fait, de faire référence à beaucoup de professions sans être obligé de les nommer toutes ni de s'en faire pour chacune une idée précise.

Le processus qui transforme l'approche concrète du sujet en une approche abstraite s'avère un facteur capital et peut-être décisif de son orientation. Il est certain que celui qui catégorise seulement à partir d'attributs perceptuels ne peut avoir des intérêts que pour du travail manuel. Qu'un adolescent ou un adulte en instance d'orientation soit frappé par le fait qu'une secrétaire et qu'un journaliste se servent tous deux d'une machine à écrire ne va pas sans conséquence. Une base aussi concrète ne permet pas d'inclure beaucoup de professions à la fois et on ne voit pas comment, de cette manière, le sujet pourrait parvenir à élargir son horizon professionnel et à choisir d'abord entre des ensembles et des options essentiels avant de se déterminer entre quelques métiers précis. D'autre part, s'il ne parvient pas à considérer les professions selon des critères généraux, ses préférences iront vers des classes d'objets plutôt que vers des classes d'activités, ce qui est très différent comme le souligne si bien le texte de L. Bégin dans la partie précédente. Dans un cas, on s'intéresse au micro-ordinateur et on le répare ; dans l'autre, on s'intéresse aux activités logicielles et mathématiques.

Une approche éducative en orientation se doit d'activer le savoir-faire catégoriel et conceptuel de celui qui s'oriente. Les résultats rapportés par A. Rufino dans la partie précédente ne laissent pas de doute sur l'objectif à poursuivre. Entre la 5e et la 4e, entre les 12-13 ans et les 13-14 ans (ce qui correspond au secondaire III au Québec), la puissance d'abstraction augmente d'une façon remarquable et favorise la formation de classes beaucoup plus inclusives.

On ne saurait cependant faire apprendre nominalement les catégories générales du monde du travail. Cela ne fait qu'imposer des mots à ceux qui font une lecture concrète de la réalité. Le principe heuristique propose d'activer les processus catégoriels qui vont faire réaliser au sujet et son propre pouvoir d'abstraction, et les enjeux véritables que comporte son orientation.

Il existe aussi une activité pédagogique très instructive sur ce point. Elle consiste à faire nommer une série d'au moins quarante professions. Le conseiller retient l'une d'elles et demande aux élèves de la découvrir en posant des questions auxquelles il va répondre par oui ou par non. L'expérience risquerait d'être interminable et serait un jeu sans effet éducatif si on n'y ajoutait la consigne essentielle d'y arriver en moins de cinq essais. Les élèves doivent nécessairement délibérer entre eux et s'entendre sur les meilleures questions à poser, les meilleures étant en l'occurrence celles qui incluent ou éliminent le plus grand nombre de possibilités, d'où le recours inévitable à des critères généraux et abstraits.

L'intervention du conseiller ne vise pas l'activité de catégorisation comme telle car, de fait, le sujet produit des catégories et se fait des représentations des choses depuis son enfance. Elle s'applique très précisément à faire produire des catégories qui ont un grand pouvoir d'inclusion. Qu'une profession soit masculine plutôt que féminine, par exemple, ne relève pas d'une lecture perceptuelle. C'est plutôt un fait social, abstrait qui provient de la fréquence avec laquelle hommes et femmes l'exercent. À partir du moment où une jeune fille constitue la classe des professions qui lui sont tacitement et culturellement interdites, elle peut faire une relecture extensive du monde du travail qui introduit un changement radical dans ses possibilités de choix.

Le principe heuristique implique que le sujet fasse lui-même l'abstraction des propriétés qui constituent la classe ou le concept. Il se trouve en présence ou bien d'éléments qu'il faut regrouper selon certains critères, ou d'un groupe d'éléments pour lesquels il doit trouver le critère de rassemblement. C'est ainsi qu'on fait découvrir la typologie de Holland (1966). On explique aux élèves que des recherches ont démontré que les professions suivantes — électricien, machiniste, mécanicien de véhicule moteur, réparateur d'appareils de tous genres, conducteur de camion, cultivateur, garde forestier, ingénieur industriel, policier, arpenteur — ont des caractéristiques communes. Ils ont la tâche d'énumérer les raisons pour lesquelles ces professions vont ensemble (Noiseux, Pelletier, 1972). Certaines sont concrètes : ce sont des travailleurs qui prennent un important déjeuner et qui travaillent avec ou sur des machines. D'autres se révèlent plus générales : ces métiers demandent de l'endurance physique et une bonne habileté de manipulation, peu d'intérêt pour les activités artistiques et pour l'expression écrite, etc.

Les activités catégorielles menées en groupe contiennent, sans doute, un pouvoir éducatif du seul fait qu'elles font interagir des sujets ayant des niveaux différents de conceptualisation. Ceux dont l'approche est abstraite se trouvent récompensés en réussissant mieux et plus efficacement que ceux dont l'approche concrète a été trop souvent renforcée, en d'autres circonstances, par le succès à mémoriser et à reproduire.

La tâche vocationnelle de se déterminer une orientation générale en terme de champs d'intérêt et de niveaux de formation serait incompréhensible sans l'interprétation opératoire qui en est faite et sans le contexte heuristique qui la définit. L'individu se donne une orientation générale non pas parce qu'il ne sait pas encore ce qu'il lui faut choisir — il pourrait, en effet, être simplement embarrassé par toutes sortes de possibilités concrètes

— mais parce qu'il est en train de stabiliser son avenir en trouvant de la cohérence dans les multiples expériences et préférences qui sont les siennes.

Le contexte heuristique de la cristallisation concerne au plus haut point l'identité du sujet. C'est l'exigence d'un projet professionnel. C'est l'imminence de faire un choix (Perron, 1967) qui déclenche le processus de se définir. S'il n'y avait pas, en effet, cette échéance, inscrite dans la structure scolaire, la nécessité de se connaître ne s'imposerait pas si précocement.

La problématique de l'identité personnelle se ramène à la reconnaissance de ce qui est invariant, de ce qui sera vrai encore dans un temps plus ou moins lointain. Une approche concrète ne saurait révéler les intérêts durables et les buts valables à long terme. Il faut extraire de l'ensemble de ses expériences des constantes, des traits dominants, des valeurs sûres qui ne peuvent résulter que d'une abstraction affective du semblable.

Un lien s'impose entre la perspective temporelle et le besoin de se connaître. C'est parce qu'une durée est requise — les options scolaires à prendre, le temps de formation, les apprentissages pratiques, les premiers emplois, la carrière — que l'individu cherche à se comprendre, à se détacher des expériences vécues une à une pour abstraire des tendances, des convergences, des récurrences (Pelletier, 1971) qui vont installer sa continuité et lui permettre ensuite, dans le cadre assuré de son intégrité, d'improviser comme bon lui semble.

Le contexte heuristique de la spécification

La question du meilleur choix à faire engage la problématique de la spécification. La considération des possibilités n'est plus hypothétique ou générale mais bien réelle et fort engageante. Le contexte heuristique de la spécification va devoir produire de l'information décisive, une information sur soi et sur l'objet sélectionné qui emporte la conviction d'avoir des données qui sont vraies et d'expérimenter un processus réussi de délibération. Cela se ramène à deux exigences, l'une de réalisme et l'autre de convergence.

Le réalisme. Les possibilités que le sujet envisage dans le contexte heuristique de la spécification ne sont pas gratuites. Elles résultent d'une démarche de recherche auparavant engagée. Elles ne sont pas offertes au sujet fortuitement. C'est dire qu'elles représentent des possibilités sérieuses pour lui, possibilités à ce point importantes qu'elles méritent beaucoup plus qu'une simple localisation catégorielle. Ce ne sont pas, pour reprendre l'exemple de la cristallisation, des petits morceaux de papier à mettre en ordre, mais des pièces d'or à toucher une à une.

Le moment est venu d'examiner chaque possibilité dans le détail car chacune s'avère la résultante d'une élimination progressive. Ces possibilités ont d'autant plus de poids qu'elles sont peu nombreuses. Le choix s'opère, en réalité, sur quelques professions.

Il importe dans ces conditions que le sujet se fasse une idée la plus exacte possible de chacune d'elles. L'heuristique de la spécification vise en effet à découvrir de l'information décisive, celle pour laquelle le sujet éprouve de la certitude. Or, la tendance du sujet en pareille situation n'est pas à l'objectivité puisque tout élément qui viendrait modifier sa représentation professionnelle risque d'invalider une possibilité à laquelle il tient et pour laquelle il a en quelque sorte un préjugé favorable. C'est pourquoi le conseiller va devoir activer le sens critique du sujet en le mettant en situation davantage accommodative qu'assimilative, comme le décrit J.Y. Guinard dans la partie précédente. Cela veut dire que l'individu sera confronté dans ses représentations et qu'il devra comparer les siennes avec celles du conseiller et avec celles de son entourage. La discussion en groupe paraît particulièrement bien appropriée à l'exercice du réalisme et du sens critique. On peut, entre autres, imaginer des situations éducatives où les participants reçoivent du *feed-back* sur leur projet professionnel, ce qui ne va pas non plus sans obliger à des reconsidérations de l'image de soi, comme l'oblige aussi l'évaluation psychométrique.

L'attachement défensif à une possibilité s'explique par la dépendance entretenue vis-à-vis d'elle. Elle pourrait être vraisemblablement sa solution. Et s'il la perd, que va-t-il lui rester ? Saura-t-il trouver autre chose d'aussi satisfaisant ? Au fait, pourquoi est-elle satisfaisante ? À quoi cette possibilité répond-elle ?

On suppose d'emblée que le sujet est conscient de ses besoins et de ce qu'il recherche. S'il avait une idée explicite de ses propres attentes, s'il connaissait bien les critères à partir desquels se mettre en quête des possibilités les plus intéressantes, il n'aurait pas cette attitude défensive et peu propice à lui assurer une véritable certitude.

C'est la mise à jour des valeurs poursuivies dans la possibilité présumée valable qui libère le sujet de cette seule hypothèse et lui fait éviter du même coup une spécification hâtive et mal fondée.

L'heuristique de la spécification requiert un savoir-faire dans le domaine de l'évaluation objective et aussi dans celui de l'évaluation interne.

L'individu est cette fois confronté à lui-même. Ce qu'il veut, le veut-il vraiment ? Ses besoins lui appartiennent-ils en propre ? N'est-il pas en quête d'un désirable appris ? Il est si facile de confondre ses valeurs avec celles des autres, particulièrement de ceux qu'on aime et de ceux qui font figure de modèles. Le réalisme n'est donc pas que social. L'individu l'exerce subjectivement en tenant compte du degré d'accord et de désaccord éprouvé vis-à-vis de ce qui l'entoure. Il l'exerce aussi en explicitant ce qu'il tend à trouver à travers ce qu'il privilégie. Autrement dit, il aura une certitude accrue de ses valeurs s'il peut se surprendre en train de les vouloir à travers des conduites qui échappent à son contrôle.

Que le lecteur fasse l'expérience d'écrire ce qu'il pense d'un personnage connu. Ce peut être une vedette de la chanson, du cinéma, de la politique, du sport, d'une discipline quelconque, peu importe, la consigne demande seulement d'exprimer ses opinions comme elles viennent et de rendre les impressions qu'on a du personnage en question, sachant par ailleurs que ce n'est pas à la personne réelle mais à sa représentation, à son image publique qu'on réagit. En relisant le texte qui vient d'être fait et en identifiant les dimensions qui ont servi à décrire le personnage, le lecteur est à même de surprendre dans ce contenu plutôt spontané des préoccupations, des valeurs qui sont significatives pour lui et qui ont un caractère de vérité du fait qu'elles ne sont pas rendues sous le mode logique de la démonstration ou de l'argumentation.

La convergence. Si l'heuristique de la cristallisation vise à produire des ressemblances, celle de la spécification tend à créer des différences et des dominances. Comparer entre elles des possibilités selon des critères de désirabilité, c'est bel et bien produire des écarts ; faire des distinctions, hiérarchiser des valeurs, convenir des priorités, c'est encore établir des dominances ; juger de la faisabilité des projets et déterminer le plus probable, c'est mettre de la distance entre diverses possibilités d'abord considérées comme globalement équivalentes.

Le contexte heuristique de la spécification ne tolère pas les équivalences. Il exige de l'information décisive qui élimine toute concurrence, toute autre formule qui aurait une valeur comparable. Le phénomène de la dissonance cognitive (Festinger, 1957) montre l'intolérance du sujet choisissant à penser que sa solution puisse être à peine meilleure qu'une autre qu'il n'a pas retenue. Il voudra accentuer la différence car elle est indispensable à l'action. Le sujet choisissant devient aussitôt un sujet qui agit. C'est pourquoi il est si difficile au conseiller de l'engager dans l'entreprise de concevoir des choix de rechange dans l'éventualité que le projet arrêté ne puisse se réaliser.

C'est sa décision tout entière qui ne saurait non plus être reprise ou remise en question. Il devra pour cela être certain d'avoir fait la couverture de toutes les dimensions qui composent un processus complet.

C'est la systématisation recherchée qui fait croire communément au caractère rationnel d'une bonne décision. On en trouve une manifestation dans l'alignement des avantages et des inconvénients que certains s'appliquent à faire comme pour se donner à l'avance la bonne conscience d'avoir été méthodique. Il entre dans le savoir-faire de la spécification d'appliquer une structure de convergence à toutes ces tentatives de comparaisons de sorte qu'elles mènent quelque part à la manière d'un processus de sélection naturelle. Cela fait comprendre le degré élevé de satisfaction que les participants d'un groupe A.D.V.P. ont fait connaître en rapport avec la systématisation et la structuration d'un atelier intensif (voir J. Nuoffer dans la partie suivante).

Le principe heuristique propose d'activer le sens critique du sujet en rapport avec ses représentations professionnelles et ses perceptions de lui-même. Il ferait en sorte également d'éveiller l'individu au modèle implicite de décision qu'il utilise. On peut bien sûr lui opposer un modèle éprouvé. Mieux encore, il serait mis en présence de diverses manières de décider, ce qui l'amènerait à devoir définir le système qui lui convient.

Un exemple de cette activation consiste pour un groupe d'élèves à expérimenter des stratégies de risque. Cinq équipes sont constituées. Elles sont mises en compétition ; leur tâche : faire avancer le jeton qui les représente sur une piste qui compte 23 espaces.

Pour avancer, chaque équipe prend 1 billet dans la pile qu'elle désigne. Pile A, 5 billets qui donnent chacun deux espaces et 5 qui valent zéro. Pile B, 6 billets qui donnent chacun 3 espaces et 4 qui font reculer de 1. Pile C, 4 billets qui font avancer de 6 et 6 qui font reculer de 1. Pile D, un billet qui vaut 18 et 9 qui font reculer de 1 espace. Aussitôt qu'un billet est tiré, il est remis dans sa pile de sorte que les probabilités demeurent les mêmes. Chaque fois qu'un tour est terminé, les équipes délibèrent et tentent leur chance à nouveau.

Cette situation met en interaction (niveau comportemental) des sujets qui n'ont pas la même propension au risque et qui ne valorisent pas les mêmes facteurs. En outre, les piles représentent des schèmes différents de décision. Chacune d'elles établit des rapports particuliers entre la probabilité et le désir.

Les participants peuvent ainsi identifier leur stratégie décisionnelle et se donner une distance critique susceptible d'améliorer leur manière d'approcher le choix professionnel.

Le contexte heuristique de la réalisation

On dirait que le processus de recherche dans lequel se trouve engagé le sujet évolue selon des alternances. Alors que l'exploration dispose à prendre toutes les directions, la spécification fait converger toutes les variables vers la meilleure réponse. Alors que la cristallisation maintient une approche quelque peu détachée des choses et se construit une représentation générale, la réalisation mise à fond sur la concrétude et sur la connaissance pratique de l'environnement.

C'est comme si les ressources affectives et cognitives en venaient maintenant à servir une cause unique. Toute information sera acquise dans le sens de l'objet choisi. On note à ce propos que la motivation scolaire s'avère plus forte chez les sujets qui ont arrêté leur projet professionnel (J. Nuttin, 1980).

Les études deviennent instrumentales et chargées d'une utilité qui en fait plus aisément accepter le poids et l'effort. L'information est reçue dans le contexte heuristique de la nécessité. Autrement dit, l'accommodation à faire n'est pas arbitraire et ne se résume pas à une contrainte de conformité sociale. Elle est le moyen reconnu nécessaire pour atteindre ses fins. C'est ainsi que des notions qu'on aurait apprises par cœur, juste pour la consigne, vont faire l'objet d'un investissement personnel. Et toute autre réalité qui apparaîtra liée à l'objet choisi sera considérée comme de l'information utile. Il se produit comme une sorte d'extension affective autour du projet. On ne s'étonnera guère que cela entraîne une série d'apprentissages et d'acquisitions qui consolideront le choix professionnel. Lui-même davantage affirmé et confirmé, il saura rendre instrumentales d'autres dimensions de la réalité ; c'est ce que signifient une formation professionnelle et, à la longue, une vie de travail.

Le principe heuristique propose d'activer chez le sujet les processus de sa pensée implicative. Dispose-t-il d'un plan de réalisation ? Quelles sont les démarches à faire, les procédures à suivre, les renseignements à obtenir ? *Sa pensée implicative fera en sorte de transformer l'intention unitaire de l'étape précédente en de multiples objectifs opérationnels,* c'est-à-dire définissables en termes de comportements et repérables dans le temps. Cela veut dire nommer ce qui manque, identifier des personnes à rencontrer, trouver des lieux, fixer des dates, faire un échéancier.

La pensée implicative ne fait pas qu'élaborer et programmer. Elle doit anticiper et prévoir à court et à long terme. Immédiatement, il faut penser d'une manière probabiliste. Quelles sont les chances de réussir tel concours, d'être admis dans telle institution ? Cette sensibilité suggère au candidat de consolider son dossier scolaire, d'affermir ses connaissances sur un point particulier, d'exercer plus spécialement certaines habiletés ou de s'adonner à des emplois occasionnels qui donnent du savoir-faire.

Sur une perspective d'avenir, le sujet doit déduire certains résultats, ce que J.P. Guilford appelle des transformations lointaines et ce qui se traduit dans le contexte vocationnel par une certaine préoccupation de la carrière et du style de vie qui en est la conséquence.

Le rêve éveillé d'un voyage dans le futur (L. Fréchette et J. Lafleur, cahier 2, 1980) fournit un bon exemple d'activation. L'intervenant induit d'abord un état de détente et, une fois la relaxation acquise, il suggère une rêverie à propos de la profession choisie.

...Ça fait dix ans que tu as choisi ce métier (pause). Essaie de t'imaginer le mieux possible en train d'exercer ce métier (pause). Puis, laisse se dérouler le film des dix dernières années, comme si ça faisait dix ans que tu avais fait ce choix (pause). Essaie de retracer le mieux possible les étapes qu'il t'a fallu franchir à partir de maintenant, en laissant flotter dans ta tête la question suivante : quelles ont été les conséquences de mon choix depuis le moment où j'ai décidé d'aller là-dedans ? (pause).

a. Dans mes études :
  • ai-je dû changer d'orientation ? (pause)
  • quelles matières m'a-t-il fallu étudier au CEGEP ?
  • était-ce facile ? (longue pause)
  • comment cela s'est-il passé par la suite ?
  • ai-je dû aller à l'université ? (pause)
  • était-ce contingenté ?... ai-je eu de la difficulté à entrer à l'université ? (pause)
  • quelles matières ai-je dû étudier à l'université ? (longue pause)
  • avec quel genre de personnes me suis-je retrouvé à l'université ? (longue pause)
  • ai-je eu à faire des stages ? Si oui, où et comment ça s'est passé ? (longue pause)

b. Dans mon travail :
  • que je sois allé à l'université ou que je sois allé directement sur le marché du travail après mes études, comment s'est passé ma recherche d'emploi ? (longue pause)
  • où ai-je commencé à travailler ?
  • comment était le milieu ? (longue pause)
  • qu'est-ce que je faisais de mes journées ? (longue pause)
  • ai-je dû changer de milieu de travail ? (pause)
  • comment je m'entendais avec mes collègues ? (pause)
  • quel mode de vie ai-je dû adopter, compte tenu de ma profession ?
  • quel mode de vie ai-je dû adopter, compte tenu de l'horaire ? (longue pause)
  • quel mode de vie ai-je dû adopter, compte tenu du salaire ? (pause)
  • quel mode de vie ai-je dû adopter, compte tenu du milieu et des collègues ? (longue pause)
  • quel mode de vie ai-je dû adopter, compte tenu des valeurs véhiculées dans mon milieu de travail et dans ma profession ? (longue pause).

Cette situation est doublement accommodative puisqu'elle évoque des facteurs de réalité en même temps que le sujet est mis en condition d'être ému. L'état de repos se prête à la considération de ce qui autrement serait appréhendé comme des contraintes et des contrariétés majeures. C'est une situation éducative qui surenchérit la bonne disposition des sujets en leur faisant imaginer que toutes les difficultés sont déjà choses du passé puisqu'ils anticipent en regardant en arrière.

L'application du principe heuristique faite ainsi à chacune des étapes de la séquence vocationnelle ne devrait pas nous faire oublier l'entièreté du processus lui-même.

Il s'agit essentiellement d'une démarche inductive de découverte, et c'est précisément parce que le spécialiste de l'orientation a une certaine idée opératoire de cette recherche qu'il peut intervenir au niveau du processus pour en favoriser le mouvement et l'évolution. C'est sans doute l'effet le plus remarquable de l'activation (voir L. Fréchette dans la septième partie). Elle fait participer l'individu au traitement de son expérience de sorte qu'il devient de plus en plus habile et intéressé à se comprendre et à tenir compte de son expérience subjective des événements. Il se met à lire la réalité à partir de l'expérimentation qu'il en fait plutôt qu'à partir d'une référence extérieure comme celle de l'expert. Cette seule observation fait saisir la difficulté de tout être humain de se définir comme un sujet en état de recherche puisque son milieu social et culturel ne cesse en même temps de sanctionner et d'imposer, presque dans toutes les sphères de l'activité humaine, l'autorité de l'expert et le dogme de l'objectivité.

Si le conseiller d'orientation doit agir comme expert, et il peut légitimement le soutenir, ce n'est pas dans le résultat ou dans le conseil, mais bel et bien dans la mise en exercice du savoir-faire heuristique des individus en instance d'orientation.

Toute approche éducative en orientation devrait se définir comme permissive sur le plan des contenus et inductrice sur le plan des processus. Le conseiller, tout en étant expert, retourne le vécu des choix aux sujets eux-mêmes, comme on l'a souligné au cours de la première partie de cet ouvrage.

LE PRINCIPE INTÉGRATEUR

L'activation vocationnelle, disions-nous, implique des expériences à vivre et à traiter cognitivement. L'idée générale est qu'en matière de motivation personnelle, mieux vaut s'en référer à sa propre expérimentation des choses, et pour cela être mis en présence d'un objet expérientiel plutôt que d'un objet abstrait.

Le principe de l'intégration énonce qu'il ne suffit pas d'être en présence de l'objet pour engager un processus actif de recherche. Encore faut-il que l'objet représente quelque chose, que l'expérience proposée ait quelque signification, au moins potentielle, pour l'individu. Autrement dit, il doit ressentir quelque intérêt — pris aux sens d'attrait et d'utilité — pour s'impliquer dans la situation.

Nous avons à comprendre ce qui fait la valeur potentielle d'une expérience, car nous serons en mesure dès lors d'assurer des conditions d'apprentissage plus favorables encore. Qu'est-ce qui fait, par exemple, la valeur potentielle d'un livre ? Observons un moment quelqu'un qui entre dans une librairie. Il n'a pas nécessairement idée de ce qu'il cherche. Il ouvre, il examine, il ferme. Ses mains sont comme programmées à trouver quelque chose qu'il ignore. Un titre retient son attention. L'examen se fait plus lent, mieux senti. Quelque chose est en train de se passer qui fera acheter le livre. C'est précisément ce qu'il nous faut savoir. Comment peut-il emporter chez lui quelque chose qu'il ne connaît pas ? Il ne l'a pas lu. Il ne sait pas ce qu'il contient. Et par ailleurs, s'il savait tout du contenu, il n'aurait aucune raison de s'y arrêter. Il a donc une certaine idée du contenu sans qu'il en soit certain, et c'est cela qui le fait s'y intéresser.

Quelque chose en rapport avec lui-même se trouve logé dans la table des matières, dans l'allure de l'ouvrage, dans sa présentation matérielle peut-être, quelque chose qui accentue le mouvement intérieur, qui le rejoint dans un attrait entretenu, dans une zone affective plutôt agréable ou encore dans une problématique qui est là, sous-jacente, susceptible d'être dénouée par l'information nouvelle, explicative, décisive ou utile qui s'y trouve.

Et c'est justement le propre de l'attrait et de la signification potentielle de ne pas livrer son sens immédiatement, mais à travers l'action qu'il engage.

L'entretien individuel de consultation donne justement la possibilité au sujet d'explorer librement ce qui lui paraît prometteur. Une impression prend forme, une hypothèse commence à poindre, un mot semble chargé d'évocation, il est relativement facile dans un contexte aussi permissif d'être ouvert à sa propre expérience. Cette même disposition prévaut aussi à l'intérieur d'un groupe restreint qui n'a d'autre but que de comprendre les phénomènes interpersonnels qui s'y passent.

Nous sommes en train de décrire un processus de recherche dans le contexte le plus spontané et le plus informel qui soit puisque tout ce qui revêt une signification potentielle peut devenir l'objet d'une attention spéciale.

Cette improvisation de la recherche devient impensable dans le contexte d'un groupe de travail qui compterait plus de huit participants, et encore plus impraticable dans la dimension d'une classe d'élèves. On imagine mal, en effet, qu'on puisse se mettre en quête de tout ce qui annonce chez chacun une signification potentielle. Est-il possible dans ces conditions de proposer une situation éducative qui rejoigne la motivation intrinsèque des participants ? L'approche rogérienne nous a habitués à un certain accompagnement empathique de ce qui surgit dans l'ici et le maintenant. Mais un groupe, et en l'occurrence un groupe d'orientation, qui ne s'intéresse pas seulement à la formation du groupe mais surtout à la question vocationnelle, peut-il fonctionner autour d'un objet expérientiel investi à l'avance d'une certaine valeur ?

Il existe à ce propos deux approches, ou plutôt deux formules d'activation nettement démarquées.

La première exige de l'intervenant qu'il soit à l'écoute du groupe et qu'il l'ausculte jusqu'à s'approprier son rythme. Le témoignage de M. Lamothe dans la partie qui suit fait état de cette sensibilité peu commune par laquelle le conseiller propose une situation éducative appropriée au vécu singulier de son groupe. Cela requiert une présence dont seul est capable un professionnel du counseling et de l'animation. Cela requiert en plus une préparation à toute éventualité et oblige le conseiller à disposer d'un grand répertoire d'interventions. Cette approche du groupe mise sur des ajustements continuels et fait appel à la créativité de l'intervenant dont l'art poussé jusqu'à son raffinement consiste à suivre le groupe tout en le dirigeant vers les objectifs d'activation vocationnelle pour lesquels il a été constitué. C'est une formule dans laquelle le chemin le plus sûr n'est pas la ligne droite.

Cette façon de travailler procure habituellement de grandes satisfactions aux conseillers qui l'exercent à condition de ne pas devoir fréquenter un groupe indéfiniment — les sessions intensives conviennent davantage — et à condition de ne pas s'engager ainsi auprès de plusieurs groupes à la fois.

La deuxième formule d'activation ne tente pas de s'adapter aux individus en tant qu'individus distincts ayant chacun des besoins spécifiques, ce qui conduit théoriquement à l'impossibilité de travailler auprès d'un groupe en tant que groupe. Elle mise sur l'aménagement d'une situation structurée de façon telle qu'elle suscite l'intérêt commun des participants. Ainsi, au lieu d'épouser les formes d'un groupe hétérogène, elle tente d'introduire de l'homogénéité par une expérience qui ne serait au départ voulue par personne, mais qui aurait finalement de la signification potentielle pour tous.

Cette formule structurée comporte l'avantage certain d'atteindre des objectifs vocationnels définis au préalable à l'intérieur d'un programme plus ou moins extensif selon les politiques d'orientation et d'éducation d'un milieu donné. Elle comporte l'avantage également de permettre à l'intervenant de travailler sur une base systématique auprès d'un plus grand nombre de groupes, chacune des rencontres ayant fait l'objet d'une préparation et pour ainsi dire d'un rodage, ce qui rend la situation éducative moins stressante pour lui.

La formule d'une mise en situation prévue et située à l'intérieur d'une programmation assure l'atteinte d'objectifs définis à l'avance alors que l'approche informelle cherche ses objectifs en même temps que ses moyens. Cette dernière, plus vivante, plus dynamique, ne laisse pas facilement deviner son progrès, les critères d'efficacité étant difficilement repérables et les buts poursuivis multiples et non définis. (Est-ce un groupe de croissance ou un groupe vocationnel ? Cette ambiguïté, J. Limoges ne manque pas de la souligner dans la septième partie.)

La formule structurée fait plus que proposer une mise en situation. Elle institue le groupe comme tel. Elle s'adresse à lui et devient ce qu'il y a de commun entre des sujets en présence les uns des autres mais non encore présents les uns aux autres comme ils le deviendront lors du temps de partage.

Il nous faut savoir dès lors comment une situation éducative, dans le contexte d'une approche structurée, peut être investie d'une signification potentielle.

Il semble que la signification potentielle soit déterminée par trois facteurs : la relation sujet-conseiller, le besoin de comprendre, l'anticipation d'un gain.

La relation sujet-conseiller

Il arrive qu'on choisisse un livre parce qu'on connaît l'auteur. Ce lien de sympathie dispose à la considération positive de l'ouvrage. Il en est de même d'une situation éducative qui s'associe à un conseiller-animateur avec lequel existe une relation personnelle. Convenons d'appeler relation personnelle un rapport humain qui n'est pas fondé sur l'autorité mais sur la communication. En effet, dans le contexte d'une démarche inductive de recherche dont le but essentiel est de découvrir ses propres motivations et d'acquérir un savoir-faire dans l'ordre de l'autonomie, le sujet se doit d'être un des termes actifs de la rencontre.

Si, comme l'auteur, le conseiller-animateur jouit d'une certaine ascendance, il la doit non pas tant à son statut mais à ce qu'il signifie. Ainsi, l'écrivain peut occuper une place enviable dans la hiérarchie sociale, mais ce n'est pas en cela qu'il signifie. Il signifie dans la mesure où il s'associe à l'émergence du lecteur lui-même. Ce dernier, en se reconnaissant dans le texte, en le connaissant, en se laissant naître avec lui, expérimente la valeur de développement que représente pour lui cet auteur en particulier. Et d'où vient pour le sujet la conviction d'être en présence d'un conseiller qui prend le parti de son développement, sinon dans la preuve à faire d'une communication véritable ?

Le lien sujet-conseiller comporte une originalité certaine puisqu'il s'agit d'un lien où l'individu a la possibilité d'être sujet et où le conseiller doit son efficacité au fait qu'il ne se contraint pas à vivre cette communication. Son rôle coïncide avec des valeurs personnelles d'ouverture et de confiance d'où est exclue, dans la mesure du possible, toute tentative de manœuvre et de contrôle.

Les situations éducatives n'ont véritablement de sens que dans le contexte d'une relation sujet-conseiller qui est assez bien établie. Cela veut dire concrètement que le conseiller s'intéresse d'abord aux conditions d'une bonne communication avec ceux qu'il rencontre, et qu'il ne saurait se soustraire à cette exigence essentielle sans que les situations éducatives qu'il propose n'apparaissent tôt ou tard comme une procédure d'évitement et comme le report indéfini d'une véritable réciprocité. Cette réciprocité s'avère indispensable pour deux raisons : 1) elle assure aux sujets la possibilité qu'ils puissent faire savoir ce qu'ils veulent et ne veulent pas, qu'ils puissent exprimer ce qu'ils ressentent vraiment, qu'ils puissent faire valoir leur sens critique par rapport et dans la situation éducative. L'ensemble de toutes ces considérations permet de la sécurité dans le risque. Autrement dit, sans tout savoir à l'avance d'une activité à faire, on peut aller voir du fait qu'on aura toujours le moyen de s'en distancer ou de marquer son désaccord ; 2) elle garantit au conseiller une interaction instructive quant à la bonne marche de l'expérience proposée et quant au bien-fondé de son programme d'interventions. Elle favorise des ajustements et des raffinements dans l'apprentissage. Elle informe le conseiller de la qualité éducative de son approche. Autrement dit, l'intervenant le mieux informé de son intervention est celui qui a la meilleure réciprocité avec ses sujets.

Le besoin de comprendre

La signification potentielle d'une expérience tient aussi à l'incertitude qu'elle prétend diminuer. Il appert en effet que l'être humain recherche un état d'équilibre entre ce qu'est la réalité et ce qu'il en sait. Quand intervient une dissonance, il tend à rétablir l'harmonie par une meilleure compréhension des choses. Ainsi, chaque fois qu'il éprouve de l'étonnement, chaque fois qu'un phénomène le surprend et que sa curiosité est éveillée, il prend l'initiative de rechercher l'information requise. S'agit-il de proposer une situation éducative en rapport avec l'abandon scolaire (Pelletier, Noiseux, Pomerleau, 1983), on peut la faire précéder d'une dissonance telle que :

— Votre penchant personnel vous inclinerait-il davantage vers une récompense immédiate mais de moindre importance ou vers une récompense importante mais lointaine ?
— Que choisiriez-vous entre un emploi avant la fin du secondaire avec seulement quelques années d'école à faire, ou cinq ans d'études de plus afin d'obtenir des avantages plus importants ?

La présentation d'une équivalence à départager ou d'une contradiction à surmonter engage un mouvement de recherche où l'expérience proposée devient un moyen évident d'apprentissage. S'il est question d'élargir les horizons professionnels, on peut demander aux élèves comment ils comptent connaître des professions dont ils ignorent l'existence. Comment obtenir de l'information pour quelque chose qui n'a jamais été nommé dans les limites de leur milieu ? Toute question qui met à jour un paradoxe ou une contradiction investit la situation éducative d'une signification potentielle.

La dissonance prend parfois l'allure d'une provocation. S'agit-il de comprendre l'importance du travail dans la vie humaine, les élèves pourraient être mis au défi de trouver un seul endroit au monde qui soit naturel, qui n'ait fait l'objet d'aucune transformation. Elle peut prendre la forme de la prédiction. Ainsi, après une brève présentation des secteurs primaire, secondaire et tertiaire de l'emploi, le conseiller demande aux élèves de prédire la répartition des travailleurs dans chacun d'eux (Pelletier, Noiseux, Pomerleau, Marchand, 1982). Ou encore, s'il est question de prendre connaissance de divers témoignages concernant la satisfaction au travail, il peut faire prédire l'importance qui sera faite au salaire comme facteur de satisfaction. Il existe à ce propos une activité toujours stimulante qui est celle de faire entendre un enregistrement sonore ou visuel et de l'interrompre avec la consigne de prédire la suite.

L'anticipation d'un gain

Ce qui fait, au fond, qu'une expérience est appréhendée positivement, c'est qu'elle annonce un effet bienfaisant pour l'individu. Quand quelqu'un a des raisons de croire que la situation le concerne et qu'elle peut avoir des avantages pour lui, il ne peut qu'être disposé à la vivre. Le premier terme correspond à un lien sujet-objet alors que le deuxième terme correspond à un lien avant-après.

1. Le lien sujet-objet. La situation éducative devient motivante quand le sujet se sait personnellement concerné par elle. Ainsi, au lieu d'intéresser l'élève au phénomène général de la pensée et de son importance, le conseiller demande à chacun de dessiner, d'après lui, ce qui se passe dans sa tête quand il pense. Chacun devient concerné par la question. Faut-il interroger ce qui fait la réussite professionnelle ? Le conseiller demande d'abord que chacun rapporte une expérience personnelle de réussite. Ainsi s'établit un lien entre le sujet et l'objet à découvrir.

À supposer que la rencontre porte sur les facteurs qui influencent les tendances occupationnelles des emplois, les élèves seront invités à se choisir chacun une profession... et à trouver une raison possible pour laquelle elle ne sera plus exercée en 1994. Il ne s'agit donc pas du monde du travail en général, mais d'une profession choisie personnellement et perçue personnellement comme n'ayant pas d'avenir.

Ces quelques exemples devraient suffire à montrer le caractère facilement généralisable du lien sujet-objet. Il suffit de peu de chose pour qu'un objet d'apprentissage soit réapproprié par celui qui apprend.

2. Le lien avant-après. L'anticipation d'un gain apparaît nettement lorsque les objectifs d'une situation éducative sont annoncés dès le début. On ne saurait sous-estimer l'importance, pour ceux qui apprennent, de connaître les objectifs d'apprentissage. L'ignorance des objectifs oblige en effet à une dépendance vis-à-vis de l'éducateur qui propose une activité à faire, dépendance non nécessaire qui décourage la participation du sujet. La connaissance des objectifs, en plus de rendre responsable, fournit l'occasion d'évaluer son propre progrès. De plus, elle introduit dans l'esprit de l'élève la référence au schème moyen-fin si utile à l'éloignement de la perspective temporelle et à la formation des projets d'envergure.

Cela dit, reprenant l'idée du gain anticipé, il pourrait être systématiquement indiqué aux participants le sens d'une mise en situation. *Exemples :*

À la fin de la rencontre, vous devriez être en mesure : a) de comprendre les motifs personnels qui vous font fréquenter l'école ; b) de distinguer ce que l'école apporte en termes de savoir, savoir-faire et de savoir-être ; c) de voir à quel genre de connaissances se rattachent vos principales raisons d'être à l'école.

À la fin de la rencontre, vous serez capable : a) de reconnaître les divers indices du décrochage scolaire ; b) d'évaluer votre situation actuelle ; c) d'estimer vos probabilités de persévérer dans votre travail scolaire.

À la fin de la rencontre, vous pourrez énumérer des secteurs d'activités professionnelles en rapport avec les diverses matières scolaires.

L'annonce des objectifs devrait être systématique si la situation éducative se situe à l'intérieur d'un programme, et si ce programme fait partie d'une politique éducative s'adressant au plus grand nombre. Il y a certes une grande part de spontanéité qui disparaît, mais elle devient compensée du moins partiellement par l'anticipation d'un résultat vraisemblablement souhaité.

En résumé, la relation personnelle qu'un sujet peut avoir avec le conseiller, son besoin de réduire l'incertitude par une information adéquate, le résultat auquel il s'attend sont les principaux facteurs qui composent la signification potentielle et qui le disposent à profiter pleinement de la situation éducative. Il n'est sans doute pas nécessaire que toutes ces conditions soient réunies. Elles se veulent seulement indicatives et illustratives d'une approche centrée sur l'expérimentation et la découverte.

De la signification potentielle à la signification explicite

Le sujet est mis en présence d'un objet (principe expérientiel) avec lequel il est disposé (signification potentielle) à interagir dans le but d'en tirer (principe heuristique) de l'information nouvelle, explicative, décisive ou utile selon l'état de recherche où il se trouve. Cet événement se situe dans l'ensemble plus vaste de son auto-développement (principe intégrateur). Ce qui est appris et découvert l'est davantage pour l'action, pour le projet, pour l'approfondissement de sa motivation que pour la simple acquisition d'une connaissance. Autrement dit, l'individu qui est dans la situation éducative que nous proposons ne se définit pas comme un être connaissant, mais comme un être choisissant en quête des indices à partir desquels devenir davantage et s'accroître subjectivement dans le sens de sa personnalité.

Alors que la signification potentielle annonce quelque avantage pour le sujet à s'engager dans la situation éducative, la signification explicite va devoir faire le point sur ce que cette expérience signifie — maintenant qu'elle est vécue ou qu'elle se vit — dans le contexte singulier de l'individu et sur ce qu'elle ajoute au répertoire de son savoir-devenir. C'est une intégration *psycho-logique* qui permet à l'individu de se rapprocher davantage de sa logique motivationnelle.

Il faut comprendre qu'en français, le mot *expérience* signifie deux moments différents d'un même processus. L'expérience désigne les données sensibles et immédiates que le sujet constate et reçoit pour évidentes. Ce qui est, est. Me référer à mon expérience présente, c'est prendre acte de ce qui m'arrive concrètement et actuellement (*experiencing*). Le mot expérience désigne aussi l'ensemble des prises de conscience et apprentissages pratiques acquis sur une question donnée parce qu'on a vécu le phénomène ou le problème en question. L'expérience s'oppose en ce sens à un savoir qui serait seulement théorique. Le premier sens se rattache au principe expérientiel alors que le second décrit bien le principe intégrateur.

La situation éducative devrait donc comporter un temps d'intégration. À quoi sert, en effet, de participer à l'activité, si on n'est pas en mesure d'en tirer des significations pour soi, encore moins un savoir auquel trouver une utilité personnelle ?

Il semble, à l'usage, qu'il existe trois formes principales d'intégration psychologique : l'explicitation, l'auto-évaluation, l'application pratique.

1. L'explicitation. Une expérience a été proposée et puis réalisée. Chacun en retire un enseignement particulier. Quel est-il ? Il serait intéressant, bien évidemment, que les participants fassent connaître leur conclusion personnelle. De fait, l'activité a été expérimentée dans une kyrielle de dimensions et se retrouve dans des contextes de vie absolument uniques. Les participants sont-ils eux-mêmes au courant de leurs apprentissages ? Peut-être ne les ont-ils pas assez dits pour qu'ils soient reconnus consciemment.

L'expérience ne laisse pas indifférent. Elle a produit un effet variable d'un membre à l'autre du groupe. « Moi, je posais mes questions toujours dans le sens de l'émerveillement. En voyant ces enfants sur l'affiche, ça me donnait la nostalgie de mon enfance. Je m'ennuie de ce temps-là. » « Moi, en voyant ce poster bien fait avec ces enfants bien habillés, au-dessus d'un bocal de petits poissons rouges, je me disais que tout ça, c'est truqué. C'est pas naturel. Je me demandais tout le temps combien ces gens-là avaient été payés pour faire cette photographie. »

Que de significations diverses et parfois contraires pour un même objet expérientiel ! C'est ainsi qu'en explicitant les points de vue individuels et les représentations subjectives, les exigences du social et du réalisme prennent forme, se construisent et rendent plus politique et plus complexe ce qui au départ n'avait qu'un caractère égocentrique et privé. Et cette même pluralité fait constater en retour la singularité de chacun, ce qui favorise la découverte de soi.

L'explicitation s'avère toutefois une opération délicate. Elle suppose que l'individu s'exprime avec le risque de ne pas tout savoir d'avance ce qu'il va dire. Il poursuit tout haut sa réflexion. Alors que l'explication est pensée faite, l'explicitation est pensée qui se fait. Et c'est un exercice bien agréable que celui d'élaborer une signification intime en présence des autres, sauf que les autres ne doivent être ni trop nombreux, ni trop étrangers. Il faut un lien sujet-groupe bien établi pour que le partage s'accomplisse en profondeur. Le conseiller-animateur saura le favoriser beaucoup plus auprès des adultes et des jeunes adultes qu'auprès des adolescents. Il semble exister, au début et non à la fin du secondaire, une difficulté de partage. Elle tient vraisemblablement à l'impossibilité encore d'assurer intérieurement son point de vue, de le suspendre tout en le fixant, et de se décentrer assez en même temps pour prendre acte du point de vue de l'autre tel qu'il est.

2. L'auto-évaluation. Elle fait en sorte que l'individu soit concerné par le résultat. Qu'est-ce qu'il a découvert ? Comment pourrait-il résumer ce qu'il a compris et de quelle manière cela peut-il avoir de l'importance pour lui ? Il en est ainsi de la situation éducative où la classe se retrouve sur une île déserte (Noiseux, Pelletier, 1972). Les élèves ont dû inventorier les problèmes à résoudre dans la situation de naufrage. L'activité cherchait à faire découvrir la relation entre problèmes et vie professionnelle. Ceci précisé, l'élève est interrogé personnellement :

> De tous les problèmes que vous avez identifiés ou qui vous ont été suggérés par les autres, quel est celui dont vous aimeriez vous occuper si vous vous trouviez réellement sur l'île ? Qu'est-ce qui justifie ce choix ? Avez-vous connu des expériences ou fait des apprentissages qui vous prépareraient un peu à faire face à ce genre de difficultés ?

L'intégration psychologique de l'expérience requiert un rapprochement entre le sujet et l'information acquise au contact de l'objet expérientiel. Les facteurs qui concourraient à la réussite scolaire viennent-ils d'être explorés, il peut lui être demandé de formuler un conseil qu'il donnerait à quelqu'un en train d'échouer. Vient-on de découvrir ensemble l'existence de professions rares : « De toutes celles que vous avez trouvées, quelle est celle qui vous intéresse davantage ? Qu'allez-vous faire pour obtenir de l'information à son sujet ? »

3. L'application pratique. C'est sans doute la procédure la plus courante et la plus efficace. Il s'agit de proposer une action qui mettrait à l'épreuve le nouvel apprentissage. Ainsi, l'élève pourrait être appelé à mener des enquêtes-maison suite à certaines découvertes. *Exemples :*

> Vous pourriez demander à votre père, votre mère ou à tout autre adulte de votre entourage quel est l'avenir de son emploi. Subit-il l'influence du facteur technologique, démographique, économique ou saisonnier ?
>
> Avez-vous songé à connaître la vie de travail de votre mère, de votre père ou d'autres personnes qui vivent avec vous ? Seriez-vous capable d'identifier les changements qui sont survenus dans leur histoire personnelle ? Sauriez-vous dire si les changements ont été subis ou voulus, s'ils sont d'origine externe ou interne ? S'agit-il d'une carrière au hasard ou dirigée ? À quel type appartient-elle ? Tête chercheuse, mine de rien, c'est écrit dans le ciel, en escalier ou discontinue ? Ce serait passionnant, n'est-ce pas, d'instruire votre parent sur ce qui fait, selon vous, son évolution professionnelle...

Il importe donc, dans l'ordre de l'intégration, que le sujet élabore les conséquences de sa découverte. Est-il amené à constater les limitations professionnelles qu'entraînent les catégorisations sexistes du travail, il serait bon dès lors qu'il réponde pour lui-même à des questions comme : « Puis-je penser pour cet été à un emploi de vacances nouveau, différent, inhabituel par rapport au fait que je suis garçon ou fille ? »

Tout cela illustre assez bien ce qui compose l'intégration psychologique, l'objectif essentiel étant de garder la découverte dans la perspective de la motivation et de l'action.

Si le principe de l'intégration psychologique pose l'exigence d'un rapport étroit entre l'information et la croissance personnelle, celui de l'intégration logique veille à ce que toute situation éducative s'inscrive dans un ensemble cohérent. Autrement dit, il ne saurait y avoir d'activation à la pièce, mais seulement à l'intérieur d'un programme ayant une logique interne assez puissante pour lier entre elles les diverses interventions du conseiller.

La séquence heuristique du développement vocationnel fournit justement la logique interne nécessaire à tout programme d'orientation. Le conseiller dispose de l'occasion rare de pouvoir fonder ses interventions sur un processus évolutif non arbitraire. Qu'un programme se construise à même une psychologie du développement représente un avantage certain.

La plupart des programmes d'éducation à la carrière ou d'éducation des choix manquent de cette consistance (voir R. Bujold et G. Fournier, ainsi que P. Dupont, dans la septième partie). Ils prennent l'allure d'une réponse d'urgence à des insuffisances socio-structurelles où l'école se coordonne mal avec le marché de l'emploi et l'éthique du travail.

Les études du développement vocationnel, celles aussi concernant les étapes de la décision et de la résolution de problème, fournissent des aménagements de base à partir desquels distribuer des contenus, des thématiques, des objets de recherche propres à chaque culture et à chaque région. C'est le caractère opératoire d'une telle structure (J.G. Ouellette en montre la flexibilité dans la partie suivante) qui la rend adaptable à divers contenus.

La séquence heuristique peut ainsi donner de la logique interne à des contenus fort différents selon les idéologies poursuivies par les intervenants. En un sens, cette structure opératoire est indépendante des visions du monde, des conceptions de la société et des idéologies politiques. En un sens seulement, car l'interprétation opératoire poursuit indéniablement des valeurs de participation et d'autonomie en définissant l'individu comme un sujet capable d'induction et rendu moins dépendant de son milieu par son pouvoir personnel de recherche et de découverte. Il se trouve que ces valeurs liées à l'activation sont recherchées avec une intensité croissante depuis le secondaire jusqu'au collégial (voir J. Perron dans la septième partie) comme si elles étaient elles-mêmes caractéristiques du développement de l'adolescent et du jeune adulte.

Cette structure peut fonder aussi bien un programme extensif d'information et d'éducation à la carrière (Gilles Noiseux, sixième partie) qu'un programme intensif d'orientation (J. Audet, R. Benoit et R. Picard, sixième partie). Elle peut fonder aussi bien une session de perfectionnement professionnel (C. Tremblay et H. Boulay, sixième partie) qu'un programme d'action à l'emploi (R. Solazzi, sixième partie).

De fait, l'activation vocationnelle a surtout été conçue avec l'idée d'instrumenter l'individu dans la poursuite de ses buts personnels, mais il n'empêche que la séquence heuristique, avec ses tâches opératoires, pourrait tout autant inspirer l'avancement d'un groupe dans la recherche de son projet collectif et de ses actions sur le milieu.

En résumé, l'activation vocationnellle implique le principe expérientiel, le principe heuristique et le principe intégrateur. Elle les fonde sur le postulat que l'orientation est un processus de recherche qui tend à être vécu par quiconque en a la possibilité. Cette possibilité dépend des ressources personnelles du sujet. Elle dépend aussi des conditions éducatives que peut offrir l'environnement.

L'approche que nous proposons a ceci d'original qu'elle situe l'intervention psycho-éducative dans le contexte de la motivation plutôt que dans celui de la connaissance. Les informations à découvrir sur soi et sur l'environnement le seront constamment dans la perspective d'élaborer ses besoins pour qu'ils deviennent des buts et des projets susceptibles d'être réalisés.

Cette approche éducative, en tenant compte du concept d'actualisation et de celui du développement, met en rapport psychologie humaniste et psychologie cognitive. Dès lors, la croissance personnelle n'est plus seulement une affaire d'accroissement subjectif, mais aussi de savoir-faire heuristique. La connaissance n'est donc pas seulement une affaire d'adaptation au réel mais de signification pour soi, tout concept vrai s'incorporant au concept de soi et à l'entreprise de se réaliser.

Chapitre **2**
Répertoire des
interventions
éducatives[1]

Denis Pelletier

Le conseiller-animateur, pour appliquer les principes d'activation, doit disposer d'un répertoire assez considérable d'interventions. Ces interventions sont des manières d'agir, d'interagir ou d'intervenir conçues en fonction d'un effet souhaité, d'un résultat voulu, intentionnel.

Que peut faire le spécialiste pour que la situation soit pour le sujet la plus expérientielle possible ? Comment peut-il stimuler les processus cognitifs les mieux appropriés à une tâche de développement donnée ? Comment favoriser l'intégration logique et psychologique des expériences ?

Aussi avons-nous constitué, au fur et à mesure de nos besoins de recherche, un inventaire instrumental issu en grande partie de la psychothérapie et de la psychologie cognitive. Il est composé de deux parties : les modes expérientiels et les procédures cognitives. Ces deux parties se rattachent respectivement au premier et au deuxième principe d'activation. Quant au troisième principe, il est facilité au plan logique par des règles de programmation et au plan psychologique par les liens sujet-conseiller, sujet-objet et sujet-groupe tels que décrits dans le chapitre 1 de cette partie.

Nous définissons les modes expérientiels comme des interventions visant à ce que les contenus considérés par le sujet soient d'ordre perceptif, imaginaire, subjectif, émotif, comportemental plutôt que d'ordre symbolique et sémantique au sens de Guilford (1967).

Nous définissons les procédures cognitives comme des interventions visant la mise en exercice de processus et d'opérations par lesquels le sujet traite les informations et les données de sa situation expérientielle.

LES MODES EXPÉRIENTIELS

Il existe, par rapport à la nécessité de centrer le sujet sur des données existentielles, un grand nombre de moyens appelés aussi des modes. Ces modes visent tous à rendre expérientiels et pour ainsi dire matériels les idées, les concepts, les faits psychiques, les

---

[1] Ce répertoire apparaît dans la présente partie pour répondre à une exigence pratique évidente. Il est la reprise quelque peu modifiée du répertoire que nous avions d'abord présenté dans l'ouvrage collectif de Pelletier, Noiseux, Bujold, *Développement vocationnel et croissance personnelle*, McGraw-Hill, Montréal, 1974, édition épuisée.

règles et les principes. Voici, brièvement décrits, des moyens de matérialisation ou modes expérientiels ordonnés depuis le figural jusqu'au comportemental.

Les aides audio-visuelles. Il est évident que le film, le magnétoscope, le téléviseur rendent figural le contenu sémantique à faire acquérir à la condition toutefois qu'il ne s'agisse pas de la projection pure et simple d'un exposé verbal ou d'un matériel écrit.

Les responsables de l'information scolaire et professionnelle recourent depuis longtemps déjà à des montages de diapositives et à des documents illustrés.

L'impression première. Faire d'un objet commun ou d'un phénomène courant un événement exceptionnel. Rendre le familier insolite. Le voir comme pour la première fois, l'éprouver, le considérer comme non identifié. Lire les faits plutôt que les évaluer.

Faire observer une situation donnée dans toutes ses caractéristiques repérables. Ce mode invite le sujet à se décentrer de son quotidien, à se libérer de son propre connu, à décrire ce qui se passe d'un point de vue premier. *Exemples :* constater la distance physique qu'on prend avec diverses personnes ou encore décrire sa maison, décrire un lieu où on aime se trouver ou encore se donner des antennes pour voir autrement la rue où on habite, les adultes qu'on rencontre, ou encore redécouvrir ce qu'il y a d'étonnant dans l'invention du téléviseur ou du stylo à bille.

La figuration. Faire résumer sous une forme graphique un processus ou une série d'événements. Cette tâche a surtout comme avantage de condenser les informations. Mieux que les mots, la figuration traduit directement des relations et des transformations (Bruner, 1966, p. 21). *Exemple :* demander à chacun de représenter graphiquement sa façon de concevoir un phénomène ou un processus donné, avec la consigne de comparer sa figuration avec celle d'un camarade et de la modifier au fur et à mesure des données nouvelles. Ainsi, nous demandons à des élèves de dessiner ce qui se passe dans leur tête lorsqu'ils pensent. Ces esquisses plus ou moins complexes sensibilisent aux habiletés intellectuelles et aux objectifs de leur propre éducation.

La figuration peut prendre l'allure d'une recherche thématique où diverses images sont colligées et rassemblées dans un collage.

Lors d'une rencontre de groupe sur le changement personnel, demander aux participants d'apporter une photo d'eux-mêmes lorsqu'ils avaient entre 4 et 8 ans. C'est là un support matériel propre à faciliter la révélation de soi.

Sur un panneau de liège qui contient des cercles concentriques, demander à chacun de répondre à une question donnée en appliquant son épingle dans le cercle qui lui convient, chaque cercle représentant un degré ou une valeur entre l'épicentre et le cadre périphérique. Nous obtenons ainsi une vision très concrète de l'état de groupe sur une question donnée. C'est une forme d'évaluation instantanée et visuelle.

Un collaborateur de Rogers (Shlien, 1962) fait rapprocher deux carrés de plexiglas dont l'un représente le moi actuel et l'autre le moi idéal. Cette simple procédure s'avère plus révélatrice que la méthode du *Q-sort* habituellement utilisée comme mesure de l'acceptation de soi.

La visualisation. Faire imaginer visuellement un objet, une situation, un contexte avec le plus de détails possible. C'est en quelque sorte provoquer une véritable présence. *Exemple :*

la lecture d'un poème et la narration d'un fait historique acquièrent beaucoup de vivacité par la simple reconstitution imaginaire.

Faire vivre au présent un événement passé. Un conseiller nous a suggéré un jour de faire reconstituer dans la première entrevue d'un sujet le moment où il a décidé de venir en consultation.

S'imaginer tel qu'on était enfant, à l'âge de six ans, avec le plus de détails possible. La visualisation, règle générale, prépare les sujets à s'impliquer plus concrètement dans un problème donné.

La connotation. Tenir compte non pas du concept formel mais plutôt des attitudes et sentiments qui l'accompagnent. On ne saurait trop prendre en considération les représentations et les valeurs liées à une notion donnée (Osgood, 1957). *Exemple :* au lieu de définir ce qu'est l'autorité ou ce qu'est la vie scolaire, on exprime les images, les associations, les climats auxquels elles se rattachent. Les impressions qui viennent avec les horaires, le règlement, la discipline, les punitions.

Le *circept* est une variante de la connotation. Il s'agit du concept circulaire proposé par Gordon (dans Kaufmann, 1970, p. 261-274). L'auteur observe qu'un groupe invité à livrer ses impressions à propos d'une question donnée en arrive à une production bipolaire et circulaire qui stimule la recherche. *Exemple :* faire produire toutes les associations satellisées par le mot *drogue* ou *ordinateur*.

L'évocation. Fournir une stimulation concrète qui va enclencher un processus. Ainsi, donner un exemple incitatif et se révéler à quelqu'un produisent un effet d'entraînement. Qu'un professeur parle de lui aide les élèves à parler d'eux sur une question donnée.

La technique des phrases à compléter, si largement utilisée en psychologie dynamique, joue le même rôle d'évocation :

Je me souviens d'une journée d'école où...
Je suis profondément déçu(e) quand...
Mon plus grand espoir est...

L'identification empathique. C'est un mode d'appréhension largement utilisé dans la méthode synectique de résolution de problème (Gordon, 1965). Il s'agit pour l'individu de s'identifier à l'objet étudié et d'en épouser la structure. Cet investissement de soi dans l'objet et dans son contexte facilite la découverte de propriétés souvent ignorées par l'observateur « objectif ». Bien que ce comportement paraisse irrationnel, beaucoup de chercheurs pourtant l'ont utilisé à un moment donné de leur réflexion.

> Tous les hommes de science ont dû, je pense, prendre conscience de ce que leur réflexion, au niveau profond, n'est pas verbale : c'est une expérience imaginaire, simulée à l'aide de formes, de forces, d'interactions qui ne composent qu'à peine une « image » au sens visuel du terme. Je me suis moi-même surpris, n'ayant à force d'attention centrée sur l'expérience imaginaire plus rien d'autre dans le champ de la conscience, à m'identifier à une molécule de protéine. Cependant, ce n'est pas à ce moment qu'apparaît la signification de l'expérience simulée, mais seulement une fois explicitée symboliquement. Je ne crois pas, en effet, qu'il faille considérer les images non visuelles sur lesquelles opère la simulation comme des symboles, mais plutôt, si j'ose dire, comme la « réalité » subjective et abstraite, directement offerte à l'expérience imaginaire. (Jacques Monod, Prix Nobel de médecine 1965, in *La Recherche*, vol. 1, **5**, p. 415-422.)

Se fondre et se confondre avec l'objet, l'animer pour ainsi dire, c'est véritablement entrer en relation avec lui. On n'observe pas la nature, on *devient* la nature. *Exemples :* s'identifier à des racines qui rencontrent un obstacle particulier, éprouver pour un instant la nature gélatineuse d'une amibe ainsi que ses déplacements par pseudopodes, devenir une poussière dans un champ électrostatique, connaître les aventures d'une carte mécanographique, emprunter pour un instant l'identité d'un objet ou d'un animal que l'on craint, que l'on déteste. Devenir l'objet que l'on aime et prendre le temps de voir comment on s'y prend en tant qu'objet pour faire plaisir. Ce sont là des expériences particulièrement révélatrices de soi et de ses besoins affectifs.

Le sens émotionnel. Lorsque quelqu'un vous demande d'attendre un instant parce qu'il lui faut trouver exactement ce qu'il veut dire, c'est qu'il recherche le sens émotionnel à l'origine de son discours. Certaines personnes parviennent à s'exprimer d'une façon ressentie parce qu'elles maintiennent le contact avec cette dimension préconceptuelle (Gendlin, 1962). Elle consiste en ce que le sujet porte attention au sentiment global qu'il ressent et qu'il laisse ce vécu émerger jusqu'à ce que certains mots ou certaines images s'imposent. Il s'agit, en somme, de se laisser guider par le sens émotionnel plutôt que par la simple association verbale. Cette exploration intérieure peut être induite simplement en demandant au sujet de se centrer sur ce qu'il éprouve vraiment. La découverte des mots justes produit habituellement un soulagement corporel qui fait du bien et qui fait sentir au sujet qu'il se comprend et qu'il pense d'une façon correcte.

La dramatisation. La dramatisation peut être considérée comme un jeu de rôle non pas agi mais imaginé. C'est un principe que l'éducateur peut largement appliquer. Il s'agit d'un scénario susceptible de provoquer une action intérieure ou de faire voir une situation comme si elle était réelle. La dramatisation peut mettre en place et en interaction des personnages fictifs ou existants ainsi que des objets chargés symboliquement. Le conseiller peut utiliser des scénarios déjà montés et expérimentés. Il en trouvera des exemples dans le rêve éveillé dirigé de Robert Desoille (1971). Mieux encore, il peut les concevoir en fonction des objectifs qu'il poursuit. *Exemple :* « Imaginez deux personnages ; l'un dit que... et l'autre dit que... Vous êtes le témoin discret de cette discussion. Écoutez-les sans intervenir et voyez ce qu'ils feront à la fin de leur rencontre (joute imaginaire de Schultz, 1967, p. 58).

S'agit-il de faire constater sa manière habituelle de décider : « Imaginez que vous êtes avec deux de vos amies. La première vous propose une activité. La seconde vous en suggère une autre. Chacune vous demande d'aller avec elle. Que ferez-vous ? Représentez-vous les détails de cette scène. Où ? Quand ? Avec qui ? De quoi discutez-vous ? Quelle est votre réponse ? » (Pelletier, Noiseux, Pomerleau, Marchand, 1982). S'agit-il de découvrir le privilège d'être unique : « Supposez que dans votre ville, votre quartier ou votre village existent dix personnes qui ont exactement la même apparence physique que vous. Que se passe-t-il d'après-vous ? Que faites-vous ? Qu'est-ce qu'il y a d'agréable et de désagréable dans cette situation ? » (Pelletier, Noiseux, Pomerleau, Marchand, 1982).

Le jeu de rôle. Il est né d'un mariage entre le théâtre et la thérapie. Moreno (1947) l'a consacré comme outil de déblocage émotionnel. Il doit son efficacité à la grande liberté d'improvisation qu'ont les participants une fois placés dans une situation hypothétique. Il existe quelques variantes pédagogiques du jeu de rôle :

a. Les sujets sont placés dans une situation qui s'est déjà présentée, à la manière d'une reconstitution criminelle. Dans ce cas, la performance des participants permet de comprendre les multiples interprétations possibles liées à des données et à des faits connus.

b. Les sujets sont invités à résoudre un problème donné en empruntant diverses identités : selon le point de vue de tel auteur ou de tel autre, selon l'éclairage d'une discipline ou d'une autre, suivant la pensée de telle ou telle époque, etc.

Exemple : on suppose un accident d'auto à une intersection. Plusieurs témoins commentent l'événement selon leur point de vue professionnel. Des élèves sont appelés à être mécanicien d'automobile, infirmière, journaliste, esthéticienne, avocat, employé de la voirie, prêtre, policier... La situation devient encore plus intéressante si chaque participant choisit un rôle au hasard et laisse les autres deviner sa fonction à partir des propos qu'il exprime.

On image de la même façon une entrevue de sélection où plusieurs candidats postulent le même emploi et doivent démontrer leur compétence.

Autre exemple : le débat inversé où des participants qui se sont d'abord identifiés à une opinion donnée doivent jouer à soutenir l'opinion contraire.

La simulation. La simulation diffère du jeu de rôle par son caractère nettement plus structuré. Les participants s'engagent alors dans une activité comprenant des règles de relation et de transformation, des stipulations relatives aux conséquences qu'entraîne telle ou telle opération. Bref, la situation se révèle analogue à un système réel. Dans leur excellent ouvrage, Inbar et Stoll (1972) ont recensé, outre les jeux par machines et ordinateurs, un nombre considérable de simulations concernant les processus économiques, politiques, sociologiques et psychologiques. Faut-il insister sur le fait que la simulation n'est pas une fin en soi, même si elle comporte pour des participants une satisfaction intrinsèque ? Elle doit être conçue pour la compréhension la plus exhaustive possible d'un phénomène donné.

Mentionnons, à titre d'illustration, que Breznitz et Lieblich (1970) ont établi un ensemble de règles permettant de produire des rêves artificiels et de rendre ainsi vivants les mécanismes freudiens du déplacement, de la condensation et de la symbolisation. Nous avons conçu pour notre part une simulation fort simple du risque impliqué dans une décision. L'exemple le plus pertinent est celui du programme vire-vie défini comme « un jeu où tu peux découvrir en t'amusant pourquoi, de nos jours, ça vaut la peine qu'une fille s'oriente » (D. Riverin-Simard, 1980). Nul doute qu'il s'agisse actuellement d'un moyen d'apprentissage fort prometteur, du moins du point de vue de la motivation.

> Cette qualité (la motivation) constitue pour plusieurs une raison qui justifie à elle seule que l'on poursuive la recherche relative à la simulation. L'ensemble des opinions est sur ce point convergent et convaincant ; mais pourquoi la simulation soulève-t-elle et entretient-elle un haut niveau d'intérêt, d'enthousiasme et d'excitation ? C'est là une question encore relativement peu étudiée* (Taylor et Walford, 1972, p. 34).

---

* *This one quality alone (motivation) is seen by many as sufficient reason for continuing to pursue simulation experiment and development. The body of opinion on this point is uniform and impressive ; but why simulation arouses and sustains a high level of interest, enthousiasm and excitement, is relatively unresearched* (Taylor and Walford, 1972, p. 34).

L'expérience inductrice. Certains psychologues américains et notamment Schultz (1967) ont constaté que les individus évoluaient plus rapidement dans la résolution de leurs problèmes personnels lorsqu'ils avaient l'occasion de vivre leurs difficultés plutôt que d'en parler seulement. Ainsi, quand quelqu'un se définit comme incapable de faire confiance aux autres, il lui est proposé tout de suite une situation où la généralisation va être éprouvée, comme par exemple dans la consigne de se laisser tomber à la renverse avec la garantie verbale que la personne placée derrière va lui éviter le choc. Beaucoup de variables psychologiques peuvent ainsi être matérialisées dans une expérience inductrice. L'expérience inductrice vise à ce que les comportements de l'individu soient justement le contenu de l'apprentissage. Si le thème de rencontre concerne l'affirmation de soi, la situation proposée devra favoriser l'expression d'un tel comportement. Si le thème concerne la compétition, l'adaptabilité au changement ou la frustration, la tolérance de l'ambiguïté et ainsi de suite, la règle consiste toujours à faire vivre plutôt qu'à faire discuter abstraitement.

Convenons d'appeler expérience inductrice la situation où tous les critères essentiels servant à la définition d'un concept ou d'une loi sont matériellement réunis dans le présent de l'individu.

> L'*insight* est ressenti comme un phénomène de globalité. Son caractère apparent de soudaineté se décrit mieux en terme de simultanéité. Le long cheminement qui mène un problème à sa solution ne serait, en effet, que la mise en scène de tous les éléments pertinents. (Pelletier, 1971, p. 31)

> Lorsque tous les indices nécessaires sont présentés à celui qui apprend d'une manière simultanée plutôt que successive, l'acquisition de concept est facilitée de façon significative* (Ausubel, 1968, p. 532).

La mise en présence du phénomène à étudier constitue l'essentiel de l'expérience inductrice. Supposons que le conseiller veuille sensibiliser des élèves à la règle de l'originalité (Pelletier, Noiseux, Pomerleau, 1983). Il leur demande d'abord d'identifier des professions auxquelles ils ont pensé jusqu'à maintenant et procède à l'inventaire des réponses selon une grille qui en consigne les fréquences. Chacun peut constater par la suite l'originalité de sa production et les raisons qui le font penser comme tout le monde ou d'une façon différente.

Ce tableau offre un résumé et une vue d'ensemble des modes expérientiels qui s'échelonnent selon un niveau vraisemblable d'implication depuis l'objet d'apprentissage présenté sous un mode figural jusqu'à l'objet d'apprentissage devenu la situation même que vit l'individu.

Ces stratégies ne sont pas toutes également utilisables et ne résument sans doute pas tous les moyens de rendre l'apprentissage expérientiel. Elles se veulent avant tout une réflexion sur la nécessité de matérialiser l'univers des concepts et de considérer l'individu dans sa totalité[2].

---

* *When an entire array of instances is simultaneously available to the learner rather than being presented successively, concept acquisition is significantly facilitated* (Ausubel, 1968, p. 532).

[2] Lire l'ouvrage de G.I. Brown, *Human Teaching for Human Learning*, Viking Press, 1971.

Tableau 2.1
Modes expérientiels

INTERVENTIONS	NIVEAUX
Les aides audio-visuelles L'impression première La figuration La visualisation	PERCEPTUEL IMAGINAIRE
La connotation L'évocation L'identification empathique Le sens émotionnel	SUBJECTIF ÉMOTIONNEL
La dramatisation Le jeu de rôle La simulation L'expérience inductrice	COMPORTEMENTAL SITUATIONNEL

LES PROCÉDURES COGNITIVES

Nous entendons par procédures cognitives des moyens d'activation déjà connus destinés à mettre en éveil divers comportements cognitifs. La conception opératoire du développement vocationnel nous conduit à considérer spécialement les procédures cognitives en rapport avec la pensée créatrice, la pensée conceptuelle, la pensée évaluative et enfin la pensée implicative.

La pensée créatrice

Au risque de trop simplifier, disons que la pensée créatrice engendre des activités de prospection plutôt que des activités de forage. Alors que les processus logiques creusent et approfondissent une question, les processus divergents multiplient les directions à prendre vis-à-vis d'un problème et s'appliquent à inventorier les possibles (De Bono, 1967, 1969). Le potentiel créateur se révèle chez une personne à l'abondance de ses hypothèses, à la diversité de ses points de vue, à son éloignement du réel connu, à son sens de l'improvisation et de la transformation.

La créativité, c'est un peu comme un kaléidoscope (Parnes, 1967). Nous faisons pivoter un cylindre et un nouvel arrangement est formé. Plus il y a de petits morceaux (expériences), plus grand devient le nombre de motifs possibles. Il y a le risque pourtant qu'un motif nous séduise, qu'une hypothèse devienne système et que le cylindre ne tourne plus...

La pensée créatrice peut être définie comme un processus ou mode de traitement qui mobilise les informations, expériences et apprentissages antérieurs non reliés directement au problème à résoudre ou à la situation présente, ce qui tend à produire des associations nouvelles et des arrangements imprévisibles, bref des réponses originales et susceptibles de faire reconsidérer une situation en tout ou en partie.

Les études expérimentales ont permis d'identifier un certain nombre de composantes cognitives et de variables personnelles : fluidité idéative, associative et d'expression, flexibilité spontanée et adaptative, originalité, redéfinition, pénétration. La connaissance de ces mécanismes donne la possibilité d'inventer des procédures cognitives et par conséquent des interventions qui auront toutes comme objectifs la participation de l'individu, la mobilisation de ses ressources imaginatives et logiques à l'exploration d'une problématique donnée et à la production des solutions possibles.

La stimulation de la pensée créatrice[3]

Les comportements créateurs d'une personne peuvent être mobilisés au moyen de trois principes qui engendrent à leur tour leurs propres règles ou stratégies. Ce sont les principes de divergence et de bissociation.

La divergence. Si un professeur d'architecture demande à des étudiants de concevoir un centre administratif susceptible de favoriser la communication et la relaxation, les projets présentés seront sans doute très diversifiés, chacun d'eux constituant en outre un choix parmi une gamme étendue de possibilités. Si, par contre, le même professeur, à propos du même travail, spécifie les conditions de volume, de matériaux, de coût ; si, en d'autres termes, il pose toute une série d'exigences, les projets présentés auront tendance alors à se ressembler et les possibilités envisagées par les étudiants auront, elles aussi, été réduites.

Le principe de divergence suppose donc une qualité d'ouverture dans la manière de formuler un problème ou de définir une situation. Mais l'ouverture ne suffit pas. Encore faut-il que l'individu s'engage dans la production des possibles. Et c'est ici qu'intervient la règle du jugement différé mise en valeur par Osborn (1971) dans la pratique du *brainstorming*.

Cette règle stipule qu'on suspende le jugement sur les idées produites de sorte qu'elles apparaissent en grande quantité et qu'elles donnent libre cours à la participation du sujet. Toute demande d'explication ou d'élaboration, toute remarque quant à la faisabilité et au réalisme, toute observation quant à l'illogisme des énoncés sont de nature à inhiber les conduites exploratoires.

La divergence se caractérise donc par les principes d'ouverture et de jugement différé : elle consiste à faire produire des possibles plutôt qu'une seule bonne réponse, à stimuler l'abondance et la diversité des réponses avec la consigne de retarder l'évaluation des idées produites.

▪a. *Les questions possibles.* En partant d'une image, d'un objet, d'un texte, d'un fait, faire poser toutes les questions qui viennent à l'esprit. Elles doivent avoir un certain lien avec le stimulus présenté. Certaines questions expriment des besoins d'information. D'autres questions mettront le doigt sur des incohérences et des contradictions. C'est par l'interrogation

---

[3] Lectures suggérées au sujet de la stimulation de la pensée créatrice : Aznar, 1971 ; Gordon, 1971 ; Williams, 1970 ; Torrance, 1970 ; Taylor, 1972 ; Covington, 1972 ; Paré, 1977.

que s'avive la sensibilité aux problèmes. *Exemple :* l'image d'une salle d'opération est présentée aux élèves avec la consigne de poser le plus grand nombre de questions possible, à l'exception des questions pour lesquelles la réponse est contenue dans l'image. Certains participants arriveront à produire jusqu'à trente questions. Ils sont invités ensuite à se mettre à la place des personnages et à supposer quelles sont les préoccupations de ces professionnels.

▪b. *Les utilisations possibles.* Faire énumérer toutes les utilisations possibles d'un objet quelconque, d'une loi, d'un procédé, d'une fonction, etc. *Exemple :* tout ce qu'on peut faire avec un diplôme en droit, avec un talent donné.

▪c. *Les explications possibles (hypothèses).* Il s'agit dans ce cas d'expliquer un phénomène, une réalité, par le plus grand nombre de points de vue ou de systèmes possible. *Exemple :* Comment expliquer que l'œil, contrairement à la caméra, quelle que soit son inclinaison, donne une vision stable horizontalement ? Comment expliquer que le salaire ne soit pas toujours proportionnel à la scolarité ?

▪d. *Les améliorations possibles.* Faire inventorier les façons d'améliorer une méthode, une machine, une situation, une formule. Cette consigne fait appel à l'ingéniosité des participants et, surtout, elle facilite la perception des insuffisances et des déficiences incluses dans l'objet d'étude.

▪e. *Les issues possibles.* À partir d'une histoire donnée, à partir de la description d'une situation ou d'une problématique, interrompre le récit à un moment critique et faire supposer toutes les issues. *Exemple :* l'histoire de Trompefluette (Noiseux et Pelletier, 1972, p. 93).

▪f. *Les conséquences possibles.* Imaginer tout ce qui pourrait arriver si une réalité était tout à fait différente de celle que l'on connaît.

Qu'arriverait-il si...

— tous les humains avaient la même apparence physique ?

— personne ne voulait travailler de ses mains ?

— les clés et les horloges du monde disparaissaient ?

— il n'y avait plus d'éboueurs ?

— des gens d'affaires investissaient huit cents millions de dollars pour un centre des congrès qui serait construit à vingt kilomètres de votre ville ou de votre village ?

Ces quelques procédures veulent seulement illustrer les diverses modalités selon lesquelles s'applique le principe de la divergence. À noter que ce principe s'applique également à des contenus non verbaux tels que les organisations et les mouvements corporels (lire l'article de Davis, Helfert, et Shapiro, 1973).

La bissociation. La bissociation se révèle un principe tout aussi important que la divergence dans la stimulation des fonctions créatrices. Le vocable vient de Koestler (1969). À la suite de ses études sur les grands concepteurs et inventeurs, il a identifié le processus de découverte comme étant le rapprochement condensé de deux ensembles en apparence lointains et indépendants. La bissociation requiert un risque intellectuel de la part de celui qui l'exerce. Elle exige en effet d'engendrer des rapports insolites et gratuits. À partir de la cloche du village qui tinte et du caillou jeté dans la mare, il faut une sensibilité audacieuse pour concevoir la propagation des ondes.

■a. *L'analogie personnelle.* L'identification empathique mentionnée dans les modes ex-périentiels n'est rien d'autre qu'une analogie où la structure de l'objet est mise en relation avec la structure humaine. Il s'agit d'une procédure animiste où l'incorporation du connais-sant dans l'objet à connaître révèle des aspects inattendus.

■b. *L'exemple et la comparaison.* À supposer que le concept en question soit celui de la communication. Le professeur peut demander aux sujets de trouver des exemples de com-munication dans le monde de la vie animale, dans le domaine du spectacle, dans le domaine des sports, de la mécanique, etc. La recherche des exemples fournit de multiples repères à partir desquels on peut construire un concept. *Exemple :* on demande aux participants de trouver pour des personnes-cibles (personnes volontaires) des objets, des couleurs, des costumes, des époques, des personnages qui, par comparaison, pourraient les décrire.

Nous avons pu constater qu'il est fort stimulant pour le sujet d'être confronté à une image que lui reflète le conseiller. La comparaison peut s'avérer parfois plus efficace que la simple reformulation verbale.

■c. *L'analogie directe.* Elle consiste à faire élaborer une réalité donnée à partir d'une autre proposée comme modèle :

— la connaissance est comme la digestion parce que...
— la musique de Beethoven est comme la division cellulaire...
— le groupe est comme l'équipage d'un bateau...

Les étudiants engagés dans l'explication d'une analogie directe transposent ce qu'ils connaissent déjà sur une situation moins familière. *Exemples :* un photographe, c'est un peu comme une esthéticienne parce que... ; un photographe, c'est un peu comme un technicien de laboratoire parce que... ; un technicien dentaire, c'est un peu comme un pharmacien... ; un sculpteur... ; un horloger... ; un soudeur... ; un coiffeur... L'analogie directe stimule de toute évidence des processus d'exploration.

■d. *L'analogie symbolique.* C'est un mécanisme imaginaire par lequel on peut identifier une situation ou un problème. Il arrive parfois que certaines personnes perçoivent glo-balement un problème par un seul symbole. Ainsi, Gordon raconte comment l'invention d'un vérin hydraulique capable de supporter de très lourdes charges fut conçue à partir de l'image d'un fakir grimpant sur sa corde magique (Gordon, 1965, p. 32). L'analogie symbolique ou préconceptuelle donne une référence globale qu'il s'agit d'analyser par la suite. La technique du *photolangage* en est un bon exemple. Les sujets sont appelés à choisir chacun une image dans un ensemble qui en compte beaucoup. Cette image doit symboliser en quelque sorte la représentation ou l'état du sujet par rapport à une question donnée.

■e. *L'analogie fantastique.* Cette procédure ne peut s'exercer que chez un groupe res-treint entraîné à fonctionner selon des modes irrationnels. L'analogie fantastique est ha-bituellement amenée par des questions telles que :

— comment, dans nos rêves les plus fous, aimerions-nous voir le problème se ré-soudre ?
— quelle serait la formule « par enchantement » que nous pourrions imaginer ?

— le problème serait partiellement résolu si on savait comment... (ici, une phrase magique).

Cela consiste souvent à donner des pouvoirs ou des comportements inhabituels à des objets ou personnes. Il s'agit alors de poursuivre la fantaisie d'une façon cohérente à partir de prémisses invraisemblables.

Ainsi avons-nous remis à de jeunes élèves des bonbons à considérer comme des pastilles magiques. Chaque participant garde les yeux fermés tant et aussi longtemps que la pastille n'est pas complètement dissoute. Il imagine pendant ce temps le pouvoir spécial qu'il aimerait posséder avec ce que tout cela lui permettrait de faire.

f. *La formule paradoxale.* Nous retrouvons souvent des exemples de formule paradoxale dans les titres de volume. Il s'agit d'une compression de sens où deux significations contraires sont réunies. Ainsi, dans l'expérience de la neige que l'on pétrit à mains nues, il y a en même temps une sensation de froid et une sensation de brûlure qui peuvent s'exprimer par des compressions comme : un feu glacial, une brûlure froide, une fraîcheur torride, un gel enflammé... La formule paradoxale consiste donc à faire produire une synthèse d'antagonismes. Cette procédure ne semble au premier abord qu'un simple exercice de style. Pourtant, à l'usage, elle se révèle très proche du réel et rend compte plus aisément de la complexité des phénomènes. Il est facile de réaliser au niveau de la pratique professionnelle que l'individualité des personnes se définit davantage par des compressions de sens que par des traits simples. *Exemple :* si on demande aux participants d'un groupe de communiquer leurs impressions les uns des autres selon la formule paradoxale, les personnes se reconnaissant plus clairement dans leurs difficultés et leurs conflits personnels, ils reçoivent ces *feed-back* d'une manière non défensive car ces compressions ont souvent l'avantage de n'avoir ni valeur positive, ni valeur négative.

g. *Le rapprochement forcé.* Faire joindre deux éléments par hasard et faire justifier leur rapprochement. C'est une méthode heuristique dans le but de forcer la chance, de faire naître l'idée inattendue. *Exemple :* quel objet nouveau pourrait-on inventer en joignant ensemble une montre et un stylo, ou encore le café et la cigarette, une lampe à huile et un kiosque à journaux, etc. ? Quel nouveau professionnel obtiendrait-on si on faisait apprendre en même temps le droit et la médecine ?

La pensée conceptuelle

La pensée créatrice poursuit de toute évidence des fins d'exploration. Son caractère d'ouverture à la multiplicité des possibles et à la complexité du réel ne va pas sans créer un certain état d'ambiguïté et de confusion. Cela se traduit par le besoin de clarifier la situation, de mettre de l'ordre dans les données, d'organiser ses perceptions relatives au phénomène observé.

S'il vous est demandé, par exemple, de trouver dix propositions susceptibles de résumer l'ensemble des connaissances d'une discipline donnée, ou s'il vous est demandé d'identifier huit catégories qui puissent inclure ce qui existe sur cette terre, vous vous engagez, de toute évidence, dans une activité structurante.

La pensée conceptuelle consiste justement à donner une structure à ce qui est d'abord appréhendé d'une manière désordonnée. Les informations que nous possédons ne coexistent pas d'une façon chaotique, mais sont regroupées en classes, en catégories, en systèmes (Mucchielli, 1966).

Imaginez que vous avez en main une poignée de confettis que vous lancez par terre. Que voyez-vous ? Un éparpillement aléatoire d'informations. Au lieu de considérer ces intrants un par un, vous mettez en exercice un processus cognitif qui interprète la situation en termes de couleur, de taille et de forme. Vous parvenez à contrôler ainsi des centaines d'unités ou d'expériences par le processus organisateur de la catégorisation.

La pensée conceptuelle est un mode de traitement par lequel se forme un concept et se construit une règle. Elle s'applique à dégager ce qu'il y a de commun dans un ensemble d'éléments dissemblables (équivalence), ce qu'il y a d'invariant dans une série de transformations (constance). C'est par ce traitement que l'individu parvient à constater les similitudes, les récurrences, les constances, les convergences, les covariations, les lois.

La connaissance approfondie des mécanismes engagés dans la pensée conceptuelle permet à l'éducateur d'augmenter considérablement son répertoire d'interventions.

La stimulation de la pensée conceptuelle

Les comportements intellectuels de conceptualisation peuvent être facilités selon trois principes, celui de l'équivalence, celui de la constance et celui de la réduction.

L'équivalence. C'est le principe qui consiste à faire abstraction des différences pour découvrir de quelle manière des éléments dissemblables peuvent être considérés équivalents. Ce principe résume en fait le processus formatif du concept*.

a. *La contiguïté.* Faire grouper des éléments sur la base d'un même lieu ou d'une même circonstance. *Exemple :* médecin, infirmière, chirurgien, inhalothérapeute vont ensemble parce qu'ils travaillent dans un hôpital. Quand peut-on trouver ensemble un notaire, un agronome, un gérant de banque et un huissier ?

b. *Le groupement formel spontané.* Faire grouper des éléments sur la base de leurs propriétés communes et constitutives d'une classe donnée :

1. grouper les objets n en catégories N

2. faire le plus de catégories possibles sans directives quant au nombre d'éléments qu'elles comprennent.

En d'autres termes, les étudiants sont mis en présence d'une quantité X de données et de faits. Comment cet ensemble d'observations et d'informations peut-il être organisé d'une façon cohérente ? C'est un peu la situation de l'historien devant une collection d'événements ou du chimiste devant son carnet d'expérimentations. *Exemple :* une procédure de Gestalt (Fagan, 1970, ch. 11) suggère aux participants de feuilleter des revues abondamment illustrées. Chacun se laisse solliciter par les images et retire celles qui lui disent quelque chose. Ces photos sont ensuite collées sur un grand carton. Chacun examine son montage et s'interroge sur son univers. Que contient-il ? Comment est-il organisé ? Que tend-il à

---

* Ausubel (1968, ch. 15) le définit ainsi : « la formation du concept consiste essentiellement en un processus où sont abstraits les descripteurs communs essentiels d'une classe d'objets ou d'événements qui varient par ailleurs quant aux aspects non critiques et quant aux dimensions autres que celles considérées. »

exprimer ? Le matériel commence à prendre un sens pour l'individu lorsque, spontanément, il fait des groupements. Il se rend compte que les personnes de son collage ont toutes le regard inquiet, que certaines pièces de son puzzle traduisent le même besoin ; bref, il effectue des groupements formels spontanés.

c. *Le groupement formel institué.* Le groupement étant déjà fait, institué, la tâche consiste pour l'étudiant à découvrir la base commune utilisée, bref, la ou les raisons possibles du groupement : « Pourquoi met-on ensemble... ? »

La tâche pourrait consister aussi à faire compléter une série d'éléments : « Quels éléments pourraient être ajoutés au groupement déjà institué ? Pour quelles raisons a-t-on mis ensemble : monteur de ligne, prospecteur, gardien de plage, cheminot, cultivateur ? »

Voici une liste : actuaire, comptable, technicien en sciences physiques, chimiste. « Lequel des trois professionnels suivants peut-il être ajouté à la série : colporteur, vérificateur ou mécanicien ? » Incidemment, il nous a été possible, en utilisant ces procédures cognitives, de familiariser les élèves à la typologie de Holland (1966).

d. *La classification.* Consiste à présenter ou à faire construire une matrice comportant plusieurs entrées, matrice à partir de laquelle les éléments vont être distribués, de sorte que chaque élément appartienne à plus d'une dimension à la fois.

Exemple : on présente aux participants une matrice comportant en rangée des champs professionnels et en colonne des valeurs comme la stabilité d'emploi, la stimulation intellectuelle de la tâche, le prestige et l'autorité, l'indépendance. Les élèves travaillent en équipe et tentent pour chaque coordonnée de trouver une occupation. Des points sont accordés sur la base de l'originalité et du réalisme.

La constance. C'est le principe qui consiste à considérer, dans une série d'événements, les caractéristiques qui se répètent ou qui tendent à se produire en même temps. Alors que l'équivalence permet l'abstraction des similitudes parmi les éléments d'une classe donnée, le principe de constance s'applique à dégager la récurrence dans une suite d'événements, ou encore l'invariance dans une série de transformations[4].

a. *L'éduction de corrélats.* Consiste à faire trouver une relation qui reproduirait une relation déjà observée. Cette tâche s'est avérée saturée en facteur « g » et correspond assez bien au schème des probabilités ou proportions étudié par Piaget (Longeot, 1967). L'éduction de corrélats s'utilise indifféremment sur du matériel sémantique, figural, symbolique. *Exemple :* l'accident est à la prudence ce que la maladie est à... ; la réserve d'oxygène de l'Amazonie est à la planète ce que l'imprimerie est à...

b. *La correspondance.* Consiste à faire traduire un phénomène donné en un autre qui soit différent mais en proportion directe. Cette procédure fort générale s'applique à la transcription, au décodage, à la simulation, à l'étude par approximation. *Exemple :* on présente aux élèves l'analogie selon laquelle les traits de caractère sont un peu comme des vêtements. Il y a des vêtements faits sur mesure, d'autres qui sont portés dans les grandes circonstances, d'autres qui sont à la mode, d'autres dont on veut se débarrasser... Les sujets tentent d'identifier sur le plan personnel les correspondances que ce système suggère.

---

[4] Lire, à propos de l'induction de lois, l'article de P. Oléron dans *Fraisse et Piaget* (1969, ch. 22).

c. *La covariation.* Cette procédure relève de l'induction expérimentale. Supposez que vous ne connaissez pas ce qui augmente la vitesse d'un pendule. Est-ce l'élan initial ? Son poids ? Son volume ? La longueur de la tige ? Pour le savoir, il vous faudra faire varier une condition à la fois et vérifier si la variation dans la cause possible entraîne une variation dans l'effet.

d. *La tendance.* Cette procédure consiste à faire relever une suite ou une séquence repérable dans un matériel désordonné. *Exemple :* demander aux sujets d'inscrire sur un papier les activités les plus agréables vécues depuis un an. Peut-on relever une tendance, une préférence progressivement accentuée ? Faire la géographie de sa vie sur un grand papier. On rapporte les événements marquants.

La réduction. Il s'agit d'un principe qui détermine de quelle manière des informations peuvent être organisées en classes et sous-classes de sorte que la multitude des données soit réduite à des thèmes fondamentaux, à des variables essentielles. Ce principe se rattache à la pensée conceptuelle du fait que l'individu organise ses concepts selon des règles de généralité. Il encourage donc l'attitude abstraite par laquelle sont emboîtées les classes formées par le sujet (Bruner, 1966, ch. 4).

a. *Le jeu des questions.* Un événement est raconté à quelqu'un. Il lui est dit qu'une voiture conduite par un homme d'une quarantaine d'années a quitté la route et percuté un arbre. Quelle est la cause de cet accident ? Le sujet doit la découvrir en posant le moins de questions possible, questions auxquelles l'on répond par oui ou non.

Bruner (1966) observe que les individus de faible capacité conceptuelle procèdent par devinettes particulières : « Le conducteur était-il ivre ? A-t-il freiné sur de l'huile ? A-t-il eu une crise cardiaque ? A-t-il été ébloui par des phares ? La route était-elle en répara-tion ?... » Avec une pareille méthode, l'individu ne peut obtenir la bonne réponse dans un délai raisonnable, à moins d'un hasard heureux.

L'approche réductrice consiste dans ce cas à grouper les causes possibles et à poser les questions de sorte qu'un oui ou un non permette d'éliminer la moitié des possibilités : « Cela dépend-il du conducteur ? Non. De conditions autres que celles touchant la voiture elle-même ? Oui. » Et ainsi de suite. L'approche réductrice suppose un sens de la généralité et de l'inclusion. Elle oblige l'étudiant à organiser ses connaissances autour de certaines di-mensions essentielles. Ainsi, dans une activité d'orientation (Noiseux et Pelletier, 1972) l'animateur fait écrire aux élèves une cinquantaine d'occupations. Il en retient une à leur insu et leur propose ensuite le jeu des questions. L'approche réductrice peut être élaborée par la classe entière. Il s'agit alors pour chaque équipe formée de s'entendre sur les questions à poser. Ainsi, les étudiants parviennent à construire des catégories de plus en plus adé-quates avec, en plus, la satisfaction de les découvrir plutôt que de les subir, comme il arrive souvent dans l'apprentissage des classifications et des taxonomies.

L'approche réductrice a le grand avantage de s'appliquer à n'importe quel contenu.

b. *Le construit personnel.* Il s'agit d'une procédure que chacun peut appliquer à soi-même lorsqu'il veut clarifier et organiser un ensemble épars d'informations. L'ensemble est cons-titué de plusieurs (40, 50, 60) réponses, solutions, éléments de choix. Il importe dans un premier temps de distribuer les items en trois classes : 1) ce qui me paraît globalement acceptable ; 2) ce que je tends à rejeter ; 3) ce que je laisse en suspens. Il s'agit ensuite d'effectuer des groupements formels spontanés et de désigner, pour chaque groupement, l'item le plus représentatif. Les items ainsi sélectionnés vont être classés par ordre d'importance. De là émergent les solutions ou choix les plus valables.

Là encore, la procédure est généralisable à toutes sortes de contenus. Les items peuvent être des photos de personnes (pour mieux identifier les critères sélectifs dans les relations interpersonnelles), des noms de lieu (pour déterminer, par exemple, les aspects anxiogènes de l'environnement) ou tout simplement des cours d'un curriculum (pour clarifier les intérêts scolaires), etc.

Exemples : à l'instar de Kelly (1955), de Tyler (1961), de Dolliver (1967), nous avons mis au point une procédure de caractérisations professionnelles. Le répondant distribue 60 occupations en 3 piles : celles qui lui disent quelque chose, celles qu'il rejette comme hors de question pour lui, enfin celles qui correspondent à la neutralité. Il effectue alors des groupements parmi les occupations choisies et explicite la base de chacun d'eux. Les raisons ont toutes un caractère personnel. Il mettra ensemble, *médecin, vétérinaire, plombier, mineur* parce que ce sont des professions sales ; *notaire, curé, gérant de banque* parce que ce sont des tâches ennuyeuses. Ces réponses tendent à exprimer les valeurs du sujet et démontrent à l'évidence la faible utilité des catégories socio-économiques aux fins du choix professionnel. Le répondant place ensuite les groupements par ordre d'importance et parvient ainsi à identifier le genre de travail qu'il préfère. Quant aux occupations rejetées, il lui est demandé de les répartir en trois secteurs : objets, données, personnes. Cette répartition permet de reconnaître où se portent surtout ses aversions professionnelles (voir M. Garand, et aussi L. Blanchet, dans la sixième partie).

c. *Le résumé*. Voilà une autre procédure qui fait partie du principe de réduction. Elle suppose que l'individu accède à un niveau de généralité en tenant compte du réseau relationnel des éléments plutôt que des éléments eux-mêmes. Chaque fois que l'on demande au sujet de formaliser un processus qui vient de se produire, ou encore de reprendre en quelques phrases représentatives ou propositions les propos et les idées émis, il y a effort de réduction ; il y a économie dans la compréhension d'un phénomène.

C'est ici que la technique de l'enseignement mutuel s'avère efficace. Elle oblige les sujets à reformuler dans leurs propres termes les informations provenant d'une source extérieure et à saisir en quelque sorte la structure interne d'un champ d'apprentissage donné.

La pensée évaluative

La pensée évaluative se définit essentiellement comme un processus de comparaison, comparaison qui permet de sélectionner parmi plusieurs éléments celui qui correspond le mieux au critère utilisé.

1. Le jugement de l'individu peut s'exercer à partir du critère d'identité. Lorsqu'une personne, par exemple, cherche à s'exprimer dans un langage correct, elle choisit parmi plusieurs vocables possibles celui qui concorde le mieux à l'objet désigné. Des quatre mots suivants : *dur, difficile, accablant, aride,* quel est celui qui qualifie le mieux un travail qui épuise moralement ?

Le critère d'identité sert à désigner à quel concept, à quelle classe appartiennent davantage certains éléments. Le journaliste relève-t-il surtout des lettres ou des sciences sociales ? Le melon est-il un fruit ou un légume ?

2. Le processus de comparaison peut s'opérer aussi selon des critères de cohérence. Ainsi, l'historien peut devoir décider parmi plusieurs portraits faits de Richelieu lequel est le plus véridique, compte tenu des faits et coutumes connus de cette époque. Il importe en l'occurrence de déterminer parmi plusieurs ensembles celui qui offre le meilleur réseau de relations interdépendantes. Quand quelqu'un doit réagir à un raisonnement, il tente d'évaluer les conclusions et de vérifier si logiquement elles peuvent toutes être tirées des prémisses.

3. La comparaison s'effectue en 1 ou 2 suivant des critères logiques. Elle peut se faire également sur la base subjective des besoins à satisfaire. Lorsque j'ai le choix entre une trentaine d'activités au moment de m'inscrire au Service des loisirs, il me faut identifier celles qui me plaisent le plus, compte tenu de mes besoins personnels. J'essaie, dans ce cas, d'établir le niveau de désirabilité de chacune des activités envisagées. La vie quotidienne offre continuellement des situations de choix : mon emploi du temps, les personnes que je recherche et que j'évite, les vêtements que je porte, ce que je lis en priorité dans le journal, etc. L'évaluation subjective se fait d'autant plus aisément que je suis en contact avec mes impressions et mes valeurs.

4. La pensée évaluative opère aussi à partir de critères pragmatiques de réalisation. Si on voulait une automobile à la fois légère et à l'épreuve de la rouille, lequel des matériaux serait utilisé dans sa fabrication : *le plomb, le fer, la tôle, l'aluminium* ? Ou encore, quel est, de plusieurs projets, le meilleur quant aux possibilités de réalisation, quant aux chances de répondre aux exigences de la réalité ? Il s'agit cette fois d'estimer le niveau de probabilité, certains diraient le degré de réalisme. L'expression « avoir de l'expérience » prend ici son véritable sens, celui d'un système probabiliste.

Ainsi, dans le traitement d'un problème, il y a d'abord l'ouverture et la divergence, qui sont susceptibles d'engendrer de nombreuses possibilités. Vient ensuite le moment de fermeture et de convergence où les aspects limitatifs, contraignants, inconditionnels du problème agissent comme critères de sélection vis-à-vis des solutions produites.

En résumé, la pensée évaluative compare différents items selon des critères logiques d'identité et de cohérence, selon des critères expérientiels de satisfaction par rapport à des besoins ressentis ou encore selon des critères pragmatiques (probabilistes) de réalisation par rapport à des buts fixés.

La stimulation de la pensée évaluative

Les procédures cognitives vont apparaître au fur et à mesure que nous allons prendre connaissance des opérations impliquées dans l'acte de comparer.

Autant la pensée conceptuelle s'attache aux similitudes, autant la pensée évaluative recherche les différences. Elle tente de différencier ce qui se ressemble sur la base d'un critère, sur la base de plusieurs critères, ou enfin sur la base de plusieurs critères en opposition, d'où trois principes de stimulation : la comparaison simple, la comparaison complexe, la comparaison antagoniste.

La comparaison simple.

a. *Le contraste.* L'évaluation à faire est relativement facile lorsque les items sont très différents, sont très lointains et contrastés entre eux par rapport au critère utilisé. Si l'on raconte à l'enfant une histoire monotone et puis une autre, celle-là très animée, il n'aura aucune difficulté à identifier la plus intéressante.

b. *La dichotomisation.* Une autre façon de rendre l'évaluation simple, c'est de requérir des réponses en termes discontinus, dichotomisés. Autrement dit, il n'y a pas d'échelle à l'intérieur de laquelle situer le jugement. C'est vrai ou faux ; c'est oui ou non. *Exemple :* on demande à des élèves de niveau élémentaire de placer des activités quotidiennes devant l'image d'un enfant qui sourit ou devant l'image d'un enfant triste, selon que l'activité leur plaît ou leur déplaît.

c. *La hiérarchisation.* Il s'agit cette fois d'une procédure beaucoup moins facile quoique simple au sens défini plus haut (un seul critère). Elle consiste à faire ordonner une série d'items suivant un critère défini. L'arrangement par ordre d'importance implique des discriminations de plus en plus fines vers le centre et fait apparaître les éléments extrêmes dans une différence encore plus évidente. Ainsi, dans le *test de la lune,* les répondants font partie d'une équipe fictive échouée sur la surface éclairée de la lune et doivent décider du rang d'importance de quinze articles non endommagés qui ont pu être retirés des débris du vaisseau spatial, et cela sur le critère d'utilité, le point de destination étant à deux cents kilomètres des lieux de l'accident. Ils parviennent tous assez bien à placer les bombonnes d'oxygène en tête de liste et à situer les allumettes en dernier lieu, mais la tâche exige de la finesse lorsqu'il reste à désigner les objets du sixième, septième ou huitième rang.

La hiérarchisation est applicable à tout contenu. Il suffit de mettre en présence plusieurs éléments, une liste d'adjectifs par exemple, et de les faire ordonner selon un critère défini, par exemple le pouvoir descriptif de l'attribut par rapport à soi.

d. *L'élimination progressive.* Choisir peut consister tout autant à éliminer. Il y a certains jeux où les participants sont éliminés les uns après les autres selon un critère défini. *Exemple :* présenter une liste d'une dizaine de caractéristiques : *âge, sexe, citoyenneté, religion, profession, scolarité, état civil, langue* et proposer que ces divers éléments d'identité soient éliminés du moins important au plus important.

e. *Le Q-sort.* Il s'agit d'une procédure mise au point par Stephenson (1953) pour mettre en rang un grand nombre d'éléments, de 60 à 120 cartes. Le principe implique que le sujet ordonne des piles plutôt que des unités. Les cartes se prêtent à toutes sortes de contenus. Supposons qu'elles contiennent des descriptions de comportements et qu'il doive les ordonner de 0 à 10 selon qu'elles ne correspondent pas du tout à ce qu'il est ou qu'elles correspondent tout à fait à ce qu'il est. On lui donne alors la directive de placer un nombre défini de cartes dans chaque point de l'échelle, de sorte qu'une distribution normale soit produite.

Exemple : 90 énoncés

Nombre de cartes :	Pas du tout									Tout à fait	
	3	4	7	10	13	16	13	10	7	4	3
Points de l'échelle :	0	1	2	3	4	5	6	7	8	9	10

La procédure peut être reprise avec, comme critère, le moi idéalement souhaité. Les différences sont calculées et le décalage est considéré alors comme indicatif de la non-acceptation de soi.

La comparaison complexe.

a. *La pondération.* La hiérarchisation ne s'exerce pas seulement sur le contenu à évaluer, mais aussi sur les critères d'évaluation. Supposons que nous devions, en tant que responsables du personnel, choisir parmi 8 candidats celui qui semble le plus apte à un poste donné. Il arrive qu'on ne puisse se limiter à un seul critère. Nous devons ici examiner le dossier de chaque candidat et constater qu'ils ont tous des cotes élevées sur certaines dimensions et des cotes faibles sur d'autres, ce qui au total nous place dans une situation fort complexe. Il peut arriver dans ce cas que plusieurs candidats offrent des potentialités équivalentes, difficiles à départager. S'impose donc la nécessité de pondérer les critères. En accordant une valeur prioritaire à certaines dimensions du profil, il devient plus aisé de reconnaître les meilleurs candidats.

b. *La référence.* Comparer, c'est en quelque sorte mesurer. Le jugement s'est exercé jusqu'à maintenant à partir de spécifications définies. Il arrive toutefois que l'évaluation ne puisse s'engager faute de paramètres convenus, faute d'indices explicites. La procédure consiste ici à faire définir les références à partir desquelles les jugements ont été posés ou vont être posés. La procédure qui consiste à trouver ce qui ne va pas dans un projet donné, ou encore l'étude qu'on peut faire de cas d'orientation, entraînent des comportements évaluatifs et, plus spécialement, mettent à jour les critères implicites qui servent à juger la situation.

La comparaison antagoniste.
La comparaison antagoniste met en présence des jugements contradictoires que l'individu doit départager pour diminuer la dissonance ainsi créée. La contradiction provient du fait que des critères d'évaluation différents à propos d'une même question conduisent à des estimations différentes voire opposées. La comparaison antagoniste oblige donc l'individu à considérer et à intégrer plusieurs dimensions non seulement indépendantes, mais apparemment incompatibles.

a. *Le paradoxe.* Le paradoxe présente des opinions contraires au sens commun ou illogiques dans leur formulation. *Exemple :* « Comment se fait-il que l'électricité serve à refroidir (congélateur) et à réchauffer (cuisinière) ? » Que penser de ces opinions : « ceux qui gagnent le plus sont ceux qui travaillent le moins ; ceux qui réussissent en classe ne sont pas ceux qui réussissent dans la vie » ? « L'un dit à l'autre : « Mon père est en train de lire. Il travaille. » L'autre répond : « Le mien est en train de lire. Il se repose ». » Que faut-il penser de cette histoire ? Et de cette phrase : « Paul ne veut pas consulter un optométriste parce qu'il veut devenir aviateur » ?

b. *La discordance-intégration.* Cette procédure représente bien la réalité quotidienne faite de vrai et de faux, faite de positif et de négatif. Gollin (1954) illustre ce principe en faisant visionner une série de courts métrages alternativement favorables et défavorables au personnage principal. Les spectateurs sont par la suite invités à commenter la personnalité de la vedette. Les uns fondent leurs évaluations exclusivement sur les comportements acceptables, d'autres uniquement sur les aspects condamnables. Bien peu de répondants acceptent de considérer et d'intégrer ces informations discordantes. Schroder (1967) propose comme épreuve d'intégration d'imaginer comment se comportent à une réunion de comité une personne qui serait imaginative, énergique ascendante et une autre, celle-là, envieuse, rusée et entêtée. Une fois que les portraits ont été élaborés par les répondants, il leur est communiqué qu'il s'agit en fait de la même personne. Il faut donc reprendre le commentaire. La *joute imaginaire* de Schultz relève de la même procédure. *Exemple :* on peut demander à quelqu'un de concevoir un autre lui-même qui aurait seulement des qualités et un autre lui-même qui aurait seulement des défauts. Il est invité ensuite à les faire se rencontrer dans un scénario imaginaire.

La profession, dans la mesure où elle comporte des avantages et inconvénients, se prête au même principe.

Le processus de décision, dans la mesure où il envisage le désir et la réalité, la désirabilité et la probabilité, oblige également la personne à faire une intégration, une synthèse ou, si l'on veut, un compromis.

c. *La confrontation.* Il s'agit cette fois de la discordance entre l'évaluateur et lui-même ou entre l'évaluateur et d'autres évaluateurs. Chaque fois que nous demandons à la personne de comparer sa performance avec ses attentes, nous provoquons une confrontation. Quand il y a comparaison entre la réponse du sujet et d'autres réponses possibles, il y a confrontation. *Exemple :* ainsi, dans l'épreuve des trois listes, nous demandons au sujet de confronter son choix professionnel avec 27 autres occupations de façon à ce qu'il éprouve sa certitude.

La confrontation entre évaluateurs permet parfois une révision des valeurs et des perceptions. C'est ce qui se produit dans un groupe où les membres se donnent du *feedback*. C'est aussi ce qui se produit quand il y a controverse entre diverses équipes.

Cinq équipes d'étudiants en géographie doivent déterminer l'emplacement le plus susceptible de favoriser le fonctionnement et la rentabilité d'une usine de pâte à papier qui doit s'installer dans la province de Québec. Une fois les études achevées, les équipes doivent défendre leur décision.

Chaque participant inscrit sur 3 cartes ses 3 préférences professionnelles et les dépose au centre du groupe. Les membres pigent ensuite au hasard ces occupations et les attribuent à ceux qui, selon eux, devraient les exercer. Chaque personne ne peut recevoir plus de 3 cartes. Le sujet peut ainsi vérifier si ses choix lui reviennent et confronter ses perceptions de lui-même avec les impressions que les autres lui communiquent.

Les principes de comparaison simple, de comparaison complexe et de comparaison antagoniste sont donc susceptibles d'engendrer de nombreuses procédures cognitives capables de mobiliser, dans la situation d'apprentissage, le sens critique et la complexité évaluative de l'individu.

Il est à noter cependant que la pensée évaluative telle qu'elle a été définie par Guilford implique des jugements conventionnels, des bonnes et des mauvaises réponses selon le consensus de personnes expertes et compétentes (voir Guilford, 1967, p. 219). L'entreprise reste entière, pour nous, d'élaborer des principes de stimulation en fonction de l'évaluation organismique, en fonction de l'évaluation exprimée en termes de préférences et de rejets. Quelles sont les conditions facilitantes susceptibles de centrer la personne sur son locus interne d'évaluation ? Comment favoriser chez elle une lecture de plus en plus fine de ses jugements subjectifs ?

La pensée implicative

Anticipation, extrapolation, généralisation sont des processus par lesquels l'individu profite au maximum de ses expériences en générant les informations qui sont encore implicites. C'est un mode de traitement qui dégage les nécessités inhérentes à un système donné. Bref, il s'agit d'une extension logique.

La pensée implicative se manifeste aussi dans les tâches d'élaboration, d'opérationnalisation et de développement. C'est un mode de traitement qui applique principes et théories à des cas particuliers, à des problèmes du milieu. Il s'agit d'une extension pratique.

Il est possible enfin de considérer les habiletés de planning ou de programmation comme liées à la pensée implicative. Il s'agit alors d'une séquence structurée où sont mises en ordre temporel les données nécessaires à une démonstration ou à une réalisation.

En résumé, nous appelons pensée implicative les processus qui génèrent de l'information par extension logique, pratique et séquentielle.

La stimulation de la pensée implicative

On peut associer à chaque type d'extension des modes d'intervention ou procédures cognitives.

L'extension logique.
a. *La déduction.* Certains éducateurs suggèrent qu'au lieu d'évaluer simplement le travail d'un étudiant, on lui demande, à supposer qu'il dise vrai, de tirer toutes les conséquences de ce qu'il soutient : « Si cela est vrai, cela veut dire que... »

L'extension logique déduit à l'intérieur d'un système, et fait apparaître aussi bien l'impasse que l'issue nouvelle ou la conclusion nécessaire.

b. *L'extrapolation.* À partir d'un état de fait, prévoir les conséquences ou situations à venir. Quels effets, par exemple, peuvent entraîner pour la prochaine décennie les tendances telles que l'omniprésence de la couleur et du design ? La popularité accrue des méthodes de relaxation, du yoga, de la méditation, de la philosophie orientale ? Quelle est la signification, pour l'avenir, du besoin de nature qu'éprouvent les citadins ? Quelles sont, dans l'actualité, les tendances importantes à examiner attentivement ? *Exemple :* chaque participant se trouve un partenaire dont le choix professionnel est semblable au sien. On forme deux cercles concentriques, le partenaire étant le vis-à-vis périphérique. Le sujet à l'intérieur prend une carte sur laquelle il lit une date, par exemple 1992. Cette date représente en fait le moment où il va se retrouver sans travail. Il doit formuler deux raisons plausibles qui puissent expliquer cette situation. Son partenaire doit énoncer ensuite un changement important survenu dans la profession au cours des vingt dernières années.

L'extension pratique.
a. *L'application.* Induire les individus à trouver les applications d'un principe ou d'une méthode donnée. *Exemple :* comment certaines connaissances en physique optique peuvent-

elles servir les arts ? Quels changements peut apporter, au domaine de l'entreprise, l'introduction de la bureautique ? Comment appliquer à vous-même le principe que la satisfaction au travail est liée à l'exercice de ses capacités ou l'observation que la compétition est plus forte dans les professions traditionnelles que dans les fonctions nouvelles ?

b. *L'opérationnalisation.* L'extension pratique peut consister aussi à rendre une hypothèse opérationnelle, à trouver les moyens de la vérifier. Comment, par exemple, vérifier la proposition selon laquelle la partie interne d'une grande flamme au gaz est moins chaude que sa partie externe ? Comment vérifier que quelqu'un dispose des ressources nécessaires pour réussir dans une discipline donnée ?

c. *L'élaboration.* L'extension pratique consiste enfin à élaborer un produit, une réponse, une solution, une intention. Comment traduire une politique en projet de loi ? Comment prévoir les cas d'exception, et protéger le projet des abus dont il pourrait être l'objet ? L'élaboration suppose l'addition des détails, la finition et la décoration d'une œuvre déjà ébauchée ; la reprise et la consolidation d'un texte, d'une argumentation, d'une décision.

L'extension séquentielle.

a. *Le planning.* Établir les étapes d'une réalisation. Tout ce qu'il faut faire à la suite de sorte que les opérations s'emboîtent, les premières étant nécessaires aux suivantes. L'emploi rationalisé de son temps, la programmation d'un long voyage, un plan d'action en fonction d'un but illustrent l'idée de planning. *Exemple* (l'activité en question n'illustre pas à proprement parler le planning temporel ; il s'agit plutôt d'une programmation spatiale) : on remet aux élèves, quelques jours avant une visite industrielle, une liste des départements et des divisions dans la chaîne de production. Ceux-ci doivent alors construire la disposition spatiale la plus économique dans laquelle seront organisées les diverses opérations de la manufacture.

b. *La chronologie.* Présenter en désordre les diverses phases d'un processus avec la consigne de construire la séquence la plus vraisemblable.

Exemple : au niveau d'un séminaire sur l'activation vocationnelle, nous avons divisé en onze parties un cas d'orientation. Il est présenté en désordre et les élèves-conseillers doivent construire la séquence la plus vraisemblable.

c. *Le lien manquant.* Étant donné un commencement et une fin, que faut-il intercaler pour les expliquer ? Que se passe-t-il entre un premier état et un dernier état ? *Exemple* : que mettre entre le moi idéal et le moi actuel ?

d. *La rétrospection.* Faire supposer les causes qui rendraient compte d'une situation présente. Rechercher l'origine, la genèse d'un résultat observé. D'où provient une pareille conclusion ? Quelle interaction a pu préparer cet aboutissement ? *Exemple* : « J'ai vu l'autre jour un homme d'une quarantaine d'années étendu sur le trottoir en train de mendier. Il n'était ni malade ni infirme. » Les élèves se regroupent en équipes et essaient d'imaginer l'histoire de cette personne.

Le tableau suivant résume les différentes manières, pour l'individu, de traiter l'expérience ainsi que les principes générateurs d'interventions.

Quoique différents les uns des autres, ces modes de pensée et ces processus ont ceci en commun : ils mobilisent, dans la situation présente, les expériences, les informations,

Procédures cognitives

TÂCHE	FINALITÉ	TRAITEMENT HEURISTIQUE		INFORMATION
		PENSÉE	PROCESSUS	
Exploration	Découvrir	Créatrice	Divergence Bissociation	Nouvelle
Cristallisation	Comprendre	Conceptuelle	Équivalence Constance Réduction	Explicative
Spécification	Choisir	Évaluative	Comparaison simple Comparaison complexe Comparaison antagoniste	Décisive
Réalisation	Agir	Implicative	Extension logique Extension pratique Extension séquentielle	Utile

les concepts déjà acquis chez l'individu, de sorte que le nouvel objet d'apprentissage n'est pas simplement enregistré mais traité, confronté, interprété, situé, transformé, utilisé par la plus grande partie du système conceptuel du sujet.

Chaque situation éducative devient alors une expérience de développement, une occasion de destructuration et de redéfinition des schèmes existants. Et c'est précisément ce qui permet à l'individu d'être à la fois structure et changement, système et ouverture.

RÉFÉRENCES

AUSUBEL, D.P. : *Éducational Psychology : A Cognitive View,* Holt, Rinehart et Winston, New York, 1968.
AZNAR, G. : *La créativité dans l'entreprise,* Les Éditions d'Organisation, Paris, 1971.
BREZNITZ, S. et A. LIEBLICH : The Unconscious Plays Patience : An Attempt to Simulate the Dreamwork, *Simulation and Games,* n° 1 : 5-17, 1970.
BRUNER, J.S., R.R. OLVER et P.M. GREENFIELD : *Studies in Cognitive Growth,* Wiley, New York, 1966.
COVINGTON, M.V., R.S. CRUTCHFIELD et L.B. DAVIS : *The Productive Thinking Program,* Merrill, Columbus, O.H., 1972.
DE BONO, E. : *The Use of Lateral Thinking,* Jonathan Cape, London, 1967.

DE BONO, E. : *The Mechanism of Mind,* Penguin Books, Harmondsworth, 1969.
DESOILLE, R. : *Le rêve éveillé dirigé,* Paris, Les Éditions E.S.F., 1970.
DOLLIVER, R.H. : An Adaptation of the Tyler Vocational Card Sort, *Personal and Guidance Journal :* 916-920, 1967.
FAGAN, J. et I.L. SHEPHERD : *Gestalt Therapy Now,* Science and Behavior Books, Paolo Alto, 1970.
FESTINGER, L.A. : *Theory of cognitive dissonance,* Stanford University Press, 1957.
FRANCES, R. : *Le développement perceptif,* P.U.F., Paris, 1962.
FRÉCHETTE, L. et J. LAFLEUR : *Guide d'orientation professionnelle,* (cahier **1,** cahier **2** et dossier du consultant), Agence D'Arc Inc., 6872 est, rue Jarry, Montréal, Qué. H1P 3C1, 1980.
GENDLIN, E.T. : *Experiencing and the Creation of Meanning,* The Free Press of Glencoe, New York, 1962.
GOLLIN, E. : Forming Impressions of Personality, *Journal of Personality,* **23** : 65-76, 1954.
GORDON, W.J.J. : *Stimulation des facultés créatrices dans les groupes de recherche par la méthode synectique,* Éditions Hommes et Techniques, Paris, 1965.
GORDON, W.J.J. : *The Metaphorical Way of Learning and Knowing,* Synectics Education Systems, Cambridge, 1971.
HOLLAND, J.L. : *The Psychology of Vocational Choice : A theory of Personality, Types and Environmental Models,* Ginn, New York, 1966.
HUTEAU, M. : L'évolution des critères de catégorisation des métiers, *L'Orientation scolaire et professionnelle,* **8 :** 325-346, 1979.
INBAR, M. et C.S. STOOL : *Simulation in Gaming in Social Science,* The Free Press, New York, 1972.
KAUFMANN, A., M. FUSTIER et A. DREVET : *L'inventique,* Entreprise moderne d'Édition, Paris, 1970.
KELLY, G.A. : *The Psychology of Personal Constructs,* W.W. Norton, New York, 1955.
KOESTLER, A. : *The Act of Creation,* MacMillan, New York, 1964.
LONGEOT, F. : Aspects différentiels de la psychologie génétique, *BINOP,* **n° spécial,** 1967.
MILLER, P.H., F.S. KESSEL et J.H. FLAVELL : Thinking about people thinking about people thinking about... : a study of social cognitive development, *Child Development,* **46** : 1015-1018, s.d.
MORENO, J. : *The Theatre of Spontaneity,* Beacon House, New York, 1947.
MUCCHIELLI, R. : *Introduction à la psychologie structurale,* Charles Dessart, Bruxelles, 1966.
NOISEUX, G. et D. PELLETIER : *Dossier d'orientation 1,* (Manuel de l'élève et guide de l'animateur), McGraw-Hill, Montréal, 1972.
NUTTIN, J. : *Motivation et Perspectives d'Avenir,* Presses Universitaires de Louvain, Louvain, 1980.
OLERON, P. : Les activités intellectuelles, in : Fraisse, P. et J. Piaget, (Éds) : *Traité de psychologie expérimentale,* **vol. VII,** P.U.F., Paris, 1969.
OSBORN, A.F. : *L'imagination constructive,* Dunod, Paris, 1971.
OSGOOD, C.E., G.J. SUCI et P.H. TANNENBAUM : *The Measurement of Meaning,* University of Illinois Press, Urbana, 1957.
PARÉ, A. : *Créativité et pédagogie ouverte,* Éditions N.H.P., C.P. 83, Succ. Ste-Rose, Laval, H7L 1K7, 1977.
PARNES, S.J. : *Creative Behavior Guidebook ; Creative Behavior Workbook,* Scribner, New York, 1967.
PELLETIER, D. : *La représentation de soi,* Éditions du Renouveau Pédagogique, Montréal, 1971.
PELLETIER, D., G. NOISEUX, E. POMERLEAU et G. MARCHAND : *L'exploration de soi et de l'environnement, 1ᵉ secondaire,* (Livre du maître), (Manuel de l'élève), (Cahier d'intégration), Collection éducation au choix de carrière, Les Éditions Septembre, B.P. 9425, Ste-Foy, G1V 4B8, Québec, 1982.
PELLETIER, D., G. NOISEUX et E. POMERLEAU : *L'exploration de soi et de l'environnement, 2ᵉ secondaire,* (Livre du maître), (Manuel de l'élève), (Cahier d'intégration), Collection éducation au choix de carrière. Les Éditions Septembre, B.P. 9425, Ste-Foy, Québec, G1V 4B8, Canada, 1983.
PERRON, J. : Quelques facteurs de décision vocationnelle en fonction de l'imminence du choix, in : Charette, R. et J. Perron : *Problèmes d'orientation : théorie et pratique,* Corporation professionnelle des psychologues du Québec, Montréal, 1967.
RIVERIN-SIMARD, D., Évaluation d'un programme de développement vocationnel pour les adolescents (VIRE-VIE), Conseiller Canadien 14 (4) : 199-205, 1980.
RUFINO, A. et P. LAPORTE : *Représentation du système éducatif : expression spontanée et organisation des ensembles produits, Comparaison CM2 - 4ᵉᵐᵉ,* I.B.H.O.P., Université d'Aix-Marseille II, Marseille, 1977.
SCHRODER, H.M., M.J. DRIVER et S. STENFERT : *Human Information Processing,* Holt, Rinehart, Winston, New York, 1967.
SCHULTZ, W.C. : *Joy,* Grove Press, New York, 1967.
SHLIEN, J.M. : Toward what Level of Abstraction in Criteria ? *Research in Psychotherapy,* **vol. II,** American Psychological Association. Washington D.C., 1962.

STEPHENSON, W. : *The Study of Behavior : Q.-Technique and its Methodology,* University of Chicago Press, Chicago, 1953.
TAYLOR, C.W. : *Climate for Creativity,* Pergamon Press, New York, 1972.
TAYLOR, J.L. et R. WALFORD : *Simulation in the Classroom,* Penguin Books, Baltimore, 1972.
TORRANCE, E.P. : *Encouraging Creativity in the Classroom,* Brown Co., Dubuque, Iowa, 1970.
TYLER, L.E. : Research Explorations in the Realm of Choice, *Journal of Counseling Psychology,* **n° 8 :** 195-201, 1961.
WILLIAMS, F.E. : *Classroom Ideas for Encouraging Thinking and Feeling,* D.O.K. Publishers, Buffalo, 1970.

Sixième partie
Pratiques éducatives
en orientation

Chapitre **1**

La pratique éducative
de l'orientation
dans un collège français

Bernadette Dumora

La convergence entre les missions institutionnelles des conseillers d'orientation qui mettent l'accent sur la dimension éducative de l'orientation et les désirs, chez les conseillers, de bâtir une véritable éducation des choix, s'est encore très peu concrétisée sur le terrain de la pratique quotidienne de notre profession : tout, ou presque, reste à inventer pour nos interventions éducatives dans le système scolaire français.

Cette trop lente évolution de la pratique de l'orientation, concernée pourtant de si près par l'évolution du monde socio-économique, peut s'expliquer par plusieurs raisons :

■ la prégnance du modèle « diagnostic psychologique » qui se perpétue malgré l'évolution de la problématique de l'orientation et de ses finalités, parce qu'il répond peut-être à un besoin flou et latent de technicité ou de compétence instrumentale chez le conseiller d'orientation ;

■ l'absence d'un temps institutionnel pour la pédagogie de l'information et de l'orientation dans l'emploi du temps des élèves, au niveau de l'enseignement secondaire. Comment, en effet, concevoir une action éducative sans la systématisation de la rencontre avec l'élève ? Mais le législateur doit se poser la question inverse : peut-on systématiser une rencontre dont les objectifs et le contenu ne sont pas définis ?

■ le hiatus regrettable dans notre profession entre la recherche théorique et la pratique sur le terrain. Il prive les chercheurs de l'infinie richesse et de l'ancrage concret de l'observation quotidienne, et il prive les praticiens des cadres théoriques et des propositions structurées qui pourraient servir de guide et de garde-fou dans leurs expériences et leurs réflexions.

Dans la perspective d'une contribution à l'élaboration d'une pratique éducative cohérente et dans le cadre d'une recherche universitaire sur le terrain même de notre activité professionnelle, nous avons construit un projet à partir des données théoriques de l'A.D.V.P., de notre expérience professionnelle et à la lumière des développements récents de la recherche en orientation.

Nous nous proposons ici d'en présenter le cheminement, démarche dialectique entre théorie et pratique, qui passe par la définition des finalités globales de notre action éducative, la détermination des objectifs opérationnels, des contenus à transmettre ou des champs de savoir, enfin l'élaboration des techniques et des méthodes appropriées et tenant compte des caractéristiques des sujets concernés par cette action éducative.

DE LA FINALITÉ GLOBALE AUX OBJECTIFS OPÉRATIONNELS

Toute conception éducative de l'orientation, et l'A.D.V.P. en particulier, vise à rendre l'individu capable d'exercer sa responsabilité dans les choix successifs de sa vie scolaire, préprofessionnelle et professionnelle.

Un choix consiste toujours à mettre en correspondance les désirs et les besoins d'un individu et les caractéristiques de l'objet choisi. Ainsi, le choix d'une section scolaire ou d'une profession est appariement entre :
- les exigences de cette section ou de cette profession et les aptitudes du sujet ;
- les conditions de travail, et les intérêts et les besoins du sujet.

L'appariement est d'autant plus judicieux que le sujet est capable de mettre en correspondance le plus grand nombre possible de caractéristiques :
- d'une façon idéale, le choix professionnel serait parfait si le sujet était capable d'avoir une connaissance elle-même parfaite de la profession dans toutes ses dimensions et une connaissance aussi parfaite de ses propres désirs et aptitudes. Nous savons que cette perfection est impossible ;
- dans la réalité, ce qui est apparié, mis en correspondance, ce sont des représentations des professions ou des formations plus ou moins proches de l'objet réel, et des représentations de soi, plus ou moins riches et approfondies (Duner, 1977).

Les choix successifs de la scolarité et de l'insertion dans le monde du travail ne sont pas des faits soudains, isolés et sans antécédent ; ils émergent d'un processus inscrit dans une perspective temporelle : un choix n'est donc pas le résultat d'une activité ponctuelle de comparaison entre deux systèmes de données statiques — professionnelles et personnelles —, il est l'aboutissement, synthèse ou compromis, d'un long processus d'interaction entre deux champs de données évolutives, les données ou représentations de soi, et les représentations professionnelles.

Les théoriciens du développement vocationnel, qui ont mis en évidence cette perspective temporelle, considèrent l'individu « comme un être éducable, comme une personne qui possède des possibilités de développement et d'autoréalisation » (Super, 1973).

Évolution temporelle et éducabilité sont les deux notions, corrélatives et essentielles, qui fondent notre conception éducative de l'orientation.

Ces données théoriques définissent la triple finalité de notre intervention de conseiller d'orientation au niveau du collège :
- le champ des représentations professionnelles ;
- le champ des représentations de soi ;
- l'activité d'appariement elle-même.

Le champ des représentations professionnelles

L'expérience quotidienne de la rencontre avec les adolescents en instance de choix nous donne une conscience aiguë des schématisations, des déformations et des stéréotypes, enfin des lacunes et de la pauvreté, qui font de leurs représentations professionnelles et plus généralement sociales, une construction souvent très éloignée de la réalité.

Il est totalement illusoire de croire qu'en cinq ou six interventions avant chaque échéance importante du système d'orientation, le conseiller peut pallier la profonde méconnaissance du monde du travail et des formations scolaires et surtout professionnelles, et rendre l'adolescent capable de construire des projets réalistes.

Pour lui faire acquérir une véritable « compétence sociale » qui lui permettra d'enrichir, en extension et en profondeur, les connaissances des formations et des professions, et d'acquérir, au-delà des connaissances, des outils d'analyse de la réalité socio-économique, la tâche est longue et difficile, elle demande du temps, de la disponibilité et une véritable pédagogie de l'information : ceci est notre premier objectif.

Le champ des représentations de soi

Parce que l'orientation est souvent — par le jeu de l'affectation et de la sélection dans notre système scolaire — trop étroitement dépendante de l'efficience scolaire, l'adolescent risque de réduire la représentation de lui-même à la seule dimension scolaire, refoulant des désirs ou une expression personnelle qu'il juge irrecevable par autrui.

Notre objectif sera, ici, de permettre à chaque élève d'exprimer quelque chose de lui-même, de devenir présent à sa propre orientation, en prenant conscience de ce qu'il aime, de ce qu'il souhaite, de ce qu'il se sent capable d'entreprendre et de risquer, de ce qu'il rejette et de ce qu'il valorise, de tous ces contenus introspectifs, dont l'école sollicite trop peu l'émergence et qui constituent les fondements de son identité personnelle puis sociale.

Il n'y a pas, sur ce versant, de référentiel objectif : nous n'avons rien à corriger ou à évaluer, nous avons à solliciter, à laisser émerger, à aider à conceptualiser pour partager et se faire comprendre.

L'activité d'appariement elle-même

Séparer l'activité mentale de comparaison proprement dite, des deux champs sur lesquels elle porte, peut paraître artificiel : cette séparation répond d'abord à un souci de clarification didactique, mais aussi au souci de mise en évidence de la tâche certainement la plus délicate du conseiller d'orientation. Elle apparaît dans toute sa complexité au cours de l'entretien individuel avec les jeunes adolescents de 14, 15 et 16 ans du collège.

Là-même où se rejoignent affectivité et intelligence, informations sur le monde extérieur et image de soi, désirs et contraintes, volonté et déterminismes dans un enchevêtrement complexe, l'activité de mise en correspondance peut, chez l'adolescent :

▪ être totalement inconsciente, donc inaccessible : les préférences d'orientation sont formulées sans qu'il soit possible à notre interlocuteur de fournir une justification, ni même une rationalisation a posteriori en matière de désirs ou de possibilités personnelles ;

- elle peut être consciente mais privée... ;
- elle peut enfin être consciente et conceptualisée, donc accessible au partage.

Centrée d'abord sur les deux champs de données évolutives : la connaissance de soi et la connaissance des formations scolaires et professionnelles, notre action éducative porte, lorsque l'adolescent aborde un palier d'orientation, sur la systématisation de ce travail mental de comparaison et sa conceptualisation : ce sera notre troisième objectif.

UN MODÈLE POUR NOTRE DÉMARCHE PÉDAGOGIQUE

La démarche dans la durée

La connaissance d'un « modèle » du sujet-qui-s'oriente, par analogie avec le modèle du sujet épistémique de PIAGET, est nécessaire pour élaborer une conception éducative cohérente et dépasser les pratiques empiriques et intuitives de l'éducation des choix, *car il faut comprendre la construction pour en faciliter le jeu :* comprendre la dynamique de l'interaction entre les deux champs de la connaissance de soi et de la connaissance de l'environnement, pour en faciliter la progression.

La séquence vocationnelle de l'A.D.V.P., exploration-cristallisation-spécification-réalisation, nous a semblé constituer ce modèle. Elle n'a ni la force ni le caractère de nécessité du modèle piagétien pour le développement de l'intelligence : l'observation empirique montre en effet que selon les incitations du milieu et les contraintes du système éducatif, le sujet peut stagner à un moment du processus vocationnel, régresser à une étape inférieure ou précipiter un choix sans avoir franchi toutes les étapes décrites. Cependant, malgré les discontinuités possibles, cette succession est suffisamment générale (Super, 1973) pour justifier une continuité pédagogique. Structure ontogénétique du développement vocationnel de l'individu, c'est-à-dire du processus, la séquence vocationnelle deviendra donc l'organisation temporelle de notre intervention de conseiller d'orientation, organisation qui doit s'articuler avec les paliers institutionnels de l'orientation.

Nous situerons ainsi les phases d'exploration puis de cristallisation, essentiellement collectives, dès le début de la scolarité au collège et jusqu'à la fin de la classe de 4e. L'échéance de l'orientation est lointaine, suffisamment lointaine pour n'apporter encore ni anxiété, ni urgence et pour permettre aux adolescents d'acquérir, au-delà des contenus, de véritables outils cognitifs. L'importance et la systématisation de notre action pédagogique au cours de ces deux phases, trop souvent tronquées dans la pratique habituelle, doivent faciliter la phase de spécification, largement individualisée, qui interviendra pendant l'année de 3e.

Cette organisation temporelle apparemment rigide n'a, dans les faits, qu'une valeur préparatoire pour l'activité globale et les objectifs annuels. La souplesse de l'action quotidienne et la nécessaire vigilance face aux problèmes individuels doivent permettre au conseiller de moduler sa pratique en fonction de l'émergence des besoins, des demandes, des différences de niveaux et d'acquis, et surtout de l'extrême précocité du choix qu'impose le système scolaire à de trop nombreux élèves de la classe de 5e. Il est impossible d'envisager, dans ce volume, un compte rendu exhaustif de la pratique quotidienne avec sa complexité, ses tâtonnements, ses digressions et ses retours en arrière.

L'action quotidienne

La séquence exploration-cristallisation-spécification-réalisation est aussi la structure de la résolution de problème : c'est ce rapprochement heuristique qui a donné naissance à l'A.D.V.P.

Ce schéma d'évolution est très général et on le retrouve aussi bien dans des développements ontogénétiques, affectif ou intellectuel, qu'au niveau des transformations immédiates des processus perceptifs ou cognitifs. On pourrait aussi rapprocher conceptuellement cette séquence et le schéma piagétien du développement cognitif : accommodation-assimilation.

La séquence sera donc la trame de notre activité pédagogique quotidienne, de la saisie exploratoire du problème à la mise en forme de sa solution. En effet, que le conseiller propose aux élèves l'exploitation d'une visite de lycée technique, un exercice d'exploration de soi, la mise en forme d'un travail de groupe ou une séance d'auto-documentation, le groupe commencera par l'exploration des informations venant de différentes sources ou des différents interlocuteurs, leur recensement, enfin leur confrontation, puis procédera à une clarification et une mise en ordre, et aboutira à une mise en forme conceptualisée. Cette action pédagogique constitue la véritable instrumentation de l'élève. Il s'agit d'un travail à long terme, qui demande distance, durée et motivation :

▪ distance, parce qu'il est décentré par rapport au choix proprement dit, et qu'il n'est possible que largement en amont des paliers d'orientation. Les contenus proposés dépasseront les contenus utiles dans l'immédiat d'une prise de décision et serviront de support à l'élaboration d'outils d'analyse ;

▪ durée, parce que l'acquisition de structures de traitement des données informatives de méthodes systématiques d'analyse comparative des métiers ou des sections scolaires, ou de méthodes d'auto-évaluation, suppose la répétition des exercices sur des contenus différenciés au maximum afin d'obtenir une généralisation nécessaire à la construction de ces outils ;

▪ motivation, parce qu'il n'y a véritablement apprentissage et transformation que lorsque l'élève est impliqué dans l'activité. Les conditions de cette implication sont celles mêmes que doit connaître tout enseignant :

a. l'adaptation des exercices proposés au niveau de raisonnement de l'élève

b. le choix des contenus dans un environnement proche de l'élève ou dans ses propositions imaginatives

c. la préférence pour les situations pédagogiques à support concret, figural ou comportemental plutôt que verbal ou sémantique

d. le travail en petits groupes où le nombre restreint de participants permet à chacun de prendre la parole.

La séquence exploration-cristallisation-spécification-réalisation nous donne donc en quelque sorte le même ordre structurant pour deux temporalités différentes :

▪ la temporalité de notre action pédagogique quotidienne, visant à faire acquérir par l'apprentissage, par l'exercice répété, les instruments cognitifs d'analyse et de conceptualisation ;

• la temporalité plus distandue de la construction d'une identité personnelle et d'une aspiration socioprofessionnelle.

UNE ANNÉE D'ORIENTATION AU COLLÈGE

Le programme présenté ici s'est construit au fil des années et de notre recherche. Il n'est pas intégralement appliqué dans toutes les classes à tous les niveaux : nous avons choisi, pour intervenir de façon privilégiée et dans la perspective de notre recherche conduite avec l'université de Bordeaux, une classe expérimentale par niveau. L'intervention dans les autres classes est quantitativement moins importante mais elle s'articule cependant autour des mêmes principes de construction.

Concilier les exigences de ce programme, les impératifs de l'emploi du temps des élèves et notre propre disponibilité s'est révélé impossible sans une étroite collaboration avec les professeurs du collège. L'accueil de beaucoup d'entre eux, dans des disciplines différentes et complémentaires, a permis d'instaurer un travail pluridisciplinaire dans l'animation des rencontres et dans l'élaboration conceptuelle orale ou écrite des expériences vécues en groupe d'orientation, tant dans les classes expérimentales que dans certaines autres classes du collège. Le principe retenu pour le partage des objectifs et des tâches de l'éducation des choix est toujours celui de la spécificité de chaque intervenant. La collaboration avec les professeurs, parce qu'elle diversifie les compétences et les points d'ancrage, enrichit et renouvelle l'approche des problèmes. La pluridisciplinarité, dans l'éducation du choix professionnel, ne signifie-t-elle pas une démarche d'ouverture de l'école sur la vie ? Et l'inscription de la conception éducative de l'orientation dans la cohérence d'un projet éducatif plus vaste ne passe-t-elle pas par la rencontre des professeurs et du conseiller autrement que dans l'instance-sanction du conseil de classe ?

Nous expliquons succinctement comment s'inscrivent nos objectifs dans la perspective temporelle du premier cycle de l'enseignement secondaire et comment peuvent s'articuler, dans un acte éducatif, les principes formateurs de l'A.D.V.P. avec les objectifs définis et les caractéristiques psychologiques et intellectuelles des sujets.

Un programme de sensibilisation et de découverte en classe de 6ᵉ

Il s'agit de sensibiliser les élèves dans ce premier temps, pour éveiller une curiosité et une interrogation sur le monde environnant : scolaire d'abord, puis professionnel, sans les focaliser encore sur le problème d'orientation future.

C'est une première rencontre, une sorte d'exploration impressionniste, sans souci de rigueur ni d'exhaustivité prématurée. L'exploration prend ici tout son sens de décentration et d'ouverture à l'inconnu : accepter de voir ce qui ne vient pas sous nos yeux par habitude, accepter de laisser libre cours à l'imagination, à la spontanéité et à la créativité.

C'est aussi le début d'un long cheminement qui tend vers une socialisation de plus en plus signifiante et où s'exprime le jeu entre présence à soi et ouverture au groupe. Dans ce jeu complexe, « l'expression des motivations » nous semble être, malgré la banalité des mots pour un conseiller d'orientation, d'une très grande difficulté et doit se préparer tout au long du premier cycle. Il faut donc apprendre, dès la 6ᵉ, à exprimer des choses de soi, et pour cela prendre conscience de la différence entre une activité scolaire normée, évaluée selon des critères d'exactitude ou de richesse formelle, et une expression ou une exploration de soi où il n'y a ni référentiel objectif, ni norme extérieure, ni dichotomie en « juste et faux ».

Thème de travail 1 : à la découverte du collège
Déroulement.

1ᵉʳ temps : exploration — préparation. Le groupe-classe explore dans un premier temps, guidé par le conseiller, tous les services et tous les professionnels qui assurent le fonctionnement du collège : administration, intendance, cuisine, salle de physique, centre de documentation, etc.

2ᵉ temps : préparation d'un questionnaire. Le groupe-classe procède ensuite à l'exploration, au recensement et à l'organisation des questions possibles dans le but d'interroger un des responsables de chaque service.

La classe se partage ensuite en petits groupes avec un interviewer et un rapporteur, et procède à la répartition des services entre les groupes.

3ᵉ temps : la visite et l'interview. Chaque groupe a la responsabilité de son travail : prise de contact avec le responsable, horaire de la rencontre, prise de notes ou enregistrement, mise en forme des éléments et préparation du compte rendu.

4ᵉ temps : l'exploitation. Plusieurs niveaux d'exploitation sont possibles suivant les objectifs retenus : de la nécessaire appropriation de l'espace-collège par les nouveaux élèves de 6ᵉ, jusqu'à l'analyse d'une organisation sociale que constitue l'établissement. Les variations pédagogiques de la mise en commun permettent ainsi soit :
- un dessin collectif sur un grand panneau des différents lieux et personnes ;
- une série de monographies succinctes sur les services avec mise en évidence des rôles professionnels ;
- un plan ou une ébauche d'organigramme, exercice beaucoup plus abstrait et difficile qui demande une élaboration progressive des jeux de rôle permettant à un sous-groupe de mettre en scène un service ou l'autre devant la classe.

Thème de travail 2 : le dessin relationnel (Lachaud et Rongerias, 1980)

a. *L'objectif :* rompre avec le conformisme, faciliter la communication interindividuelle et la créativité, dans le cadre d'une relation pédagogique nouvelle, tel est le sens du dessin relationnel.

Dans une remarquable cohérence avec les projets pédagogiques de l'éducation des choix, le dessin relationnel permet :
- de prendre conscience de soi, de son corps, de ses attitudes et de ses gestes, de reconnaître sa propre réalité en tant qu'individu unique ;
- de prendre conscience de soi dans la rencontre d'autrui, et de reconnaître l'altérité et la différence.

Préparation à la rencontre et à la communication, cette forme d'expression permet de briser les réseaux de relations cristallisés qui entraînent des phénomènes de rejet de certains élèves.

b. *La technique :* une progression précise conduit de l'exercice graphique individuel au dessin gestuel puis au dessin collectif et relationnel.

La « traversée » est l'exercice rituel d'introduction au dessin relationnel proprement dit ; c'est aussi le moment le plus impliquant et le plus révélateur : assis face à face, deux sujets doivent, en se regardant, exécuter ensemble, avec un crayon marqueur dans chaque main, deux traces en allant l'un vers l'autre.

La tâche s'élargit ensuite et consiste à réaliser ensemble une production esthétique. Les cellules de travail peuvent s'agrandir (trois, quatre, cinq élèves ou plus) et permuter. De nouvelles constellations peuvent se créer.

La production commune est évaluée, à chaque niveau, par les auteurs et par le groupe-classe, selon les critères d'équilibre et d'esthétique. La collaboration est analysée en tant que telle : évitement ou complémentarité, partage de l'espace ou intégration des traces, difficultés et sentiments éprouvés.

Les participants constatent que l'affinité ne régit pas directement la qualité de la production, pas même le caractère gratifiant de la collaboration.

Cette technique peut être proposée en début d'année, et s'intercaler ensuite entre les séances de travail de groupe sur d'autres tâches : la production en commun et l'analyse réflexive devraient favoriser pour chacun l'exploration plus profonde de ses propres possibilités d'expression, et lever quelques-unes des inhibitions de la communication interpersonnelle.

Thème de travail 3 : autoportrait. La technique est celle de l'épreuve de *genèse de perception de soi* (**GPS**), de L'Écuyer. Il s'agit d'une technique autodescriptive libre : elle consiste à demander au sujet de se décrire tel qu'il se perçoit en répondant à la question : « Qui es-tu ? » Cette technique diffère des méthodes autodescriptives classiques limitant le sujet à un univers d'items spécifiques qu'il doit choisir, rejeter ou hiérarchiser. Ici, le sujet est libre de répondre comme il le désire aussi bien en ce qui concerne la forme et le nombre que le contenu des énoncés. Il s'agit d'obtenir le plus de matériel possible du champ phénoménal de l'individu. Expérimentée sur des sujets de tous les âges, la technique de L'Écuyer a permis l'élaboration d'un modèle multidimensionnel s'articulant autour de cinq structures :

— soi matériel
— soi personnel
— soi adaptatif
— soi social
— soi/non-soi.

Nous utilisons la technique de l'autoportrait dans une double perspective :

• en tant que méthode introspective de prise de conscience des dimensions du soi. Cette réflexion centrée sur lui-même conduit l'adolescent d'année en année, lorsque l'on répète l'exercice, d'une simple juxtaposition d'énoncés descriptifs (ce que l'on obtient en 6e et en 5e) jusqu'à une intégration conceptuelle et hiérarchique de données du soi social (niveau 3e). Cet exercice, parce qu'il est un moment de retour sur soi et de disponibilité, s'inscrit dans notre intervention éducative dans le champ de la connaissance de soi ;

• en tant que support pour l'évaluation de la progression des dimensions prises en compte par l'adolescent dans son auto-description. L'analyse comparée des contenus perceptuels de la 6e à la 3e s'effectue en référence aux profils proposés par L'Écuyer.

Thème de travail 4 : exploration d'une situation professionnelle

a. *Déroulement pour une classe de 6e.*

1er temps : la production de questions. À partir d'une diapositive projetée sur écran, ou d'une photographie qui passe de main en main représentant une situation professionnelle, par exemple :

— une salle d'opération
— l'atelier d'un artisan
— un chantier de constructions navales
— le bureau d'un dessinateur, etc.

demander aux élèves de poser, à tour de rôle, le plus grand nombre possible de questions n'ayant pas de réponse sur l'image même, et concernant le travail professionnel. Il faut solliciter une production aussi riche que possible et guider le groupe vers de nouvelles questions si nécessaire. Faire noter, au fur et à mesure de l'exploration, toutes les questions sur le tableau.

2e temps : la mise en ordre des questions. Le groupe procède maintenant à un premier tri entre :

— les questions centrées sur la profession ou la fonction des personnages ;
— les questions centrées sur les personnes, questions que les élèves de 6e produisent malgré la consigne et qui seront éliminées.

b. *Exploitation possible en classe de 5e.*

1er temps : exploration rapide des questions. C'est le même exercice qu'en 6e, sur d'autres situations professionnelles proposées par les élèves.

2e temps : exercice de cristallisation. Celui-ci se décompose comme suit :

• repérage des questions qui portent sur le même thème et qui constituent des catégories ;
• recherche de termes qui caractérisent ou qui résument ces différentes questions ;
• comparaison des catégories dans les différents tableaux constitués, dans la perspective de faire apparaître les catégories ou descripteurs invariants.

Ce travail d'organisation, de repérage des invariants et de conceptualisation n'est pas exclusif d'une autre exploitation possible de cette technique :

• jeux de rôle
• exercices de simulation
• mime

visant à faire vivre des expériences plus impliquantes, aux élèves de 6e ou de 5e.

Un programme d'approfondissement en 5e

L'approche exploratoire doit ici se systématiser :

— en extension, pour une diversification des professions connues ;
— en profondeur, pour un enrichissement des traits descriptifs des professions.

L'approche doit aussi se structurer, et mettre en évidence les grandes catégories descriptives des professions de façon à préparer progressivement la grille de lecture du monde socio-professionnel nécessaire à l'adolescent. Adaptés à l'âge des élèves en classe de 5ᵉ, les critères resteront concrets : nature de la tâche, outils utilisés, environnement, geste professionnel, interlocuteurs professionnels par exemple.

Il s'agit donc non plus d'une sensibilisation, mais d'un réel apprentissage, d'une élaboration d'instruments qui sera systématisée en 4ᵉ, puis en 3ᵉ. À l'approche ludique, superficielle et spontanée de 6ᵉ, succède donc une approche déjà plus conceptualisée et plus approfondie du versant professionnel.

Sur le versant de la connaissance de soi, après un premier effort en 6ᵉ pour parvenir à une communication et à une expression de soi, l'effort de la classe de 5ᵉ tend vers une plus grande créativité par une activité exploratoire systématisée. Parce que l'école favorise presque exclusivement le développement de la pensée convergente et par là même un certain conformisme des contenus et qu'elle se prête mal à l'expression créative et originale, nous ferons de cette dernière notre objectif global en classe de 5ᵉ.

Thème de travail 1 : le champ des représentations professionnelles ; enrichissement et structuration

Ce double objectif nécessite à la fois une diversification des contenus abordés et un long travail d'élaboration conceptuelle.

L'utilisation de supports différenciés, habituels ou tout au moins possibles pour le conseiller d'orientation, permet d'élargir le champ des connaissances et des angles d'approche :

- documents audio-visuels : films, diaporamas ;
- documents écrits : monographies professionnelles ;
- interviews de professionnels dans l'entourage de l'enfant ;
- visite d'un atelier artisanal ou d'une entreprise dans l'environnement proche ;
- jeux de rôle, simulations d'interviews dans le groupe-classe.

La préparation et l'exploitation pédagogiques de chaque intervention sont indispensables dans une perspective de structuration et d'acquisition de repères :

- avant une projection de film ou une visite d'entreprise, le groupe-classe, guidé par le conseiller ou par un professeur, explore, cristallise et organise un questionnaire. Avant le jeu de rôle, la classe prépare en demi-groupes, soit le rôle de l'interviewer (les questions), soit le rôle de l'interviewé (les réponses possibles) ;
- après la projection ou la visite, le groupe procède à la mise en forme des éléments de réponse.

Ce va-et-vient pédagogique entre des informations audio-visuelles, des informations écrites, des expériences vécues, et l'élaboration cognitive conduit progressivement à une stratégie personnelle de recherche d'information. L'autodocumentation, difficile voire impossible jusqu'en 4ᵉ, nécessite certainement cette longue initiation.

La collaboration avec les professeurs facilite cette tâche et la rend possible dans le temps. Cependant elle ne prend tout son sens que si la participation active des élèves est réelle et si la démarche pédagogique reste constamment adaptée à leurs possibilités de traitement cognitif.

Thème de travail 2 : expression et créativité. Dans un climat de permissivité et de disponibilité, quelques rencontres de groupe s'intercalent entre les séances de travail précédentes centrées sur des processus cognitifs.

La réussite de ces rencontres qui sollicitent plutôt la subjectivité et l'affectivité, dépend des ressources sensibles et créatives de l'animateur. Nous ne donnons ici qu'un canevas, et quelques suggestions d'exercices. Il serait paradoxal de figer un cadre a priori, qui ne laisserait pas de place à l'improvisation au fil des rencontres et de l'évolution du groupe.

a. *Le canevas.* Le principe des rencontres de groupe dans notre collège est la sollicitation d'une activité analogique aux quatre niveaux suivants :
- verbal ou sémantique
- figural
- graphique
- comportemental.

b. *Quelques suggestions.*
   1. *Les analogies verbales.*

1er temps : à tour de rôle, chaque participant du groupe propose une analogie entre lui-même et un animal (je suis comme ... parce que...). On progresse ensuite vers des associations pour lesquelles l'identification devient plus difficile : un arbre, un outil, une profession, un jouet, un lieu géographique, un plat de cuisine, etc. Les exemples sont choisis de façon à solliciter de plus en plus la créativité, l'invention et la diversification des matériaux proposés et chaque élève doit prendre conscience de la possibilité qui lui est proposée de laisser libre cours à son imagination et d'inventer, de créer une association, même incongrue. Le groupe peut poser des questions pour comprendre, il n'émet pas de jugement de valeur.

2e temps : après une phase d'exploration rapide d'objets familiers puis de plus en plus insolites, chaque participant doit chercher une analogie possible entre lui-même et un objet désigné par le groupe.

Forme ludique et fond impliquant font de l'animation de cet exercice un jeu subtil et délicat : la vigilance de l'animateur doit lui permettre de comprendre d'éventuels blocages ou problèmes relationnels et de centrer chaque participant sur la tâche, c'est-à-dire l'activité personnelle de recherche analogique.

   2. *Le photolangage.* Le principe de cette technique est d'exprimer une idée, un concept, un désir, une préférence, une représentation ou un sentiment par le choix d'une ou de plusieurs images (photographies).

1er temps : l'animateur propose le thème de réflexion. Par exemple : « Comment imaginez-vous la vie adulte ? ou les responsabilités ? ou la vie au lycée plus tard ? ou vos loisirs préférés ? ou votre vie dans cinq ans ? etc. »

L'animateur présente ensuite, sur une table au centre du groupe de travail, une série de photographies, et demande à chaque participant de choisir mentalement une ou plusieurs photographies qui représentent le mieux, pour lui, l'objet de la réflexion.

2e temps : chaque participant est invité, à tour de rôle, à désigner au groupe la photographie qu'il a choisie et il doit expliquer pour quelles raisons.

L'objectif est donc de permettre, par la médiation de l'image, d'exprimer et de communiquer des éléments de soi très personnels qu'il est difficile de solliciter directement. Il ne faut pourtant pas considérer cet exercice comme une épreuve projective : la tâche du groupe et de l'animateur est centrée sur les éléments conscients et verbalisés, même si, par ailleurs, les éléments projectifs et inconscients, évidemment présents, permettent seuls une lecture véritablement compréhensive.

En raison de la richesse et de la diversité des possibilités d'exploitation pédagogique, nous ne pouvons en aborder ici toutes les facettes :

▪ un travail de réflexion sur le fond à partir des représentations proposées par chaque participant : prise de conscience des différences et de l'hétérogénéité des interprétations personnelles d'un concept, mise en ordre (exploration, cristallisation) et mise en forme conceptuelle des productions pour en repérer les thèmes communs et les ressemblances, les contenus divergents et la pluralité ;

▪ un travail de réflexion sur la médiation par l'image : mise en évidence des différences d'interprétation à partir d'un même support qui permet, à la limite, à deux participants d'exprimer deux idées différentes, voire contradictoires.

Lorsque nous utilisons cette technique avec des élèves jeunes, la médiation est souvent directe, primaire car la difficulté d'abstraction et d'accès au symbolisme ne permet pas ce jeu distancié entre signifiant et signifié qui rend possible, chez l'adolescent plus âgé et chez l'adulte, des échanges d'une infinie richesse et d'une très grande créativité.

D'autre part, des techniques de pédagogie active sollicitent l'implication créative des élèves au niveau graphique (collages, bandes dessinées ou dessins relationnels) et au niveau comportemental (jeux de rôles et mimes). L'essentiel est ici de rester sensible à l'évolution du groupe et de lui proposer, au moment opportun, une activité bien choisie. Mais il ne s'agit pas d'occulter l'importance de la réflexion personnelle, de la centration sur soi puis du partage au profit d'une technicité envahissante et au risque de voir se diluer nos objectifs de formation.

Un programme déjà prospectif en 4ᵉ

Cette classe nous semble fondamentale : l'approche du choix, sans générer encore trop d'anxiété, mobilise suffisamment les élèves pour nous permettre de travailler avec eux :

— à la poursuite de l'élaboration d'une grille d'analyse et de réflexion critique de la réalité socio-professionnelle ; approche impressionniste en 6ᵉ, exploration approfondie en 5ᵉ, la tâche pédagogique consiste, en 4ᵉ, à systématiser les descriptions des professions de façon à mettre en évidence des caractéristiques plus abstraites et peu abordées spontanément par les enfants plus jeunes : exigences, compétences et connaissances requises, diplômes et niveaux de qualification, conditions de travail ;

— à l'amorce d'une réflexion pour un projet personnel : l'analyse du monde professionnel doit maintenant donner lieu à l'examen des préférences personnelles des adolescents. Ces préférences apparaissent spontanément au cours des rencontres en 6ᵉ et 5ᵉ (rejets ou engouements pour certaines professions exprimés lors des projections ou des visites) ; il s'agit, en 4ᵉ et 3ᵉ, d'en favoriser l'émergence et l'exploration ;

— à la prise de conscience et au jalonnement d'une perspective temporelle future. Difficile à aborder lorsque l'enfant est trop jeune, cette notion de temporalité doit être la toile de fond de la réflexion pour un projet personnel.

Le futur est en effet l'espace des constructions motivationnelles et des projets, « le chantier du progrès humain » (Belisle et Baptiste, 1978). L'expérience professionnelle quotidienne nous sensibilise aux problèmes inhérents à la perception de l'avenir, et plus précisément aux limitations et à l'imprécision de l'horizon temporel chez certains adolescents, même en instance d'orientation. Les recherches récentes de Nuttin (1980) sur la perspective temporelle future confirment l'inégalité de son extension et de sa structuration en fonction de l'âge, du niveau scolaire et des différences socio-économiques, inégalité qui peut faire du futur, pour certains, le domaine des possibilités créatrices, et pour d'autres, celui des attentes passives, de l'incertitude et de la résignation.

Restituer à la perspective temporelle future sa fonction constructive, au sens où l'entend Nuttin, c'est-à-dire aider le sujet à percevoir le lien entre un objet-but dans l'avenir et des moyens de réalisation dans le présent pour y parvenir, devrait être pour le conseiller non pas une évidence qu'on n'interroge plus... mais un souci permanent dans sa démarche d'accompagnement de l'adolescent vers un projet personnel.

Thème de travail 1 : descripteurs des professions et critères de regroupement

a. *Exercice de mise en évidence : le jeu des 40 professions.*

Cette technique empruntée fidèlement à l'approche A.D.V.P. sera exploitée ensuite dans une perspective cognitive correspondant à nos objectifs.

1er temps : production — exploration. Les élèves proposent une profession à tour de rôle. Un volontaire les écrit au tableau. Il s'agit de solliciter une production aussi riche et diversifiée que possible. Lorsqu'une quarantaine de professions sont inscrites, l'animateur choisit l'une d'entre elles sans la nommer. Le groupe a maintenant pour tâche de deviner en cinq questions, quelle est la profession choisie.

2e temps : cristallisation-critères. Le groupe pose la première question, l'animateur répond par oui ou par non et efface toutes les professions n'appartenant pas à la même catégorie que la profession choisie. Et ainsi de suite jusqu'à ce que le groupe devine la profession. Il s'agit donc pour les élèves de chercher des critères de regroupement aussi larges que possible et d'affiner ces critères au fur et à mesure de la progression de l'exercice.

b. *Exploitation possible : l'analyse des critères.*

Cet exercice permet de mettre en évidence, dans la production spontanée des élèves, la prégnance de traits descripteurs très souvent stéréotypés et simplificateurs (exemples de critères dichotomisés : métiers manuels / métiers intellectuels ; métiers masculins / métiers féminins) ou trop centrés sur la perception immédiate d'une activité concrète et partielle dans la profession (métiers assis / métiers debout ; métiers dedans / métiers dehors). D'autre part, corollaire de cette prégnance, apparaît la méconnaissance des caractéristiques abstraites (fonctionnaires / secteur privé ; fabrication / commercialisation ; responsabilité / exécution).

La possibilité d'approfondissement est fonction du matériel proposé par le groupe (professions et critères évoqués). Ce matériel permet de saisir certaines avenues pédagogiques :

- nouvel apport d'informations ou d'explications ;
- travail complémentaire en auto-documentation par petits groupes ;
- débats de réflexion sur des thèmes choisis ;
- enfin, exercices systématiques de classification ou d'ordination des professions selon des critères proposés.

Thème de travail 2 : diversification des choix professionnels des filles

Ce thème de travail est abordé en collaboration avec le professeur de lettres et le professeur de sciences physiques. Il nécessite un contrôle aussi étroit que possible des actions car il ne s'agit pas seulement ici de l'acquisition d'un savoir mais de l'élaboration d'un outil critique susceptible d'entraîner une remise en question des stéréotypes, des attitudes et des mentalités sur ce sujet. L'évaluation comportera un questionnaire avant-après et une étude qualitative à partir de l'analyse de contenu d'entretiens semi-directifs avant-après. Ce n'est qu'à cette condition de prudence et de rigueur que l'on peut conduire le programme d'intervention présenté ci-dessous.

a. *Exercice-point de départ : la décentration affective.* L'objectif est d'amener les élèves à réfléchir sur un problème proposé sans qu'une trop grande implication affective ne vienne bloquer le partage.

Le déroulement : l'animateur propose le thème de discussion (le choix professionnel des filles) et définit, sur ce thème, deux thèses radicalement opposées :

1. il y a des métiers d'hommes et des métiers de femmes ;
2. les femmes peuvent exercer tous les métiers.

Le groupe-classe est partagé arbitrairement en deux sous-groupes, quelle que soit l'opinion personnelle des élèves sur ce sujet. Chaque sous-groupe doit défendre l'une des thèses en cherchant des arguments valables pour la soutenir. L'animateur, professeur ou conseiller, veille à la conduite du groupe : prise de parole, écoute, aide à la formulation, reformulation. Il n'intervient pas sur le fond.

Il est possible de changer de thèse dans chaque sous-groupe pour une deuxième partie du débat. Ceci sollicite une nouvelle production d'arguments et permet à chacun de se décentrer par rapport à sa propre opinion, voire conviction.

Chaque participant exprime ensuite les sentiments et les difficultés qu'il a éprouvés au cours de l'exercice de décentration affective.

b. *Exploitation possible :* au niveau du contenu, cet exercice introduit le programme d'interventions élaboré dans un objectif de diversification des choix féminins et qui comprend par ailleurs :

- une visite de lycée d'enseignement professionnel industriel préparée, organisée, réalisée et exploitée en collaboration avec le professeur de sciences physiques ;
- la projection de films ou de diaporamas suivie d'un débat coanimé par le professeur de français et le conseiller ;

▪ l'interview d'anciennes élèves du collège, scolarisées maintenant dans l'enseignement technologique (sections F et BEP industriels).

▪ l'étude, en cours de français, d'ouvrages choisis permettant des débats et une réflexion sur le thème du travail féminin et des attitudes, des stéréotypes et des valeurs qui s'y rattachent dans notre société.

Au niveau de la technique, des variations pédagogiques à partir du même principe de décentration affective permettent d'aborder d'autres thèmes impliquants : études longues ou études courtes ? études générales ou études technologiques ? importance de la vie professionnelle et des loisirs, etc. L'exercice peut constituer la préparation pour une recherche systématique d'informations sur le terrain ou au centre de documentation en vue d'aiguiser les arguments.

Thème de travail 3 : perspective temporelle future et projet personnel

La phase de spécification à l'approche d'un choix d'orientation, c'est à la fois la prise en compte de la réalité extérieure — scolaire, institutionnelle, socio-économique — et des nécessités de l'enchaînement temporel des paliers, des décisions successives et des formations.

La mise en évidence de l'imprécision de la perspective future chez l'adolescent de la classe de 3ᵉ, par une approche méthodologique basée sur une analyse de contenu d'entretiens individuels et sur la *méthode d'induction motivationnelle* de Nuttin (1980) — dont ce n'est pas l'objet ici de présenter le déroulement — nous a conduit à préciser nos objectifs pour notre pratique professionnelle en fin de classe de 4ᵉ.

Il est nécessaire de donner à l'adolescent, au moment où il aborde le palier d'orientation de la 3ᵉ, des points de repère, sorte de jalonnement de l'espace-avenir. L'adolescent ne pourra en effet saisir les implications de chaque choix potentiel que s'il perçoit clairement la dimension d'enchaînement temporel inhérente. Dans ce premier temps de la préparation à la phase de spécification, il semble donc nécessaire de poser nettement le cadre de l'orientation : il s'agit d'aider l'adolescent à comprendre, puis à visualiser et mémoriser les voies essentielles du second cycle long et court, avec leurs options, leurs diplômes, leurs passerelles et réorientations, et d'en repérer le déroulement dans le temps. Une pédagogie active de l'information, parce qu'elle implique les élèves dans la tâche, semble souhaitable : par exemple, *confection matérielle d'un grand tableau du second cycle long et court,* sur un mur de couloir ou de classe, avec papier, carton et peinture, par les élèves en fin de classe de 4ᵉ ; *préparation de dossiers d'information* par petits groupes d'élèves, sur des thèmes précis à partir des documents habituels, avec mise en évidence des séquences : études, diplômes, orientations ultérieures, entrée dans la vie active.

Ce sera l'amorce de la phase de spécification qui va consister à aider l'adolescent tout au long des rencontres collectives de 4ᵉ, puis des entretiens individuels de 3ᵉ, à prendre conscience du cheminement nécessaire qui va du désir flou et vague, encore proche du rêve, et pour un avenir éloigné, à l'intention en train de s'inscrire dans les contraintes de la réalité, jusqu'à un projet clair et précis qui est déjà passage à l'acte dans un futur immédiat.

Une démarche individuelle en 3ᵉ

La classe de 3ᵉ est essentiellement consacrée à la spécification d'un choix, et elle est surtout individuelle.

L'imminence de la procédure institutionnelle de l'orientation contraint à une focalisation sur l'analyse de la réalité immédiate de l'orientation :
— le processus : modalités, déroulement, instances et acteurs ;
— le champ des orientations possibles dans le second cycle et en apprentissage ;
— les disciplines nouvelles du second cycle.

L'orientation en fin de classe de 3ᵉ, pour les élèves d'un même groupe-classe, peut être :
— soit une orientation déjà professionnelle donc très précise et, pour beaucoup, irréversible : lycées d'enseignement professionnel et apprentissage ;
— soit une orientation préprofessionnelle, encore relativement ouverte (sections technologiques du second cycle long) ;
— soit une orientation scolaire, donc en fait amorcée seulement et différée (enseignement général du second cycle long).

Chaque projet d'élève, chaque stratégie se différencie sur la dimension temporelle et sur la dimension corollaire d'ouverture du champ des possibilités ultérieures.

Ces différences potentielles font des élèves de 3ᵉ un public disparate dont la zone commune d'intelligibilité et d'investissement est réduite : notre intervention devra donc très vite s'individualiser. Et c'est dans une relation personnelle avec le conseiller, par une approche progressive des données, que peuvent prendre sens, pour l'adolescent, des notions aussi abstraites que :
— le risque, la probabilité et l'incertitude qui font de chaque orientation une stratégie de jeu ;
— les implications successives des choix à venir.

Construire un projet éducatif cohérent pour dépasser les pratiques empiriques et intuitives de l'éducation des choix constitue un chantier passionnant d'interrogations théoriques et de tâtonnements pédagogiques quotidiens. Ce chapitre est le témoignage d'une longue recherche personnelle pour comprendre les fondements et les objectifs de l'A.D.V.P. et pour en adapter les modalités techniques au niveau du collège français. Il nous faut maintenant compléter les évaluations québécoises par l'étayage de vérifications expérimentales dans notre système scolaire.

S'il y a apparemment, dans cette présentation, substitution d'une technicité à une autre, il y a fondamentalement, avec l'A.D.V.P., un changement de perspective et d'attitude, une autre façon d'envisager la problématique de l'orientation qui fait de la profession de conseiller une pratique au service de l'individu. Parce que l'évolution rapide des qualifications et des emplois, des mentalités et des comportements, rend illusoire une pratique évaluative et ponctuelle du conseiller d'orientation, il devient nécessaire de préparer l'adolescent à assumer lui-même, maintenant et plus tard, la compréhension des termes de son propre problème d'orientation.

La place privilégiée qu'accorde l'A.D.V.P. au champ de la connaissance de soi et au développement de la personne dans son intentionnalité et sa signification constitue pour nous l'apport essentiel de l'A.D.V.P. Il faut y articuler, dès les premiers choix de l'institution scolaire, dans une cohérence éducative pour un « savoir-devenir », l'ouverture sur les réalités sociales et professionnelles, sur la perspective dynamique des métiers et la mouvance du monde du travail.

RÉFÉRENCES

BELISLE, Claire et Alain BAPTISTE, : *Le photolangage,* Éditions du Chalet, 1978.
DUNER, Anders : Recherche sur le développement de l'individu : choix pédagogique et professionnel, *Communication au Conseil de l'Europe,* juillet 1977.
LACHAUD, Bernard et Jacques RONGIERAS : Autoscopie et dessin relationnel, *Communication — expression n° 5,* CNDP Bordeaux, s.d.
NUTTIN, Joseph : *Motivations et perspectives d'avenir* — Presses Universitaires de Louvain, 1980.
SUPER, Donald : Communication dans l'information scolaire et professionnelle, Faculté des sciences de l'éducation, Sherbrooke, 1973.

Chapitre **2**

L'A.D.V.P. et les nouvelles pratiques des conseillers d'orientation en France

Robert Solazzi

Nous voudrions présenter ici un panorama des nouvelles pratiques des conseillers d'orientation qui se développent en France depuis 1975 et proches de l'A.D.V.P.

Nous n'avons ni la prétention d'en faire un « bilan » ni celle d'être « exhaustif » ; en effet, ces pratiques n'ont pas encore fait l'objet d'un inventaire systématique, pas plus que de rapports ou d'études.

Les conseillers n'ont guère le temps d'écrire, malheureusement ; lorsqu'ils l'ont, ils conservent pudiquement leurs travaux comme s'ils se sentaient à la fois indignes de les publier et victimes du « modèle scientifique » originel (Latreille, 1979) qui exigerait, semble-t-il, des tableaux de chiffres et des corrélations statistiques pour rendre leur texte crédible.

Nous ne relaterons ici que les nouvelles pratiques dont nous avons eu connaissance lors de rencontres professionnelles, de sessions de formation continue sur l'A.D.V.P., mais aussi à partir de documents rédigés par des conseillers d'orientation avec lesquels nous sommes en relation depuis notre première rencontre avec Denis Pelletier en 1975, rencontre organisée à l'Institut de formation de conseillers de Lyon à l'initiative de la directrice Geneviève Latreille.

Il s'agit d'un « réseau informel » d'une centaine de conseillers, en majorité originaires des régions Rhône-Alpes, Bourgogne et Franche-Comté, dont un bon nombre se sont retrouvés en octobre 1981 à Lyon avec Denis Pelletier et Raymonde Bujold, justement pour analyser leurs nouvelles pratiques proches de l'A.D.V.P., leurs réussites et leurs difficultés.

Ces dernières sont nombreuses et il nous paraît nécessaire de nous y attarder quelque peu, non pour inciter au découragement, mais pour les repérer de manière à pouvoir imaginer les moyens de les effacer.

Ces difficultés peuvent être classées sous quatre rubriques :
— matérielles et financières
— administratives
— psychologiques
— théoriques et idéologiques.

DIFFICULTÉS D'ORDRE MATÉRIEL ET FINANCIER

Ce qui manque le plus aux conseillers d'orientation, *c'est le temps !* Comment ajouter de nouvelles interventions, les élaborer et les évaluer, alors que le temps disponible n'existe pas compte tenu du petit nombre de conseillers relativement aux tâches à accomplir ? De plus, ce temps peut être réparti en séquences courtes sur une longue période ou longues sur peu de jours... Les emplois du temps scolaire, qui ne prévoient pas d'horaire réservé au conseiller, sont rigides et demandent, pour être assouplis, une période de négociation avec le corps enseignant très absorbante et pour une issue incertaine ! Seuls des conseillers bien implantés dans un établissement scolaire peuvent obtenir des conditions temporelles valables.

Un autre problème : *les locaux scolaires* traditionnels sont mal adaptés aux activités A.D.V.P., comme s'ils avaient été conçus pour le seul travail individuel, intellectuel et silencieux...

Ils ne permettent guère, sauf exception, des activités d'expression corporelle, bruyantes ou en petits groupes.

On touche du doigt les liens entre l'architecture et la pédagogie... Il est plus facile de trouver en dehors des locaux scolaires des conditions matérielles favorables, mais se posent alors des *problèmes financiers redoutables,* en particulier pour les interventions de longue haleine (sur 2 ans, par exemple, dans le cas de groupes d'orientation créateurs d'entreprises) avec de nouveaux milieux moins familiers aux conseillers : étudiants immigrés, chômeurs, jeunes marginalisés.

Il y a peu, la recherche en orientation éveillait encore crainte et scepticisme. Heureusement, l'évolution actuelle devrait permettre à ces actions expérimentales d'obtenir les moyens financiers indispensables à la mise en œuvre de recherches sérieuses.

DIFFICULTÉS D'ORDRE ADMINISTRATIF

Les services d'orientation intégrés complètement dans le ministère de l'Éducation nationale résistent mal à deux pressions :

— d'une part, celle du « phénomène bureaucratique » inhérant à toute entreprise aussi nombreuse et hiérarchisée ;

— d'autre part, celle liée à leur « jeunesse », à leurs petits effectifs associés à l'incertitude qui règne sur leur mission (Latreille, 1973). En particulier, l'obligation souvent affirmée de « couvrir un secteur scolaire », de « prendre en charge un établissement », les modalités d'évaluation de l'activité d'un conseiller, les limitations bureaucratiques et financières des déplacements du personnel, quelle que soit la bonne volonté des partenaires en présence, limitent les initiatives nouvelles et les changements dans les pratiques professionnelles.

DIFFICULTÉS D'ORDRE PSYCHOLOGIQUE

Elles peuvent être la conséquence des problèmes soulevés dans les points précédents et le conseiller se sent dépassé, écrasé, impuissant... Il y a aussi son isolement, la peur du risque, le sentiment d'incompétence, la déception et le scepticisme qui se généralisent relativement à l'efficacité des « nouveautés ». À quoi bon ?... Quelle représentation je me fais de mon métier ? Mais ces difficultés peuvent être compliquées (et faire échouer toutes les tentatives de changement du conseiller) par les représentations et les stéréotypes véhiculés par ses partenaires : il n'est pas évident que les professeurs soient prêts à céder des heures de cours, les élèves à s'intéresser aux séances proposées, les parents à les considérer comme plus efficaces... Ses interlocuteurs se font toujours une certaine idée de son rôle et l'on a vu des associations de parents exiger des « tests collectifs » plutôt que des activités « d'exploration » !

Le « testeur » contre « l'éducateur »... D'autres considèrent le conseiller comme un « ordinateur » interconnecté à des banques de données qui se doit de fournir une réponse immédiate apparemment satisfaisante et « fiable » !

« L'ordinateur » contre « le conseiller »...

Que dire du scepticisme de l'administration et des gestionnaires ? Il est évident. Mais si, d'aventure, un inspecteur des services d'orientation propose l'A.D.V.P. à des conseillers, ce sont eux qui, à leur tour, se montrent dubitatifs et méfiants... Comme quoi, tout changement commence d'abord par un dérangement.

DIFFICULTÉS D'ORDRE THÉORIQUE ET IDÉOLOGIQUE

Notre tendance à « l'évaluation » est si ancrée dans nos habitudes, que « l'exploration » se trouve souvent escamotée et superficielle, entraînant alors le rejet de l'approche A.D.V.P. sans examen ni expérimentation.

On trouve que « ça manque de bases théoriques », qu'on attache trop d'importance au « processus », que « ça rappelle trop les petits jeux de l'école maternelle », que les dimensions « sociologiques et économiques » sont gommées, etc.

Pourquoi passer autant de temps, dépenser autant d'énergie, de toute façon, il y aura le chômage au bout ! L'A.D.V.P. est un leurre, elle va mettre des illusions dans la tête des gens, laisser croire que la lutte des classes n'existe pas... Et puis, quelle validation, quelle validité ? N'est-ce pas un *patchwork* de théories ? Et au bout du compte, ne sait-on pas que personne ne choisit vraiment ? Peut-être enfin que le plus difficile, comme l'écrivait Bernard Poisson en conclusion à la dernière rencontre d'octobre 1981 à Lyon, c'est le deuil du Père Noël :

> Le conseiller d'orientation n'est plus le Père Noël dont la hotte à métiers pouvait offrir à chaque élève plusieurs propositions d'orientation. Ces temps sont révolus. En attendant, l'orientation est plutôt la gestion des incertitudes, des contradictions, des ambiguïtés.

Mais alors, est-ce l'impasse ?

On pourrait le croire, devant tant de difficultés souvent accumulées ! Malgré tout, quelque chose bouge, se met en marche dans le monde des conseillers d'orientation...

À Bordeaux, dès 1975, plusieurs firent le voyage pour étudier sur place, et comparer leurs pratiques à celles de nos « cousins canadiens » ; des expériences démarrèrent, ainsi que des travaux théoriques (cf. Bernadette Dumora).

À Paris, curieusement, le démarrage fut beaucoup plus tardif malgré les efforts de quelques conseillers demeurés longtemps isolés.

À l'initiative du ministère de l'Éducation nationale, des « missions » furent organisées et offertes aux échelons hiérarchiques les plus élevés.

À l'Institut de formation de Lyon, les étudiants prennent contact avec l'A.D.V.P. depuis 1975, en plus du programme officiel ; certains expérimentent même de nouvelles pratiques dans le courant de leurs études, et plusieurs mémoires ont été déjà rédigés sur cette approche.

Peu à peu apparurent des sessions dans les Instituts de formation initiale mais aussi de formation continue, et ce, dans bon nombre de régions de France. Des articles parurent dans les revues professionnelles (*L'orientation scolaire et professionnelle ; Le bulletin de l'ACOF*), ainsi que des écrits où les conseillers consignèrent leur pratique, pour eux-mêmes d'abord, afin d'y voir plus clair, pour leurs collègues ensuite, afin de confronter, d'améliorer, d'en tirer des conséquences, peut-être même des thèmes de recherches plus approfondies.

L'inventaire qui va suivre veut témoigner de ce changement, de ce développement des nouvelles pratiques d'orientation. Nous avons retenu celles qui nous semblaient les plus proches de l'A.D.V.P.

Nous avons aussi conscience des imperfections, limites et omissions, de cette première exploration. Que les collègues oubliés nous pardonnent et nous fassent part de leurs critiques et de leur expérience en ce domaine, même s'ils jugent celle-ci insuffisante, ratée ou incomplète.

LA NAISSANCE DE NOUVELLES PRATIQUES

Des essais ponctuels souvent vite abandonnés

Tant est grand le désir de renouvellement, eu égard aux déceptions passées, qu'un peu partout en France des essais ponctuels ont lieu, au hasard d'une lecture d'article dans une revue, du premier ouvrage sur l'A.D.V.P., d'une session de formation, ou d'une rencontre avec un collègue à l'occasion d'une mutation d'un centre d'orientation à un autre.

Mais pour les raisons signalées plus haut, ces essais demeurent le plus souvent sans lendemain, le temps d'un mirage en quelque sorte.

Des interventions ponctuelles et complémentaires

Sans rien changer de leurs pratiques habituelles, des conseillers introduisent, par exemple, la méthodologie mise au point par Michel Garand ; d'autres ajoutent, pour les élèves de 3e, une ou deux séances construites spécifiquement ; parfois même le conseiller crée un *Club orientation* dans un foyer socio-éducatif à l'intérieur d'un collège (C.I.O.* Amberieu).

Ces interventions ponctuelles, limitées, lorsqu'elles sont analysées et intégrées constituent un point de départ très intéressant.

C'est ainsi que Claire Lahaye, conseillère d'orientation à Chalon/Saône, présente ses interventions :

---

* Centre d'information et d'orientation.

Je ne suis pas ce qu'on peut appeler une praticienne de l'A.D.V.P.... D'une manière très classique, je fais dans chaque classe de 3ᵉ, de novembre à janvier, trois séances collectives de deux heures chacune.

La 1ᵉʳᵉ séance est destinée *« à faire réfléchir les élèves sur les déterminants de l'orientation à partir d'un exemple imaginaire ».* *La recherche s'effectue en petits groupes avec plusieurs phases et se poursuit par deux exercices écrits qui peuvent être emportés et terminés à la maison.*

La 2ᵉ séance consiste à passer des tests ; à la fin de cette séance, il est proposé aux élèves un travail de recherche documentaire destiné à préparer la 3ᵉ séance, dite d'information. Au cours de cette séance, les élèves se retrouvent en petits groupes de 4 et sont aidés par le conseiller et le professeur principal de la classe.

Je pense que ce travail très classique est assez loin de l'esprit et des méthodes A.D.V.P. beaucoup plus élaborées que pratiquent certains collègues. Mais il m'intéresse et ne me convient pas mal pour le moment et, comme disait Denis Pelletier à Lyon en octobre, « l'essentiel, ce n'est pas d'être un **bon** conseiller d'orientation, mais d'être **bien** en conseiller d'orientation.

Des interventions programmées en milieu scolaire

Elles précèdent ou accompagnent les activités coutumières du conseiller en classe de 3ᵉ et se présentent sous des formes diverses :
— horaires banalisés et programmation progressive (Grenoble) ;
— 12 à 15 heures de séances par demi-classe, étalées dans le temps (Lyon).
Par exemple, le C.I.O de Montceau-Les-Mines présente ainsi la séquence :
— 1ᵉʳᵉ séance centrée sur le thème « Mon avenir ? » ;
— 2ᵉ séance sur « Mieux se connaître » ;
— 3ᵉ séance sur « Les métiers »,
tandis que François Perron du C.I.O. d'Autun construit sa progression sur 5 séances :
1. sensibilisation, prise de contact ;
2. les déterminants de l'orientation ;
3. le Jeu de l'Île déserte ;
4. tout ce qui peut influencer l'avenir de quelqu'un ;
5. mes préférences personnelles dans le choix d'un métier.
Cependant, des inconvénients apparaissent, et Bernard Poisson (Montceau-Les-Mines) explicite ainsi sa démarche :

« L'orientation, au niveau des « paliers » (3ᵉ, 5ᵉ), se fait toujours de façon ponctuelle, en étant largement déterminée par des facteurs tels que réussite scolaire, nombre de places dans les sections... sur lesquels notre capacité d'intervention ne se situe guère qu'au niveau de la synthèse des données. Pour compenser cela, il nous a paru important d'intervenir d'une façon plus « éducative » auprès d'élèves de 4ᵉ disponibles, car non soumis à un choix dans le court terme. Les élèves de 3ᵉ sont surtout désireux d'informations sur les filières et le processus pour régler un choix proche dont ils ne mesurent pas toujours les conséquences. Il s'agira donc d'une étape préalable visant surtout à donner des idées. À ce niveau-là, il ne sera jamais question d'élaborer une orientation scolaire ou professionnelle précise.

Le modèle A.D.V.P. a paru répondre à nos réflexions et à nos objectifs, d'où une tentative d'utilisation auprès des élèves de 4ᵉ.

En un premier temps, nous avons collecté et lu la documentation parue à ce jour : livre et dossiers d'orientation de Pelletier et Noiseux, compte rendu des expériences de Garand, notes de stages sur l'A.D.V.P....

Quant à notre intervention proprement dite, elle devrait tenir compte :
— de la nature de la population scolaire concernée : collégiens peu habitués à une pédagogie active ;

— de l'originalité de la démarche A.D.V.P. : exercices exploratoires, activités individuelles ou de groupes, aide à la maturation, nécessitant plusieurs interventions à intervalles réguliers.

Nous avons donc décidé d'effectuer 6 séances d'une heure : compromis entre nos choix d'interventions dans le cadre du plan d'activité, celles exprimées par les collèges au cours de la négociation avec les chefs d'établissement et le souhait d'un minimum d'efficacité. Elles se sont réparties sur les mois de novembre, décembre et janvier, période la plus adaptée à notre calendrier de travail. Compte tenu des emplois du temps scolaires, il n'a pas été possible d'organiser cette année des séances par demi-classe. Elles ont donc regroupé en moyenne un effectif de 24 élèves chaque fois.

L'intervention a concerné 4 collèges (sur les 5 du secteur), soit 21 classes, à raison de 6 par conseiller (6 + 6 + 6 + 3). Au total : 126 séances concernant 452 élèves de 4e. Nous pensons poursuivre ce travail en 3e, chaque conseiller conservant en 3e les (mêmes) élèves pris en charge cette année. Nous essaierons par des méthodes identiques de préparer en particulier le choix d'orientation à travers des exercices plus spécifiques, adaptés à ce nouveau contexte.

Nous avons choisi, dans le dossier d'orientation de Pelletier-Noiseux, un certain nombre d'exercices assez structurés, accessibles au mode de pensée des élèves, pas trop éloignés de la réflexion sur les métiers et l'orientation, et laissant autant que possible une trace écrite.

Trois thèmes directeurs, regroupant deux séances chacun, ont été retenus :
▪ Que signifie réfléchir à l'avenir ? en général ? plus individuellement ?
▪ Comment parvenir à se mieux connaître ?
▪ Comment apprendre à réfléchir sur les métiers ?

De son côté, Michel Garand (C.I.O. St-Jean-De-Maurienne) présente ainsi son travail avec les élèves de 4e :

Objectifs 1. Objectifs « Instrumentaux »
Il s'agit de développer chez l'élève l'attitude exploratoire, c'est-à-dire :
— sensibiliser au problème de l'orientation ;
— rechercher la prise en charge par l'élève ;
— l'« instrumenter » dans le sens donné par Pelletier à cette notion, soit lui donner un savoir-faire, lui apprendre à rechercher, trier, sélectionner les informations qu'il peut obtenir sur lui et le milieu.

    2. Objectifs de contenus
Fournir à l'élève des informations sur lui et le monde du travail, sur les relations vie personnelle — vie professionnelle.
— Les objectifs « instrumentaux » sont prioritaires sur les objectifs de contenus. Les objectifs de contenus ne sont que matière à développer chez l'élève l'attitude exploratoire dynamique.
— Les exercices ou jeux proposés à l'élève se rapporteront donc à la phase d'exploration décrite par Pelletier. À la fin de l'année, on aborde la phase de cristallisation. (Pour plus de précisions sur ce que « explorer » ou « cristalliser » signifie, se rapporter à l'ouvrage de Pelletier, Noiseux et Bujold, *Développement vocationnel et croissance personnelle*.)

Moyens et organisation matérielle. 1. *Période :* étalement maximum sur toute l'année scolaire, la notion de temps n'étant pas secondaire pour l'A.D.V.P. Il s'agit d'activer, d'accompagner, accélérer un processus de maturation, d'avoir en somme une attitude éducative ; il faut donc respecter des rythmes de maturation, « activer » ne pouvant vouloir dire « précipiter ».

L'expérimentation, menée auprès de deux classes de 4e d'un petit établissement (environ 250 élèves) débute fin novembre et s'achève fin juin.

    2. *Organisation matérielle.*
Les élèves constituent des équipes de 4 ou 5 membres, par affinités. Chaque équipe désigne un responsable qui aura charge du dossier constitué par chaque équipe. Ce dossier est fourni à l'équipe. Il comprend une chemise-dossier, des feuilles vierges et des fiches cartonnées.

Les élèves sont disponibles une heure par semaine pour venir suivre les activités proposées par le conseiller.

Pour l'expérimentation menée auprès des deux classes de l'établissement, chaque élève de 4e a la possibilité tous les jeudis de 14 h à 16 h de se rendre disponible pour participer aux activités proposées par le conseiller. Pour obtenir une telle disponibilité, il est bien sûr nécessaire de négocier dès fin juin avec le chef d'établissement afin qu'il aménage l'emploi du temps. Dans ce cas précis, il a été possible d'obtenir cette disponibilité sur des heures de travail manuel, en accord avec le professeur, c'est-à-dire que l'élève était parfois amené à sauter un cours de travaux manuels. Le professeur de travaux manuels ayant proposé aux élèves des réalisations personnelles à faire sur l'année, l'absence d'une partie de la classe ne constituait pas pour le déroulement de ses cours un handicap, disons même qu'au contraire cela permettait d'alléger l'effectif. »

Des programmes suivis « inter-niveaux » apparaissent également : de la 4e à la 3e (St-Étienne) ou même de la 6e à la 3e (St-Jean-De-Maurienne). Des essais de mise en œuvre sont en cours dans le département de l'Isère et même un programme très substantiel au C.I.O. de Vienne (J.-P. Vincent) pour les élèves de seconde dite de « détermination ».

Des interventions programmées et analysées en milieu scolaire

Bernadette Dumora en donne ici un exemple personnel très élaboré et nous voudrions citer le travail mené par le C.I.O. de St-Claude (Jura) dans un collège expérimental associant 4 professeurs et 2 conseillers d'orientation pour un programme annuel de 17 séances (une demi-journée tous les 15 jours pour 90 élèves). Voici l'analyse qu'en fait M. Besson, conseiller à St-Claude et qui nous paraît synthétiser nos propos précédents :

Une des difficultés qui se pose au conseiller d'orientation qui veut appliquer des méthodes actives dans sa pratique professionnelle est celle du temps. En effet, favoriser l'expression des adolescents demande un espace temporel suffisant ; pour être efficace, une réflexion a besoin de pouvoir faire des détours et donc doit disposer d'une certaine durée.

Une pédagogie basée sur l'expression ne peut s'accommoder d'une pédagogie de l'impatience. Compte tenu de la rigidité et du contenu des emplois du temps, il faut souvent beaucoup de négociations pour trouver des « créneaux ». Dans le cadre du collège expérimental des Rousses, ce problème a été levé puisque l'emploi du temps avait été pensé pour permettre de libérer un après-midi par semaine à tous les niveaux pour des activités optionnelles (ces activités étant très variées : artistiques, littéraires, scientifiques, manuelles.)

En classe de 3e, par quinzaine, ces activités optionnelles étaient consacrées à l'orientation. Dans l'esprit des auteurs de cette option, il s'agissait d'utiliser le problème d'orientation auquel chaque élève est confronté pour entreprendre une exploration du cadre socio-économique, point de vue qui a évolué par la suite. Le recours à des méthodes inspirées par l'A.D.V.P. nous* ont fait, dès le début, prendre conscience que l'exploration n'existe qu'à travers des individus explorants et que la dimension personnelle était essentielle.

Nous disposions donc d'une plage horaire avec liberté d'y mettre le contenu et la méthode qui nous paraissaient appropriés.

Le livre de Pelletier, Noiseux et Bujold (1974), *Développement vocationnel et croissance personnelle*, nous a fourni la référence méthodologique pour une progression des tâches à accomplir. Il nous a donné aussi des indications sur les techniques à utiliser, encore que nous ayons au cours des trois années écoulées de plus en plus créé nos propres instruments.

Il me semble intéressant d'essayer d'analyser, dans ces circonstances qui sont inverses de celles rencontrées habituellement en 3e, les avantages et les inconvénients d'une telle organisation.

Le bénéfice le plus important pour les animateurs a été, de l'avis général, la pluridisciplinarité. Ceci s'est traduit, au niveau des élèves, par un enrichissement des perspectives dans la mesure où ils ont pu faire le lien entre l'enseignement d'histoire-géographie et leur position dans cet environnement.

Cette pluridisciplinarité n'a été possible que grâce à un temps de concertation institutionnelle professeurs-conseillers.

Le second bénéfice a été de pouvoir envisager une démarche conséquente et de ne pas faire impasse sur des temps essentiels.

Cela nous a permis de faire entrer l'actualité dans notre démarche, en ce sens que, lorsqu'un événement important en rapport avec notre sujet apparaissait, nous l'étudions. (Nous avons, par exem-

---

* Nous, c'est-à-dire l'équipe constituée par les professeurs de sciences humaines sur l'horaire de qui ces séquences étaient prises, deux conseillers du C.I.O. de St-Claude, le principal adjoint et le documentaliste.

ple, recherché, à travers les journaux, comment une opinion s'élabore ; ceci a permis ensuite d'explorer « Comment se fait mon opinion ? »)

Un des dangers de cette démarche serait de vouloir planifier l'année, d'établir en quelque sorte un programme. Deux raisons s'opposent à cette organisation :

— planifier revient à établir un système tendant à être trop rigide. Le programme serait pensé entre animateurs en fonction d'une démarche répondant à notre logique mais non à celle des adolescents. Absence de programme ne veut pas dire bricolage au coup par coup, bien au contraire. Il apparaît essentiel d'avoir des objectifs précis, mais ces objectifs peuvent se matérialiser sous des formes très diverses selon les besoins manifestés et les opportunités de l'environnement ;

— ce serait aussi se refuser une certaine spontanéité et recréer un climat où un système se déroulant hors des personnes imposerait des actions ; ce serait contradictoire avec l'idée que l'élève doit investir son choix et s'y impliquer. Il nous paraît illusoire d'obtenir des élèves spontanés si les éducateurs trop engagés par un programme ne le sont pas eux-mêmes.

Si nous avons évité cet écueil, il est un autre obstacle que nous n'avons pas surmonté. Cette activité optionnelle regroupe une centaine d'élèves de 3e.

Il est évident que tous ne sont pas au même niveau de maturation et que la demande n'est pas homogène. Dans l'idéal, il faudrait pouvoir offrir à chacun une progression à la carte. Nous travaillons donc essentiellement au niveau de la majorité (si cela a un sens ?) des adolescents. Nous cherchons actuellement des activités et une organisation qui prendraient mieux en compte cette réalité.

Les activités de type collectif sont extrêmement précieuses en ce qui concerne les tâches d'exploration et certaines tâches de cristallisation. La spécification se faisant par implication très personnelle, le groupe devient peu opérant à ce niveau. Un risque serait donc de s'en remettre trop au groupe et de négliger l'aspect individuel.

La première année, nous avons consacré peu de temps aux contacts individuels ; nous avons par la suite incité les élèves à rencontrer les conseillers pour des entretiens. Par ailleurs, l'effet de groupe peut se révéler néfaste et masquer des difficultés : chaque individu dans le groupe semble avoir résolu les questions qui lui sont soumises mais cette apparence s'efface avec la dispersion du groupe. L'animateur peut avoir l'impression que les objectifs ont été atteints alors que ce n'est pas le cas des adolescents.

Nous avons ressenti très vite la nécessité d'une évaluation du degré de maturation atteint par les élèves. Cette évaluation est faite à deux niveaux : sondages au niveau des groupes et, individuellement par les retours que nous font les professeurs tuteurs (les professeurs tuteurs chargés de groupes de 10 élèves ont des concertations hebdomadaires avec leur groupe où ils analysent ensemble les problèmes rencontrés ; les questions relatives à l'orientation y sont abordées) et les entretiens élèves-conseillers, élèves-professeurs. Là encore, la concertation est indispensable.

Une activité pluridisciplinaire, engagée sur une année, peut faire perdre aux participants la perception nette des objectifs.

Parfois, certains élèves faisaient difficilement le lien entre des activités de type différent, notamment entre des activités centrées sur la personne et des activités d'exploration de l'environnement au sens large. Il a été nécessaire fréquemment de faire le point sur l'état de notre progression et de la resituer dans la progression générale.

Le champ des éléments à explorer et des tâches à accomplir étant très vaste, il a été possible de varier les activités et, à quelques cas près, l'attention et l'intérêt des élèves se sont révélés assez constants. Ayant noté qu'ils étaient plus engagés au cours des tâches centrées sur eux, qu'au cours des tâches demandant plus de décentration, nous avons eu recours à un système de balance entre les deux types de tâches. Ce n'est peut-être pas la meilleure solution mais elle permet de dynamiser notre action.

Ce catalogue d'observation des incidences que peuvent avoir la durée et le travail pluridisciplinaire sur une action d'orientation n'est pas exhaustif, il a comme seule ambition de faire le point sur quelques questions que nous nous posons. Pour nous conseillers, l'intérêt est multiple :

— impression de pouvoir aborder avec les élèves différents problèmes importants gommés dans d'autres conditions et possibilité de sortir du cadre scolaire ;

— satisfaction de la plus grande partie des élèves qui, tout en restant critiques, sont intéressés ;

— travail d'équipe entre éducateurs qui bénéficie à tous, les différentes approches nous faisant progresser vers une clarification de nos méthodes.

Tout cela nous donne envie de continuer. Par ailleurs, les professeurs avec qui nous travaillons en parlent dans les contacts qu'ils peuvent avoir avec leurs collègues, ceci peut enclencher des réflexions dans les établissements « traditionnels », et générer des ouvertures.

Pour ma part, c'est à partir de l'information recueillie au collège des Rousses que je bâtis mes interventions dans les autres établissements dont j'ai la charge.

Des interventions en milieu étudiant

Les nouvelles pratiques inspirées par l'A.D.V.P. ne concernent pas que les élèves du 1er cycle ou du début du 2e cycle. En effet, les conseillers interviennent aussi dans les cellules d'accueil d'information et d'orientation des universités.

Un peu partout des expériences sont tentées pour répondre aux demandes de plus en plus nombreuses d'étudiants souvent assez désemparés. Il est impossible d'en faire ici l'inventaire. Cela va de la mise en place de stages d'orientation dans le cadre d'enseignements optionnels (Lyon) à des modules d'orientation pour étudiants volontaires (G. Sautre-Metz) en passant par une U.V. (unité de valeur) d'initiation aux pratiques professionnelles pour étudiants de psychologie (Lyon). Il nous a semblé, ici encore, que la meilleure manière de présenter ces nouvelles pratiques sociales était de laisser la parole aux intervenants eux-mêmes.

La première initiative a été relatée par Geneviève Latreille (1979), au chapitre 16 de sa thèse de doctorat d'État intitulée « Conséquences pour l'aide à l'orientation profession-nelle : des diagnostics-pronostics aux recherches-actions à mener avec les intéressés ».

Comme on pourra le constater, elle ne fait pas référence à l'A.D.V.P. Il s'agit de l'abou-tissement pratique d'une démarche ayant suivi un cheminement théorique différent mais dont les objectifs, la méthodologie et l'intentionnalité nous apparaissent si voisins de ceux de l'approche A.D.V.P. que l'on saisit mieux le puissant intérêt qu'il y aurait à travailler dans le sens d'une synthèse nouvelle intégrant ces deux démarches.

C'est d'ailleurs ce qui nous avait décidé, Geneviève Latreille et moi-même, alors que nous réfléchissions ensemble à ce chapitre, un mois à peine avant sa mort, à en publier des extraits significatifs.

Nous pensons, maintenant, qu'il n'est plus possible de nous limiter à des extraits mais qu'il est nécessaire de faire connaître le texte intégral.

Le lecteur y découvrira combien l'auteur avait réussi à devenir « universitaire-ani-matrice » tout en demeurant en même temps « conseillère d'orientation ».

GENEVIÈVE LATREILLE

UNE TENTATIVE D'APPLICATION : UNE UNITÉ DE VALEUR D'INITIATION AUX PRATIQUES PROFESSIONNELLES POUR ÉTUDIANTS DE PSYCHOLOGIE.

Cette initiative s'est largement inspirée de ce qui se faisait depuis deux ans déjà dans la même université pour les étudiants de deuxième année d'économie, sous l'impulsion de H. Puel, spécialiste d'économie du travail. Profitant de ce que nous avions appris en collaborant avec lui, et par les enquêtes annuelles auprès des diplômés de psychologie pratique (notamment du fait que près du tiers encore en 1975 contribuaient à faire créer de nouveaux emplois), nous nous sommes efforcé d'imaginer un processus d'aide à l'orientation pouvant s'adresser collectivement à ceux des étudiants de psychologie qui se sentiraient concernés.

Nous avons donc annoncé en 1976, sans trop de publicité compte tenu des effectifs massifs de cette population, une unité de valeur optionnelle en la présentant aux étudiants comme suit :

Projet. 1. *Objectif :* aider les étudiants à s'informer, à réfléchir à leur projet professionnel et à leur vie extra-universitaire.

2. *Méthode :* alternance d'amphis (annoncés pour que ceux qui ne suivent pas l'U.V. puissent cependant en profiter) et de travaux de groupes (pour ceux qui préparent l'unité de valeur).

3. *4 grands axes :*

a. éventail des professions existantes pour les psychologues (qui les emploie ? avec quels statuts ? quelles attentes ?) ;

b. organisations syndicales et professionnelles (en général et dans le domaine des sciences humaines et sociales) ;

c. marché du travail en général et pour les spécialistes en psychologie dans la région et au-delà : chômage, recherche d'emploi ;

d. réflexion critique sur les pratiques professionnelles dans le domaine des sciences humaines et sociales.

Ceci avec le concours de personnalités extérieures (anciens étudiants, mais aussi avec ceux pour qui et avec qui travaillent habituellement les psychologues).

4. *Validations :* interviews d'une ou plusieurs personnes suivant l'un des axes ci-dessus ; ou : observation personnelle d'un professionnel en activité ; ou : étude d'un besoin auquel on pense que des psychologues pourraient répondre...

Participation. Quatre-vingt-deux étudiants se sont inscrits dont 67 ont réellement participé plus ou moins régulièrement aux séances hebdomadaires de 2 h, ou aux séances extraordinaires en dehors de cet horaire avec des publics plus larges ; 54 ont présenté des travaux pour la validation finale.

Un tiers des étudiants de 1re année, la moitié des étudiants de 2e année, quelques étudiants de licence ont participé. Une écrasante majorité féminine. Âges aussi variés que les origines scolaires : de 18 à 49 ans, toutes les séries de baccalauréat dont l'électronique, plus l'examen spécial d'entrée en université. Une douzaine seulement de participants n'ont jamais exercé d'activité salariée. Certains reprennent des études après plusieurs années de travail professionnel puis s'arrêtent pour raisons familiales. Une vingtaine ont essayé d'autres études : des mathématiques à l'italien en passant par les sciences naturelles, l'histoire, la musique, la médecine ou l'éducation physique.

Après leurs premiers échanges ils se décrivent eux-mêmes comme étant là (par ordre d'importance numérique) :

— « souvent en attendant d'aller ailleurs » ;

— « parce qu'ils n'ont pu aller ailleurs ou y rester » ;

— « parce que la psychologie a la réputation d'être plus facile » ;

— (pour une minorité) « parce qu'ils pensent que la psychologie les intéressera et qu'ils veulent devenir psy ».

Attentes, attitudes et représentations. Moins du quart disent avoir un projet précis (pas forcément en psycho), le double n'en avoir aucun ou quelque chose de « très vague ». On attend de l'U.V. « toutes informations utiles » sur « les études de psychologie, les débouchés, les métiers existants ou à créer, les carrières dans le public et dans le privé, les formations à l'étranger »... mais aussi « des contacts avec tel ou tel professionnel », « une réflexion sur ce qu'est la psychologie, l'utilité de telle ou telle fonction » et les « grands problèmes humains » ! Certains expriment plus directement leurs difficultés et appellent à l'aide pour le « choix de leurs U.V. » ou même pour « trouver à servir à quelque chose dès cette année ».

Cette première exploration avait été faite par un questionnaire individuel anonyme rempli le premier jour. Elle fut complétée après renvoi au groupe de cette image, par des discussions en petits groupes lors de la 2e séance d'où nous avons tiré le texte ci-dessous remis à tous les participants.

« Perception de l'univers professionnel

« L'étendue du champ de perception des réalités du travail est variable mais relativement limité. L'établissement d'une liste de « métiers aussi différents que possible » permet d'évoquer (dans l'ordre) : institutrice, garde-forestier, boucher, ministre, décorateur, pharmacien, garagiste, militaire, professeur, cantonnier, plombier, antiquaire, chômeur, étalagiste, pédicure, avocat, conducteur d'autobus, paysagiste, coiffeur, tailleur, serrurier, boulanger, assistante sociale, comédien, journaliste, mineur, musicologue, dragueur de mines, dévideuse noueuse, éboueur, chorégraphe, mère de famille, fossoyeur...

« On constate aussi une grande diversité de la manière de classer ces différentes activités : intellectuelle / manuelle ; intérieur / extérieur ; propre / sale ; artistique / technique ; artisanat / profession libérale / artiste / administration / ouvrier ; primaire / secondaire / tertiaire ; cols blancs / cols bleus ; métiers de bouche / métiers de la santé...

« On s'interroge alors sur ce que c'est qu'un métier pour chacun d'entre nous et sur les sources que nous connaissons d'information sur les métiers et professions. Outre les publications de l'O.N.I.S.E.P.

et *Avenirs,* premières citées, on évoque les contacts directs ou par des organismes professionnels (chambres de métiers, de commerce...) les recensements, codes et résultats d'enquêtes consultables à l'Observatoire économique de l'I.N.S.E.E.*, diverses ressources genevoises, notamment le Bureau International du Travail... les dictionnaires de métiers, codes ou répertoires du C.E.R.E.Q. ou du ministère du Travail (R.O.M.E.)**.

« Il a paru alors intéressant d'entreprendre l'exploration des activités professionnelles existantes ou possibles à partir des problèmes rencontrés par les uns ou par les autres, et ceux que soulèvent les journaux, hebdomadaires que nous lisons. Après constitution en petits groupes pour un premier choix de ces « questions posées aux psychologues », on évoqua en grand groupe successivement à propos :

« DES ANNONCES (et agences) MATRIMONIALES : que signifie, psychologiquement et socialement, ce type de démarche ? Les agences emploient-elles (peuvent-elles, doivent-elles employer) des psychologues ? Dans quel but (diagnostic, thérapeutique...) ? Des ordinateurs (mais qui les programme) ?

« DE L'HÔPITAL : on soigne le mal sans, apparemment, toujours beaucoup d'attention pour les personnes. Le psychologue ne pourrait-il avoir un rôle à l'accueil ? Un rôle d'écoute, auprès des hospitalisés, de leurs familles ? Un rôle de conseil auprès des autres personnels hospitaliers ? Mais comment cela serait-il accepté par les médecins ? Les autres partenaires ?

« DE LA PUBLICITÉ (ce qui soulève le débat est un article décrivant les manipulations des consommateurs par l'utilisation des lois de perception subliminale) : pourquoi certains psychologues mettent-ils ainsi leurs compétences au service des agences de publicité ? Ne pourrait-on au contraire, et comment, mettre la psychologie au service des consommateurs (et plus largement des citoyens) sans tomber dans d'autres formes de manipulation ? Problèmes de propagande politique, religieuse...

« DU SPORT (ici aussi le problème est soulevé par un article décrivant certaines formes de relaxation-conditionnement des sportifs par polarisation de l'attention sur les résultats à obtenir en compétition) : est-il légitime d'utiliser ainsi la psychologie pour polariser le sportif sur les performances ? D'autres psychologues conseillent le sport comme mode d'expression personnelle ; est-ce compatible ? Peut-on imaginer encore d'autres interventions du psychologue ?

« DE L'URBANISME : le débat devient assez vif pour savoir s'il convient que des psychologues se mêlent de ces problèmes — ou si ce n'est pas l'affaire d'architectes « bien formés » ; mais cette formation comporte-t-elle une part de psychologie ? De quel type ? Pourquoi ? Assurée par qui ?

« DE L'ÉCOLE : des expériences rapportées par les uns et par les autres font douter de l'information de la formation psychologique des enseignants aux différents niveaux. Que font, que pourraient faire des psychologues sur ce plan ? Et auprès des élèves directement (en dehors de « tests » qu'on perçoit vaguement en 6e et en 3e) ?

* * *

Un nouveau questionnaire de motivation, rempli individuellement mais immédiatement discuté en petits groupes, permit aux uns et aux autres de prendre conscience de la diversité de leurs cheminements vers le (ou à travers le) premier cycle de psycho. Les réactions très affectives vis-à-vis de la médecine, très ambivalentes et assez riches vis-à-vis de l'enseignement et des activités socio-éducatives, permirent de réfléchir aux « deuils à faire » ou aux problèmes relationnels qui risquaient de se poser avec d'autres professionnels, suivant les options qui seraient prises en fin d'année (et ultérieurement).

Concrètement, les choses se déroulèrent de la manière suivante :

Les séances
1ère phase. Phase exploratoire, mise en route à partir des attentes et représentations :
1- présentation de l'unité de valeur, des personnes ;
2- *brainstorming* sur les activités professionnelles connues, la manière dont chacun les classe, perçoit, considère...
3- classifications et sources officielles d'information sur les métiers et les professions. Travaux de groupes pour explorer les domaines « intéressants », à partir du vécu et des lectures de chacun ;
4- présentation par chaque groupe des questions qu'il s'est posées. Discussion générale ;

---

* Institut National de la Statistique et des Études Économiques.
** C.E.R.E.Q. : Centre d'études et de recherches sur la qualification ; R.O.M.E. : Répertoire opérationnel des métiers et des emplois.

5- suggestions de quelques lectures possibles sur les thèmes évoqués. Conseils pour interviews, enquêtes sur le terrain à partir du premier essai d'une étudiante (interview d'un psychiatre) ;

6- présentation du schéma général des études de psychologie et sorties aux différents niveaux avec compte rendu d'une enquête récente ;

7- questionnaire de motivation, discussions en petits groupes puis en un grand groupe sur la diversité des cheminements ;

8- discussion de petits groupes puis du grand groupe sur la « motivation enfants » fréquemment évoquée par les participants : signification ? Diversité des possibilités d'évolution en ce domaine.

2e phase. Phase plus informative et réflexive avec personnalités extérieures :

9- comment étudier une organisation, un statut, un rôle professionnel ?

10- emplois et professions de « psychologues », tableau d'ensemble ;

11- psychologie et travail social : interview d'une assistante sociale par un éducateur adulte ; débat général ;

12- nos représentations et questions sur : l'orientation scolaire professionnelle, les psychothérapeutes (préparation des enquêtes ou rencontres suivantes) ;

13- échange avec une psycho-pédagogue-psychothérapeute d'enfants.

14- nos représentations et questions sur les psychologues cliniciens, du travail, scolaires...

15- échange-débat avec une psychologue scolaire (enseignement public) et une psychologue ayant travaillé dans un établissement secondaire privé à l'étranger ;

16- échange sur les travaux en cours, conseils techniques...

17- étude critique des maquettes de nouvelles maîtrises étudiées à Lyon II et pouvant concerner les psychologues ;

18- quelques données sur le syndicalisme en France, son histoire, les structures actuelles des confédérations représentatives et organisations patronales.

3e phase. Phase animée par les étudiants eux-mêmes :

19- exposé-compte rendu d'interviews de psychologues cliniciens en hôpital et en secteur ;

20- échange-débat sur la psychologie du travail avec deux psychologues des P.T.T.* ;

21- échange-débat avec un psycho-pédagogue en école d'infirmiers psychiatriques ;

22- exposé sur les besoins d'aide psychologique pour le 3e âge, plus deux observations de psychologues F.P.A.**, plus une interview d'un psychologue en milieu carcéral ;

23- compte rendu d'enquête par les quatre membres du groupe sur l'image du psychologue dans un public non spécialiste, et pourquoi avoir entrepris cette enquête ? Création et fonctionnement d'un centre de santé mentale en zone rurale, interviews de divers personnels de ce centre ;

24- la société française de psychologie et les divers syndicats ouverts aux psychologues : jeux de rôle et débats à partir de ce qu'on a pu en percevoir ;

25- exposé-débat sur « psychologie et publicité ». Évaluation de l'année.

Par ailleurs, les étudiants ont été invités à des séances organisées à l'Institut de psychologie ou par la C.E.L.A.I.O.*** sur : le D.E.S.S.**** de psychologie du travail, la transformation du D.P.P.***** clinique en D.E.S.S. — avec des anciens du D.P.P. à partir des enquêtes faites sur ces deux secteurs —, les concours accessibles aux étudiants, comment s'y préparer.

Comme on le voit, le rôle de l'enseignant a varié d'une animation plus centrée sur les personnes et sur le groupe (Qui sommes-nous ? Que cherchons-nous ? Pourquoi ?...), à une information sur l'université, les études de psychologie, voire le syndicalisme... en passant par une aide technique (où et comment trouver les informations souhaitées, mener à bien une étude d'organisation, une interview, une enquête par questionnaire...) et organisationnelle (planning, répartition des interventions).

Les productions. Cinquante-quatre étudiants ont demandé individuellement ou en groupe la validation dans l'une des formes proposées en début d'année. Quelques étudiants de 1ère année l'on fait dans le cadre de leur dossier pluridisciplinaire (avec dimensions clinique et sociale, voire pédagogique).

---

* P.T.T. : Psychologue du travail employé dans les Postes et Télécommunications.
** F.P.A. : Psychologue du travail employé dans les Services de la formation professionnelle des adultes.
*** C.E.L.A.I.O. : Cellule d'accueil d'information et d'orientation de l'université.
**** D.E.S.S. : Diplôme d'étude supérieure spécialisée.
***** D.P.P. : Diplôme de psychologie pratique.

En 2ᵉ année, quelques dossiers ont aussi été présentés conjointement, soit avec psychologie sociale (entretiens et interviews), soit avec psychologie génétique.

Outre les thèmes déjà abordés en séance, ces travaux relataient des observations ou des enquêtes auprès de personnels travaillant en I.M.P. au centre social, d'animateurs de groupes, conseillers d'orientation, instituteurs, infirmiers psychiatriques. Ils exploraient les besoins en psychologie au niveau des crèches, des écoles nouvelles type Montessori, auprès des drogués. Ils posaient le problème de la débilité, des classes pratiques ou plus largement de « l'écoute de l'enfant dans nos sociétés ». Une petite équipe mit à jour l'enquête sur les dernières promotions de psychologues cliniciens sortis de l'Institut de Lyon en 75 et 76.

Évaluation. Cette année a été vécue très positivement par l'enseignante animatrice, malgré le nombre d'inscrits qui compliquait une démarche active et impliquante dans l'exploration d'un problème complexe et préoccupant : celui de l'insertion professionnelle future.

« Il m'a semblé pouvoir communiquer aux étudiants un certain nombre d'informations utilisables, mais surtout leur offrir un lieu d'échanges collectifs sur leurs itinéraires universitaires, perceptions de l'activité professionnelle, leurs projets (ou absence de) reliant (ou non) leur vie actuelle et future, comme il n'en existait pratiquement nulle part ailleurs.

Ce que j'avais initialement prévu (essentiellement centré sur l'extérieur et l'avenir) a été souvent infléchi vers l'ici et maintenant, en particulier ce qui se passait dans le groupe entre 1ᵉʳᵉ et 2ᵉ année :

— le désarroi des premiers devant un déroulement pédagogique nouveau et surprenant ;

— les questions posées aux seconds par un enseignement plus systématique en biologie, psychométrie, pathologie ;

— les difficultés des uns ou des autres à entrer en contact avec ceux qu'ils disaient vouloir rencontrer, à trouver les sources d'information adéquates, à faire des liens entre une question importante pour eux et ce que l'université peut offrir.

Pour l'avenir : j'ai été frappée de ce qu'il était possible de l'envisager sans être d'emblée écrasé par les difficultés d'emploi... ni enfermé dans les fonctions ou pratiques existantes. La recherche de ce qui pourrait se faire pour répondre mieux à un besoin ressenti, des obstacles à lever pour y parvenir, s'est poursuivie avec un sain *réalisme*.

Comme les participants de cette première expérience m'en avaient prévenue, l'année 77-78 a vu croître les effectifs de cette U.V. (+ 18 p. cent) qui paraît donc bien correspondre à un besoin.

Tout ceci, qui commence à se faire dans les services universitaires, ne pourrait-il progressivement transformer les pratiques d'aide à l'orientation dès le secondaire et dans les services adultes du ministère du Travail ? »

Nous voudrions maintenant présenter en parallèle une autre expérience plus récente inspirée directement de l'A.D.V.P. élaborée par plusieurs membres des cellules d'orientation des universités lyonnaises qui ont d'ailleurs été créées grâce aux initiatives et à l'impulsion de Geneviève Latreille.

Nous vous présentons des extraits caractéristiques d'une étude relatant cette expérience et mise au point par Michèle Armanet, Dominique Gilles, Claudine Milhaud (C.E.L.A.J.O.-Lyon I) :

Une expérience lyonnaise :

Préoccupés par le problème de l'orientation en 1ᵉʳ cycle d'études supérieures, plusieurs membres des cellules d'information des universités de la région Rhône-Alpes ont formé un groupe de travail dit « groupe O^+ » (orientation positive).

La tâche du groupe O^+ était d'une part d'imaginer et de mettre en œuvre des techniques d'animation dans des groupes d'étudiants, d'autre part de réfléchir aux actions proposées, de les critiquer et de les évaluer.

Le groupe O^+ s'est inspiré, sur le plan pratique, des actions déjà mises en place dans certaines cellules (Nice, Pau, Dijon...), sur le plan théorique, de l'A.D.V.P. (Activation de développement vocationnel et personnel) du Canadien Denis Pelletier.

Cette théorie a servi de base à l'élaboration du schéma de fonctionnement du groupe « option III D.E.U.G. B » animé par la cellule de Lyon I en 1981-82, avec la souplesse rendue nécessaire par les différences du public et de l'environnement culturel.

Animation de l'option : « Le D.E.U.G. B pour quoi faire ? » Dans le cadre des enseignements optionnels du D.E.U.G.* sciences, section B, de l'université Lyon I (dits enseignements d'option III), la C.E.L.A.T.O. a animé un groupe de travail sur le thème : « Le D.E.U.G. B pour quoi faire ? Élaboration d'un projet personnel et professionnel ». Cette option était ouverte aux étudiants de 1ère et 2e années (20-25 étudiants maximum).

L'option s'est déroulée en 2 stages : 4 jours successifs en novembre, 3 jours successifs en février.

Une réunion préparatoire avait permis de préciser les objectifs des animateurs et les attentes des étudiants :

— un étudiant avait bien exprimé son attente en disant qu'étant en D.E.U.G. B sans un projet très élaboré, il désirait y voir un peu plus clair ;

— de notre côté, nous leur précisions que le premier stage serait une phase d'investigation, à l'aide de méthodes actives, devant faire émerger un projet qu'il conviendrait d'approfondir et d'exposer lors du 2e stage en février.

En fait, le problème était bien pour nous d'arriver à une véritable activation du processus de choix d'orientation, qui est difficilement réalisable par les moyens traditionnels à notre disposition (accueil, information, entretiens individuels, auto-documentation...), en utilisant la dynamique du groupe.

• Stage de novembre

a. 1er jour. Objectif : exploration sur soi, la vie professionnelle en général et les mécanismes en jeu dans les choix d'orientation.

1. Après un tour de table de présentation classique, une première exploitation des préoccupations de chacun est tentée par une « présentation différée » (chaque étudiant doit répondre lui-même à la question qu'il poserait à un autre membre du groupe pour mieux le connaître).

2. Il est demandé à chacun d'indiquer par écrit le premier métier qu'il ait envisagé.

La question était volontairement posée dès le début afin de garder trace d'un élément très spontané. Cette production était le premier élément d'un dossier personnel écrit que chaque étudiant allait constituer tout au long du stage.

3. Élaboration progressive sur un thème. Réflexion en groupes de deux, de quatre, puis en grand groupe sur le thème : « La réussite professionnelle, pour moi qu'est-ce que c'est ? » Puis établissement et classement de critères, et analyse par chacun des participants, de son attitude dans le groupe.

L'objectif était double :

— constitution du groupe ;

— réflexion des membres du groupe sur l'avenir professionnel et sur la place du travail dans leur vie. Il est apparu que le travail était le plus souvent perçu comme un gagne-pain plutôt que comme un moyen d'épanouissement personnel.

4. L'après-midi, jeu de « l'île déserte », précédé d'un *brainstorming* sur le mot « orientation ».

Il me semble que le mot choisi pour le *brainstorming,* trop chargé d'affectivité, ait été en partie responsable de la mauvaise compréhension par les participants de l'objectif poursuivi par ce jeu de « l'île déserte », chacun cherchant plus à reconstituer une société idéale qu'à s'impliquer personnellement dans la structure sociale existante.

5. Questionnaire-réflexion, suivi dans un deuxième temps de l'exercice suivant :

« Imaginez et racontez une journée de votre vie dans 5 ans ».

Là encore, la vie extra-professionnelle est privilégiée par rapport à l'activité professionnelle.

6. Étude de deux cas-types : Camille et Laurence.

Notre but était de faire prendre conscience aux étudiants de leurs attitudes au moment du choix d'une orientation et de tous les éléments qui influencent ce choix. Malgré leur virulence à l'égard de Camille et Laurence, il leur était difficile de nier totalement qu'eux aussi avaient eu certaines incohérences dans leur choix.

b. 2e jour. Continuation de la phase d'exploration et amorce de la phase de cristallisation (cf. théorie de l'A.D.V.P.).

1. Bilan personnel ; les étudiants retracent par écrit leur itinéraire personnel de façon détaillée ; puis, après échange par groupe de trois, chacun doit retrouver une cohérence dans le parcours suivi jusqu'en D.E.U.G. B, et trouver d'autres aboutissements qui auraient pu également être cohérents.

---

* D.E.U.G. : Diplôme d'études universitaires générales.

Ce travail, qui a duré toute la matinée, a été très largement apprécié par les étudiants si l'on se réfère au bilan du stage : non seulement certains se sont sentis confirmés dans leur choix, mais d'autres se sont rendu compte que de nouvelles possibilités se révélaient pour eux.

2. La communication et ses parasites dans la recherche d'information ; mise en évidence des différentes images véhiculées par un même terme, à l'aide d'un *brainstorming* sur le mot « environnement ».

Ceci devait faciliter la prise de conscience de ce qui se passe dans un entretien d'orientation, et notamment l'importance de la communication et de l'ajustement de deux langages.

Mise en scène, ensuite, d'un jeu de rôle sur un entretien d'orientation.

Il semble que le groupe ait pris réellement conscience des limites d'un entretien d'orientation et des difficultés de la communication. Certains semblent avoir découvert qu'ils devront dorénavant relativiser l'apport des entretiens d'orientation et d'une façon plus générale des différentes sources d'information.

c. *3ᵉ jour*. Phase de spécification.

1. Jeu du « zigzag » ou cas Stéphane ; deux groupes travaillent à partir d'un même cas, l'un connaissant le parcours de Stéphane, l'autre son métier, chaque groupe devant reconstituer la partie qui lui manque.

La démonstration a été claire de la pluralité des itinéraires pour un même but, et des divers aboutissements du même itinéraire. Ce point de vue introduit une certaine souplesse dans un système que les étudiants imaginent rigide et cloisonné.

2. Évaluation progressive, chacun pour soi, à partir des différents éléments du dossier personnel et des échanges en groupes de trois, d'une part des critères de choix professionnel, d'autre part des activités envisagées.

Cette phase, très concrète, a été très appréciée par les étudiants, qui ont utilisé jusqu'au bout les grilles d'évaluation données à titre indicatif, alors qu'elles nous semblaient un peu simplistes.

3. Description de métiers pour les étudiants et présentation de différentes sources documentaires.

Un peu fastidieux, ce travail a par contre permis aux étudiants de prendre conscience que derrière les mots (parfois un peu magiques) qu'ils utilisaient, les images étaient floues ou très divergentes.

d. *4ᵉ jour*

1. Exposé rapide sur les théories diverses concernant les choix d'orientation. Nous avons insisté plus longuement sur la théorie de l'A.D.V.P., en signalant qu'elle avait été pour nous un guide dans la construction du stage (avant l'exposé, chaque étudiant avait dû remplir un questionnaire qui lui permettait de mieux comprendre la théorie).

2. Bilan ; lors d'un tour de table, chacun devait donner son avis sur l'ensemble du stage, puis sur chacune des phases.

3. Élaboration des thèmes de recherche et constitution des groupes de travail.

▪ Stage de février
a. *1ᵉʳ et 2ᵉ jours*

Les étudiants étaient chargés d'organiser les deux premiers jours, chaque demi-journée étant consacrée à l'un des quatre thèmes retenus. Chaque étudiant a présenté l'état de ses recherches.

Un seul groupe a pu faire venir un intervenant extérieur (un chercheur travaillant sur le campus), mais beaucoup d'interviews ont été réalisées.

Il est important de noter qu'aucune introduction n'avait été nécessaire lors de cette deuxième rencontre : nous avions visiblement acquis un langage commun et le groupe existait réellement.

b. *3ᵉ jour*

1. Court exposé sur la procédure de recrutement dans une entreprise et sur les tests.

2. Bilan ; certains étudiants avaient effectué un gros travail de recherche, de documentation, de réalisation d'interviews. C'étaient surtout des étudiants de 2ᵉ année, confrontés à un choix urgent, ou certains de 1ᵉʳᵉ année qui, ayant déjà un projet assez précis, avaient pu l'approfondir grâce à l'option. Ceux-ci étaient enthousiasmés par les contacts établis, et y voyaient bien plus clair dans leur projet.

Les autres, surtout des étudiants de 1ᵉʳᵉ année, s'étaient limités à un travail documentaire à la C.E.L.A.I.O. Ils avaient surtout tiré profit du premier stage, qui leur avait permis de mieux s'intégrer à l'université. Cependant, ce deuxième stage leur permettait, grâce aux exposés de leurs camarades, d'entrevoir des débouchés et des pistes possibles qu'il leur faudrait creuser ultérieurement. Ils découvraient qu'ils n'étaient finalement pas dans une impasse.

D'autre part, la réflexion faite au cours du premier stage avait permis à une étudiante de prendre clairement conscience que sa place n'était pas en D.E.U.G. B : envisageant, malgré son Bac. D, une formation en informatique, elle a pris la décision de passer en D.E.U.G. A (et volontairement non en D.E.U.G. M.A.S.S.) après avoir rencontré les enseignants responsables, en prévoyant de redoubler la 1ère année. Enfin, certains étudiants ont apprécié la formation acquise en expression orale grâce aux nombreux échanges en petits groupes ou tour de table.

3. L'après-midi a été consacrée à la préparation d'une émission de radio (pour une radio libre au service des étudiants) sur les débouchés du D.E.U.G. B.

Participation du conseiller d'orientation à des actions de formation d'adultes : le cas des créations d'entreprise à partir d'une recherche d'emploi

Les conseillers, déjà trop peu nombreux pour répondre aux demandes des élèves et des étudiants, ne s'occupent guère de l'orientation des adultes. Pourtant, les mutations technologiques et l'effondrement des systèmes de valeurs traditionnels en ont accentué le besoin, et de nombreux organismes se sont développés sans aucune liaison avec les services d'orientation du ministère de l'Éducation nationale.

L'auteur de ces lignes, par suite de circonstances favorables, a pu acquérir une expérience de l'orientation des adultes, d'abord en milieu rural et agricole et ensuite en milieu urbain. C'est pour cela que j'ai voulu terminer cette revue des nouvelles pratiques d'orientation par la présentation d'une expérimentation à laquelle je participe depuis trois ans dans l'agglomération lyonnaise à la fois comme conseiller d'orientation, chercheur et formateur.

Il s'agit de « formations en milieu de vie » organisées par Odile Carré* depuis déjà sept ans, dans différents quartiers.

Le cadre institutionnel. Ces expérimentations s'inscrivent dans le cadre de la Formation Continue en vue de la réinsertion professionnelle des femmes sous la forme de stages de longue durée, rémunérés et financés simultanément par la région et par le fonds social européen (Service de formation continue, Université Lyon II).

La 1ère recherche-action a été conduite sous la direction de Geneviève Latreille, responsable du Laboratoire de psychologie sociale (Université Lyon II) et coordonnée par Odile Carré. Une seconde recherche-action est prévue en 1983.

▪ Les groupes. Il s'agit de groupes de femmes présentant des caractéristiques communes : ce sont toutes des jeunes mères de famille, désirant travailler ou retravailler, originaires d'un même quartier.

Le 1er groupe, situé dans la banlieue Ouest, comprenait des femmes ayant en général un niveau scolaire élevé ; le second, dans la banlieue Est de l'agglomération lyonnaise, des femmes de niveau scolaire modeste et le troisième, dans une commune voisine, des femmes d'origine essentiellement maghrébine peu ou pas scolarisées et domiciliées dans une zone urbaine très défavorisée (expérimentation en cours).

---

* Une action de Formation créatrice d'emplois : *recherche-action réalisée dans un quartier urbain pour un groupe de femmes et par les formateurs* (Laboratoire de psychologie sociale, Lyon, 11 mars 1981) ; et *Naissance de groupes de femmes dans les quartiers et développement d'une utopie de changement* (Psychologie sociale du changement, *Chronique sociale*, Lyon, 1982).

▪ L'objectif. Le premier stage se présente de manière classique comme un *groupe de préformation* en vue de l'orientation et de l'insertion professionnelle individuelle et/ou collective de ses membres. Par contre, le 2e stage, dit de *formation-production*, a pour objectif la création par le groupe (ou une partie) d'une entreprise localisée dans le même quartier. On n'essaie plus d'insérer les participants dans les emplois disponibles qui, d'ailleurs, le plus souvent, n'existent pas, mais, à partir de leur aspiration à un autre mode de vie, à travailler autrement, de créer une entreprise susceptible de répondre à des besoins sociaux, insatisfaits jusqu'à présent dans leur milieu naturel de vie.

▪ Principaux axes de travail. Il s'agit de formations centrées sur le projet impliquant successivement ou simultanément :
— la constitution du groupe ;
— l'exploration de l'environnement ;
— la découverte de besoins sociaux non satisfaits ;
— l'élaboration d'un ou de plusieurs projets ;
— la structuration financière et juridique du projet ;
— la mise en œuvre du projet ;
— la recherche des locaux et des financements ;
— la création de l'entreprise ;
— la phase d'installation.

▪ Méthodologie générale. Les formateurs travaillent le plus possible en coanimation, car il n'y a *pas de programme préétabli* ; celui-ci se construit au fur et à mesure à partir des premiers éléments apportés par les participants, le groupe et l'environnement. J'ai personnellement utilisé l'approche éducative développée dans cet ouvrage comme point de repère théorique et méthodologique, ce qui a donné lieu à d'intéressantes confrontations avec les autres intervenants !

C'est ainsi que la phase d'exploration comprend des temps de travail en groupe centrés sur soi, sur l'environnement, sur un projet utopique, sur le développement de la créativité mais aussi des périodes de découverte directe par les stagiaires de leur quartier sous formes d'interviews, d'enquêtes, de stages, etc.

Les résultats seront ensuite analysés, cristallisés par un travail en équipe ; des conclusions en seront tirées au premier degré renvoyant à de nouvelles explorations... Parallèlement, au cours de ces expériences, les membres du groupe apprendront à mieux se connaître, s'apprécier ou se détester ; ils découvriront aussi avec étonnement les réactions de leur entourage familial, des institutions de leur quartier, des syndicats, des partis, de la Municipalité...

Cette prise de conscience de la réalité, qui, bien trop souvent, entraîne découragement, abandon et passivité, s'accompagne ici de la prise de conscience du groupe, de ses propres capacités à la transformer. De l'interaction entre utopie et réalité va naître peu à peu un projet collectif dont la réalisation impliquera une nouvelle séquence opératoire mais sous un éclairage différent, et ainsi de suite ; les premiers résultats obtenus, même s'ils sont modestes (2 petites entreprises créées et en activité) nous incitent à poursuivre dans cette voie (Carré, 1982). Elle nous semble féconde pour les personnes qui participent à ces stages mais aussi pour les formateurs obligés de s'interroger sur leur rôle, sur le fonctionnement de ces groupes, sur les processus de changement en cours, etc. Plus directement, elle incite le conseiller d'orientation à imaginer de nouvelles pratiques professionnelles qui tiennent compte des transformations sociales et économiques en cours et des aspirations des personnes à vouloir vivre et travailler autrement.

Geneviève Latreille (1982) l'exprimait ainsi lors du récent colloque de Psychologie sociale du changement :

> Personnellement, je tire de ces observations la conviction que le métier est toujours à la fois, dans des proportions variables, trouvé et créé, mais qu'il ne peut l'être durablement dans le contexte actuel que collectivement ; et cette représentation du métier entraîne, me semble-t-il, une autre pratique de l'orientation, ou tout au moins un tout autre accent, certains éléments des pratiques précédentes pouvant être réutilisés périphériquement dans la nouvelle : à la pratique initiale, centrée sur le dévoilement par un expert en psychologie différentielle, des contre-indications et aptitudes positives correspondant au mieux aux professiogrammes des métiers choisis ou conseillés.
>
> À la pratique actuelle, qui oscille souvent entre un counseling prudent (voire manchot) qui laisse toute la responsabilité de leur orientation aux clients au moment précis où la conjoncture de l'emploi est particulièrement délicate, et une information — affectation qui prétend connaître la structure de l'emploi existant et y intégrer plus ou moins subtilement les flux d'élèves.
>
> Il me paraît souhaitable, même si c'est difficile, de proposer l'aide de conseillers capables d'accueillir les représentations du travail souhaité, même lorsqu'elles apparaissent actuellement irréalistes, comme l'expression d'aspiration à un travail effectivement différent. On se fixerait alors comme objectif d'aider ces utopies partielles à devenir projets, non pas en les encourageant benoîtement, mais en aidant activement ceux qu'elles motivent à un moment donné à s'organiser collectivement pour contourner ou renverser les obstacles qui se dressent sur leur route, c'est-à-dire à analyser les situations dans lesquelles ils se trouvent ou vont se trouver, pour saisir toutes les opportunités favorables à leurs projets, en sachant patienter parfois, ou prendre quelques détours, sans pour autant abandonner une lutte actuellement longue et difficile.

Ces expérimentations et recherches se réalisent au moment où se met en place, en France, un dispositif complexe destiné à résoudre le difficile problème du chômage des jeunes sous forme de permanences d'accueil, de stages d'orientation et de formation, etc. Elles pourraient donner naissance à des *groupes d'action orientante* où le rôle du conseiller prendrait une autre dimension, différente de celle d'un expert désengagé, d'un témoin silencieux, voire d'un agent bureaucratique.

VERS DE NOUVELLES PERSPECTIVES POUR LES CONSEILLERS D'ORIENTATION

Nous voici arrivés au terme provisoire de cette exploration des nouvelles pratiques de l'orientation proches de l'A.D.V.P. en FRANCE. Rappelons qu'elle ne prétendait pas à l'exhaustivité. Nous avons préféré d'ailleurs mettre en lumière celles qui n'étaient pas connues et n'avaient donné lieu jusqu'à présent qu'à des publications confidentielles. Nous n'avons pas parlé, non plus, des nombreuses pratiques qui, tout en « se réclamant de l'A.D.V.P. », nous apparaissent en fait comme très éloignées de l'approche éducative telle que nous la présentons dans cet ouvrage. La crise d'identité professionnelle du conseiller est si forte que la tentation est grande d'utiliser des « techniques », des « exercices », voire même des « programmes » indépendamment de leurs dimensions expérientielles et intentionnelles...

Modestes ou ambitieuses, empiriques ou très élaborées, ces pratiques témoignent, en tout cas, des désirs de renouvellement et d'adaptation des conseillers d'orientation, malgré les contraintes et limitations de mille sortes.

Cet esprit d'innovation, s'il veut déboucher sur une identité professionnelle et scientifique consolidée, devra être soutenu, étayé, par des *actions de recherche* et de *formation* menées parallèlement.

• Des actions de recherche. Mais aussi, pour commencer, des *recherches-actions* associant des universitaires, des conseillers, les usagers de l'orientation ainsi que des formateurs venus d'autres horizons de manière à élargir notre champ habituel.

Ces recherches-actions devraient permettre d'envisager les problèmes théoriques et pratiques de l'orientation sous un jour différent et de créer des *Cellules de recherche permanentes interdisciplinaires* où se rencontreraient des psychologues et des sociologues, mais aussi des éducateurs, des économistes... avec les conseillers.

• Des actions de formation. Elles se développent beaucoup pour les conseillers d'orientation en exercices sous forme de sessions courtes de *formation continue* et contribuent pour une bonne part à la naissance des nouvelles pratiques, mais leur efficacité pourrait être augmentée par la création de formations de longue durée ou d'Universités d'été permettant alors aux participants de mieux approfondir un thème d'étude ou une méthodologie nouvelle.

C'est aussi la formation initiale des conseillers d'orientation qui devrait être révisée dans le sens suivant :

— être de plus longue durée universitaire, alignée sur celle des autres professionnels des sciences humaines, mais avec la possibilité d'entrée à différents niveaux selon la formation de base ;

— être plus ouverte à la psychologie sociale de manière à inclure les problèmes des groupes humains, des organisations et des institutions.

La formation pratique et personnelle des conseillers devrait en conséquence être renforcée, moins centrée sur les aspects évaluatifs et plus ouverte sur les dimensions créatives, expérientielles et éducatives de leur rôle (Solazzi, 1977).

Nouvelles recherches, formations rénovées, mais aussi services d'orientation réorganisés fonctionnellement pour que l'innovation puisse se développer dans le sens d'une approche éducative.

S'engager sur cette route devrait permettre aux conseillers comme à leurs partenaires (individus ou groupes) de devenir véritablement des « sujets-acteurs-conscients » de l'orientation (Chombart de Lauwe, 1975).

RÉFÉRENCES

CARRÉ, O. : Formation et nouvelles pratiques sociales, *Économie et Humanisme — spécial Économie sociale :* 264, Lyon, 1982.
CHOMBART DE LAUWE, P.H. : *La culture et le pouvoir,* Stock, Paris, 1975.
LATREILLE, G. : Les conseillers d'orientation en France : 60 ans d'activités et de recherche, *Bulletin de la société Binet-Simon :* 534, Lyon, 1973.
LATREILLE, G. : Faut-il ou peut-on inventer un nouveau modèle pour le recrutement et la formation des conseillers, *Bulletin de l'A.C.O.F. :* 262. 1977.
LATREILLE, G. : La naissance des métiers dans la France contemporaine, *Thèse de doctorat d'État soutenue à Paris V,* la Sorbonne, 1979.
LATREILLE, G. : Les paradoxes du métier collectivement trouvé-créé, *Psychologie sociale du changement,* Chronique sociale, Lyon, 1982.
PELLETIER, D., G. NOISEUX et C. BUJOLD : *Activation du développement vocationnel et personnel,* McGraw-Hill, Montréal, 1974.

Chapitre **3**

Sensibilisation des futurs bacheliers aux choix professionnels

Jacques Nuoffer

Dès le milieu des années soixante-dix, nous avons constaté que les futurs bacheliers recouraient tardivement et superficiellement aux prestations du Service d'orientation pré-universitaire que nous mettions sur pied. C'est pourquoi les premiers groupes de discussion que nous avons animés en 1977 avaient pour but d'inciter les élèves de 1ère à participer à des séances d'information, à lire la documentation disponible et à demander un entretien avec le conseiller d'orientation sans attendre le dernier moment.

Depuis 1980, nous avons cherché à élaborer un programme plus développé et plus structuré. Après diverses expériences (Nuoffer, 1982) dont la durée varia d'une demi-journée à trois jours, nous avons opté pour « l'atelier d'orientation ». C'est un compromis entre deux exigences que nous nous étions fixées : intéresser environ 50 p. cent des élèves et offrir une aide réelle dans la préparation du choix. Or un groupe d'A.D.V.P. (Nuoffer, 1981) — qui dure une vingtaine d'heures — s'il apporte certainement une aide efficace, n'attire en revanche que 4 p. cent de la population concernée. Par ailleurs, nos premiers groupes, d'une durée de 2 à 3 heures, ont touché près de 80 p. cent des élèves, mais sans leur proposer un modèle de décision suffisamment concret pour la préparation d'un choix. L'atelier d'orientation est un programme d'orientation en groupe s'étalant sur une journée. Proposé aux lycéens au début de l'année qui précède celle du baccalauréat (classes des 1re en France), il est l'un des temps forts de la préparation aux choix professionnels que nous voulons susciter.

Pour évaluer les effets de ce programme sur quelques indices de la maturité voca-tionnelle, nous avons entrepris une recherche auprès de lycéens de Rueil (région parisienne) et de Fribourg (Suisse). Dans cette ville, les étudiants qui ne s'étaient pas inscrits à un « atelier d'orientation » ont été invités à un « groupe de sensibilisation »*. Les objectifs de ce groupe sont proches de ceux des groupes de discussion mentionnés ci-dessus. Sur 260 élèves d'avant-dernière année, 107 ont participé à un de ces groupes et 98 à un atelier d'orientation. À

---

* Nous gardons ici la terminologie utilisée sur le terrain. En fait, l'atelier d'orientation est aussi un groupe de sensibilisation.

la fin de la rencontre, ils ont répondu au même questionnaire d'évaluation : nous voulions mettre en évidence, à travers les impressions et remarques des participants, les aspects qui différenciaient ces deux programmes de sensibilisation.

Nous présenterons donc, dans une première partie, l'atelier d'orientation, ses origines, ses références théoriques, ses objectifs, son organisation et son déroulement. Dans une deuxième partie, nous décrirons les séquences d'un groupe de sensibilisation et son contexte. Nous terminerons en comparant les appréciations d'un échantillon de participants à chaque programme.

L'ATELIER D'ORIENTATION

Origines de notre démarche

Comme nous l'avons déjà signalé, ce fut tout d'abord certaines attitudes des lycéens qui nous ont encouragé à organiser les premiers groupes de discussion.

Plus récemment, ce sont les difficultés rencontrées par les bacheliers lors de leur insertion dans les établissements d'enseignement supérieur qui ont alimenté notre réflexion. En Suisse comme en France, les taux d'échecs et d'abandons sont particulièrement élevés au début des études universitaires (cf. par exemple Bigard, 1981 ; Weidmer, 1980). Le processus d'autosélection est plus important que la sélection universitaire elle-même. Beaucoup d'étudiants ne se rendent compte de leurs erreurs qu'une fois parvenus sur le terrain. Ne serait-il pas possible, en intervenant plus tôt, d'aider le lycéen à prendre en compte toutes les données du problème ?

L'ensemble des recherches sur les causes d'échecs ou de réussites met en évidence une multitude de facteurs en interaction : facteurs personnels (âge, sexe, redoublement, type de baccalauréat, etc.), facteurs psycho-sociaux, sociologiques, institutionnels, géographiques. Certaines études mettent l'accent sur le manque de connaissance de soi et du monde professionnel, sur le manque d'aptitude à décider (Benedetto, p. 172), sur l'absence de motivation pour s'informer (Debreyne-Pierson, 1979, p. 4). Ce sont là des aspects susceptibles d'être influencés par des mesures préventives.

Références théoriques

Comment expliquer l'existence, chez beaucoup de lycéens, du sentiment d'être « bien informé » ? Un tel sentiment induit chez eux un état de « fausse sécurité qui limite leur recherche active d'informations adéquates » (Debreyne-Pierson, p. 14). Selon la théorie de la représentation de Huteau (1978), il y a là une absence de dissonance entre les représentations de soi et celles du monde scolaire et professionnel, bien que ces représentations soient schématiques et centrées sur des perceptions immédiates. Dans cette situation, estime Huteau, il convient d'apporter de l'information qui soit source de conflit, car au-delà d'un certain seuil, la dissonance ainsi créée n'est plus tolérable et provoque une réaction tendant à la réduire : recherche active d'information, par exemple. Un des aspects de l'atelier d'orientation est de provoquer cette remise en question.

Notre programme d'orientation s'inspire de l'approche opératoire de Pelletier, Noiseux et Bujold (1974). Ces auteurs proposent une séquence de processus de décision facilement compréhensible par les élèves. Elle se décompose en quatre étapes, chacune caractérisée par une tâche spécifique (exploration, cristallisation, spécification et réalisation). Chaque étape est divisée en plusieurs sous-tâches. Ils admettent que chaque tâche est plus particulièrement liée à certains processus cognitifs, à certaines habiletés, à certaines attitudes éducables. Ils proposent une pédagogie pour favoriser le développement de ces dernières, connue en France et en Suisse sous le sigle A.D.V.P. (Activation du développement vocationnel et personnel).

Les principaux éléments de notre atelier et le climat dans lequel il se déroule nous ont été suggérés par deux applications de l'A.D.V.P. réalisées par des conseillers d'orientation québécois. Il s'agit des « groupes d'A.D.V.P. » (Nuoffer, 1981) et du « Guide d'orientation professionnelle » présenté par Fréchette et Lafleur (1980). Jusqu'à ce jour, aucune publication n'est venue confirmer les thèses de l'approche opératoire ou préciser les effets de ces deux applications.

Aux États-Unis, par contre, de nombreuses recherches ont vu le jour. Elles visent à évaluer les effets d'un ou de plusieurs programmes d'orientation sur des éléments caractérisant la maturité vocationnelle (Hoffman et Cochran, 1977). Les conditions de ces expériences sont fort variables et il n'est pas possible d'en dégager des conclusions claires et définitives. Pourtant, l'ensemble de leurs résultats nous a encouragé à poser l'hypothèse selon laquelle un groupe d'orientation, même de courte durée, pouvait avoir un effet favorable sur la maturation du choix professionnel. C'est ce que tend à démontrer la recherche de Kratzing et Nystul (1979) par exemple.

Objectifs de l'atelier d'orientation

Nous avons organisé notre atelier selon deux catégories d'objectifs : l'une se rapporte au contenu et l'autre à la méthode pédagogique.

À *propos du contenu.* Il s'articule autour de trois axes :

a. *La démarche d'orientation.* Il s'agit de :

• favoriser une prise de conscience et une clarification de la façon dont chacun envisage le choix professionnel ;

• permettre de mieux cerner les éléments du choix, les démarches possibles pour le clarifier, le rôle du conseiller d'orientation ;

• encourager chacun à poursuivre activement une démarche personnelle.

b. *La connaissance de soi.* Il s'agit de :

• susciter l'envie de se connaître davantage ;

• éclairer chacun sur ses caractéristiques propres et en particulier celles qu'il désire retrouver dans sa profession ;

• favoriser la mise en relation de ces caractéristiques personnelles avec la gamme des professions existantes.

c. *La connaissance des professions.* Il s'agit de :

— susciter des questions plus précises et plus nombreuses sur les formations et professions ;

— permettre l'étude concrète d'une profession dans la salle d'autodocumentation.

À propos de la méthode. Il s'agit de :

a. faire en sorte que chacun puisse s'impliquer personnellement et s'exprimer le plus souvent possible ;

b. créer un climat facilitant l'écoute, la compréhension et le non-jugement, afin de favoriser la richesse des échanges ;

c. faire vivre une situation différente de la relation pédagogique traditionnelle et centrée sur le processus de prise de décision.

Organisation et animation de l'atelier

Participants, lieu, durée. L'atelier d'orientation s'adresse en particulier aux lycéens de 1ère. Il rassemble entre 9 et 12 volontaires, garçons et filles, issus de classes et de types de baccalauréats différents. Les inscriptions sont prises après une brève information en classe, assurée par un conseiller d'orientation.

La rencontre a lieu au Service d'orientation préuniversitaire, afin de faciliter l'accès à la salle d'autodocumentation. Le local doit être suffisamment grand pour disposer les sièges en cercle en son centre et installer quelques tables sur le pourtour.

L'atelier d'orientation dure environ huit heures. Le repas de midi est pris en commun. Aux pauses du matin et de l'après-midi, des boissons sont servies gratuitement.

Techniques d'animation. Tout au long de l'atelier alternent des moments de travail individuel, d'échanges par 2 ou 3 participants, de discussions tous ensemble. À chaque étape du processus de prise de décision, nous proposons une ou plusieurs mises en situation impliquant le recours aux habiletés et attitudes propres à chacune d'elles.

Le travail en dyade ou en petit groupe crée un climat favorable à l'expression ouverte et à la confiance dans les interventions des autres participants. Ces derniers, à partir de ce qu'apporte l'un d'entre eux, répondent en fonction de « ce que j'apprends sur toi... » et expriment les idées, images et sentiments que leur suggère ce qu'ils entendent. Nous croyons que ce genre d'échanges peut être très fructueux pour clarifier et approfondir certains aspects de soi, certaines de ses opinions et pour mieux se situer par rapport aux autres.

Rôle des animateurs. Pendant toute la journée, les deux animateurs veillent à ce que chacun soit à l'aise et puisse exprimer ce qu'il ressent ou pense. La phase initiale permet de créer le climat souhaité et d'orienter l'esprit des échanges. En principe, les animateurs n'interviennent pas lors du travail en dyade ou en petit groupe, sauf pour stimuler les interactions ou recentrer la discussion sur le thème proposé. En revanche, ils apportent l'aide nécessaire lorsque chacun, individuellement, tente de mettre de l'ordre dans les différents aspects de lui-même, de choisir ou de définir ceux qu'il aimerait retrouver dans sa profession.

La structure de l'atelier implique que les animateurs soient directifs sur la forme et s'en tiennent au découpage du temps accordé aux principales étapes. Ceci les amène à interrompre des échanges souvent animés. Rôle peu agréable certes, mais compte tenu de nos objectifs, il nous semble positif que les participants gardent le sentiment de n'être pas allés jusqu'au bout.

Le dossier d'orientation. Le dossier d'orientation se constitue progressivement au cours de l'atelier. Il est formé finalement d'une vingtaine de pages. Sur la moitié d'entre elles, on peut lire une brève consigne ou une invitation à noter ses réflexions ou questions. Les autres pages fournissent des « outils » utilisés pendant la journée et facilitant la reprise de la démarche, ultérieurement. Il s'agit en particulier :

— d'une liste de 15 phrases, intitulée « Est-ce plutôt vrai ou plutôt faux ? », et exprimant des opinions sur le choix d'un métier, le rôle du conseiller d'orientation, les débouchés, la formation, etc. ;

    — d'une description de 6 types de personnalité d'après Holland ;

    — d'une liste d'intérêts, d'aptitudes, de besoins et de valeurs ;

    — d'un tableau pour regrouper ses caractéristiques personnelles ;

    — d'une liste de professions ;

    — d'une liste de questions sur les formations et professions ;

    — d'une grille d'évaluation des professions ;

    — d'un tableau pour préparer l'échéancier des démarches ultérieures.

Déroulement de la journée

Nous pouvons distinguer 5 phases durant l'atelier. La première tend à créer un climat accueillant et sympathique. La seconde est centrée sur la connaissance de soi, la troisième sur l'exploration et la comparaison de professions. La quatrième vise l'anticipation des conséquences et la planification des démarches à faire. À la fin de la journée, les participants répondent à un questionnaire d'évaluation de l'atelier.

Accueil et rappel. Lorsque chacun est confortablement installé, nous rappelons les objectifs et précisons les étapes de l'atelier. Nous donnons les explications sur la manière dont va être constitué le dossier d'orientation et sur l'utilité qu'il aura durant la démarche d'orientation.

Ces propos permettent de rafraîchir les raisons qui ont motivé l'inscription à l'atelier, de faire le lien entre l'information reçue et ce que l'on va vivre, d'amener une compréhension logique de la démarche. Ils veulent rassurer et détendre les participants devant la journée qui commence.

Cette présentation est coupée par un premier tour de cercle : chacun est invité à dire son prénom après avoir répété celui de ceux qui le précèdent. Cet exercice amusant accélère le développement d'une atmosphère détendue.

Connaissance de soi. Cette phase englobe les étapes d'exploration et de cristallisation au niveau de la connaissance de soi.

a. *L'interview rapportée.* Elle est précédée d'un moment de réflexion et de prise de notes sur les thèmes de l'entretien : raison du choix scolaire antérieur, description d'une expérience passée importante pour soi, commentaire d'une ou deux phrases de la liste « Est-ce plutôt vrai ou plutôt faux ? ». Puis, les participants se mettent par paires et s'interrogent à tour de rôle. L'interviewer tente de bien saisir les raisons, opinions ou sentiments de l'autre, sans y mêler ses commentaires. Finalement, chacun présente au groupe son camarade. Ce dernier corrige et complète au besoin et il précise ce qu'il attend de la journée.

Cette mise en situation facilite la transition entre l'accueil et l'exploration de soi. En permettant à tous de s'exprimer au début de l'atelier, elle favorise la confiance et l'ouverture à l'autre. Par ailleurs, elle amène chacun à porter un regard sur ses choix et expériences antérieurs pour en tirer des informations sur soi. Elle suscite une prise de conscience de ses préjugés sur des questions en rapport avec le choix d'un métier et une confrontation avec les opinions des autres dans un climat non évaluatif.

b. *L'exploration de soi.* Chacun choisit 2 personnages célèbres qu'il admire et en note les raisons. Dans une série de 6 portraits inspirés de la typologie de Holland, il souligne les éléments dans lesquels il se reconnaît lui-même. Ces matériaux servent de support à un travail par groupe de trois, basé sur les principes décrits ci-dessus. Finalement, chaque participant coche une vingtaine de caractéristiques dans la liste des intérêts, aptitudes, besoins et valeurs.

L'objectif de cette phase est moins d'explorer les différents aspects de soi que de permettre une prise de conscience de la nécessité de cette étape et de suggérer quelques façons d'élargir cette connaissance de soi. La liste permet d'introduire des éléments caractérisant la vie professionnelle. Une plus grande clarté de certains aspects de sa personnalité est amenée autant par le fait de se présenter que par la découverte des autres et de leurs différences.

c. *Sélection des critères de satisfaction professionnelle.* Les différents aspects de soi cochés dans la liste ou découverts lors de l'exploration ou de l'interview sont recopiés chacun sur un bout de papier. Afin de rendre plus clairs et plus manipulables ces éléments multiples, chaque participant les regroupe en 4 ou 5 catégories. Cette tâche est expliquée à l'aide d'un exemple concret, mais chacun est invité à trouver la classification qui convient le mieux à son propre puzzle. Les éléments de chaque catégorie sont ordonnés hiérarchiquement et recopiés sur un graphique *ad hoc.* Puis, chacun recherche cinq ou six d'entre eux qu'il tient absolument à retrouver dans sa profession. Ces critères de satisfaction professionnelle sont alors définis d'une façon concrète et précise.

Cette phase permet donc de mettre un peu d'ordre dans les éléments divers, de se confronter à une première sélection et hiérarchisation de critères de choix. Elle sensibilise à la nécessité de définir ce que l'on met derrière les mots.

Exploration et comparaison des professions. Cette phase comprend cinq activités.

a. *Recherche de professions.* Par groupe de trois ou quatre, chacun explique ses critères de satisfaction aux autres. Puis, à tour de rôle, chacun s'isole et coche dans la liste des professions celles qui l'intéressent. Les autres recherchent ensemble les métiers correspondant aux critères de leur camarade qui pourra, par la suite, confronter ses choix à leurs propositions.

Ce travail suscite l'établissement de liens entre des critères de satisfaction et des professions. Il amène un élargissement du champ des professions connues et de celles que chacun envisage comme possibles pour soi.

b. *Questions sur les professions et moyens d'information.* En recourant au *brainstorming*, le groupe dresse la liste des questions que l'on peut se poser sur une profession ; puis l'on distribue la feuille du dossier qui les présente de façon logique. Le même procédé est utilisé pour faire l'inventaire des lieux, moyens, services, personnes susceptibles d'apporter des informations.

Chacun se rend ainsi compte de la richesse des sources d'information et élargit les angles sous lesquels il va considérer les professions. Par ailleurs, apparaissent pour la première fois dans l'atelier les critères de réalité extérieure : conditions de formation, lieu d'études et de travail, débouchés, etc.

c. *Grille d'évaluation de professions.* Elle permet, sur un seul tableau, de comparer cinq ou six professions selon les critères de satisfaction et les critères de réalité extérieure et personnelle (aptitudes, caractère). Sa présentation permet d'aborder la question des obstacles et des moyens éventuels de les surmonter, ainsi que celle des risques qui accompagnent tout choix professionnel. Elle fournit une autre clef de lecture des dossiers d'information et devrait stimuler la recherche de renseignements en vue de la rencontre de rappel.

d. *Initiation à l'autodocumentation.* La présentation de l'organisation et du fonctionnement de la documentation permet de prendre connaissance de la variété des documents disponibles et de l'aide que peut apporter la documentaliste dans leur recherche et leur utilisation.

e. *Étude d'une profession.* Durant une trentaine de minutes, chaque participant consulte un dossier professionnel. Il a donc la satisfaction d'apprendre à mieux connaître un métier et de s'affronter aux difficultés inhérentes à la documentation écrite.

Anticipation et planification. Cette dernière phase propose d'abord un travail en petit groupe, puis un moment de réflexion individuelle sur l'atelier, enfin un partage tous ensemble.

a. *Interview d'un professionnel.* Chacun s'imagine exerçant depuis dix ans la profession qu'il vient d'étudier : il répond aux questions de deux lycéens intéressés par son travail. Cette situation permet d'anticiper les conséquences d'un choix dans la vie professionnelle et personnelle : genre et rythme d'activité, satisfactions et difficultés, etc. Elle sensibilise les élèves à la nécessité de préparer leurs questions, avant un entretien ou une séance d'information.

b. *Bilan de la journée et échéancier des démarches.* Chacun fait le bilan de ce qu'il a appris sur lui-même, sur la préparation de son choix, sur les professions. Il dresse la liste des questions en suspens et envisage les moyens de trouver les réponses, en se fixant un délai relativement proche. Il s'agit de rendre chacun attentif à la nécessité de faire le point, de prévoir les démarches ultérieures et de planifier leur réalisation.

c. *Partage en grand groupe.* Il permet à chacun de présenter son bilan. Il devrait apporter des idées aux uns et aux autres et les stimuler à s'informer concrètement dans la perspective du groupe de rappel, qui aura lieu six mois plus tard.

Dans une dernière intervention, les animateurs présentent aussi leur bilan de la journée. Puis, l'un d'entre eux explique les buts de la rencontre de rappel et du questionnaire d'évaluation que chacun remplit avant de partir.

LE GROUPE DE SENSIBILISATION

Pour décrire ce programme, nous nous référons à l'article que viennent de publier nos collègues Pierre KAECH et Marc CHASSOT (1982).

Organisation et animation d'un groupe

Participants, lieu, durée. Les élèves qui ne s'étaient pas inscrits à l'atelier d'orientation reçurent une lettre personnelle d'invitation à un groupe de sensibilisation. Comme pour les ateliers, ces rencontres eurent lieu au Service d'orientation préuniversitaire de Fribourg. Elles rassemblèrent entre cinq et huit participants, garçons et filles issus de classes et de types de baccalauréats différents. Elles durèrent une demi-heure, entre 15h30 et 16h, en principe.

Ambiance dans le groupe et rôle des animateurs. Les animateurs veillèrent à créer une atmosphère détendue et ils utilisèrent quelques techniques d'animation inspirées de l'atelier d'orientation. Ils eurent constamment à l'esprit :

- De favoriser les échanges entre les participants eux-mêmes et de susciter une discussion dans laquelle chacun pouvait intervenir ;
- d'insister sur la nécessité du respect des opinions d'autrui ;
- d'encourager la recherche en commun de solutions par rapport à un problème exprimé par un participant ;
- à cet effet, enfin, de moduler le plus harmonieusement possible le temps de réflexion et le temps de détente (Keach et Chassot, 1982, p. 106).

Déroulement de la séance

Nous pouvons distinguer trois séquences dans la rencontre.

Séquence 1. Elle se déroule ainsi :

a. Présentation du scénario de la séance, explications sur les démarches qui vont être faites ensemble.

b. Clarification des objectifs :

- permettre à chacun de faire le point sur son choix professionnel et de voir comment d'autres personnes se situent face à cette question ;
- réfléchir et échanger sur les différents facteurs à considérer dans le choix d'une activité professionnelle ;
- apprendre à chercher l'information nécessaire à ce choix.

c. Présentation brève de l'animateur et de chacun des participants (prénom, classe et pourquoi le type de session suivie actuellement).

d. Répartition des participants en groupes de deux. Dans cette phase, chacun essaye de mieux connaître son interlocuteur, comme de comprendre sa situation par rapport à son futur choix d'études et d'activité professionnelle et aux démarches qu'il pense entreprendre à cet effet.

e. Retour devant le groupe complet où chacun présente son partenaire de la phase précédente et explique la façon dont il envisage son choix professionnel (Kaech et Chassot, 1982).

Cette séquence est assez semblable à la première phase de l'atelier. Toutefois, lors de l'échange par deux, l'accent est mis sur le futur (démarches et choix à faire), alors que dans l'atelier, il est question de choix et d'expériences passés.

Au niveau des objectifs, nous retrouvons beaucoup de points communs. En fait, l'atelier d'orientation veut apprendre non seulement à chercher l'information, mais aussi transmettre une méthode plus systématique pour préparer une décision et apporter quelques outils utiles.

Séquence 2. Deux variantes ont été appliquées par la suite du programme, le choix étant effectué selon le nombre d'élèves présents, leur degré de motivation et le temps à leur disposition.

a. *Variante A*

▪ Distribution aux participants d'une liste de valeurs, d'intérêts et d'aptitudes. Chacun doit en tirer les éléments importants pour lui.

▪ Répartition en groupe de deux ou trois, et, à l'aide d'une liste de professions, chacun choisit dix activités professionnelles qui pourraient convenir au(x) partenaire(s) en fonction des valeurs, intérêts et aptitudes retenus lors de la phase précédente. Ils renouvellent ensuite ce choix pour eux-mêmes.

▪ Mise en commun des résultats. Chaque participant compare la liste des professions qu'il a choisies et celles que ses partenaires lui proposent.

▪ Discussions sur les liens entre les caractéristiques personnelles et les professions.

b. *Variante B*

▪ Discussion générale sur les facteurs importants dans la détermination d'un choix d'études et de profession :

▪ Les intérêts : comment les connaître ? Leur importance ? Intérêts de loisirs ou intérêts professionnels ?

▪ Les aptitudes : quels types d'aptitudes implique la profession envisagée ? Comment les estimer ?

▪ Le marché de l'emploi : comment se faire une idée des débouchés ? Quelle importance accorder à ce facteur ?

▪ Les voies de formation : université ? E.P.F. ? Autres possibilités ? Laquelle choisir ? (Kaech et Chassot, 1982).

La variante A, qui utilise deux mises en situation reprises de l'atelier, est plus semblable à ce dernier que la variante B, qui est totalement centrée sur la discussion et est essentiellement informative.

Séquence 3 :

La fin du programme est identique pour tous les groupes. Elle comprend une partie plus informative qui consiste à :

▪ Répondre à des questions plus précises et personnelles sur les professions et les voies de formation ;

▪ Expliquer les démarches à faire pour trouver l'information nécessaire (dossiers de prêt, entretien avec le conseiller d'orientation, etc.) ;

▪ Présenter le service de documentation et son fonctionnement (Kaech et Chassot, 1982).

Nous retrouvons ces points dans l'atelier, quoique nous n'avons pas encouragé les participants à poser des questions précises et personnelles.

COMPARAISON DES DEUX PROGRAMMES ET DES APPRÉCIATIONS DES PARTICIPANTS

Caractéristiques de l'atelier d'orientation et du groupe de sensibilisation

La présentation schématique du tableau 3.1 permet de mieux mettre en évidence les particularités de chaque programme. L'atelier d'orientation est plus développé, plus structuré et plus systématique dans son application comme dans ses techniques (ces aspects ont été accentués par les nécessités de la recherche). Il est plus centré sur la démarche d'orientation que sur la transmission d'informations.

Le groupe de sensibilisation rassemble moins de participants et dure deux fois moins longtemps. Il accorde plus de place à la discussion des idées de chacun et recourt moins souvent au travail individuel ou en petit groupe. Il ne met pas l'accent sur la connaissance de soi, ne fournit pratiquement pas d'outils ni ne prévoit de rencontre de rappel.

Ainsi décrites, les différences entre ces deux programmes apparaissent plus clairement. Nous aimerions maintenant rechercher si l'atelier d'orientation s'approche davantage de nos objectifs que le groupe de sensibilisation, justifiant ainsi l'investissement plus grand qu'il requiert. Dans cet article, nous limitons notre analyse aux réponses des participants juste après la rencontre en groupe.

Présentation des sujets et du questionnaire

L'échantillon des sujets. En automne 1981 et 1982, ces deux programmes ont été proposés, au choix, aux 260 Fribourgeois commençant l'année scolaire précédant celle du baccalauréat. Sur ce nombre, 41 p. cent participèrent au groupe de sensibilisation et 38 p. cent à l'atelier d'orientation. Le pourcentage des élèves non intéressés par un travail de groupe (21 p. cent) est le même que celui des années précédentes, lorsque nous proposions simplement une discussion.

Pour des raisons indépendantes de notre volonté, nos comparaisons ne portent pas sur l'ensemble des participants aux programmes, mais sur ceux de 4 ateliers d'orientation (48 sujets) et de 13 groupes de sensibilisation (76 sujets).

Les pourcentages de participation varient selon les classes, les sections et le sexe. À titre d'exemple, le tableau 3.2 précise la répartition selon le sexe des élèves contactés, ainsi que celle des participants et des répondants : par rapport à l'ensemble de la volée, et pour ce qui est des questionnaires remplis, les filles ayant participé à l'atelier sont trop représentées et celles ayant fréquenté le groupe de sensibilisation le sont insuffisamment. L'analyse des taux de participation suggère un certain nombre d'hypothèses que nous ne pouvons aborder ici, sans une présentation de l'organisation et du système scolaire fribourgeois. Nous ne pensons pas que ces variables ont une influence déterminante sur la répartition des réponses de nos sujets.

Tableau 3.1

Caractéristiques de l'atelier et du groupe de sensibilisation

CARACTÉRISTIQUES	ATELIER D'ORIENTATION	GROUPE DE SENSIBILISATION
Lieu/salle	Service d'orientation préuniversitaire	
Durée	• une journée (8 h 30 environ avec le repas)	• une demi-journée (3 h 30 environ)
Nombre de participants	11 à 13	5 à 7
Objectifs	• sensibiliser à la préparation au choix professionnel en survolant une séquence de prise de décision et en apportant quelques outils	• sensibiliser à la préparation au choix professionnel par l'échange, la transmission d'informations et l'apprentissage de la recherche d'informations.
Climat	Ambiance sérieuse et détendue	
Techniques	• recours systématique à des mises en situation et à l'alternance du travail individuel et des échanges en groupe	• discussion des points de vue de chacun
	• constitution d'un dossier rassemblant notes et outils	• recours éventuel à une ou deux mises en situation et à l'alternance travail individuel / travail en groupe.
	• rencontre prévue six mois plus tard avec les mêmes participants	• éventuellement utilisation d'un outil

Tableau 3.2

Participants aux groupes et répondants au questionnaire

	NOMBRES ABSOLUS			POURCENTAGES		
	garçons	filles	totaux	garçons	filles	totaux
Ensemble de la volée	157	103	260	60	40	100
Participants :						
— atelier d'orientation	55	43	98	56	44	100
— groupe de sensibilisation	72	35	107	67	33	100
Répondants au questionnaire :						
— atelier d'orientation	25	23	48	52	48	100
— groupe de sensibilisation	60	16	76	79	21	100

Précisions à propos du questionnaire. Le questionnaire, intitulé « Impressions et remarques après l'atelier d'orientation » ou « ... après le groupe de sensibilisation », était annoncé au début de la séance. Il contient une quinzaine de questions à choix multiples. Dans le tableau 3.3, nous les avons regroupées selon qu'elles concernent un jugement global, la démarche d'orientation, la connaissance de soi, la connaissance des professions. Le questionnaire se terminait sur deux questions ouvertes : « Ce que j'ai surtout apprécié... » et « Ce groupe aurait été mieux si... »

Malgré la fatigue de la séance, la grande majorité des participants a rempli ce questionnaire volontiers et consciencieusement. Ceci nous semble confirmé par le nombre et la qualité des réponses aux deux dernières questions.

Appréciations des participants

Après quelques remarques générales, nous commenterons successivement le niveau global de satisfaction, les impressions concernant les différents thèmes abordés et finalement les critiques positives et négatives.

Remarques générales. Le tableau 3.3 présente les pourcentages des réponses à choix multiples. Les pourcentages des réponses « d'accord » et « complètement d'accord » oscillent entre 96 p. cent et 52 p. cent pour l'atelier, 73 p. cent et 27 p. cent pour le groupe de sensibilisation ; ceux des réponses « en désaccord » et « complètement en désaccord » varient entre 0 p. cent et 15 p. cent pour le premier, 4 p. cent et 39 p. cent pour le second. Ces différences sont suffisantes pour permettre une analyse plus fine.

Parallèlement dans les deux groupes, le niveau de satisfaction diminue et celui d'insatisfaction augmente, lorsqu'on passe de l'appréciation globale de la démarche à la phase de connaissance de soi et, de cette dernière, à la phase de connaissance des professions. Cette constatation ne fait que confirmer l'existence de similitudes entre les deux programmes dans la façon d'aborder cette sensibilisation aux choix professionnels. Pour ce qui est de l'atelier, ces chiffres sont un juste reflet de l'importance que nous avons accordée à ces différents domaines dans nos objectifs.

Niveau global de satisfaction. En sortant de l'atelier d'orientation, 96 p. cent des participants ont le sentiment d'avoir reçu des éléments utiles et 88 p. cent d'avoir été aidés dans leurs réflexions par les échanges avec leurs camarades. Les désaccords sont rares (0 p. cent et 2 p. cent). Après le groupe de sensibilisation, le niveau de satisfaction est nettement moins élevé pour ces deux items (66 p. cent et 57 p. cent d'accords, 4 p. cent et 26 p. cent de désaccords).

Ces deux programmes sont donc jugés utiles, mais la participation à l'atelier apporte beaucoup plus de satisfaction. Relevons aussi que le simple partage de ses idées suscite moins de réflexions que l'échange à partir de mises en situation, d'expériences vécues.

Démarche d'orientation. La plupart des participants à l'atelier d'orientation se sentent stimulés à poursuivre des démarches (96 p. cent) et voient mieux ce qu'un service d'orientation peut leur apporter (88 p. cent). Ils cernent mieux les éléments à considérer dans le choix et les démarches à faire (92 p. cent et 90 p. cent). Sous ces quatre aspects, l'atelier

Tableau 3.3

Impressions et remarques des participants après
- **Un atelier d'orientation** : **(A)**
- **Un groupe de sensibilisation** : **(S)**

Pourcentages des réponses (N = 48 pour (A) et 77 pour (S)) :

(+) : total des réponses « d'accord » et « complètement d'accord »
(−) : total des réponses « en désaccord » et « complètement en désaccord »
Pour chaque phrase, la différence jusqu'à 100% correspond au pourcentage de réponses « je ne sais pas » et de rares non-réponses.

AU NIVEAU GLOBAL :	•	(A)	(S)	X^2*
▪ Ce groupe d'orientation m'a apporté des éléments utiles	(+)	96	66	13,04
	(−)	0	4	
▪ Le fait de discuter mes opinions au sujet du choix professionnel avec des personnes de mon âge m'a aidé dans mes réflexions	(+)	88	57	13,87
	(−)	2	26	
PAR RAPPORT À LA DÉMARCHE D'ORIENTATION :				
▪ Ce groupe me stimule à poursuivre des démarches pour préciser mon orientation	(+)	96	71	9,37
	(−)	0	8	
▪ Ce groupe m'a permis de mieux cerner les éléments à considérer dans le choix	(+)	92	49	22,96
	(−)	0	23	
▪ Je vois plus clairement les démarches que je peux faire pour clarifier mon choix	(+)	90	56	14,34
	(−)	2	18	
▪ Je cerne mieux ce que le service d'orientation ou un conseiller peut m'apporter	(+)	88	73	2,79
	(−)	2	5	
PAR RAPPORT À LA CONNAISSANCE DE SOI :				
▪ Il me semble que ce groupe d'orientation m'a aidé à me voir et à me connaître avec plus de clarté	(+)	81	46	14,92
	(−)	6	17	
▪ Il me semble que je fais mieux le lien entre les professions qui m'intéressent et ce que je connais de moi	(+)	73	43	11,59
	(−)	4	21	
▪ Ce groupe me donne envie de me connaître davantage	(+)	71	57	8,10
	(−)	4	25	
▪ Il me semble que ce groupe m'a permis de connaître plus d'aspects de moi que je n'en connaissais avant	(+)	54	27	11,02
	(−)	15	39	
PAR RAPPORT À LA CONNAISSANCE DES PROFESSIONS :				
▪ Il me semble que je repars avec des interrogations plus nombreuses et plus précises sur les professions	(+)	75	35	11,28
	(−)	6	30	
▪ Il me semble que je dispose de plus de métiers qui pourraient me convenir	(+)	71	51	5,45
	(−)	15	31	
▪ Il me semble que j'ai une connaissance plus précise et plus détaillée des professions qui m'intéressent	(+)	52	35	5,50
	(−)	12	39	

* Avec $\gamma = 2$, $X^2 = 5,90$ pour $\alpha = 0,05$, 7,82 pour $\alpha = 0,02$, 9,21 pour $\alpha = 0,01$
et 13,82 pour $\alpha = 0,01$

est estimé très satisfaisant. Après le groupe de sensibilisation, le pourcentage d'accords est élevé pour les deux premiers (71 p. cent et 73 p. cent) et moyen pour les deux autres (49 p. cent et 56 p. cent, avec respectivement 23 p. cent et 18 p. cent de désaccords).

La manière systématique et concrète d'aborder le processus de prise de décision et de faire le tour des personnes et moyens disponibles, appliquée durant l'atelier, apporte plus de clarté et une meilleure stimulation à l'action.

Connaissance de soi. À ce niveau, la satisfaction est moindre. Après l'atelier d'orientation (le groupe de sensibilisation), 81 p. cent (46 p. cent) des participants ont l'impression de se connaître avec plus de clarté, 73 p. cent (43 p. cent) font mieux le lien entre leurs caractéristiques personnelles et les professions, 71 p. cent (57 p. cent) ont envie de se connaître davantage et 54 p. cent (27 p. cent) ont le sentiment de se connaître mieux. Sur ce dernier point, les désaccords sont nombreux (15 p. cent et 39 p. cent).

La comparaison de ces pourcentages confirme l'intérêt des mises en situation et de la méthode utilisées durant la phase d'exploration de soi, au début de l'atelier ; mais il s'agit avant tout d'une clarification de certains aspects de sa personnalité et, dans une moindre mesure, d'une découverte d'aspects nouveaux.

Connaissance des professions. Les trois quarts des participants à l'atelier et le tiers pour le groupe de sensibilisation repartent avec des questions plus précises ; 71 p. cent (51 p. cent) disposent de plus de métiers qui pourraient leur convenir et 52 p. cent (35 p. cent) estiment avoir une connaissance plus détaillée des professions qui les intéressent. Cependant, les pourcentages de désaccords sont élevés, surtout dans le groupe de sensibilisation.

Dans ce domaine aussi, l'apport de l'atelier d'orientation est réel et supérieur à celui du groupe de sensibilisation, surtout par rapport aux questions qu'il suscite : ces données vont tout à fait dans le sens de nos objectifs.

Critiques positives et négatives. En moyenne, chaque étudiant a émis 3,6 réponses positives après l'atelier et 2,5 après le groupe d'orientation, contre 1,5 et 0,5 réponses négatives. Ces proportions sont à mettre en rapport avec la durée du programme. Nous ne disposons pas de données suffisantes pour invoquer d'autres variables.

En dépouillant les réponses aux deux questions ouvertes, nous les avons regroupées en un certain nombre de catégories. Les tableaux 3.4 et 3.5 présentent les pourcentages des réponses dans chacune d'entre elles par rapport à l'ensemble des réponses.

La moitié des appréciations positives, dans les deux groupes, renvoient à ce qui a été reçu, en particulier grâce aux échanges. Ainsi, les deux programmes créent une situation privilégiée permettant aux étudiants de parler d'eux-mêmes et de leur avenir professionnel et de tirer profit de ce partage. Les participants à l'atelier sont par ailleurs plus souvent satisfaits de ce qu'ils ont appris, ceux du groupe de sensibilisation d'avoir rencontré d'autres personnes et obtenu une réponse personnelle ; ce dernier aspect n'est pas mentionné à propos de l'atelier.

Cependant, la répartition des réponses diffère surtout en ce qui concerne le style de la rencontre (40 p. cent pour le groupe de sensibilisation et 13 p. cent pour l'atelier) et la démarche proposée (respectivement 9 p. cent et 30 p. cent). Dans une expérience préli-

Tableau 3.4

Ce que j'ai surtout apprécié durant ce groupe

(A) : atelier d'orientation : 175 réponses pour 48 sujets
(S) : groupe de sensibilisation : 192 réponses pour 76 sujets

POURCENTAGE DE RÉPONSES PAR CATÉGORIE DANS CHAQUE GROUPE

PAR RAPPORT À LA DÉMARCHE PROPOSÉE	(A)	(S)
• la méthode (par exemple : la façon d'aborder le problème, de faire l'expérience, etc.)	15	0
• les techniques d'animation (p. ex. : l'interview, l'approche de soi, la recherche de métiers, etc.)	3,5	3
• les outils (p. ex. : l'ensemble ou une partie du dossier, la liste des professions, etc.)	8	5
• le rythme (p. ex. : durant une journée, travail intensif, etc.)	3,5	1
TOTAL INTERMÉDIAIRE	30	9
PAR RAPPORT AU CONTENU		
• la richesse des échanges (avec des gars de mon âge, d'autres classes, etc.)	31	30
• ce que j'ai appris (sur moi, sur les professions, sur le choix, etc.)	18	8
• la rencontre d'autres personnes	2	7
• l'obtention d'une réponse personnelle de la part du conseiller	0	4
TOTAL INTERMÉDIAIRE	51	49
PAR RAPPORT AU STYLE DE LA RENCONTRE		
(atmosphère, franchise, attitude des animateurs, etc.)	13	40
DIVERS		
(je me sens stimuler à m'informer, c'est une ouverture sur l'avenir, etc.)	6	3
TOTAL GÉNÉRAL	100%	100%

minaire, alors que notre programme n'était pas encore très structuré, 40 p. cent des réponses positives concernaient le style de la rencontre. C'est pourquoi ces résultats ne signifient pas, pour nous, que l'ambiance de l'atelier est moins sympathique que celle du groupe de sensibilisation, mais que la manière d'aborder la démarche d'orientation est encore plus appréciée que le style de la rencontre.

Nous avons regroupé les critiques négatives en 4 rubriques (tableau 3.5).

Celles ayant rapport au contenu des programmes et aux conditions dans lesquelles le groupe a eu lieu se contredisent d'un groupe, voire d'une personne à l'autre. Elles ne

Tableau 3.5

Ce groupe d'orientation aurait été mieux, si...

(A) : atelier d'orientation : 66 réponses pour 48 sujets
(S) : groupe de sensibilisation : 35 réponses pour 76 sujets

POURCENTAGE DE RÉPONSES PAR CATÉGORIE DANS CHAQUE GROUPE

	(A)	(S)
... SI, AU NIVEAU DU TEMPS, il y en avait eu plus pour s'informer sur soi, sur les professions, pour discuter ; s'il y avait eu plusieurs séances	55	28,5
... SI, AU NIVEAU DES CONDITIONS DU GROUPE, il y avait eu plus ou moins de monde (fonction du groupe), plus d'échanges, etc.	15	28,5
... SI, AU NIVEAU DU CONTENU, il y avait eu plus d'informations, si ça avait été moins dense ou plus approfondi, etc.	18	20
... SI LES ANIMATEURS étaient plus intervenus au niveau individuel, s'ils avaient fourni des réponses plus directes et plus personnelles :	12	23
TOTAL	100%	100%

peuvent nous fournir des indications dans cette analyse globale. C'est, pour une part, le fait d'avoir prévu des groupes plus petits qui a rendu plus difficile l'obtention de groupes de sensibilisation équilibrés, mais d'autres facteurs ont certainement joué.

Il y a 55 p. cent des critiques négatives portant sur l'atelier d'orientation qui ont rapport au temps disponible, contre 28 p. cent pour le groupe de sensibilisation qui dure en fait deux fois moins longtemps. Ceci s'explique par la densité du programme et le rythme intensif de l'atelier, par les interruptions répétées des échanges suscitant de réelles frustrations chez les participants. Nous avons posé l'hypothèse que ces dernières auront, à court terme, des effets positifs, en favorisant, par exemple, d'autres échanges ou démarches après le groupe. Lorsque nous disposerons des résultats de notre recherche, nous pourrons contrôler cette hypothèse et envisager les adaptations possibles.

La dernière critique porte sur l'insuffisance de l'apport des animateurs au niveau individuel. Elle est plus souvent mentionnée par les participants au groupe de sensibilisation, même si les animateurs de l'atelier n'ont pas répondu à des questions personnelles. Vraisemblablement, ces dernières étaient reléguées au second plan grâce aux découvertes favorisées par la méthode et les outils utilisés durant l'atelier. De plus, la rencontre de rappel prévoyait une approche plus individualisée. Il n'en reste pas moins qu'il serait souhaitable que chacun ait un bref entretien avec un conseiller d'orientation vers la fin de la séance : il pourrait obtenir des réponses précises à des questions plus personnelles et un rendez-vous pourrait être pris si nécessaire.

CONCLUSION

Le but de ce chapitre était de présenter deux groupes d'orientation visant à sensibiliser les futurs bacheliers à la préparation de leurs choix professionnels. Nous voulions aussi les différencier en comparant les impressions et remarques des participants après leur groupe respectif. Résumons, avant de conclure.

Le groupe de sensibilisation, selon les réponses des participants, atteint, par ordre d'importance, les objectifs suivants :

    a. il permet de connaître mieux les prestations du service d'orientation ;
    b. il stimule à poursuivre des démarches ;
    c. il donne envie de se connaître davantage ;
    d. il permet d'élargir les horizons professionnels possibles.

Ainsi, en discutant dans un climat sympathique, les étudiants se sentent encouragés à entreprendre des démarches.

L'atelier d'orientation, du point de vue des participants, apporte une très grande satisfaction, en particulier grâce à ce qu'il apprend sur la manière de préparer son choix. Comparé au groupe de sensibilisation, et malgré les emprunts que lui a fait ce dernier, l'atelier se différencie par les objectifs qu'il atteint et leur hiérarchie (voir les valeurs du khi carré, tableau 3.3). Il permet :

a. De mieux cerner les éléments du choix.

    C'est son objectif le plus spécifique.

b. • De se connaître avec plus de clarté ;
   • de voir clairement les démarches possibles ;
   • de repartir avec plus d'interrogations ;
   • de connaître plus d'aspects de soi.

    L'atelier s'approche beaucoup plus de ces objectifs que l'autre programme.

c. • De mieux stimuler à une démarche ;
   • de donner plus envie de se connaître.

    Même sous ces deux aspects caractérisant le groupe de sensibilisation, l'atelier est aussi plus stimulant.

Par contre, les deux programmes ne se différencient pas quant à l'ouverture sur des métiers nouveaux, à la possibilité de mieux connaître les professions et les prestations du service d'orientation.

En nous basant uniquement sur les réponses des participants après le groupe, nous pouvons donc conclure que l'atelier est plus à même de sensibiliser les futurs bacheliers aux choix professionnels et qu'il justifie l'investissement plus grand qu'il demande. Non seulement il stimule les étudiants à entreprendre une démarche d'orientation, mais surtout il apporte plus de clarté sur le problème posé, sur les éléments en jeu et sur les façons possibles d'avancer vers une solution. Il est clair que le temps manque durant l'atelier pour assimiler les nombreux matériaux proposés. Toutefois, les participants ont 18 mois devant eux pour reprendre et approfondir la démarche soit seuls, soit avec un conseiller d'orientation, soit, éventuellement, dans un groupe d'A.D.V.P.

Reste la question la plus importante pour le praticien, celle que nous traitons dans notre recherche ; est-ce que les stimulations provoquées par ces groupes vont se traduire dans les faits ?

RÉFÉRENCES

BENEDETTO, Pierre : Recherche sur l'orientation des étudiants à partir d'une évaluation de leur niveau de maturité vocationnelle, *Revue internationale de gestion des établissements d'enseignement supérieur*, s.d.

BIGARD, Alain : La réussite en première année d'université. Une analyse en segmentation. *L'Orientation scolaire et professionnelle*, **10,** n° 1 : 69-82, 1981.

DEBREYNE-PIERSON, C. : Enquête sur l'échec en première année à l'université. Résumé des principales données et suggestions quant aux remèdes éventuels, *Cahiers d'information de l'U.L.B.*, **4,** Bruxelles, 1979.

FRÉCHETTE, Louise et Josée LAFLEUR : *Guide d'orientation professionnelle*, Agence d'Arc Inc., Montréal, 1980.

HOFFMAN, S. David et Donald J. COCHRAN : Groups in career counseling, in : REARDON, R.C. et H.D. BURCK (Éds), *Facilitating Career Development. Strategies for counselors.* Charles C. Thomas, Publisher, Springfield, Illinois, 1977.

HUTEAU, Michel et Jacques LAUTREY : L'utilisation des tests d'intelligence et de la psychologie cognitive dans l'éducation et l'orientation, *L'Orientation scolaire et professionnelle*, **7,** n° 2 : 99-174, 1978.

KAECH, Pierre et Marc CHASSOT : Groupes de sensibilisation en OSP à l'intention des gymnasiens et gymnasiennes d'avant-dernière année de collège, *Orientation et formation professionnelles*, **67,** n° 2, 103-107, 1982.

KRATZING, M.I. et M.S. NYSUL : Effects of three methods of career counselling in vocational maturity and vocational preference, *British Journal of Guidance and Counselling*, **7,** n° 2, 220-224, 1979.

NUOFFER, Jacques : L'orientation en groupe au collège, *Le message du collège* (Collège St-Michel, Fribourg) **34,** 4 : 252-257, 1981, **35,** 1 : 42-47, 1982.

NUOFFER, Jacques : Les groupes d'activation du développement vocationnel et personnel (A.D.V.P.), *Orientation et formation professionnelles*, **66,** n° 5, 291-304, 1981.

PELLETIER, D., G. NOISEUX et C. BUJOLD : *Développement vocationnel et croissance personnelle. Approche opératoire*, McGraw-Hill, Montréal, 1974.

WIEDMER, Janine : « *Destin* » *des volées de première année d'hiver 1971/1972, 1972/1973, 1973/1974*, (polycopié), Faculté des sciences sociales et politiques, Université de Lausanne, 1980.

Chapitre **4**

Sessions intensives A.D.V.P. dans une école de niveau secondaire

Jacques Audet, René Benoit, Raymond Picard

Cet exposé se veut une synthèse des diverses expériences de groupe en A.D.V.P. vécues au cours des dernières années. Nous en situerons d'abord le contexte en précisant les particularités de notre école et les caractéristiques des professionnels qui travaillent à l'orientation des étudiants. Nous présenterons brièvement l'évolution et le contenu de nos rencontres. Nous nous attarderons davantage à la description de l'expérience en cours, de même qu'aux diverses évaluations qui ont servi de base à notre évolution d'animateurs.

CONTEXTE DE L'EXPÉRIENCE

Située à Saint-Hyacinthe au Québec, la polyvalente Hyacinthe-Delorme (P.H.D.) est une école secondaire de deuxième cycle qui accueille actuellement quelque 2 200 étudiant(e)s dont 45 p. cent résident dans la ville et 55 p. cent vivent à la campagne ou dans des villages avoisinants. En 1981-82, la population scolaire se répartissait comme suit : 1 300 élèves inscrits en secondaire II — III — IV — V, formation générale, 574 en enseignement professionnel long (métiers spécialisés), 289 en enseignement professionnel court (métiers semi-spécialisés) et 37 en adaptation scolaire (cours visant à développer des habiletés de base ne conduisant à aucune formation professionnelle spécifique). C'est dans ce milieu que nous avons commencé à utiliser l'approche A.D.V.P.

Dans notre école, deux types de professionnels travaillent très étroitement à l'orientation des élèves : les conseillers d'orientation et les professeurs d'information scolaire et professionnelle. Les conseillers d'orientation sont des professionnels non-enseignants au terme des conventions de travail. Leur tâche consiste à rencontrer des étudiants individuellement ou en groupe, afin de les aider à faire des choix scolaires, vocationnels et personnels. Le counseling, la psychométrie, les études de dossiers en équipe multidisciplinaire sont autant de moyens dont ils disposent pour aider l'étudiant. Les conseillers n'étant pas intégrés à l'horaire, ils peuvent déterminer leur emploi du temps en tenant compte des besoins.

Les professeurs d'information sont des enseignants au terme des conventions de travail. Ils donnent de l'information scolaire et professionnelle à des groupes d'étudiants ou à des élèves rencontrés individuellement. Jusqu'à l'automne 1979, les professeurs d'information étaient « à la pige », c'est-à-dire que tout en ayant un nombre total d'heures à enseigner pendant une année, ils pouvaient donner ces heures comme ils le voulaient au gré des besoins rencontrés par les étudiants. Ceci rendait leur horaire très flexible et leur permettait des activités diversifiées telles : semaine d'information, mise à jour du laboratoire d'information, participation à des programmes communs avec les conseillers d'orientation (tel l'A.D.V.P.), invitation de conférenciers, etc. À l'automne 1979, les professeurs d'information furent intégrés à l'horaire. Depuis ce jour, ils doivent assurer chaque semaine un nombre d'heures bien précis avec des groupes clairement identifiés, comme les autres enseignants de l'école. Par conséquent, leur horaire est beaucoup moins flexible et entrave la réalisation d'activités autres que les activités d'enseignement. Cette particularité des professeurs d'information doit être conservée en mémoire, car elle a directement influencé leur participation à notre programme A.D.V.P.

ÉVOLUTION ET CONTENU DES RENCONTRES

Avant de relater l'histoire de notre pratique A.D.V.P. et de décrire notre programme actuel, il serait bon d'identifier les trois paramètres qui ont servi de base à cette réalisation et qui survivent encore au fil des années. Premièrement, le programme en A.D.V.P. devait s'adresser aux étudiants du secondaire V, formation générale, qui, en tant que finissants du cours secondaire, doivent obligatoirement formuler un choix vers l'une des trois voies suivantes : le C.E.G.E.P. (formation collégiale), un cours professionnel de niveau secondaire ou le marché du travail. Deuxièmement, nous avons toujours voulu que l'A.D.V.P. soit une approche de groupe où, à partir de mises en situation bien identifiées et complémentaires, nous favorisions chez les participants une meilleure connaissance de soi, du monde des occupations et du marché du travail en vue de les aider à faire des choix d'orientation réalistes et satisfaisants pour eux. Bien que ce programme soit davantage conçu en fonction d'une prise de décision d'orientation, nous espérons que les participants sauront extrapoler et utiliser les apprentissages effectués pour tout genre de décision qu'ils auront à prendre. Finalement, les élèves sont libres de participer à ce programme sachant très bien que seuls ceux et celles qui désirent réellement s'impliquer dans une démarche semi-collective d'orientation y trouveront satisfaction.

Nos premières tentatives d'application de l'A.D.V.P. débutèrent en 1976-77. Depuis un certain temps, la direction de l'école nous signifiait assez clairement son intention de nous voir œuvrer au niveau des groupes. Le peu de formation spécifique en travail de groupe qu'avaient les conseillers d'orientation en place obligeait ces derniers à beaucoup d'hésitations et de prudence. L'arrivée d'une conseillère en orientation changea nettement l'attitude des conseillers en place et l'équipe décida enfin de tenter une première expérience de groupe. Pendant que la nouvelle venue préparait une première session d'A.D.V.P., les autres réfléchissaient à partir des ouvrages suivants : *Développement vocationnel et croissance personnelle* (Pelletier, Noiseux, Bujold ; Mc Graw-Hill, 1974) et *Guide de travail A.D.V.P. au niveau collégial* (Dufresne, Fréchette, Murray, Bélanger, Cajolet et Bourque ; Fédération des cégeps, automne 1975).

Les réunions se succédèrent. Il nous fallut plus de temps pour nous préparer que pour réaliser la première expérience. Enfin, une première session fut réalisée. Deux conseillers, pendant 5 demi-journées, animèrent un petit groupe de 8 élèves. Le seul critère d'évaluation retenu était notre vécu comme animateurs et la satisfaction qu'exprimaient les étudiants. Une pensée nous hantait : ne pas « échapper » notre groupe ; savoir dans quelle direction aller ; ne pas conduire les élèves en des « endroits » irrécupérables. Parallèlement, nous nous rendions compte du temps investi pour la préparation et la réalisation de ces groupes ; la fameuse question se posait toujours : faisons-nous un travail valable et rentable ? Toutes ces questions furent posées à la Direction de l'école qui nous incita à continuer.

Au cours des années 1977 à 1980, le programme poursuivait toujours le même objectif : permettre aux étudiants la réalisation de leur choix vocationnel tout en acquérant un processus susceptible de les aider à prendre d'autres décisions importantes au cours de leur vie. Pour atteindre cet objectif, nous nous sommes servis d'une banque de mises en situation contenue dans le *Guide de travail A.D.V.P. au niveau du collégial*. Les seuls changements apportés se situaient soit au niveau de la coanimation, soit au niveau de la distribution du temps ; en somme, ces changements n'ont jamais modifié nos objectifs de base. Voici donc un résumé du chemin parcouru au cours de ces années.

Au tout début, deux conseillers en orientation animaient les groupes. En 1977-78, les groupes furent animés par un conseiller et un professeur d'information. L'arrivée de ce dernier s'explique par le fait suivant : dans notre démarche, il y avait de l'information scolaire et professionnelle que les professeurs d'information venaient donner en un temps très précis du cheminement. Ces derniers, se sentant souvent à l'écart du groupe, en sont venus à coanimer tout le cheminement avec un conseiller. Ainsi, ils pouvaient individualiser davantage l'information à donner. La même année, nous avons décidé de travailler sur 3 journées, séparées par une semaine, plutôt que de travailler sur 5 demi-journées. Des difficultés d'ordre administratif nous obligèrent à effectuer ce changement.

En 1978-1979, nous avons pensé contrôler plus scientifiquement les critères de satisfaction. En effet, les étudiants, en identifiant les aspects personnels qu'ils voulaient retrouver dans leur occupation future, trouvaient des termes beaucoup trop généraux (*exemple :* « amour », « liberté », « jovialité », « douceur »), ce qui ne permettait nullement de discriminer une occupation d'une autre. Parallèlement, les étudiants utilisaient un document d'information scolaire[1] qui identifiait clairement les intérêts caractéristiques de chaque formation. En obligeant les élèves à n'utiliser comme critères de satisfaction que cette liste d'intérêts caractéristiques et ou en ne prenant que ce document d'information comme source de référence, il devenait assez simple de ne retenir que les programmes de formation qui contenaient la majorité de nos critères de satisfaction. Cependant, nous nous sommes rendu compte à l'usage que cette méthodologie était trop restrictive et qu'elle ne couvrait pas au complet la réalité de l'élève.

Le problème de critères de satisfaction n'étant pas encore réglé, nous avons tenté une nouvelle expérience en 1979-1980. Nous voulions amener les étudiants à trouver des cri-

---

[1] *Document d'information*, Commission scolaire régionale Provencher.

tères leur permettant de discriminer les occupations entre elles. Pour ce faire, nous nous sommes demandé quels étaient les grands facteurs personnels qui composent l'orientation de l'individu. Nous avons identifié les quatre grands facteurs suivants : les *aptitudes*, les *intérêts*, les *valeurs*, la *personnalité* (A.I.V.P.). Tout en conservant les mises en situation utilisées depuis le début, nous avons amené les étudiants à parler de leurs A.I.V.P. ; cette terminologie élargissait la vision des élèves et contrôlait en quelque sorte leur vocabulaire.

Finalement, en 1980, les professeurs d'information n'ayant pas un horaire suffisamment flexible pour venir coanimer les groupes et les conseillers se sentant suffisamment expérimentés, ces derniers décidèrent d'animer seuls leur groupe et de porter à douze le nombre de participants par groupe. Et c'est ainsi que nous fonctionnons maintenant.

L'A.D.V.P. EN 1981-1982

Tout en respectant les étapes du processus de résolution de problème, soit l'exploration, la cristallisation, la spécification et la réalisation, notre programme s'échelonne sur 3 journées intensives, à raison d'une journée par semaine, pour un total de 15 heures. La première journée est centrée sur l'exploration, la deuxième et la première moitié de la troisième sur la cristallisation et la spécification et enfin, le reste du temps est dévolu à l'étape réalisation, de même qu'à l'évaluation de la session par les participants.

L'exploration

En théorie, la phase d'exploration fait appel à la cueillette des données. L'étudiant entreprend une démarche dans le but de recueillir le plus d'informations pertinentes possibles sur lui-même et sur le monde du travail. Nous adressant exclusivement à une clientèle de finissants du secondaire, nous avons décidé de mettre l'accent sur la connaissance de soi en termes d'A.I.V.P. (aptitudes, intérêts, valeurs, personnalité) et de reporter quelque peu l'exploration du monde du travail. Lorsque les participants ont identifié les A.I.V.P. qu'ils tiennent absolument à retrouver dans leur travail futur (*exemple :* « je tiens à aider les autres »), l'exploration du monde du travail se fait de façon plus rentable. L'exploration dans ce contexte permet en effet d'apporter des réponses à un besoin personnel de l'élève et ne correspond pas à une simple lecture de documents qu'on fait sans trop savoir pourquoi. De même, le fait d'avoir au préalable identifié ses critères de satisfaction permet de restreindre l'éventail des occupations à explorer. Le participant est souvent en mesure de rejeter sans exploration certaines occupations parce qu'elles ne répondent pas à ses critères.

Les activités de la phase d'exploration

Comme il s'agit du premier contact avec le groupe, la première activité est consacrée aux présentations de l'animateur et des participants. Après quoi, l'animateur expose brièvement les objectifs de la session et les étapes que devaient pouvoir franchir les élèves en 3 journées. Nous passons ensuite à l'explication de ce qu'est la phase d'exploration et entreprenons une sensibilisation des participants aux concepts A.I.V.P.

Nous sommes maintenant prêts à utiliser des mises en situation qui permettront aux participants d'identifier leurs A.I.V.P. Pour ce faire, nous les invitons à effectuer un collage. Chacun feuillette d'abord quelques-uns de ses magazines ou revues préférés et découpe les illustrations qui retiennent son attention. Lorsque chaque étudiant a structuré tout ce matériel en un montage, nous regroupons les participants en trio. Chacun cherche à découvrir les A.I.V.P. contenus dans le collage de l'autre. Par la suite, les participants sont appelés à vérifier si leur collage les représente bien, s'il n'y a pas certains éléments qu'ils connaissent d'eux-mêmes et qui ne seraient pas représentés.

Cette étape terminée, les participants poursuivent leur recherche de connaissance de soi en vivant une fantaisie ou rêve futuriste. Il s'agit, après quelques minutes de relaxation, de les amener à se projeter mentalement en l'an 2000, d'imaginer ce qu'ils font, comment ils vivent, de s'arrêter au cadre dans lequel ils évoluent, etc. Par la suite, avec l'aide des membres du groupe, ils cherchent à identifier les A.I.V.P. qui peuvent ressortir de leur rêverie.

Enfin, pour préciser la phase d'exploration de soi, on remet à chacun un inventaire comportant d'une part une liste des traits A.I.V.P. et d'autre part un questionnaire faisant appel aussi bien à ses expériences présentes que passées, de même qu'aux perceptions qu'il sent que les autres peuvent avoir de lui. Les résultats de cet inventaire remis à la prochaine rencontre permettront d'ajouter aux données recueillies durant la journée ; le tout constituera ainsi une banque d'éléments de connaissance de soi que nous utiliserons dans les phases suivantes.

La cristallisation

L'objectif poursuivi au cours de cette étape est d'ordonner l'information recueillie en exploration, ce qui implique qu'on est capable de la clarifier et d'en identifier les constantes. Conformément à ce qui a été dit sur l'objet de l'exploration, il va maintenant s'agir d'amener les participants à mettre de l'ordre dans leurs éléments de connaissance d'eux-mêmes.

Les activités de la phase de cristallisation

Nous proposons d'abord aux participants un exercice de transition qui leur permet d'une part de cumuler certains A.I.V.P. additionnels (exploration), et d'autre part d'y mettre un certain ordre (cristallisation). Nous appelons cet exercice « Le bombardement des forces ». À partir des fantaisies futuristes, des collages et des perceptions des élèves entre eux, il s'agit d'identifier chez chacun des autres participants ce qu'on y voit comme A.I.V.P. et de les leur formuler verbalement ou par écrit. Par la suite, chacun est appelé à vérifier si les perceptions qu'on lui a véhiculées correspondent à l'image qu'il se fait de lui-même, à identifier les constantes de ce bombardement, puis à faire, par écrit, le portrait qui s'en dégage.

Ensuite, nous demandons aux élèves de faire une synthèse des A.I.V.P. cumulés depuis le début de la session et d'identifier les constantes qui s'en dégagent, qui les définissent le mieux.

La spécification

Cette phase a pour but d'évaluer le matériel recueilli, de le hiérarchiser afin d'en arriver à formuler des choix correspondant aux critères personnels de satisfaction du participant (critères de désirabilité tels : travail manuel, aider les autres, travail à l'extérieur) et aux réalités inhérentes aux occupations (critères de réalité tels : aptitudes spécifiques préalables, contingentement, débouchés).

Les activités de la phase de spécification

Pour aborder la phase de spécification, nous demandons aux élèves de hiérarchiser très intuitivement les constantes identifiées puis de les situer sur un diagramme circulaire (cf. Figure 4.1) en notant les plus importantes au centre du diagramme et, graduellement, les moins importantes vers la périphérie.

Figure 4.1
Diagramme

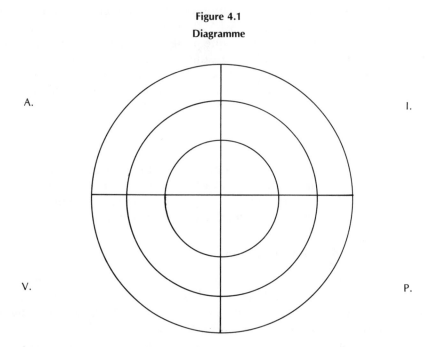

A.

I.

V.

P.

Dans un second temps, nous regroupons les participants en triades pour qu'ils précisent le sens des A.I.V.P. apparaissant sur leur diagramme et pour les amener à ne retenir que les éléments leur permettant réellement de discriminer les occupations susceptibles d'être les plus satisfaisantes pour eux. Cette précision des critères de satisfaction se fait à partir de 3 questions fondamentales : « Qu'est-ce que cet élément signifie pour toi ? » « Cet élément peut-il être satisfait dans la plupart des occupations ou seulement dans quelques-unes ? » « Sans référence à une occupation particulière, as-tu envie que cet élément se retrouve de façon importante dans le travail que tu veux choisir ? » *Exemple type :* le mot « amour », qui peut signifier être aimé et apprécié dans son travail, donc non discriminatif parce que pouvant se retrouver dans toutes les occupations, en opposition au mot « amour » dans le sens d'aide aux gens, donc discriminatif parce que ne pouvant se retrouver dans toutes les occupations. Dans ce travail de précision des critères de satisfaction, nous suggérons aux participants d'identifier un minimum d'une dizaine d'éléments car plus on en possède, moins il y a d'occupations qui y répondent, moins l'exploration des occupations sera vaste par la suite.

Une autre étape consiste à explorer les occupations susceptibles d'intéresser chacun des participants. Pour ce faire, nous leur remettons une liste de spécialités de niveau secondaire, collégial, universitaire et quelques-unes hors du système scolaire que nous décrivons sommairement. Ce contact avec les spécialités leur donne une idée générale du monde des occupations et leur permet d'en retenir de 10 à 15 parmi celles qui leur semblent les plus attrayantes.

À l'aide de divers documents d'information, les participants mettent en corrélation les occupations trouvées et les critères de satisfaction (cf. Tableau 4.1.) puis, par un système de pondération de type 0-3-5, en arrivent à identifier les 4 ou 5 occupations qui répondent le mieux à leurs critères de satisfaction.

Tableau 4.1

0- Pas important 3- Assez important 5- Très important	**Polyvalente Hyacinthe-Delorme** **Activation du développement vocationnel et personnel** **Grille de satisfaction**

OCCUPATIONS CRITÈRES DE SATISFACTION													
TOTAUX													

Au début de la troisième journée, les élèves sont invités à vérifier la pertinence de ces quelques choix d'occupations en les confrontant à l'ensemble de leur réalité personnelle et de la réalité extérieure. Pour la confrontation avec leur réalité personnelle, les participants sont amenés à vérifier dans quelle mesure ils possèdent les aptitudes, intérêts et autres caractéristiques propres à la pratique de telle ou telle occupation. Ils réalisent la confrontation avec la réalité extérieure en tenant compte, pour chacun de leur choix, d'éléments tels que le contingentement, les préalables scolaires, les débouchés, le lieu où se donne la formation, la durée des études, etc.

En procédant ainsi, les participants sont à même de retenir ou rejeter les occupations qu'ils avaient préalablement jugées intéressantes à partir de leurs critères de satisfaction. Ainsi, un étudiant qui aurait retenu la profession de médecin comme répondant à la plupart de ses critères de satisfaction mais qui éprouverait beaucoup de difficultés en mathématiques, qui n'aurait pas inscrit de chimie à son horaire durant son cours secondaire et qui, de plus, aurait peu de mémoire, devrait considérer ce choix comme peu réalisable et envisager un choix de rechange. L'élève devrait retenir ainsi 2 ou 3 choix.

La réalisation

Cette quatrième et dernière phase de l'A.D.V.P. a pour but d'amener les participants à dégager les implications de leurs choix sur leur vie future à court et à plus long terme, ainsi qu'à identifier les moyens à prendre pour atteindre leur objectif professionnel. En jetant les bases de leur action, les élèves sont ainsi appelés à consolider leurs choix d'orientation.

Les activités de l'étape de réalisation

Pour réaliser cette démarche, nous demandons aux participants d'identifier, chacun pour soi, au moins 8 conséquences que pourrait avoir chacun de ces 3 choix prioritaires sur leur vie future en termes de durée des études, milieu de travail, horaire de travail, mobilité géographique, style de vie, etc. À la suite de ce travail, chaque étudiant ne conserve que les 2 choix d'occupations qui lui plaisent. Il les inscrit sur 2 cartes qui sont distribuées au hasard à l'ensemble des participants. La consigne est la suivante : refaire le même travail qu'ils ont fait pour eux à partir de la connaissance qu'ils ont de ces occupations ou de la documentation mise à leur disposition. Les implications ainsi identifiées par les autres sont verbalisées afin de permettre à chacun, le cas échéant, de compléter sa propre liste. Les étudiants sont alors invités à évaluer ces éléments pour déterminer si ces derniers viennent ou non modifier les intentions de choix qu'ils avaient formulées plus tôt.

Enfin, pour clore la session, nous utilisons les 30 à 45 dernières minutes à l'évaluation de l'expérience vécue en matière de satisfaction et de résultats obtenus. Nous offrons aux étudiants la possibilité de poursuivre ou de réviser leur démarche en consultation individuelle.

PRINCIPAUX CONSTATS

Même si nous utilisons l'approche A.D.V.P. depuis 1976-1977, nous nous en tiendrons dans les pages qui suivent aux trois dernières années, les autres ayant surtout servi à expérimenter son contenu et à y apporter des modifications.

Les constats sur lesquels nous nous attarderons se regroupent sous les titres suivants : participation de ceux qui s'inscrivent en A.D.V.P. ; concordance des choix des participants après la session ; progression du cheminement vocationnel de chacun pendant la session.

Participation de ceux qui s'inscrivent en A.D.V.P.

Il est très révélateur de constater l'augmentation du nombre des élèves qui ont suivi A.D.V.P. au cours des années ; ce chiffre est passé de 65/280 (soit 23 p. cent de la clientèle du secondaire V, formation générale) en 1979-80 à 137/273 (50 p. cent de la clientèle) en 1981-82. De ces chiffres, il est important de faire ressortir les points suivants : les garçons s'inscrivent de plus en plus en A.D.V.P. alors que les filles stabilisent leur progression amorcée il y a trois ans. Très peu d'étudiants parmi ceux qui se sont inscrits se désistent avant de commencer une session (5 p. cent) ; on retrouve le même taux d'élèves qui abandonnent en cours de route.

Concordance des choix des participants

Cette concordance s'obtient en vérifiant si les 2 choix retenus par un participant à la fin d'une session sont en relation avec la majorité des critères de sa grille de satisfaction et s'il n'y a pas d'obstacle majeur à leur réalisation au niveau des facteurs de réalité qui correspondent à chacun d'eux.

Pour illustrer ce qui précède, supposons que Natasha formule les 2 choix suivants après sa session. Premier choix : optométrie ; deuxième choix : notariat. Les critères de satisfaction inscrits sur sa grille de satisfaction sont :
- travail de bureau ;
- esprit d'organisation ;
- esprit de décision ;
- facilité à prendre des responsabilités ;
- facilité dans toutes les matières scolaires ;
- manipulation de chiffres ;
- manipulation d'appareils ;
- contact de relation d'aide ou service ;
- contact de vente ou persuasion ;
- ouvert, souple.

En mettant en relation l'ensemble des critères de satisfaction et les 2 choix retenus, nous constatons que la majorité des critères sont satisfaits dans l'un ou l'autre des choix retenus. Quant aux obstacles à la réalisation de l'un ou l'autre de ces choix, il n'y en a pas de majeurs. Aussi, nous considérons ces 2 choix concordants.

Avant de prendre connaissance des résultats contenus dans le tableau 4.2, certaines précisions quant à la terminologie utilisée nous apparaissent de mise. Ainsi :

Tableau 4.2

Situation comparative relativement à la concordance des choix

Années couvertes + sexe / Situation	1979-1980			1980-1981			1981-1982		
	% Filles	% Garçons	% Population totale	% Filles	% Garçons	% Population totale	% Filles	% Garçons	% Population totale
Choix concordants	72	86	80	68	87	75	79	85	81
Choix sans rapport	08	07	08	08	02	06	03	00	02
Hésitent entre deux choix concordants	16	07	11	23	09	17	17	15	16
Hésitent entre deux choix sans rapport	04	00	01	01	02	02	01	00	01
TOTAUX	100	100	100	100	100	100	100	100	100

Choix sans rapport. Cela signifie que les choix retenus après la session A.D.V.P. sont sans rapport avec les critères de la grille de satisfaction et qu'il y a des obstacles majeurs à leur réalisation au niveau des facteurs de réalité auxquels ils correspondent.

Hésiter entre deux choix concordants. Signifie que les deux choix retenus après la session sont concordants, mais que l'étudiant hésite à établir un ordre prioritaire entre eux.

Hésiter entre deux choix sans rapport. C'est la même signification que celle donnée aux choix sans rapport avec ceci de plus : le participant hésite entre ces deux choix.

Suite à ces précisions, nous dégageons du tableau 4.2 :

▪ Une légère amélioration des choix concordants en 1981-1982 par rapport aux deux années précédentes.

▪ Une baisse considérable des choix sans rapport en 1981-1982. Nous enregistrons cette année le taux le plus bas des trois dernières années, compte tenu du fait que ce taux est à la baisse pour la troisième année consécutive.

▪ Si nous regroupons les catégories « choix concordants » avec « ceux qui hésitent entre deux choix concordants » à la fin d'une session A.D.V.P., nous constatons que 97 p. cent de la population totale 1981-1982 a fait des choix concordants par rapport à 92 p. cent en 1980-1981 et 91 p. cent en 1979-1980 (cf. Tableau 4.2).

▪ En considérant la variable sexe :

▪ Les filles ont, en 1981-1982, pour la première fois au cours des trois dernières années, un taux de choix concordants sensiblement le même que celui de la population totale des participants (79 p. cent par rapport à 81 p. cent) ;

▪ le taux des choix concordants chez les filles est demeuré inférieur à celui des garçons au cours des trois dernières années ;

▪ il existe pour 1980-1981 une différence de 19 p. cent entre le taux des choix concordants des filles et celui des garçons (68 p. cent par rapport à 87 p. cent).

Parenthèse sur le sexisme chez les filles :

Face à cet écart de 19 p. cent, nous avons décidé de rencontrer toutes les participantes qui n'avaient pas des choix concordants après leur session, de même que celles qui hésitaient entre des choix concordants, pour savoir comment elles expliquaient cette différence.

Nous y avons appris, entre autres :

— que 50 p. cent d'entre elles considéraient les études moins importantes pour les filles que pour les garçons ;

— que 93 p. cent de ces dernières se dirigeaient vers des métiers, techniques ou professions traditionnellement réservées aux femmes et qu'elles refusaient d'envisager une occupation non traditionnellement réservée aux femmes.

Bref, le sexisme des filles face d'une part à la poursuite des études et d'autre part, au monde des occupations, était majoritairement responsable de la différence de 19 p. cent entre leur taux de choix concordants et celui des garçons.

Pour remédier au sexisme des filles, nous avons formé, en 1981-1982, un groupe composé exclusivement de ces dernières. L'animateur de ce groupe avait pour objectif d'éliminer toute attitude sexiste de la part des participantes. Pour ce faire, il les sensibilisait à cette tendance et leur demandait de centrer davantage leur avenir sur l'occupation que sur le style de vie traditionnel (*exemple* : métier ou occupation en attendant le mariage, occupation temporaire plutôt que carrière, femme au foyer, gardienne d'enfants, etc.). Quant aux 11 autres groupes mixtes, les animateurs s'étaient donné comme priorité de confronter toute attitude sexiste des filles avec la réalité (femme « reine du foyer » relativement aux taux de divorce, taux de séparation, taux de familles monoparentales dont la femme devient le chef de famille dans la majorité des cas) et d'insister pour qu'elles poursuivent leurs études davantage en fonction de leur potentiel qu'en fonction de leurs valeurs traditionnelles.

Loin de nous l'idée d'enrayer cette tendance dès notre première année de croisade. Les résultats obtenus n'en demeurent pas moins satisfaisants. En effet, dans le groupe composé exclusivement de filles, 75 p. cent d'entre elles ont fait des choix professionnels non traditionnellement réservés aux femmes, alors que ce taux était de 66 p. cent chez les filles des groupes mixtes.

Les moyens utilisés pour réduire le sexisme des filles sont sûrement pour quelque chose également dans les résultats qui suivent. En 1981-1982 par rapport à 1980-1981 (cf. Tableau 4.2) :

— amélioration de 11 p. cent du taux des choix concordants des filles ;

— réduction de 19 à 6 p. cent de l'écart entre le taux des choix concordants des filles et celui des garçons.

Progression du cheminement vocationnel de chacun entre le début et la fin de la session

Alors qu'auparavant nous n'avions aucun outil pour évaluer objectivement le cheminement vocationnel des élèves autre que les commentaires intuitifs, d'ailleurs toujours positifs, nous avons réussi à analyser cette progression à l'aide d'un questionnaire du type « Avant-Après ». Ce questionnaire demandait aux élèves de se situer dans une des trois catégories suivantes : « j'ai 2 choix spécifiques », « j'hésite entre 2 choix », « je suis incapable de choisir ». Après analyse, nous pouvons dégager les points suivants : aucun élève n'a régressé, 23 p. cent ont confirmé leur situation de départ et 77 p. cent ont progressé d'une catégorie à une autre.

Conclusion

En conclusion, nous pouvons dégager ce qui suit : de plus en plus d'élèves s'inscrivent en A.D.V.P. ; ils font des choix de plus en plus concordants, même si 23 p. cent des élèves n'ont pas semblé évoluer. Nous remarquons que ces derniers ont souvent raffiné leurs choix de façon à les rendre encore plus concordants avec leur A.I.V.P. Dans l'ensemble, nous sommes fiers de notre instrument. Nous avons mis sur pied un programme dont les résultats nous encouragent non seulement à continuer de l'offrir comme service, mais aussi à tout mettre en œuvre pour continuer d'en améliorer l'efficacité.

Chapitre 5
Un inventaire
d'intérêts « activant »

Léo Blanchet

Au cours de ma pratique professionnelle comme conseiller d'orientation, je me suis souvent questionné sur la pertinence des instruments psychométriques que j'utilisais. J'ai souvent éprouvé un malaise devant le contenu ou la méthode utilisés pour la mesure des intérêts. Ce questionnement et ce malaise m'ont amené à proposer un *inventaire d'intérêts, d'aspirations et de situations scolaires* (I.A.S.) qui répond mieux à mes besoins et aux attentes des étudiants avec qui je travaille. Je voudrais donc, dans les pages qui suivent, présenter l'origine de cet inventaire, les considérations théoriques qui en ont inspiré les principes. Je ferai également une brève description de sa présentation matérielle et des utilisations possibles auxquelles il se prête.

ORIGINE DE L'INVENTAIRE

Travaillant comme conseiller d'orientation depuis 4 ans auprès de populations différentes (secondaire, collégiale, adulte), la diversité de la tâche et souvent de sérieuses contraintes de temps m'incitaient à utiliser des inventaires d'intérêts souvent employés au Québec. Bien que ces derniers soient reconnus, tant par la qualité de leurs études psychométriques que pour leur facilité à s'administrer en groupe, ils me semblaient présenter des lacunes importantes. Je me permets d'en énumérer quelques-unes :

— La plupart des mesures d'intérêts utilisées au Québec proviennent des États-Unis. En conséquence, les études psychométriques, et plus spécifiquement les normes d'utilisation, se rapportent à une population américaine (U.S.A.).

— Le répondant reçoit ses résultats en des termes qui lui sont souvent très difficiles à saisir correctement et/ou dans des catégories ne correspondant pas aux secteurs scolaires québécois.

— Les épreuves sont souvent perçues par le sujet comme des instruments un peu « magiques ». En effet, en répondant à ces questionnaires d'intérêts, il n'a qu'à indiquer des réponses simples à chaque item. De plus, la correction effectuée soit à l'aide de l'ordinateur, soit à l'aide d'une grille de correction, catégorise des résultats ; il ne participe donc pas vraiment à l'analyse de ses propres données. Cette façon de procéder, en plus d'entretenir chez le sujet l'espoir d'une solution « presque miraculeuse » à ses difficultés d'orientation, favorise une certaine passivité de sa part. Maintes fois, j'ai rencontré des gens qui, aux prises avec un problème d'orientation, me demandaient : « N'y aurait-il pas un test qui m'indiquerait où je devrais me diriger ? » Si nous acquiesçons à une demande de ce genre et que la solution indiquée par les résultats ne convient pas à l'individu, il peut être tenté de remettre davantage en question la qualité de l'instrument utilisé que la qualité de son apport dans la recherche d'une solution adéquate pour lui.

— Certains inventaires proposent, à la suite de leurs seuls résultats, des choix précis de professions. Ils négligent ainsi tous les autres aspects pourtant importants à considérer dans un choix judicieux (aptitudes, valeurs, besoins, etc.). Cette trop grande précision risque de favoriser des choix expéditifs chez les individus qui sont à la recherche de solutions faciles et extérieures à eux.

Suite à ces constats, j'ai voulu construire un inventaire d'intérêts qui pourrait être facilement utilisable au Québec et qui, dans ses résultats, n'indiquerait aucune profession précise. De plus, en exigeant une très grande participation de la part du répondant, il devrait « activer » le processus de choix plutôt que de tenter de fournir des choix.

CONSIDÉRATIONS THÉORIQUES

Au départ, nous posons comme postulat que l'intérêt traduit une curiosité, une préoccupation pour une activité donnée, qu'il peut même rendre compte des attitudes qu'une personne entretient à l'égard de certaines activités. Donc, pour un sujet, faire l'inventaire de ses intérêts, c'est rendre explicites ces préoccupations et ces attitudes.

L'approche d'activation du développement vocationnel et personnel (A.D.V.P.) semble offrir une réponse appropriée à cette tâche. En effet, de par ses principes d'activation, elle suggère de centrer l'individu sur son expérience de façon à le mettre le plus possible en contact avec les intentions qui le font agir. Au fur et à mesure du contact qu'il crée avec lui-même, il devra traiter son expérience, c'est-à-dire s'engager dans une démarche qui lui permette de mieux comprendre le contenu de son expérience et la façon qu'il a d'exprimer cette dernière. Une telle démarche de clarification permet à la personne d'intégrer des éléments nouveaux à sa définition d'elle-même. Ce faisant, elle ajoute à sa compréhension d'elle-même des données susceptibles de rendre ses choix plus en accord avec ce qu'elle est comme personne.

Pour réussir ce travail de centration sur l'expérience, l'approche A.D.V.P. suggère un cheminement par étapes. Dans un premier temps, la personne doit explorer, c'est-à-dire envisager tous les possibles, se permettre toutes les fantaisies qui lui donneront accès à un réel nouveau. Elle devra élargir ses horizons, redéfinir et recombiner les éléments de la tâche de manière à obtenir des informations nouvelles et inusitées.

Une fois l'exploration terminée, elle devra mettre de l'ordre dans ce qu'elle a mis à jour. Sa tâche consistera alors à regrouper les éléments à partir de critères communs, nouveaux et variés. Elle devra réduire les données recueillies au cours de l'exploration à des grandes catégories qui lui permettront de se former un tableau plus englobant et moins découpé de ses potentialités. Devant un tel étalage, il lui reste à préciser la place ou le degré d'importance des divers éléments en leur accordant un poids, une valeur qui les situe les uns par rapport aux autres. Elle évaluera le degré de signification qu'elle doit accorder à chaque élément compte tenu de ses désirs, de ses besoins, de ses motivations. Le tableau ainsi constitué devrait offrir des possibilités de choix plus adéquats et plus en accord avec la personne qui choisit.

Appliquée à la mesure des intérêts, la démarche se présente comme suit : le sujet prend connaissance d'un grand nombre d'activités qui lui sont présentées. Son travail consiste alors à prendre contact avec le matériel présenté, à l'examiner, à le redéfinir pour mieux le comprendre et se l'approprier dans la mesure du possible. Il explore.

Cette étape terminée, il classe chacune des activités dans l'une des trois catégories suivantes : « Ce qui me plaît », « Ce qui me déplaît », « Ce qui me laisse indifférent ». Ensuite, pour chacune des deux premières catégories (« Ce qui me plaît », « Ce qui me déplaît »), il fait des regroupements sur la base des ressemblances qu'il perçoit entre les activités de chaque catégorie successivement. Il dégage enfin une (des) caractéristique(s) commune(s) aux activités regroupées. Il traverse ainsi la phase de cristallisation.

La dernière étape consiste à préciser l'activité qui lui plaît le plus et celle qui lui déplaît le plus selon la nature de ses regroupements d'activités. Lorsqu'il exécute ces tâches et lorsque, par la suite, avec l'aide du professionnel de l'orientation, il continue à établir ses priorités en attribuant un ordre de préférence aux regroupements qu'il désire réaliser dans une profession, ses valeurs interviennent et il procède alors à la spécification de ses intérêts professionnels.

De par la conception même de cet inventaire, le répondant doit tenir compte de ses désirs, de ses besoins et de ses motivations. Je résumerais ainsi les caractéristiques particulières de cet inventaire :

— *L'étudiant fait lui-même toutes les étapes de sa démarche d'orientation. C'est lui qui explore, regroupe, évalue et précise ce qu'il est. Les regroupements ne sont pas décidés par des personnes extérieures pas plus qu'ils ne le sont par un ordinateur ou une grille de correction.*

— *L'inventaire ne comporte pas de titres professionnels qui peuvent souvent mesurer la connaissance ou la méconnaissance des professions et/ou les valeurs rattachées aux titres professionnels.*

— *Il peut s'adapter à presque toutes les clientèles en démarche d'orientation pourvu qu'elles soient capables de faire des regroupements réfléchis.*

— *Les catégories formées par le sujet lui sont compréhensibles, car elles sont exprimées en ses propres mots.*

— *L'instrument permet d'examiner plusieurs aspects qui ont une grande importance dans une démarche d'orientation.*

PRÉSENTATION MATÉRIELLE DE L'INVENTAIRE

Dans l'inventaire d'intérêts, d'aspirations et de situations scolaires, nous retrouvons 110 cartes d'activités, 4 cartes d'aspirations scolaires et 9 cartes de situations scolaires. Le nombre de cartes attribuées à chacune des sections de l'inventaire nous indique l'importance qui lui est accordée. Les aspects touchant les aspirations et les situations scolaires y sont ajoutés à titre de compléments nécessaires à une démarche d'orientation.

Chaque série de cartes est séparée par une carte-titre :

— Mes intérêts

— Mes aspirations scolaires

— Ma situation scolaire

Les cartes d'activités sont numérotées et comportent des items tels que :

1. Administrer les premiers soins aux malades
2. Faire des recherches sur les mines ou sur les minéraux
3. Travailler dans une bibliothèque

Les cartes d'aspirations scolaires sont elles aussi numérotées et sont du genre :

1. J'aimerais aller à l'université pendant au moins trois ans après mes deux années de cégep ou après mon cours technique si possible.

Les cartes de situations scolaires sont codifiées par lettres alphabétiques et comportent des items de ce genre :

A. J'ai des notes dans la moyenne ou au-dessus de la moyenne en sciences (mathématiques, chimie, physique, biologie).

Le répondant travaille d'abord avec les cartes d'activités (intérêts). Il les regroupe en trois catégories et ensuite, pour les catégories « Ce qui me plaît » et « Ce qui me déplaît », il fait des sous-groupes tels qu'indiqués précédemment. Ensuite, il note les raisons pour justifier chaque sous-groupe. Enfin, il indique, s'il en est certain, le numéro de l'activité qu'il préfère ou celle qui lui déplaît le plus dans chaque sous-groupe.

Il travaille ensuite les deux autres parties de l'inventaire en choisissant, parmi les cartes d'aspirations et de situations scolaires proposées, le (les) numéro(s) de celle(s) qui lui correspond(ent) le mieux ainsi que la (les) « raison(s) » qui justifie(nt) ses aspirations et les « commentaires » que peut susciter la description de sa situation scolaire.

Le répondant inscrit toutes les données précédemment énumérées, soit les NUMÉROS des cartes, la (les) raison(s) et les « commentaires » sur des feuilles-réponses spécialement construites pour rendre ces différentes opérations facilement compréhensibles et visuelles. Afin que les données concernant les intérêts et la situation scolaire soient encore plus facilement identifiables sans que l'on ait à réexaminer les cartes, nous demandons d'indiquer à côté de chaque numéro et lettre, un (des) mot(s) qui résume(nt) la carte choisie.

Pour l'accompagner dans ses démarches, le sujet bénéficie d'un manuel de directives qui lui indique, par séquences, toutes les opérations à effectuer, ainsi que des exemples de groupement(s) possible(s), en spécifiant qu'ils ne sont là qu'à titre d'exemples. Il n'y a pas de bonnes ou de mauvaises réponses.

Ainsi outillé, le répondant a tout ce qu'il faut pour bien compléter SEUL cet inventaire. L'administrateur est aidé par le document *Précisions et commentaires à propos de l'administration de l'I.A.S.*

UTILISATIONS POSSIBLES DE L'INVENTAIRE

L'inventaire peut être utilisé en groupes restreints (10 à 15 individus).

En effet, en échangeant sur le travail effectué, la majorité des gens peuvent s'aider à préciser les aspects contenus dans cet inventaire et à les hiérarchiser (établir les rangs). Le professionnel de l'orientation est alors un animateur, un guide, un superviseur qui aide ces personnes à comprendre et à poursuivre adéquatement une démarche systématique d'orientation. Il peut ensuite apporter une aide individuelle au besoin.

En entrevue individuelle, le professionnel de l'orientation aide son client à faire des liens, à relever certaines ambiguïtés et/ou incohérences à préciser ses critères, à faire une hiérarchie de ses intérêts. Il l'amène à discriminer le(s) groupe(s) et/ou les activités qui l'intéressent au point de vue professionnel de celles qui l'intéressent au point de vue récréatif ou culturel seulement. Ensuite, lorsque le sujet a établi une image conforme à ce qu'il est, image assez précise pour faire un choix judicieux, le professionnel de l'orientation l'aide à identifier un (des) secteur(s) d'occupations et, dans certains cas, certaines professions spécifiques à l'intérieur de ce(s) secteur(s). De plus, il discute avec lui de démarches subséquentes susceptibles de l'aider à préciser davantage son orientation. Quand je dis « démarches subséquentes », je pense entre autres à la consultation de certains documents d'orientation, à un retour en entrevue individuelle, afin de vérifier et de préciser davantage ses choix de même qu'à la consultation de certaines autres personnes-ressources.

Il est important de noter que, en fonctionnant de cette façon, on incite le sujet à participer activement à la précision de son orientation. En plus de devoir préciser ses propres résultats à l'inventaire, il devra s'informer sur les secteurs et sur les professions avant d'établir son (ses) choix. Lors de cette recherche d'information sur les professions, ses valeurs, aptitudes, besoins et motivations interviendront sûrement. Ces dernières caractéristiques viendront compléter celles concernant ses intérêts, ses aspirations et sa situation scolaires inventoriés à l'aide de cet instrument. S'il ne s'informe pas sur les professions, il ne saura pas davantage quel(s) choix professionnel(s) pourrai(en)t lui convenir le mieux. En cumulant une information adéquate, il ne risque pas de s'en remettre seulement à l'inventaire pour décider de son orientation.

EXPÉRIMENTATIONS ET OBSERVATIONS

Théoriquement, l'inventaire devrait pouvoir être utilisé auprès de presque tous les sujets en démarche d'orientation pourvu qu'ils soient capables de faire des regroupements réfléchis, c'est-à-dire qu'ils aient atteint le stade de la pensée formelle. D'après plusieurs recherches portant sur le stade de développement de la pensée, plusieurs étudiants du 2e cycle du niveau secondaire régulier (secondaire III à V) devraient pouvoir bénéficier de ce genre d'inventaire. À ceux-là s'ajouteraient la majorité des clientèles adultes de ce niveau d'enseignement ainsi que celles (aussi bien adultes que régulières) fréquentant ou pouvant fréquenter les niveaux supérieurs, c'est-à-dire collégiaux et universitaires. Les cartes d'activités se rapprochent des programmes de tous ces différents niveaux de formation.

Pour ma part, je l'ai utilisé à plusieurs reprises et, cela, surtout auprès de clientèles régulières fréquentant le niveau collégial et auprès d'adultes pouvant se diriger par la suite vers le niveau secondaire, collégial ou universitaire.

Aucune recherche systématique n'a été effectuée afin de valider les résultats obtenus à la suite de la passation de cet inventaire. Je ne pourrai donc mentionner ici que des faits observés ainsi que des commentaires reçus de la part de certains conseillers d'orientation qui en ont fait l'expérience*.

Je me suis servi de l'inventaire dans le cadre de 10 *groupes d'orientation* qui réunissaient chacun 10 étudiants des secteurs général et professionnel réguliers. À la fin de ces rencontres, je leur demandais leurs opinions quant à l'utilisation de cet instrument. Plusieurs personnes ont formulé ce genre de commentaires : « Nous aurions dû passer ce genre de test au niveau secondaire » ; « Là, je comprends mieux comment on peut s'orienter » ; « J'ai éprouvé quelques difficultés à faire mes groupes et à identifier mes raisons, mais ça m'a permis de préciser des choses sur moi». En examinant les résultats du travail effectué, j'ai souvent été surpris de constater tout ce que les participants pouvaient en dégager au point de vue informations sur eux. J'ai remarqué de plus que la très grande majorité des étudiants semblaient avoir hâte de travailler avec les cartes d'activités même si, quelquefois, certains semblaient douter quelque peu des résultats qu'ils en retireraient. Cet inventaire n'ayant rien de bien mystérieux, ils se demandaient s'il pourrait leur apporter « la révélation » par rapport à leur choix d'orientation. Malgré tout, ils s'y prêtaient. Et les résultats furent dans l'ensemble très positifs.

En entrevue individuelle, j'ai noté le même intérêt, les mêmes doutes quelquefois, mais les mêmes résultats positifs dans la très grande majorité des cas. Bien sûr, dans ce genre de rencontre, il devient beaucoup plus facile pour le client et pour le conseiller d'intervenir. On peut donc être plus convaincu de la justesse des résultats obtenus.

Je l'ai utilisé environ 150 fois en entrevue individuelle. Ce fut à tout coup une expérience de participation de la part des clients. Comme pour les participants aux groupes d'orientation, l'utilisation de cet inventaire avait contribué à stimuler chez eux le goût de compléter des tâches nécessaires à leur développement vocationnel.

En ce qui a trait aux commentaires reçus de la part d'autres professionnels de l'orientation, ils vont tous dans le sens suivant : l'I.A.S. est un instrument qui peut être utilisé surtout pour aider le client à préciser ses intérêts ; il insiste surtout sur la tâche de cristallisation et peut être très utile.

CONCLUSION

L'I.A.S. est né d'un besoin précis : celui d'aider les consultants à se former rapidement une image assez juste d'eux-mêmes pour qu'ils puissent procéder à un choix de profession. Même si cet instrument ne présente pas toutes les garanties scientifiques prouvant sa valeur, il gagne à être connu, puisqu'il nous a été permis, à l'usage, de juger de son utilité. Je souhaite que cette réalisation puisse contribuer à intensifier le développement d'instruments de plus en plus « activants » pour le développement vocationnel des individus qui nous consultent.

---

* L'existence de cet instrument fut connue à l'automne 1981 par tous les membres de la Corporation professionnelle des conseillers d'orientation du Québec, via un dépliant publicitaire. En mai 1982, 110 exemplaires avaient été distribués.

Chapitre **6**
L'animation vécue comme rencontre

Marthe Lamothe

Parler d'une conception éducative de l'orientation dans une société technologique centrée sur la productivité, n'est-ce pas un peu utopique ? Le retour à une conception plus utilitariste, axée sur la préoccupation d'établir un bon équilibre entre les besoins de la société et ceux des individus, n'aurait-il pas plus de crédibilité ? Ne serait-il pas plus satisfaisant et plus sécurisant, du moins à court terme, de trouver une formule mathématique qui fasse disparaître la psychose de l'emploi en ajustant l'offre à la demande ? La tentation devient d'autant plus grande que la pression sociale se fait plus forte. Mais, de quels travailleurs, de quelles travailleuses cette société en pleine évolution a-t-elle besoin ? Dans les super-structures mécanisées qui croissent à la vitesse de l'électronique, verra-t-on encore long-temps des robots humains répéter une vie entière les mêmes gestes « déshumanisants » ?

Il suffit de se tourner vers les jeunes qui regardent ce monde du travail et se préparent à y accéder pour réaliser qu'il y a un hiatus entre ce qu'ils rêvent et ce qui les attend. Avides d'y trouver une place personnelle pour actualiser leur potentiel, ils souhaitent mettre leur énergie au service de leurs propres projets. Ils sont très peu touchés par la dimension socio-économique du travail. Ils veulent un espace de vie épanouissant sans avoir à payer le prix d'une renonciation à certains aspects d'eux-mêmes. Le trouveront-ils ? Que vivront ces jeunes en arrivant sur le marché du travail ? Comment pourront-ils satisfaire leurs propres besoins dans cet univers mécanisé ? Seront-ils assez créateurs pour inventer de nouveaux modes d'exister, de se réaliser ou se laisseront-ils détruire par l'anonymat et la sur-spécialisation ? Cette vision de la société, encore bien en deçà de la réalité de demain, et le contact avec les aspirations des jeunes m'ont amenée, comme conseillère d'orientation, à privilégier un mode d'intervention qui tienne compte à la fois des attitudes et des valeurs en développement continu chez la personne et de la structure sociale en perpétuel mouvement.

La nécessité s'est vite imposée à moi de former des jeunes qui soient conscients de leurs ressources, qui se fassent confiance tant dans l'expression que dans l'action, des jeunes qui soient autonomes et sachent poser un jugement critique sur les événements, des jeunes qui s'estiment et qui aient appris à profiter des expériences vécues. Développer chez eux une personnalité solide, qui sache tolérer l'ambiguïté et le mouvement pour faire face aux mutations sociales inévitables, me semblait une dimension à ne pas négliger. Leur apprendre aussi à s'adapter à eux, à leurs propres changements internes pour pouvoir par la suite s'adapter au changement extérieur me paraissait de première importance.

La clientèle que je rencontrais était du niveau secondaire IV et V. C'étaient des filles en provenance d'un milieu rural porteur à la fois des valeurs traditionnelles transmises par la famille et des nouvelles valeurs qui surgissent dans la société. Se préparant à accéder au niveau collégial, elles devaient spécifier leur choix professionnel et, de plus, se préparer à changer de milieu de vie, les cégeps étant trop éloignés pour qu'elles puissent demeurer dans leur famille. Il devenait alors doublement important de stimuler leur développement tant vocationnel que personnel.

LE CHOIX D'UNE APPROCHE

Les contextes social et scolaire étant bien cernés et mes objectifs fixés, il s'agissait de trouver l'approche qui me permettrait de répondre le mieux à mes attentes. L'éventail était grand. Certaines techniques mettaient davantage l'accent sur le développement personnel, d'autres sur l'information proprement dite. Les unes comme les autres me paraissaient soit incomplètes, soit difficiles d'adaptation dans le milieu.

Ayant acquis une bonne connaissance de l'A.D.V.P. (activation du développement vocationnel et personnel) je me suis tournée vers cette approche. Elle avait l'avantage de tenir compte des deux aspects qui me préoccupaient : l'aspect personnel et l'aspect vocationnel. Conçue pour être utilisée avec des groupes, elle était économique, ce qui n'est pas négligeable quand on travaille avec plus de 350 étudiantes. En y regardant de plus près, elle s'est avérée encore plus intéressante : en effet, elle suggère une analyse fonctionnelle du comportement de la personne par rapport à la façon dont elle vit ses expériences, les traite cognitivement, en dégage la signification et finit par les intégrer. Ces principes d'activation correspondaient bien au type d'intervention que je souhaitais faire.

Enfin, comment ne pas me laisser tenter par une approche qui misait sur les données existentielles de l'individu pour permettre aux attitudes et aux valeurs d'émerger ? Une approche aussi qui, dans le milieu scolaire plus centré sur la culture à maintenir que sur la société à inventer, venait proposer une éducation à des formes de pensée différentes.

CINQ ANNÉES : DES EXPÉRIENCES DIFFÉRENTES

La première année, l'expérience a été faite avec deux groupes de 8 à 12 étudiantes de secondaire V. Les participantes étaient volontaires et les rencontres avaient lieu en dehors des heures scolaires. Chaque groupe s'est réuni 10 fois. Les trois années suivantes, les rencontres furent intégrées à l'horaire. Chaque groupe-classe fut divisé au hasard en demi-groupes de 14 à 17 élèves. Il y eut pour chaque demi-groupe entre 10 (secondaire IV) et 18 (secondaire V) rencontres de deux périodes consécutives, soit environ 1h 45 chacune. Au cours de ces trois années, nous étions deux animateurs. Enfin, l'an dernier, la situation scolaire étant différente, il n'a été possible de faire que de 4 à 6 rencontres occasionnelles, de 50 minutes chacune, avec des groupes de 32 étudiantes. Chaque fois, ces différentes expériences ont été évaluées avec soin.

Vous faire partager les fruits de mon expérience sur le travail de groupe en A.D.V.P., c'est une occasion de reprendre contact de façon privilégiée avec le sujet lui-même. C'est ainsi que, me laissant interroger par cette expérience, certaines pistes de réflexion me sont venues par rapport à l'organisation des groupes, par rapport au contenu des rencontres et au vécu des personnes impliquées.

J'aborderai donc successivement ces trois aspects, consciente que cette réflexion a l'inconvénient d'être partielle et subjective. Je souhaite qu'au cours de cette lecture, vous fassiez appel à votre expérience personnelle d'animation de groupe : la réflexion qui se greffe sur du vécu n'a-t-elle pas plus de chances de susciter les vraies questions et de promouvoir des actions efficaces ?

PAR RAPPORT À L'ORGANISATION DES GROUPES

Théoriquement, il est souhaitable qu'un groupe en A.D.V.P. soit formé sur une base volontaire. La pratique quotidienne ne permet pas toujours les situations idéales. C'est ainsi que, dès la deuxième année, nous avons été amenés à travailler avec des groupes pour qui l'activité était à l'horaire, donc des étudiantes qui n'avaient pas choisi l'activité. La différence la plus importante fut au plan de la motivation : motivation à susciter d'abord, dans les premières rencontres, motivation à soutenir, par la suite, quand certaines participantes étaient moins stimulées.

Cette situation nous a amenés à réfléchir sur l'importance de la signification potentielle de l'activité pour chaque membre du groupe. En effet, comment peut-on donner un sens au vécu si, au départ, on se refuse à l'expérience ? Il nous a donc fallu découvrir pour chaque rencontre le point d'intérêt central qui rejoigne le plus grand nombre d'étudiantes. Les objectifs poursuivis se devaient d'être clairs, bien exprimés, pour permettre aux participantes de les relier à une problématique personnelle, à un besoin plus ou moins immédiat. Il leur était possible ainsi d'entrevoir les résultats qu'elles pouvaient en attendre. Leur implication était d'autant plus grande que le besoin pressenti était plus urgent ou plus concret et que les résultats étaient plus rapidement vérifiables. C'est ainsi que les étudiantes s'engageaient plus facilement dans une activité où elles avaient à explorer leur propre style de leadership que dans une autre où elles devaient hiérarchiser leurs valeurs personnelles.

Nous avons vite perçu aussi la nécessité de bien analyser la situation et les besoins de chacun des groupes pour que l'activité proposée soit le plus possible reliée au vécu du groupe. Même s'il était impossible de proposer une activité spécifique à chacun des groupes, il nous fallait avoir assez de souplesse pour permettre au groupe d'adapter celle qui était proposée, de lui donner une couleur particulière et parfois même d'en suggérer une qui soit différente.

Il nous a fallu aussi apprendre aux membres du groupe à être responsables de leur niveau d'implication personnelle et à respecter le choix des autres. Il est facile d'imaginer comment cet apprentissage peut être difficile pour des adolescentes qui n'ont pas encore une image très positive d'elles-mêmes et qui sont, de ce fait, très influençables par un groupe.

L'expérience de la dernière année a été beaucoup moins heureuse. Le nombre de participantes était trop grand et les rencontres trop éloignées les unes des autres pour permettre une action efficace. Le temps alloué à chaque rencontre était également trop restreint, compte tenu de la taille du groupe. Pouvons-nous en déduire qu'il est impossible d'utiliser cette approche quand l'organisation scolaire impose des contraintes de ce genre ? Peut-être, si l'on veut appliquer la technique intégrale de l'approche. Non, si l'important est d'en sauvegarder l'esprit.

Bien sûr, il est presque utopique de penser faire vivre des expériences significatives à 32 élèves en même temps. Face à cette difficulté, une bonne connaissance de l'approche nous laisse croire qu'il n'est pas contraire à son esprit de proposer aux participants de revivre en imagination une expérience personnelle répondant aux objectifs poursuivis et faisant appel aux attitudes ou aux valeurs à promouvoir. Faire vivre l'expérience à quelques membres du groupe en demandant aux autres de se la représenter par l'imagination demeure une option valable. L'impact sera moins grand, certainement, mais les rencontres garderont quand même un aspect expérientiel important.

La même difficulté se retrouve au moment de donner la signification explicite de l'expérience ou de la faire intégrer par chaque participant. Est-il bon de prendre le risque qu'un certain nombre de participants ne vivent pas l'expérience en profondeur ? Qu'ils ne puissent pas tous verbaliser ce qu'ils ressentent ? Que l'animateur ne puisse suivre vraiment chacun dans sa démarche ? La question se pose. Cependant, les avantages nous sont apparus assez importants pour que nous décidions de prendre ce risque. En effet, cette approche permet aux étudiants d'entrer dans un mode d'apprentissage bien différent de celui proposé dans le monde scolaire. Elle se veut pleinement éducative, en centrant les participants sur la totalité de leur être et non seulement sur leur développement intellectuel. Nous croyons nécessaire cependant que les activités soient assez rapprochées les unes des autres pour que la démarche suivie permette aux participants de l'intégrer et d'y recourir de façon habituelle par la suite. En ce sens, nous pourrons dire qu'elle sera vraiment éducative.

PAR RAPPORT AU CONTENU DES RENCONTRES

Préparer un programme de rencontres en A.D.V.P., c'est nous demander d'abord, comme nous l'avons mentionné précédemment, quelles sont les principales caractéristiques de la clientèle à laquelle nous nous adressons. Où se situe-t-elle dans son cheminement personnel ? vocationnel ? À quel genre de problèmes fait-elle face au plan scolaire ? au plan social ? au plan familial ? Quelle est sa situation particulière, compte tenu du milieu dans lequel elle vit, de l'orientation qu'elle envisage ? La différence peut être grande entre un groupe de filles de milieu rural et un groupe de garçons de milieu urbain — entre un groupe inscrit au secteur professionnel et un groupe se dirigeant vers une profession universitaire. D'où le danger de prendre des programmes tout établis à l'avance.

L'expérience vécue en A.D.V.P. depuis quelques années nous a appris la nécessité de bien situer le groupe avec lequel nous travaillons. Plus nous avons été capables de saisir, au départ, ses attentes et ses besoins, plus les activités proposées ont été significatives et faciles à intégrer.

La tentation est grande parfois de supposer les besoins des participants : connaissant le chemin à parcourir pour arriver à un choix judicieux, nous décidons qu'il serait bon pour les étudiants d'acquérir telle habileté, de développer telle attitude ou d'avoir telle valeur. Mais cela correspond-il vraiment à ce que le groupe vit ? De là toute la nécessité de nous arrêter et de bien cerner les coordonnées du groupe et ce, avant chaque rencontre. Il nous est arrivé, par exemple, de ne pas pouvoir motiver les étudiantes pour une activité pourtant bien préparée. Elles venaient de se voir privées, pour un motif imprévisible, d'un spectacle longtemps attendu. Ce fut l'occasion idéale de réfléchir et d'apprendre à vivre des contrariétés inévitables, tant dans sa vie personnelle que professionnelle. Nul besoin d'imaginer une activité : la réalité était là beaucoup plus percutante. Des activités scolaires peuvent aussi devenir des moments privilégiés d'apprentissage. C'est ainsi que la campagne électorale pour la nomination d'un conseil étudiant, certains conflits avec la direction de l'école, la négociation de périodes scolaires pour la réalisation de projets spécifiques ont été utilisés comme expériences et ont été bien appréciés des étudiantes parce que cela correspondait à un besoin immédiat. Le passage à la généralisation de l'expérience se faisait aussi plus facilement.

Et la question surgit. Devons-nous préparer les activités à l'avance ? Devons-nous les proposer ou faut-il partir uniquement des besoins spontanés qui surgissent ? Avec les adolescentes, nous croyons qu'il est préférable d'avoir prévu une ou des activités possibles, respectant l'évolution logique de la démarche, tout en nous permettant une grande souplesse pour les modifier selon le vécu du groupe. D'une part, il nous est apparu beaucoup plus facile de préparer un programme d'activation pour une douzaine d'étudiantes volontaires que pour des groupes plus nombreux qui avaient cette activité à leur horaire. D'autre part, il a été plus facile avec ces groupes d'utiliser le quotidien comme terrain d'expérience parce qu'il leur était commun et que leur vision personnelle en était différente.

Mais, pour nous permettre de saisir sur le moment le vécu du groupe, de le relier au cheminement déjà parcouru, de proposer les moyens adéquats qui permettraient aux participantes d'en tirer profit, nous avons réalisé qu'il nous fallait bien maîtriser tous les éléments de la théorie.

Préparer un programme de rencontres en A.D.V.P. suppose que soient connues les procédures cognitives, c'est-à-dire les différents moyens de traiter les informations et les données de la situation vécue. Selon le genre de problèmes à résoudre, à quel type de pensée allons-nous faire appel ? Par quels moyens allons-nous le stimuler ? Ce type de pensée correspond-il bien à la tâche à réaliser ? Les participants sont-ils en mesure d'y faire appel ? Il faut que soient bien intégrés également les différents stades de développement à parcourir. Si les étudiants n'ont pas encore été motivés à cristalliser leurs intérêts, pouvons-nous les inviter rapidement à spécifier leur choix ?

Une longue réflexion sur les activités de groupe nous amène à considérer les tâches à réaliser dans le développement vocationnel (exploration-cristallisation-spécification-réalisation) non pas en évolution linéaire, mais en évolution en spirale. Ce modèle explique mieux ce que vivent la majorité des étudiantes avec qui nous avons travaillé. Un certain nombre d'entre elles ont effectivement franchi sans heurt ces quatre tâches successives. Mais nous voulons nous attarder sur les autres, celles pour qui le cheminement pourrait paraître, de prime abord, moins continu.

En effet, nous avons constaté que certaines participantes n'en finissent plus d'explorer, comme si elles tournaient en rond sur cet axe sans se décider à passer à la tâche suivante.

Curieuses, elles veulent tout connaître, et sur elles-mêmes et sur le monde des occupations. Elles résistent à poursuivre vers la tâche de cristallisation, de peur de n'avoir pas réuni tous les éléments nécessaires.

Un cheminement plus continu nous amène à la tâche de cristallisation. Mettant en œuvre leur pensée conceptuelle, des étudiantes découvrent des catégories divergentes au sujet de leurs intérêts ou de leur personnalité. Passer à la tâche suivante signifie parfois pour elles qu'elles aient à laisser tomber une partie d'elles-mêmes et elles s'y refusent. Nous les retrouvons alors qui tournent en rond sur ce pôle, cherchant les agencements qui leur permettront de ne rien laisser perdre en cours de route.

D'autres participantes constatent que la première tâche n'a pas été complètement accomplie ; elles ont besoin d'explorer davantage qui elles sont, ou encore elles manquent d'informations sur certains secteurs professionnels. Elles effectuent alors un retour en arrière nécessaire avant de compléter la deuxième tâche.

Arrivées à la tâche de spécification, certaines étudiantes s'y attarderont : le marché du travail est difficile dans ce qu'elles envisagent, leurs talents sont multiples et elles pourraient réaliser beaucoup de choses intéressantes. Mais, par lesquelles doivent-elles commencer ? Différentes contingences obligeront d'autres personnes à faire un retour en arrière vers la cristallisation et même vers une nouvelle exploration : des résultats scolaires ou des préalables insuffisants, ou encore un changement subit ou imprévu au plan personnel. Descente en spirale pour une autre remontée en spirale.

La tâche de réalisation est souvent celle qui donne l'illusion qu'on est arrivé au bout du cheminement. Dans un sens, c'est vrai, mais dans un autre, non. Dès que la personne s'engage dans cette tâche, une nouvelle exploration commence. Sur le plan professionnel, c'est la recherche d'une institution scolaire ou d'un milieu de travail ; sur le plan personnel, l'exploration des ressources nouvelles à mettre en œuvre dans un milieu différent. Et la roue recommence avec ses élans, ses hésitations, ses retours en arrière. Et cela, toujours sur deux plans : le plan personnel et le plan vocationnel.

Ce modèle nous a permis de mieux saisir le cheminement de chaque personne du groupe et d'intervenir de façon plus adéquate. Serait-ce la perception d'un modèle trop linéaire qui fait dire à plusieurs conseillers qu'il est impossible de proposer des activités de groupe si chaque participant doit réaliser une tâche différente ?

L'A.D.V.P. aide, selon nous, les participants à bien accomplir les tâches qui correspondent à leur niveau de développement. Après avoir accompli une bonne exploration en secondaire I et II, bien sûr, il arrivera que certaines étudiantes de secondaire III hésiteront à passer à la phase de cristallisation ou effectueront un retour en arrière, mais le retour en arrière sera d'autant moins long que l'étudiante aura mieux développé les attitudes et les habiletés propres à cette tâche. Face à des résultats scolaires insuffisants qui lui ferment l'accès à une profession rêvée, l'étudiante de secondaire V devra elle aussi effectuer un retour en arrière. Ayant déjà bien réalisé les tâches précédentes une première fois, il lui sera plus facile de recourir aux données accumulées, de mettre en œuvre les habiletés acquises pour reprendre son élan.

Comme toute éducation en groupe, une approche éducative en orientation demande elle aussi, de la part de l'animateur, de respecter des cheminements personnels tout en poursuivant un cheminement de groupe. C'est un art qui exige beaucoup de souplesse, de perspicacité. Rien n'est automatique, nous travaillons avec des êtres humains.

Préparer un programme de rencontres en A.D.V.P. implique de plus que nous soyons très conscients des objectifs que nous poursuivons. Mettons-nous l'accent sur certaines attitudes à développer ? Nous proposons-nous d'être très sensibles à l'éveil des valeurs chez les participants ? Sommes-nous davantage préoccupés par l'aspect vocationnel ou par l'aspect personnel ? Attendons-nous un résultat concret, spécifique, de ces rencontres ? Les réponses à ces questions nous permettent de bien nous situer au point de départ et de ne pas laisser au hasard la planification des rencontres.

Travaillant davantage avec des étudiantes de secondaire IV et V, nous avons rapidement pris conscience que les domaines des intérêts et des aptitudes étaient assez bien connus. Elles avaient également exploré bon nombre d'occupations. Il devenait important, nous semblait-il, de nous arrêter assez longuement sur les valeurs. Reliées plus directement à la tâche de spécification, les valeurs, selon nous, avaient un poids important dans le choix d'une profession, d'un secteur de travail, d'un style de vie. Et elles n'étaient l'objet, de la part des étudiantes, que d'une attention très faible.

Sous un autre aspect, il nous apparaissait intéressant d'aborder le thème des valeurs parce que nous étions conscients que les étudiantes étaient à l'âge où commence à s'individualiser les valeurs, à l'âge où s'élabore peu à peu une hiérarchie personnelle des valeurs. C'était d'autant plus encourageant que nous n'avions pas à reprendre une tâche mal réussie, comme il faut le faire parfois avec des adultes, mais nous travaillions sur un terrain neuf. C'était aussi le défi de l'éducation aux valeurs avec tout ce qu'il comporte de controverses : valeurs acquises ou valeurs transmises, valeurs personnelles ou valeurs sociales, etc.

Dès la première année de travail avec des étudiantes de secondaire IV, nous avons constaté qu'il leur était difficile de s'approprier des valeurs, et encore plus de les hiérarchiser, et que cette tâche se réalisait avec plus d'aisance et de motivation au début du secondaire V. Les étudiantes de secondaire IV étaient mal à l'aise, s'exprimaient peu sur des aspects personnels et semblaient manquer de confiance en elles. Cette constatation nous a amenés, pour la deuxième année, à travailler davantage sur ces aspects avant d'aborder le thème des valeurs. C'était d'autant plus pertinent que le projet éducatif de l'école s'élaborait autour du thème du développement d'une bonne estime de soi. Pertinent aussi, parce que nous travaillions avec des filles et que de nombreuses études tendent à prouver que les filles s'affirment beaucoup moins que les garçons et se font moins confiance dans leur tâche professionnelle. Le choix spécifique d'une occupation étant moins urgent en secondaire IV qu'en secondaire V, nous nous sentions à l'aise de nous attarder à ces dimensions reliées moins directement au choix, mais le conditionnant beaucoup. Et nous avions l'impression de faire de l'éducation et non seulement de l'ajustement personne-occupation.

Le contenu des rencontres en secondaire V était plus directement axé sur le choix professionnel. Pour être stimulantes, les activités devaient pouvoir trouver une résonance plus immédiatement rattachée à l'orientation. Mais chacune des rencontres, même si son contenu pouvait parfois paraître très cognitif : connaissance des structures pédagogiques du cégep, demandes d'admission, etc., avait toujours un objectif peut-être moins apparent mais tout aussi réel de développement personnel.

Nous avons cependant constaté, dans le choix des activités à proposer pour atteindre les différents objectifs, qu'il était très important de tenir compte de l'âge des étudiantes. En effet, une activité qui peut paraître très bien choisie pour atteindre tel objectif, qui a été expérimentée et bien réussie avec des adultes, peut être totalement rejetée par des adolescentes. Ainsi, découper dans des revues des images significatives, les présenter dans un collage pour en dégager les valeurs importantes pour soi est apparu à certains groupes de secondaire IV comme une activité beaucoup trop simpliste pour elles.

Nous nous sommes longtemps interrogés sur cette réflexion, ne sachant pas à l'avance, bien souvent, quelle activité serait ainsi qualifiée par elles. Certaines expériences avaient de l'impact, d'autres n'en avaient pas du tout. Pourquoi ? Nous sommes revenus à ce qui a été mentionné plus haut : avions-nous bien cerné les coordonnées du groupe ?

Présentement, nous croyons qu'il est beaucoup plus difficile à une adolescente, surtout en groupe, de se laisser aller à la fantaisie, par exemple, parce qu'elle n'est pas assez sûre de l'image qu'elle projette. Plus difficile aussi d'exprimer une opinion personnelle sous forme de « je » parce qu'elle est justement en train de la chercher parmi tout ce qu'elle entend. Plus difficile aussi pour des filles, en groupe, de reconnaître et d'accepter des différences plus marquées. L'influence du groupe est forte et elles ne veulent pas être marginalisées. Ce sont autant de données dont il faut tenir compte pour que le choix des activités favorise l'atteinte des objectifs.

PAR RAPPORT AU VÉCU DES PERSONNES IMPLIQUÉES

Le vécu des animateurs d'abord. Toujours, au départ, cette sensation de risque qui permet l'attention et la réceptivité. Les étudiantes étaient les mêmes d'une semaine à l'autre, mais elles n'étaient jamais vraiment les mêmes. Elles avaient changé, une semaine de vie les avait changées. Et il fallait être très attentifs à ce changement.

Il fallait aussi montrer beaucoup d'ouverture et d'acceptation inconditionnelle, créer un climat de confiance mutuelle dans la relation animateur-étudiantes. C'était indispensable à l'expression. C'était aussi la condition d'une acceptation de chacune par chacune avec ses différences et ses réactions.

Un autre aspect nous est apparu très important. Les étudiantes avaient tendance à fonctionner au plan cognitif seulement. C'était ce qu'on attendait d'elles dans les autres cours : comprendre-apprendre-exprimer une opinion. Et elles souhaitaient poursuivre ce mode de fonctionnement parce que c'était celui dans lequel elles se sentaient le plus en sécurité. Il nous a fallu les amener peu à peu sur un autre terrain, plus affectif, plus personnel. Terrain sacré pour une adolescente. Cela demande d'y mettre le temps, de connaître le rythme de chaque participante. Cela demande aussi beaucoup de confiance en soi pour ne pas répondre trop vite aux solutions de facilité qu'elles peuvent proposer pour échapper à l'exigence de l'implication personnelle. D'où la nécessité aussi de bien connaître les différents niveaux d'investissement des modes expérientiels pour ne pas proposer des activités trop implicantes avant que les participantes ne soient en mesure de les vivre. Sinon le risque est grand qu'elles se refusent à vivre cette expérience spécifique et souvent aussi les expériences ultérieures.

En effet, nous avons constaté qu'après avoir vécu une expérience en profondeur et s'y être impliquées personnellement de façon significative, les étudiantes avaient tendance à vivre de façon plus superficielle lors de la rencontre subséquente. Comme si elles avaient besoin d'un moment pour intégrer le vécu précédent, pour vérifier leur image dans le groupe. Cette prise de conscience nous a amenés à planifier les activités de façon à ce qu'une expérience qui demande plus d'implication personnelle soit suivie d'une autre où les étudiantes aient l'occasion d'affermir leur nouvelle image, de la stabiliser avant de poursuivre leur démarche.

Comme nous l'avons mentionné précédemment, la motivation des étudiantes était souvent en relation avec le sens que prenait l'expérience dans leur vécu quotidien. Nous avons donc appris à être très ouverts à la vie des étudiantes à l'école mais aussi en dehors de l'école. Cette attitude nous a permis de partir d'une situation familiale de conflits, par exemple, pour apprendre différentes façons d'exprimer un désaccord dans toute situation de conflits, y compris les conflits de travail. Une injustice vécue dans le milieu de travail par un membre de la famille d'une étudiante a été l'occasion d'apprendre les droits des travailleurs et leur façon de les faire valoir. Des statistiques publiées sur la femme et le marché du travail ont permis une réflexion sur le sexisme et leur façon personnelle d'entretenir des comportements sexistes.

Pour découvrir les expériences du milieu qui peuvent devenir motivantes et généralisables, il nous faut absolument être très intégrés à la vie de l'école et en relation assez étroite avec les étudiantes pour qu'elles soient à l'aise de proposer des thèmes à partir de leur vie personnelle. Le travail de bureau de 9 h à 17 h ne permet pas beaucoup cette approche. Il nous a fallu en sortir pour être plus en contact avec l'ensemble de la vie des étudiantes.

Le travail de groupe avec des étudiantes nous a obligés à nous laisser confronter, à nous remettre en question dans notre être et notre agir personnels. Comme animateur d'un groupe, nous intervenons de façon bien différente des autres professeurs que les étudiantes côtoient. Nous n'avons pas tellement à transmettre des notions, nous ne sommes pas la personne qui sait la « bonne » réponse. Dans la mesure où nous laissons émerger des réponses possibles, des comportements nouveaux, des valeurs à vivre, les étudiantes demandent que nous vivions devant elles, et non seulement que nous enseignions. Dans la même mesure aussi elles se sentiront à l'aise de nous demander comment nous avons vécu telle situation donnée, quelle est notre propre hiérarchie des valeurs, ce que nous trouvons le plus difficile à demander, à refuser, etc.

C'est finalement en voyant des personnes prendre leurs responsabilités et leur apprendre comment le faire, vivre leur autonomie et leur laisser percevoir les difficultés à le faire, s'estimer profondément et leur montrer comment on peut y parvenir, se respecter en ayant un grand respect pour les autres que les jeunes comprennent la nécessité de développer ces attitudes ou ces valeurs. Ils saisissent aussi, dans la mesure où la relation est clairement établie, l'impact du développement personnel sur le développement vocationnel. C'est donc dire qu'à certains moments la responsabilité nous apparaît plus lourde.

C'est toujours, pour nous, une grande richesse que de partager, plus particulièrement à ces moments-là, avec d'autres animateurs qui travaillent avec des groupes semblables. Cela nous permet de regarder la situation avec plus d'objectivité.

De leur côté, comment les participantes ont-elles vécu ces rencontres ?

Leur journal de bord tenu après chaque rencontre pendant deux ans, de même que les évaluations faites en demi-session comme en fin de session, nous éclairent sur ce point. Les étudiantes qui avaient choisi l'activité ou qui, sans la choisir l'avaient souhaitée, se sont impliquées plus rapidement et de façon plus continue que les autres.

Plusieurs étudiantes ont éprouvé de la difficulté à s'exprimer à partir de ce qu'elles ressentaient. Une certaine peur d'être jugées par les membres du groupe les a retenues. C'est un phénomène qui se retrouvait davantage chez les élèves plus douées, habituées à donner une réponse juste, précise, « bonne ». Encore une fois, nous pressentons qu'il est insécurisant, à cet âge, de dire qui l'on est, ce que l'on vit, alors que l'image de soi n'est pas vraiment solide. C'est un inconvénient aussi des groupes dont les membres se retrouvent entre eux pendant toutes les autres activités de la semaine. Chacune connaît bien l'autre et ne se fie pas facilement à la discrétion de tout le groupe. Chacune est aussi connue d'une certaine façon et tend à conserver ou à rehausser cette image.

Pouvoir apporter leurs expériences personnelles ou leurs problèmes de groupe, prendre le temps d'y réfléchir et d'en dégager des significations a été apprécié par les étudiantes. C'était, au cours de la semaine, une période plus centrée sur la vie. Mise à l'horaire, cette période d'activité était parfois vécue comme une décompression : elle ne demandait pas d'efforts intellectuels, elle n'exigeait aucun travail complémentaire.

Les étudiantes y voyaient une nette démarcation avec l'apprentissage scolaire. C'était à la fois confirmer l'animateur dans l'atteinte de ses objectifs plus éducatifs qu'instructifs et l'obliger à demeurer toujours bien attentif à ce que le groupe s'engage vraiment.

Les participantes ont trouvé très ardu de tenir leur journal de bord, même si elles le faisaient sur le temps alloué à la rencontre. Elles arrivaient difficilement à trouver les mots qui correspondaient à ce qu'elles avaient vécu ou ressenti. Nous l'avons finalement laissé tomber, mais nous avons toujours eu la préoccupation de faire exprimer à chacune quelques mots de son vécu à la fin de chaque rencontre pour lui permettre d'apprendre à mieux le verbaliser.

Au début, pour plusieurs étudiantes, entrer dans un mode d'apprentissage différent est apparu insécurisant. Les unes, ayant déjà vécu des expériences de ce genre ou ayant davantage confiance en elles-mêmes, s'y sont engagées plus rapidement ; les autres s'y sont apprivoisées peu à peu. Cependant, nous nous sommes rendu compte que les résistances tombaient beaucoup plus vite quand une certaine approche intellectuelle, au début de la rencontre, en rendait la signification plus explicite. Parler brièvement des problèmes que peut entraîner un manque de communication, par exemple, avant de vivre une activité où seront pressentis ces problèmes, rendait les étudiantes beaucoup plus disponibles et réceptives.

Sous un autre aspect, à mesure que se déroulaient les rencontres, nous avons constaté que les membres du groupe percevaient de moins en moins l'animateur comme la seule personne-ressource. Leurs interventions s'adressaient plus librement à l'une ou l'autre d'entre elles, elles se communiquaient plus directement leurs réactions. Meilleure estime d'elles-mêmes, affirmation plus positive de leur image personnelle, elle ne savaient pas les nommer, mais elles les vivaient.

Dans l'ensemble, les étudiantes se sont montrées très satisfaites de ces rencontres. Elles percevaient que le travail amorcé n'était pas terminé, mais elles se sentaient plus en mesure de le poursuivre par elles-mêmes. À la suite de cette réflexion, il nous semble que les expériences vécues ont eu des résultats positifs. Plusieurs des participantes, même si elles ont trouvé l'expérience difficile, étaient heureuses d'avoir appris à s'exprimer de façon personnelle devant un groupe, à avoir plus confiance en elles, et à être capable d'être à l'écoute de ce qu'elles vivaient au plus intime d'elles-mêmes. Elles ont exprimé également que leur capacité d'écouter l'autre, de la comprendre, d'accepter qu'elle ait des réactions différentes s'était beaucoup améliorée. Les remarques positives des professeurs sur ces différents points permettent de croire que les expériences vécues en groupe avaient des répercussions sur l'ensemble de la vie des étudiantes.

Des gestes individuels ou des actions de groupe posés par la suite nous ont permis aussi de constater que les participantes avaient acquis plus d'autonomie et un sens plus grand des responsabilités. Leur implication dans la vie de l'école a été plus marquée : c'était un bon terrain d'essai parce qu'elles se sentaient soutenues dans leur action.

Sur le plan vocationnel, les entrevues avec ces étudiantes permettaient de constater une implication beaucoup plus grande de leur part. Elles n'entrevoyaient pas leur choix comme un événement isolé, mais le percevaient mieux comme un moment dans leur cheminement, moment en relation avec tout ce qu'elles avaient vécu auparavant. Plusieurs d'entre elles s'exprimaient plus facilement sur elles-mêmes et se montraient plus réalistes et plus confiantes face à leur choix professionnel.

Ces étudiantes sont-elles mieux préparées à faire un choix judicieux qui leur permette de se réaliser dans le monde du travail ? Nous croyons qu'elles ont développé des habiletés qui les aideront à solutionner plus facilement les problèmes qu'elles rencontreront. Connaissant mieux leurs forces et leurs faiblesses, nous pensons qu'elles sauront mieux discerner ce qui leur convient. Leur meilleure capacité de s'exprimer, jointe à une certaine connaissance de leurs droits, leur sera utile tant dans les situations courantes que dans les moments de conflits.

Comme nous l'avons mentionné précédemment, une grande importance a été apportée aux valeurs. Sensibles à cette dimension, les étudiantes pourront découvrir progressivement celles qui leur sont prioritaires. Si elles ne peuvent les actualiser dans leur milieu de travail, elles auront appris qu'elles peuvent trouver ailleurs, dans leur vie personnelle ou de loisir, des lieux plus favorables à l'expression de leur être. Enfin, elles auront appris que toute expérience, positive ou négative, peut être vécue pleinement.

Il serait illusoire de penser que chacune des étudiantes a bien intégré tout ce qu'elle a vécu et qu'elle saura y recourir spontanément quand des situations analogues se présenteront. Il serait même prétentieux de vouloir qu'il en soit autrement. Mais on peut aider des jeunes à se préparer à vivre demain en leur apprenant à vivre quelques « aujourd'huis » dans toute leur richesse.

Chapitre **7**

Vers un véritable
perfectionnement professionnel

Hélène Boulay et Chantal Tremblay

Dans une société où, d'une part, l'avancement technologique modifie largement la structure de l'emploi et où, d'autre part, les rôles traditionnels sont fortement remis en cause, le problème du développement vocationnel de l'adulte se pose avec beaucoup plus d'acuité. Le passé n'est plus garant de l'avenir et l'incertitude face à demain suscite une remise en question qui va de l'identité personnelle à l'insertion sociale. Bon nombre d'adultes vivent la nécessité d'un recyclage professionnel ; d'autres préparent l'entrée dans un premier emploi ou encore s'interrogent sur la pertinence et le sens que le travail revêt pour eux. C'est dans ce contexte que nous avons entrepris notre démarche de réflexion.

Craignant de ne réfléchir qu'à partir d'*a priori*, nous nous sommes engagées dans un processus de questionnement avec un groupe d'infirmières revenues aux études dans le but avoué de faire une mise au point dans leur vécu. Nous vous présenterons donc, dans les pages qui suivent, les résultats de cette expérience.

PROBLÉMATIQUE

Le perfectionnement professionnel représente plus qu'une amélioration du résultat ou qu'une compétence face à la tâche. Plus explicitement, il signifie qu'une tâche est bien effectuée dans la mesure où, en plus de répondre à des exigences techniques indispensables, elle éveille dans la personne quelque chose de significatif, quelque chose qui confirme un accord ou un désaccord avec le vécu intérieur. Aussi longtemps que nous nous réapproprions, dans un travail précis, ce qui nous motive, nous gêne, nous angoisse ou nous inhibe, nous permettons que naisse un mouvement de l'avant, nous nous incitons à aller plus loin, à apprécier le travail parce qu'il nous touche. Nous croyons que prendre conscience de soi à travers sa vie professionnelle donne accès au perfectionnement professionnel.

Le perfectionnement professionnel revêt plusieurs dimensions. Il peut correspondre à une accumulation de connaissances théoriques qui permettent de mieux comprendre et d'interrelier les composantes du travail. Il peut également signifier une meilleure compétence dans tous les éléments qui composent le physique de l'emploi ou qui sont nécessaires à la réalisation d'une tâche précise. Nous croyons que perfectionnement professionnel peut aussi signifier prise de conscience de soi à travers un développement professionnel qui amène la personne à faire plus ample connaissance avec elle-même au moyen de son vécu professionnel.

Le choix professionnel n'est jamais représentatif de toutes les nécessités de la personne. Cette dernière doit constamment veiller à se réapproprier ce qui est sien. La démarche professionnelle n'échappe pas, de par le long cheminement qu'elle exige parfois, aux difficultés inhérentes à la croissance personnelle. Devant la difficulté à dissocier l'individu de son travail, il y a lieu de croire qu'à l'intérieur de la pratique du choix vocationnel, il y a évolution dans le développement tant vocationnel que personnel. Ces deux types de développement évoluant en concomitance, nous croyons qu'ils participent largement à ce que l'on appelle « perfectionnement professionnel ».

La connaissance de soi, pierre angulaire de la croissance personnelle, constitue un moyen d'accéder à une compréhension plus éclairée des motivations, valeurs, intérêts qui ont fait naître un choix de profession. Elle permettra, dans une certaine mesure, d'infirmer ou de confirmer ce choix avec une confiance accrue et malgré les nombreuses difficultés qui surgissent dans un milieu de travail. Le perfectionnement professionnel, tel que nous le définissons, se situe dans l'ordre de l'intériorité, c'est-à-dire qu'il se base sur la question implicite : « Qu'est-ce que je vis de l'intérieur par rapport à mon travail ? »

LE GROUPE

Les participantes à ce groupe de rencontre étaient des infirmières revenues aux études. Étant donné leur situation, nous pouvions supposer qu'elles partageaient un même désir de développement professionnel et de croissance. Nous pensions également qu'un groupe homogène favoriserait le libre partage et la confirmation d'un malaise réel et communément vécu.

La vie d'un groupe formé d'individus de même allégeance professionnelle s'achemine rapidement vers un partage du vécu sensitif. Le rassemblement de personnes possédant des éléments communs fait surgir lentement un élément de vie davantage senti qu'exprimé. Cet élément prend racine, permet une certaine complicité et favorise un échange prometteur. L'expression du vécu, des satisfactions et insatisfactions au travail, de sa place comme personne unique, de la situation à venir, autant de verbalisations subjectives, exprimées sur un terrain commun et privilégié. Ces problèmes, bien que sous-jacents à une tâche quotidienne, ne nécessitent pas moins une quantité d'énergie parfois assez grande. Ils restent cependant une source pourvoyeuse de questionnement que l'on aborde avec d'autant plus d'aisance qu'elle rejoint le vécu professionnel de l'ensemble des participantes.

L'ANIMATION

La considération la plus importante dont nous avions à tenir compte fut sans doute la distanciation du vécu des participantes, en tant que professionnelles de la santé, et le nôtre comme « conseiller ». Le contexte situationnel exige une bonne flexibilité de la part des intervenants dont la principale force est sans doute une attitude empathique.

Intervenir dans un contexte de groupe n'est pas toujours une tâche aisée. Se laisser imprégner par les expressions de chacun pour tenter d'en saisir les fondements, souvent enfouis profondément dans le sol, provoque parfois des réflexions intenses. Le « sous-jacent à » est souvent le pilier central soutenant l'édifice. Il importe donc d'y porter une attention continue en se laissant absorber par les diverses impressions ressenties à l'intérieur de ce groupe.

La situation comme intervenant nécessite à notre avis une confiance en cette vie de groupe alimentée par la vie de chacun. Il importe également de se laisser un certain vide à l'intérieur de soi, vide qui permet l'imprégnation des : « J'ai l'impression..., Il me semble que..., Je sens que..., » etc., sans qu'ils soient toujours verbalisés. Faire confiance en cette vie de groupe, c'est reconnaître la capacité d'utilisation de l'ici et maintenant ; c'est aussi croire en la capacité de chacun d'entrer en contact avec sa vie intérieure et de faire un bout de chemin. C'est, de plus, une invitation à se remettre en question. La position d'intervenant exige sans doute cette ouverture à se laisser déranger, ce qui fait également sa force. Être conscient et pouvoir identifier ce que l'on peut apporter à un groupe, c'est également être confiant dans son potentiel à le faire évoluer. L'intervention en éducation psychologique exige que l'on puisse croire au potentiel des intervenants et participants.

La reconnaissance mutuelle de la compétence de l'autre favorise la complémentarité ou encore le pont entre deux ou plusieurs vécus. Il est alors possible de parler du pouvoir et de la puissance du « relationnel ». Être en relation avec l'autre, c'est davantage que de trouver un écho à son vécu, c'est aussi un complément à ce qu'on ne possède pas encore mais qui fait allonger ses racines dans l'ajout.

LES RENCONTRES DE GROUPE

À l'intérieur des rencontres, l'accent fut placé sur des jeux de rôles et des mises en situation structurées à partir de thèmes précis, tels le professionnalisme, la relation avec le patient, les impressions face à autrui et finalement, la pratique professionnelle. Chaque session réservait un moment de retour au groupe où le vécu était partagé pour être intégré par la suite selon la subjectivité de chacune. Les mises en situation furent soigneusement choisies de façon à toucher autant le sensitif que l'intellectuel. De plus, une attention particulière fut apportée à la progression interne de l'implication émotive de chacune tout au long du déroulement des rencontres. La question implicite qui permit de structurer les mises en situation était la suivante : « Qu'est-ce qui m'appartient en tant qu'infirmière et que je retrouve spécifiquement dans cette profession ? » Une présentation sommaire de chacune des rencontres apportera des précisions sur cette appartenance à une profession.

Première session

Thème abordé : l'infirmière, le professionnalisme et l'introjection de mon image comme infirmière. Le but poursuivi était de situer l'infirmière par rapport à sa profession et lui faire différencier moi réel et moi idéal face à son rôle.

Dans un premier exercice, les phrases suivantes étaient complétées par chacune.

1. Une infirmière se sent à l'aise dans...
2. Une infirmière est... face aux malades.
3. Une infirmière réagit... aux recommandations du médecin.
4. Je me sens à l'aise dans...
5. Je suis... face aux malades.
6. Je réagis... face aux recommandations du médecin.

Le deuxième exercice proposé était de se situer sur une cible à partir des interrogations suivantes :

1. Jusqu'à quel point je me sens affectée lorsqu'on dénigre ma profession.
2. Jusqu'à quel point je me sens infirmière.
3. Jusqu'où je me sens solidaire de ma profession.

Deuxième session

Thème abordé : l'infirmière et sa relation avec le patient. « Qu'est-ce qu'un bon patient et un mauvais patient ? »

Le but de ce thème était de clarifier les différentes attitudes face aux patients. Un jeu de rôle fut proposé dans lequel deux participantes incarnaient l'une un patient bon, courtois et gentil et l'autre, un patient très exigeant et jamais satisfait. Deux autres participantes jouaient le rôle d'une infirmière et d'un médecin.

Cette mise en situation permettait de prendre conscience de la légitimité de travailler avec plaisir avec certains patients et moins avec d'autres.

Troisième session

Thème abordé : les impressions face aux malades. Quel est l'équilibre entre ces deux actions sur le continuum : « J'ai une injection à faire _____J'ai une personne à piquer. »

Ce thème voulait signifier l'importance de la différence entre l'application froide d'une technique et la considération apportée à une personne humaine souffrante à qui l'on doit faire une injection. Qu'est-ce qui fait qu'un patient est sympathique, antipathique ou laisse complètement indifférent ? Quels sont les critères qui font qu'avec telle ou telle personne, on a envie d'entretenir ou non des rapports amicaux ?

La situation proposée pour aider les participantes à mettre en lumière leur critère de choix était la suivante : fournir à chaque participante une mosaïque de photographies de personnes en leur demandant de découper et grouper ces individus en trois catégories, soit :

1. les personnes avec qui elles entretiendraient des liens plus chaleureux ;
2. les personnes avec lesquelles elles accompliraient strictement leur travail et ce, le plus rapidement possible ;
3. les personnes avec qui elles seraient indifférentes.

Cette activité devait permettre à chacune de prendre conscience de ses critères internes dans la sélection des personnes avec lesquelles elle serait portée à entretenir une relation plus amicale.

Quatrième session

Thème abordé : l'infirmière et la pratique, ou l'infirmière et l'expérience du toucher dans la pratique professionnelle. Le but poursuivi : entrer en contact avec la tolérance face à l'expérience du toucher.

Cette dernière session voulait amener les participantes à prendre contact avec les émotions sous-jacentes à leur travail. Elle se résume ainsi : l'infirmière face à son senti profond.

La situation proposée pour ce thème était la suivante : dans un premier temps, faire l'inventaire de ce que l'infirmière doit toucher à l'intérieur d'une journée de travail et identifier 6 actes qui l'affectent particulièrement. Dans un deuxième temps, les animatrices donnaient un morceau de pâte à modeler à chaque participante. Elles furent invitées à fermer les yeux et à se laisser imprégner par les sentiments que suscitait chacun des mots suivants : cheveux, corps, dentier, plaie, brûlure et crachat. La pâte à modeler leur servait de moyen d'expression des émotions ressenties.

Cette dernière mise en situation fut vraiment le point culminant des sessions, puisqu'elle rejoignait ce que les infirmières vivaient émotivement chaque jour. Elle fut d'ailleurs déclarée la plus significative, parce qu'elle permettait d'entrer en contact avec des impressions souvent ressenties lors de situations vécues régulièrement et de prendre conscience de l'impossibilité de se laisser habiter par la légitimité de sentiments comme le dégoût par exemple.

Réactions des infirmières

Aborder un vécu de travail par le biais des mises en situation a donné aux participantes la possibilité d'exprimer ce qu'elles ressentaient. Elles peuvent saisir l'importance d'accorder de la crédibilité à leur subjectivité, à leur perception. Comprendre le sous-jacent de leur attitude ou de leur comportement favorise, dans une certaine mesure, la relation entretenue avec son travail.

Certaines mises en situation leur ont permis de prendre contact avec une expérience plus personnelle de leur vécu professionnel. Elles ont pu par exemple se laisser imprégner par l'émotion évoquée face à certains objets faisant partie de leur univers de travail. Leurs sensations leur appartiennent et la prise de conscience de leur véracité les a amenées à ne pas nier ce qu'elles ressentent sous prétexte qu'elles sont infirmières.

Globalement, elles se sont permis de ressentir et d'exprimer leur vécu et ont ainsi diminué en grande partie le stress du travail. Quelques-unes se sont dites plus détendues face à la tâche professionnelle. D'autres ont mentionné avoir fait des prises de conscience autres que celles se rapportant à leurs attentes initiales.

Mais le plus important s'inscrit dans leur prise de conscience que le groupe a entrepris une démarche qu'il devra poursuivre à l'extérieur. Leur désir d'être plus présente à soi, compte tenu des contingences de leur milieu de travail, favorisera cette ouverture à soi et aux autres et augmentera leur efficience personnelle et professionnelle.

Les mises en lumière

L'appel à la créativité suscité par les mises en situation a permis une exploration sensitive du monde du travail en milieu hospitalier. L'interaction des participantes et la mise en commun de leur vécu professionnel ont favorisé le mouvement vers l'identification d'un problème sous-jacent et commun à chacune d'entre elles. Quelques rencontres suffirent pour prendre conscience de l'impact du modèle et de l'image de l'infirmière sur la façon de se vivre comme infirmière. Comment suis-je en tant qu'infirmière ? Question implicite, pas toujours consciente et grugeant peu à peu le sens de leur identité à l'intérieur du mouvement vocationnel.

L'image véhiculée par le rôle d'infirmière contribue à mettre en veilleuse un certain respect de l'identité. C'est aussi une sorte de non-permissivité d'être en contact avec des sentiments, très légitimes, de dégoût, d'impatience, de favoritisme et d'agacement à toujours exécuter des ordres sans être consultée, etc. C'est également la prise de conscience d'être comme des « exécutrices professionnelles ». Être toujours de bonne humeur et serviable envers des patients et des médecins, c'est sans doute une exigence fort difficile à assumer à chaque heure de la journée et c'est pourtant l'attitude implicite et attendue du rôle d'infirmière.

Finalement, être en contact avec ses sentiments et reconnaître certains d'entre eux comme légitimes, c'est également se donner le droit d'être d'abord soi et infirmière. C'est aussi se permettre une évolution personnelle dans sa profession et reconnaître son propre choix vocationnel.

Le groupe a vécu le perfectionnement professionnel dans un sens très précis. Découvrir qu'il ne faut pas seulement être intelligente pour effectuer une tâche, qu'il faut se connaître soi en tant que personne impliquée dans un travail — comprendre comment l'on se voit à l'intérieur de son travail les a incitées à être présentes à elles-mêmes et à poursuivre une démarche de l'ordre de l'intériorité dans le but d'une meilleure insertion professionnelle —, ce qui signifie beaucoup plus qu'une réflexion sur leur compétence. À travers un tel questionnement, il s'en trouve certaines qui ne reconnaissent plus leur choix professionnel comme leur appartenant et une nouvelle orientation peut prendre place. De tels changements s'inscrivent dans le cheminement amorcé par cette exploration de soi. Une meilleure connaissance de soi facilite une meilleure compréhension de ses choix vocationnels et permet d'avancer dans la réalisation professionnelle.

Le mouvement vers l'acceptation des sentiments

L'acceptation des sentiments ne représentait pas, en soi, le but ultime de ce projet. Il nous apparaissait, dans un premier temps, qu'une *prise de conscience* de ce qui était vécu serait plus pertinente que l'acceptation. Se réapproprier ses sentiments, les concevoir comme légitimes, se situe à un autre niveau et fait appel à une expression plus profonde, plus intime, à caractère thérapeutique. Nommer ce qui surgit en accord avec le rôle d'infirmière touchait au vécu du groupe d'infirmières. C'était transgresser l'anonymat, c'était se donner la permission d'être, à travers un groupe formel aux exigences conformistes. Par la suite, il devenait possible qu'au-delà d'une verbalisation de sentiments apparaisse une acceptation de ceux-ci qui puisse se transformer en une meilleure utilisation de ces mêmes sentiments dans un éventail plus flexible d'attitudes, de comportements pertinents au travail. Autrement dit, une fois le sentiment révélé, la personne est plus en mesure de s'utiliser adéquatement en se référant à son vécu émotif, intellectuel, corporel, dans le but explicite d'être en accord avec soi et son milieu de travail. Dans certaines occasions, par exemple, l'infirmière, en étant plus en contact avec ce que les événements éveillent chez elle, est amenée à mieux composer avec son identité personnelle. Cette prise de contact avec soi favorise dans une certaine mesure le perfectionnement professionnel. Comprendre ses choix à la lumière d'une connaissance de soi plus approfondie, en référence à un groupe au vécu professionnel similaire, facilite à divers degrés une intégration au milieu, un désir renouvelé d'être ou non dans cette profession, ce qui peut conduire à l'amélioration de la tâche et réduire en partie les tensions engendrées par le stress d'une tâche à accomplir.

Généralisation à d'autres groupes de professionnels

Le but de ce projet se rapportait à la facilitation de la connaissance de soi en fonction de l'activité vocationnelle au moyen de l'expression. Cette connaissance de soi devait amener la personne à prendre conscience des situations où elle ressent un certain inconfort sur le plan émotif. Cette prise de conscience peut faciliter l'exploration de moyens susceptibles de faire surgir l'essence de son malaise. Cette exploration lui permettra par la suite une meilleure adaptation face à des situations similaires.

Chaque individu, peu importe sa profession, se voit confronté aux difficultés que pose sa croissance personnelle en fonction de son travail. Notre intervention s'effectuant sur divers plans peut être généralisée à d'autres groupes professionnels. Il est important que les mises en situation utilisées fassent constamment référence aux composantes spécifiques de la profession du groupe-cible. À cet effet, les thèmes qui suivent représentent des aspects importants à considérer.

L'individu dans sa profession face à lui-même

1- Le professionnel et la perception qu'il a de lui-même dans sa profession.

2- Le professionnel et sa relation avec les autres membres ou avec les bénéficiaires de sa profession.

3- La représentation du « bon professionnel » par rapport à « la manière d'être bien dans sa profession ».

À ces thèmes peuvent s'en ajouter d'autres plus spécifiques au groupe professionnel visé. L'objectif premier d'une telle intervention resterait le suivant : la centration de l'individu sur lui-même et sur les exigences spécifiques de son travail.

CONCLUSION

Cette expérience nous a permis de constater qu'il est possible de faciliter la connaissance de soi par l'intermédiaire d'une activité vocationnelle. Les mises en situation se sont avérées efficaces pour favoriser l'expression de soi.

La prise de conscience et le partage collectif de certains malaises vécus individuellement ont servi de point de départ à un cheminement personnel susceptible de se poursuivre à l'extérieur du groupe. Se permettre d'évoluer personnellement dans sa profession est un pas important dans le mieux-être au travail : une personne doit être plus qu'un simple exécutant, elle doit pouvoir se vivre à travers son choix vocationnel. Et, pour atteindre ce bien-être au travail, elle doit être en mesure d'exprimer ce qu'elle ressent face à son travail et de partager avec ses pairs ce qui est éveillé : peut-être découvrira-t-elle qu'ils ont les mêmes préoccupations.

Être à l'écoute de soi dans son milieu de travail a inévitablement un impact sur la façon d'exécuter une tâche ; sentir ce que l'on est modifie notre relation avec les autres, les choses et, bien entendu, avec soi. Une autre dimension est permise, celle de la rationalité qui oblige parfois l'individu à obéir à des pseudo-contraintes inventées par un système loin des réalités de chacun.

Les attentes d'un milieu de travail peuvent se marier au vécu du travailleur si celui-ci écoute et exprime ce qu'il ressent.

RÉFÉRENCES

FOULKES, S.H. et coll. : *Guide du psychothérapeute de groupe*, EPI, Paris, 1971.
PAGÈS, Max : *L'orientation non-directive en psychothérapie et en psychologie sociale*, Dunod, Paris, 1970.

Chapitre **8**

Expériences éducatives en orientation chez les francophones du Nouveau-Brunswick

Jean-Guy Ouellette

L'exposé qui suit présente un aperçu des expériences éducatives en orientation chez les francophones du Nouveau-Brunswick*. Précisons que le Nouveau-Brunswick est une province officiellement bilingue, située dans la partie est du Canada. Son système d'éducation reflète cette dualité linguistique en ce sens qu'il comporte deux secteurs : l'un anglophone et l'autre francophone. Le thème que nous allons traiter portera uniquement sur les expériences menées auprès de la population francophone de la province.

Pour étudier ce sujet, nous situerons premièrement le mouvement de l'orientation chez les francophones du Nouveau-Brunswick. Dans un deuxième temps, nous aborderons la formation du conseiller d'orientation à l'approche éducative. Suivra un aperçu de quelques pratiques d'orientation éducative. Nous discuterons également des possibilités d'une approche éducative comme moyen de répondre aux besoins d'orientation auprès de notre clientèle. Finalement, quelques perspectives d'avenir seront soulignées.

INTRODUCTION

Avant de discuter des expériences éducatives en orientation chez la population francophone du Nouveau-Brunswick, il nous semble approprié de situer le mouvement de l'orientation dans son contexte historique et pratique. Dans cette province canadienne, l'orientation chez les francophones a vu le jour dans les écoles publiques, sur une base provinciale, au milieu des années soixante (Boudreau, 1974). Pendant cette décennie, le mouvement s'est propagé au point d'être reconnu officiellement comme service au sein de l'organisation de l'enseignement dans les écoles publiques lors de la réorganisation scolaire

---

* Par souci de concision le masculin, dans ce texte, s'entend aussi du féminin.

de 1967 (ministère de l'Éducation, 1968). Le ministère de l'Éducation reconnaissait alors l'orientation comme un service destiné à tous les élèves.

Pendant la décennie soixante-dix, l'orientation a pris à ce point de l'ampleur que la presque totalité des régions scolaires francophones s'est vue dotée de services d'orientation appropriés. Cette consolidation a été assurée par l'embauche de conseillers d'orientation pour desservir principalement les écoles secondaires, de sorte qu'en 1983 chaque conseil scolaire francophone dispose des services de conseillers d'orientation (ministère de l'Éducation, 1982/83).

Au Nouveau-Brunswick, l'organisation scolaire est la suivante : l'élémentaire, d'une durée de 6 ans, le secondaire premier cycle, de 3 ans (comprenant les classes de 7e, 8e et 9e années), et le secondaire deuxième cycle, de 3 ans (comprenant les classes de 10e, 11e et 12e années). La 12e année correspond à la fin des études secondaires. Ces trois niveaux ont leurs objectifs distincts ainsi que leur programmation respective (ministère de l'Éducation, 1968, 1972a, 1972b, 1972c, 1974/75, 1977).

Le travail en orientation s'effectue essentiellement au niveau secondaire premier et deuxième cycles. Les services d'orientation ont pour fonctions à ces deux cycles d'aider l'élève à se connaître et à connaître son milieu, de le rendre apte à faire des choix et de le préparer aux institutions d'éducation post-secondaire et au marché du travail (ministère de l'Éducation, 1976, 1977). Les activités d'orientation au niveau secondaire premier cycle sont surtout axées sur le travail de groupe.

Au secondaire deuxième cycle, les activités du conseiller d'orientation sont particulièrement concentrées sur le travail individuel auprès des élèves. La diversité de cours-options à ce niveau rend difficile la possibilité de rencontrer le groupe-classe. Cependant, cela n'exclut pas qu'au premier cycle l'intervention auprès des élèves puisse se faire en partie sur un plan individuel et qu'au deuxième cycle il se fasse un peu de travail de groupe.

Même si le Nouveau-Brunswick dispose de services d'orientation depuis plus d'une quinzaine d'années, à part l'énoncé de principes directeurs, de buts et d'objectifs ainsi que la présentation des grandes lignes d'un programme cadre pour le premier cycle (ministère de l'Éducation, 1976, 1977, 1981b), aucune approche précise en orientation n'est dictée par le ministère. Pour intervenir, les conseillers d'orientation empruntent à leur formation initiale et à quelques programmes existants. C'est ainsi qu'un certain nombre d'entre eux optent pour une démarche éducative comme base d'intervention auprès de leur clientèle. Ce sont les pratiques associées à cette démarche qui font l'objet du présent exposé.

LE CONSEILLER D'ORIENTATION FRANCOPHONE DU NOUVEAU-BRUNSWICK : SA FORMATION ET SA PRÉPARATION À L'APPROCHE ÉDUCATIVE

Un coup d'œil sur les origines de la formation des conseillers d'orientation œuvrant dans le milieu scolaire francophone du Nouveau-Brunswick révèle qu'au-delà de 80 p. cent d'entre eux ont suivi le programme de formation de l'Université de Moncton*. Un bref

---

* L'Université de Moncton, fondée en 1963, est la seule université canadienne de langue française à l'extérieur du Québec.

regard sur l'évolution de cette formation nous permet d'identifier les courants de pensée qui ont influencé ces conseillers d'orientation.

La formation en orientation offerte à l'Université de Moncton, au départ intégrée à la psychologie, s'inspirait d'une approche clinique et curative de l'orientation. Intégré à l'éducation à compter de 1968, ce programme de formation a progressivement emprunté aux approches développementales (Ginzberg, Ginsburg, Axelrad et Herma, 1951 ; Ginzberg, 1952, 1972 ; Super, 1953, 1957, 1973 ; Super, Starishevsky, Matlin et Jordaan, 1963 ; Tiedeman et O'Hara, 1963). L'introduction graduelle de ces concepts développementaux a sensibilisé les conseillers en formation à l'importance accordée au développement personnel et vocationnel dans un processus d'orientation.

Ces conceptions développementales ont préparé la voie à l'intégration de l'approche éducative *Activation du développement vocationnel et personnel* de Pelletier, Noiseux et Bujold (1974) au sein de cette formation en orientation, à compter du milieu des années soixante-dix. D'ailleurs, cette approche continue toujours de recevoir une attention particulière.

De plus, l'accueil généralement favorable accordé à l'approche de Pelletier et ses collègues chez les conseillers d'orientation du milieu nous incite à présenter en rétrospective l'évolution qu'elle a connue. Ce recul permettra de clarifier l'implication de cette approche éducative auprès du personnel affecté à l'orientation.

L'avènement de l'activation du développement vocationnel et personnel (A.D.V.P.)

L'approche A.D.V.P. a pris racine au Nouveau-Brunswick à partir de contacts qui se sont développés entre ses auteurs et quelques collègues de l'Université de Moncton. Nous nous sommes sensibilisés à cette approche pour la première fois aux conférences de Pelletier (1973) et Noiseux (1973) lors du cinquième congrès mondial de l'Association internationale d'orientation scolaire et professionnelle. Notre participation au colloque sur l'A.D.V.P., présenté à Québec au printemps 1974, a accentué notre intérêt pour l'approche.

Dans le but d'en faire bénéficier les conseillers d'orientation du milieu, le thème majeur du congrès de la Société d'orientation du Nouveau-Brunswick de mai 1975 portait sur l'A.D.V.P. Sans aucun doute, ce congrès a suscité à la fois intérêt, curiosité, interrogation et étonnement chez les participants. Un bon nombre d'entre eux manifestèrent le désir d'en savoir davantage. C'est pourquoi, près d'un tiers des conseillers d'orientation francophones suivirent un cours de 90 heures portant sur l'approche à l'été 1975.

Étant donné que l'A.D.V.P. commençait à prendre de l'ampleur, le ministère de l'Éducation se chargea d'organiser l'année suivante des ateliers sur le sujet. Ces ateliers avaient comme objectif de faire le point sur l'approche et de sensibiliser ceux qui ne l'étaient pas encore. Suite à cette introduction à l'approche, quelques conseillers entreprirent de mener des activités A.D.V.P. tirées en bonne partie de l'ouvrage de Noiseux et Pelletier (1972a). Un certain nombre d'entre eux ont maintenu cette pratique, d'autres l'ont délaissée et quelques-uns n'y ont jamais adhéré.

En mai 1982, après un ralentissement des activités portant sur l'A.D.V.P., le Conseil pédagogique provincial des services personnels aux élèves organisa son colloque annuel sur l'utilisation de cette approche comme moyen d'intervention de groupe en orientation. Cet atelier permettait à certains de faire le point sur ce modèle d'intervention.

Formation à l'approche A.D.V.P.

L'intérêt manifesté pour l'approche A.D.V.P. au cours des années 1975 et 1976 ainsi que la conviction de l'utilité de ce modèle d'activation ont incité l'Université de Moncton à intégrer cette approche éducative à son programme de formation en orientation. Depuis 1977, on offre une sensibilisation au modèle théorique et une préparation à l'application des stratégies d'activation, par le biais d'une pédagogie expérientielle.

Aujourd'hui, on accorde toujours une attention particulière à cette approche dans le cadre de la formation en orientation. Dans un premier temps, le participant acquiert les concepts de base du modèle. Par la suite, il est appelé à maîtriser l'application des stratégies d'activation et à développer ses propres stratégies d'intervention à partir du cadre d'analyse de l'approche. En plus de créer ses propres mises en situation, l'étudiant-conseiller apprend à les adapter au niveau de la population visée. Dans le cadre de cette formation à l'A.D.V.P., les participants sont initiés aux principaux textes des auteurs (Noiseux et Pelletier, 1972a, 1972b ; Pelletier, 1977 ; Pelletier et coll., 1974). La plupart de ceux qui ont intégré cette approche l'appliquent ensuite dans leur stage de formation.

Les conseillers d'orientation diplômés de l'Université de Moncton sont donc en mesure d'intervenir à partir de cette approche. Par la suite, ils continuent d'emprunter au modèle dans leur pratique auprès de la clientèle.

APERÇU DE QUELQUES PRATIQUES D'ORIENTATION ÉDUCATIVE ET D'A.D.V.P.

Si l'on étudie les interventions pratiquées par les conseillers d'orientation, on s'aperçoit qu'un bon nombre d'entre elles s'inspirent de démarches éducatives et en partie de l'approche A.D.V.P. Les échanges que nous avons eus avec quelques conseillers d'orientation* du milieu et l'examen que nous avons fait de certains de leur programme d'orientation nous permettent de donner un aperçu de leurs pratiques.

Comme ils n'ont pas encore de programme provincial d'orientation — à part un document préliminaire portant sur la description et les fondements d'un programme cadre au niveau secondaire premier cycle (ministère de l'Éducation, 1981b) — les conseillers offrent donc les services qu'ils croient les plus utiles pour répondre aux besoins de leur clientèle.

Étant donné le caractère distinct des deux cycles du secondaire, le reflet des pratiques menées en milieu scolaire tiendra compte de la spécificité de ces deux niveaux. C'est pourquoi ils seront abordés séparément.

Interventions au niveau secondaire premier cycle

Le premier cycle du secondaire a comme particularité d'assurer la transition entre l'école élémentaire et le secondaire deuxième cycle. À ce niveau, le programme d'études comporte au-delà de 85 p. cent de cours obligatoires (ministère de l'Éducation, 1977). Les

---

* La liste des conseillers d'orientation consultés apparaît à la fin du texte.

disciplines enseignées offrent à l'élève une formation de base et le préparent au système d'options qui l'attend à l'école secondaire deuxième cycle. Sur le plan de l'orientation, des activités du conseiller ont comme objectif général d'aider l'élève à s'intégrer à l'école secondaire premier cycle et de lui fournir la possibilité d'en profiter au maximum. Elles visent en outre à rendre l'élève capable d'effectuer les choix que lui imposera l'école secondaire deuxième cycle.

C'est pourquoi les interventions des conseillers au niveau des classes de 7e, 8e et 9e années touchent de façon générale au développement personnel, social, scolaire et vocationnel. La flexibilité de la structure scolaire à ce niveau du secondaire permet aux conseillers d'intervenir le plus souvent auprès du groupe-classe, ce qui facilite grandement l'utilisation d'approches éducatives.

Actuellement, au Nouveau-Brunswick, trois programmes ou approches, essentiellement d'orientation éducative, intéressent et inspirent les conseillers du niveau secondaire premier cycle dans l'élaboration de leur programme d'orientation. Il s'agit de l'approche A.D.V.P. (Pelletier et coll., 1974), du programme d'orientation créé par Carrier (1978) et du programme cadre en orientation (ministère de l'Éducation, 1981b).

L'A.D.V.P., selon Pelletier et ses collègues (1974), représente une nouvelle méthodologie de l'orientation qui consiste :

> À proposer des activités, des expériences, des situations d'apprentissage non seulement propres à guider le développement vocationnel de l'individu, mais aussi susceptibles de mobiliser chez lui les ressources cognitives et affectives nécessaires à l'accomplissement des tâches développementales (p. 3).

Reposant sur un modèle d'activation qui implique trois principes de base, cette approche, dite opératoire par ses auteurs (Pelletier et coll., 1974), propose « une analyse fonctionnelle du comportement de l'individu par rapport à la façon dont il vit ses expériences, à la façon dont il les traite cognitivement, à la façon dont il en dégage la signification et dont il les intègre » (p. 3).

Ce sont ces caractéristiques propres à l'approche qui orientent la démarche des conseillers quand vient le temps de mettre au point des activités d'orientation. Quelques éléments particuliers retiennent leur attention. On applique parfois les trois principes se rapportant au vécu, au traitement et à l'intégration de l'expérience. D'autres s'accommodent du concept de signification potentielle et explicite de l'expérience, tandis qu'un certain nombre empruntent à la séquence développementale : exploration-cristallisation-spécification-réalisation.

Mais un groupe plus convaincu de la valeur de l'approche suit la démarche A.D.V.P. d'une façon presque intégrale. Ces derniers prennent souvent l'initiative de créer leurs propres activités d'orientation à partir du modèle. Enfin, le document *Dossier d'orientation I* de Noiseux et Pelletier (1972a) constitue un ouvrage dont se servent certains d'entre eux.

Le programme d'orientation conçu par Carrier (1978) représente une autre démarche éducative communément utilisée. Ce programme, intitulé *J'ai une décision à prendre ou à reconsidérer*, a comme objectif général le développement de la maturité personnelle et vocationnelle. Son but est d'amener l'élève « à réfléchir à tout ce qu'il faut considérer pour bien choisir » (livret 1, p. 1). Il vise à le rendre responsable de son orientation et des décisions qu'elle comporte. Ce programme veut donc, par une démarche continue, aider l'élève à prendre la meilleure décision concernant son avenir.

Dans l'ensemble, ce programme éducatif propose d'une manière passablement détaillée une démarche évolutive d'orientation. Les grands thèmes qu'il aborde ont trait principalement à la connaissance de soi, à celle du monde scolaire et à celle du marché du travail. De plus, une attention particulière est accordée à l'initiation au processus de prise de décision ainsi qu'à l'acquisition d'habiletés inhérentes à ce processus. Le programme comporte une trentaine d'objectifs qui cherchent à concrétiser auprès des élèves les thèmes étudiés et les sous-thèmes qui en découlent.

Au départ, le programme de Carrier (1978) a éveillé l'intérêt de nombreux conseillers. Ceux-ci le voyaient comme un instrument assez élaboré pouvant répondre aux besoins des élèves du niveau secondaire premier cycle. Par la suite, certains l'ont délaissé, d'autres s'en sont inspirés pour développer leur propre programme tandis que quelques-uns continuent de s'en servir.

Récemment, le ministère de l'Éducation (1981b) publiait un document préliminaire qui expose la description et les fondements d'un programme cadre en orientation pour le niveau secondaire premier cycle. Ce programme d'orientation éducative offre aux conseillers un encadrement qui tient compte de l'évolution de l'élève au plan personnel-social, intellectuel-scolaire et vocationnel. Il peut servir d'appui au conseiller pour préparer l'élève à maîtriser ces aspects de son développement. Voici quelques thèmes associés aux objectifs de ce programme :

> Les objectifs de ce programme sont reliés à la connaissance de soi, à la responsabilité majeure qu'a l'élève dans la planification de ses études et de sa carrière, au développement d'habiletés à se renseigner et à solutionner des problèmes, ainsi qu'au développement d'une maturité sur le plan social (p. 3).

Ce programme conçu à partir de besoins identifiés chez l'adolescent prévoit la réalisation d'un concept dominant qu'est la maturité personnelle et vocationnelle, lequel doit aboutir à la formulation d'un objectif spécifique opérationnel au terme de la neuvième année : le projet personnel d'études et de carrière (ministère de l'Éducation, 1981b).

De plus, le programme comporte près d'une douzaine d'objectifs spécifiques reliés aux activités à créer suivant les niveaux scolaires. La réalisation de ces objectifs se fait à partir d'activités basées sur une interaction tridimensionnelle entre les niveaux scolaires, les dimensions développementales et les milieux d'action. Pour ce qui est des niveaux scolaires, la 7e année correspond aux étapes d'implication, d'exploration et de sensibilisation ; la 8e année correspond aux étapes de compréhension et d'approfondissement ; la 9e année correspond aux étapes d'action et de choix. Le développement vocationnel, intellectuel-scolaire et personnel-social représente les trois dimensions développementales. Les milieux d'action sont l'individu, l'école et le milieu (ministère de l'Éducation, 1981b).

Présentement, plusieurs conseillers affectés au secondaire premier cycle empruntent à l'encadrement conceptuel de ce programme pour élaborer leurs activités d'orientation. La conception éducative et évolutive retrouvée dans ce dernier en fait un guide approprié pour le conseiller désireux d'intervenir selon une démarche axée sur l'apprentissage et le développement.

En somme, les trois démarches ou approches relevées plus haut sont les plus communément retenues par les praticiens, soit comme approche d'intervention, soit comme source d'inspiration dans la création d'activités particulières.

Nos discussions avec plusieurs conseillers d'orientation du niveau secondaire premier cycle et notre examen de quelques programmes (Beaulieu, 1982/83 ; Caron et Milot, 1982/83 ; Collin, 1982/83 ; Gervais et Noël, 1982/83) nous révèlent le rapprochement qui existe entre les interventions pratiquées dans le milieu et les trois démarches ou approches éducatives mentionnées antérieurement.

Les pratiques éducatives qui nous ont été révélées visent à développer chez les élèves des apprentissages valables sur le plan de leur développement personnel, scolaire, social et vocationnel, par le biais de divers thèmes et sous-thèmes. Ceux qui reviennent régulièrement sont la connaissance de soi (les intérêts, les valeurs, les aptitudes, les besoins et la personnalité), la connaissance du monde scolaire (l'école, les cours, les méthodes de travail et la préparation à la polyvalente), la connaissance du monde du travail (le travail en soi, l'occupation et les familles d'occupations) et l'acquisition d'habiletés de prise de décision.

On utilise également, dans le milieu, d'autres programmes éducatifs avec des objectifs plus spécifiques. Le programme *C'est ma responsabilité,* publié conjointement par la Commission de l'alcoolisme et de la pharmacodépendance, et le ministère de l'Éducation (1982), est un programme d'activités pour la prévention de la toxicomanie et de l'alcoolisme. Ce programme a comme but « d'informer et de faire comprendre au jeune l'usage versus l'abus des produits intoxicants afin de lui permettre de prendre des décisions responsables pour lui-même et pour son environnement » (p. 7). Il s'adresse aux élèves du secondaire premier cycle et il a une valeur éducative importante.

Deux autres programmes sont utilisés aussi bien au premier cycle qu'au deuxième cycle. Le programme *Décidons-nous !* du ministère de l'Éducation (sans date) a comme objectif de « susciter l'apprentissage d'une prise de décision par l'étude et l'expérimentation des différentes étapes conduisant à la prise de décision réfléchie » (p. 7). Ce programme est essentiellement d'ordre éducatif. Le programme *Vire-vie,* publié conjointement par le Conseil du statut de la femme et le ministère de l'Éducation du Québec (1977), retient aussi l'attention. Il a comme objectif de sensibiliser et de préparer les jeunes filles du secondaire à s'engager dans un processus d'orientation.

Étant donné la flexibilité de ses structures scolaires, le premier cycle du secondaire représente donc un milieu propice à des interventions axées sur une démarche éducative. La facilité de rencontrer le groupe-classe à ce niveau permet d'introduire dans le programme d'orientation des activités de groupe orientées vers des objectifs de développement et d'apprentissage.

Interventions au niveau secondaire deuxième cycle

Au secondaire deuxième cycle, la situation se présente autrement. L'objectif principal de l'école à ce niveau consiste à préparer l'élève aux institutions post-secondaires ou au marché du travail. Cette école dite polyvalente propose une répartition beaucoup plus ouverte des disciplines d'enseignement, où près de 50 p. cent du programme de l'élève est composé de cours-options (ministère de l'Éducation, 1977). Cette polyvalence offre donc à l'élève une diversité de cours parmi lesquels il choisit en conformité avec ses projets personnels, scolaires et vocationnels.

L'orientation à ce niveau continue d'être un service indispensable pour l'élève qui songe à planifier son avenir adéquatement. Une bonne partie des thèmes d'orientation abordés au premier cycle doivent être poursuivis. De plus, l'évolution personnelle que connaît l'élève, la nouvelle adaptation qu'exige son entrée au secondaire deuxième cycle, la diversité des choix qu'on lui demande de faire et d'assumer ainsi que la préparation scolaire et vocationnelle qu'il doit prévoir en fonction de la fin de son secondaire sont autant d'éléments qui appellent une continuité dans son processus d'orientation.

Contrairement à celle du premier cycle, la structure scolaire de l'école polyvalente se prête moins bien au travail de groupe en orientation. À cause de la diversité des options que suivent les élèves, il s'avère plus difficile de rencontrer le groupe-classe. Même si le conseiller affecté à ce niveau pratique certaines activités de groupe, son intervention se fait beaucoup plus fréquemment sur une base individuelle. Les besoins individuels et quotidiens des élèves qu'engendre ce niveau font en sorte que le conseiller ne peut consacrer autant de temps qu'il le souhaiterait aux activités à caractère développemental.

Il n'existe pas de programme d'orientation spécialement conçu à l'intention du secondaire deuxième cycle. Malgré cette situation, certains conseillers choisissent quand mêmê de mener des activités d'orientation éducative et évolutive sur des thèmes appropriés. Ces activités, généralement de courte durée, répondent à des besoins précis.

Quelques programmes plus spécifiques, à caractère éducatif, font parfois l'objet d'activités d'orientation. Bon nombre de ceux-ci proviennent de la Commission de l'emploi et de l'immigration du Canada. Il convient d'en mentionner quelques-uns.

Le programme *Moi je sais comment,* publié par cet organisme en 1981, vise à éclairer les élèves sur divers aspects de leur orientation professionnelle. À partir d'une démarche éducative, le programme propose des activités qui ont comme objectif d'aider l'élève à planifier sa carrière, à savoir comment trouver un emploi et le conserver. Les conseillers retiennent également un autre programme émanant de cet organisme. Il s'agit du document intitulé *Planifier sa carrière,* publié en 1979. Ce programme éducatif a les caractéristiques suivantes :

> *Planifier sa carrière* est un programme d'orientation professionnelle fondé sur la connaissance de soi. Il a été conçu pour aider les jeunes à acquérir des connaissances et des aptitudes dans les domaines de l'auto-évaluation, des possibilités de carrière, du choix d'une profession et de la recherche d'emploi (Avant-propos).

Un outil d'orientation éducative qui connaît un certain succès auprès des conseillers est le programme *Dynamique de la vie.* Rédigé par la Commission de l'emploi et de l'immigration du Canada (1982), ce programme « vise à donner aux clients des connaissances et des aptitudes en matière de relations humaines et à les sensibiliser à leurs responsabilités d'adulte » (p. 30). S'inspirant de ce programme et d'autres du même genre, les conseillers prennent l'initiative de mener diverses activités portant sur le thème d'éducation à la vie.

On utilise également le programme *Répertoire des professions canadiennes,* publié par la Commission de l'emploi et de l'immigration du Canada (1982). Ce répertoire a comme objectif « d'aider ceux qui en ont besoin à explorer le monde du travail et à choisir des objectifs de carrière » (p. 7).

Enfin, le programme *Choix* de la Corporation CSG (1982), créé par la Commission de l'emploi et de l'immigration du Canada, est sans doute celui qui est le plus utilisé par les conseillers d'orientation. Ce programme est un système interactif et automatisé d'information sur les carrières, offrant à l'élève une foule de renseignements qui l'aident dans sa prise de décision vocationnelle. Les interrogations qu'il provoque chez l'utilisateur, la démarche qu'il fait poursuivre et la formation à la prise de décision qu'il entraîne sont autant de facteurs qui en font un outil éducatif très valable. Ce programme favorise chez l'élève une implication dans son processus d'orientation avec l'aide du conseiller.

Ce bref regard sur les expériences éducatives menées au secondaire deuxième cycle nous donne une indication des préoccupations vocationnelles de cette clientèle. Il va de soi que le travail du conseiller d'orientation à ce niveau comporte d'autres activités, mais elles ne sont pas nécessairement d'orientation éducative.

EN QUOI UNE APPROCHE ÉDUCATIVE PEUT-ELLE RÉPONDRE AUX BESOINS D'ORIENTATION AU NOUVEAU-BRUNSWICK FRANCOPHONE ?

Le portrait des pratiques d'orientation éducative, préalablement dressé, révèle que ce type de démarche est déjà bien amorcé dans le milieu. Toutefois, ces pratiques répondent-elles aux besoins d'orientation et convient-il d'en faire davantage ? Un survol des besoins, des objectifs et des tâches à accomplir, l'examen de quelques résultats de recherche, et la considération des possibilités d'une approche éducative particulière nous fourniront peut-être certains éléments de réponse.

Quelques considérations préliminaires

L'examen des objectifs, des thèmes et des sous-thèmes relevés dans les programmes d'orientation développés par les praticiens permet de constater que ces programmes répondent en partie aux besoins, aux objectifs et aux fonctions d'orientation proposés par le ministère de l'Éducation (1976, 1977, 1981b). Néanmoins, faute de temps ou par choix, les conseillers ne semblent pas accorder l'attention nécessaire à une pleine réalisation de ces besoins, objectifs et fonctions.

Besoins en orientation scolaire et professionnelle. Une étude des besoins d'orientation scolaire et professionnelle menée par le ministère de l'Éducation (1981a), auprès des élèves francophones de 9ᵉ année de la province, peut nous éclairer davantage à ce sujet.

Les résultats de cette étude révèlent qu'une majorité d'élèves souligne que l'école leur a surtout permis de discuter de leurs difficultés scolaires (62,5 p. cent), de leurs problèmes de choix scolaires (73,2 p. cent) et de leurs préoccupations face à leurs plans d'avenir (70,9 p. cent). D'un autre côté, une majorité d'entre eux mentionne que l'école ne leur a pas permis de discuter de la remise en question de leurs valeurs personnelles (60,3 p. cent), de la clarification des questions d'identité personnelle (54,7 p. cent), des difficultés d'adaptation à l'école (57,5 p. cent) ainsi que des difficultés de communication avec leurs amis (66,3 p. cent) et leurs parents (73,7 p. cent).

Les résultats de cette recherche font apparaître ce que les élèves considèrent comme des besoins prioritaires. Les sujets interrogés souhaiteraient, par ordre d'importance, que les rencontres d'orientation leur apprennent surtout à connaître le monde du travail (34,3 p. cent), à se connaître (26,3 p. cent), à connaître des moyens pour améliorer leurs résultats scolaires (22,9 p. cent), à discuter des possibilités d'emploi (20,2 p. cent), à connaître ce que leurs amis pensent d'eux (20,1 p. cent) et à connaître les programmes d'études (18,7 p. cent).

Même si plusieurs aspects signalés par les élèves sont déjà touchés dans les activités d'orientation, les résultats exposés ici semblent indiquer qu'ils réclament encore davantage. Les problèmes dont ils veulent discuter et les besoins soulignés par les jeunes pourraient devenir des thèmes à traiter par le biais d'une approche éducative. Il semble donc y avoir encore de la place pour un complément de formation sur le plan du développement personnel, social, scolaire et vocationnel des élèves.

La structure scolaire du Nouveau-Brunswick et le processus d'orientation. Considérée dans son ensemble, la structure scolaire du niveau secondaire présente un encadrement propice à l'intégration d'une programmation en orientation qui respecte un processus d'apprentissage développemental. Les classes du secondaire, allant de la 7e à la 12e année, imposent à l'élève, sur le plan des études, un rythme que sa démarche d'orientation doit suivre en parallèle. Les grands thèmes communément abordés en orientation tels que la connaissance de soi, celle du monde scolaire et du marché du travail ainsi que l'acquisition d'habiletés de prise de décision se prêtent assez bien à une démarche évolutive. Il en est de même pour les sous-thèmes qui leur sont associés. Voyons comment les différents niveaux scolaires peuvent imposer une séquence à l'élève sur le plan de son orientation.

L'arrivée en 7e année exige de celui-ci une adaptation à ce nouveau contexte qu'est l'école secondaire premier cycle. Pendant cette année scolaire, on doit lui fournir l'occasion de prendre part à des activités qui l'assistent dans son adaptation et qui l'initient aux réalités sous-jacentes à son orientation personnelle, scolaire et vocationnelle. La 8e année peut représenter une période d'approfondissement et de compréhension de son processus d'orientation. Cette année scolaire devrait le rendre davantage conscient de l'importance de bien planifier son orientation.

Cette étape de transition terminée, la 9e année le confronte à une décision scolaire et pré-vocationnelle qu'il doit prendre en prévision de son orientation scolaire de 10e année. À ce moment, on le met en face d'une décision importante quant à son avenir, alors qu'il n'a que 13-14 ans. La préparation que l'élève a reçue pendant les deux années précédentes s'avère donc capitale. Ses activités d'orientation en 9e année devraient compléter cette préparation et lui offrir la possibilité de prendre la décision la plus éclairée qui soit.

Le secondaire deuxième cycle a aussi ses particularités. La 10e année constitue une autre période d'adaptation importante. Ce changement d'encadrement scolaire que représente l'entrée à l'école polyvalente requiert de l'élève une adaptation à un nouveau milieu physique et humain. Parfois, une remise en question des choix scolaires et professionnels faits précédemment est susceptible de le bouleverser. Il peut raffermir son orientation ou songer à en modifier la direction. On doit toujours prévoir, à ce niveau, des activités qui portent sur le développement personnel, social, scolaire et vocationnel de l'élève. La 11ᵉ année présente encore une autre étape de transition où il convient que l'élève s'assure de la continuité de son orientation.

Enfin, l'aboutissement des études secondaires en 12ᵉ année se traduit par d'importants impératifs décisionnels auxquels l'élève a besoin de se préparer. Le choix à faire entre les études post-secondaires ou le marché du travail l'oblige à se définir davantage, car l'un et l'autre comportent une préparation appropriée. Il est évident que la poursuite d'objectifs personnels, scolaires et vocationnels, pendant ces années du secondaire deuxième cycle, met l'élève dans une situation où les services d'orientation peuvent lui être d'un grand secours, s'il désire mener à terme son projet d'orientation.

L'ensemble des considérations élaborées plus haut justifie pleinement, à notre avis, une démarche évolutive sur le plan de l'orientation. Les thèmes abordés de même que les objectifs d'apprentissage et de développement qui leur sont reliés appellent des interventions axées sur une approche éducative. La structure scolaire et ses exigences incitent l'élève à s'impliquer graduellement par rapport à son orientation personnelle, scolaire et vocationnelle. Les activités d'orientation proposées doivent alors avoir un effet cumulatif et être ordonnées selon une séquence développementale. Ainsi, les apprentissages antérieurs peuvent servir de base aux apprentissages subséquents. Présentée de cette manière, la démarche d'orientation remplit des objectifs éducatifs et évolutifs qu'il est possible d'atteindre par une approche éducative de l'orientation.

Le programme cadre en orientation. De prime abord, le programme cadre en orientation (ministère de l'Éducation, 1981b) semble tout désigné pour répondre à ces objectifs et remplir cette fonction éducative. Mais il faudrait l'articuler davantage et l'étoffer quant aux thèmes à développer et aux activités qui s'ensuivraient. D'ailleurs, dans sa forme actuelle, il est destiné au secondaire premier cycle uniquement.

Une conception à la fois plus englobante et plus flexible serait sans doute plus favorable à la mise en œuvre d'activités d'orientation adaptées à la réalité séquentielle de l'école secondaire et aux besoins particuliers des élèves. Une approche plus globale laisse parfois plus de latitude à l'intervenant dans le choix de ses thèmes et de ses activités contrairement à un programme prescriptif.

En guise de réponse : l'activation du développement vocationnel et personnel (A.D.V.P.)

Pour de multiples raisons, l'approche A.D.V.P. nous paraît être celle qui est susceptible d'offrir un encadrement plus global et plus complet en réponse aux besoins d'orientation. Sa flexibilité quant au type de contenu à traiter, sa démarche séquentielle quant à l'évolution d'une problématique donnée, ses stratégies expérientielles respectueuses du degré d'implication de l'élève et enfin sa démarche éducative d'apprentissage font d'elle une approche qui mérite une attention particulière quand vient le temps de considérer une démarche éducative en réponse aux besoins d'orientation. Précisons maintenant l'apport de chacun de ces aspects en fonction de la réalité que nous discutons.

Flexibilité de l'approche. La flexibilité de l'approche A.D.V.P. rend possibles des interventions sur des contenus diversifiés, qu'ils soient d'ordre personnel, scolaire ou vocationnel. Du reste, les activités d'orientation et les problèmes que rencontrent les élèves touchent généralement l'un ou l'autre de ces contenus.

Démarche séquentielle de l'approche. La séquence développementale : exploration-cristallisation-spécification-réalisation, fournit un encadrement qui permet d'aborder une problématique donnée d'une façon évolutive. Cette séquence propre à l'approche A.D.V.P. respecte en cela le caractère évolutif du cadre scolaire et du développement de l'élève. S'il est planifié adéquatement, le processus d'orientation de l'élève doit également évoluer selon une certaine séquence. Dans ce sens, on peut s'attendre à ce que les comportements divergents de l'exploration précèdent les processus catégoriels et conceptuels de la cristallisation et que les conduites évaluatives de la spécification viennent avant les actions planifiées et définies de la réalisation (Pelletier et coll., 1974). Précisons quelque peu les possibilités d'application d'une telle démarche.

À partir de cette approche, les contenus d'orientation, qu'ils soient personnels, scolaires ou vocationnels, peuvent être traités sur une base séquentielle. Par exemple, en 7e année, on pourrait sensibiliser les élèves à des thèmes sous-jacents à la connaissance de soi comme les besoins et les valeurs à partir d'une démarche exploratoire. Plus tard, en 8e ou en 9e année, les mêmes contenus pourraient être touchés sous l'angle des tâches de cristallisation ou de spécification. Ces thèmes seraient susceptibles d'être repris en 10e ou en 11e année à partir des tâches de spécification et de réalisation. Cette approche permet au conseiller d'aborder ce type de contenu en respectant l'évolution des élèves et leurs capacités d'intégration à ce moment de leur développement.

Par rapport à d'autres aspects, les tâches développementales peuvent être réalisées durant une période plus courte. Par exemple, l'entrée au secondaire deuxième cycle exige que l'élève ait déjà fait ses choix scolaires. La séquence portant sur ce contenu en particulier devra être complétée avant la fin de la 9e année. Ainsi, les tâches d'exploration, de cristallisation, de spécification et de réalisation pourront être résolues en 9e année ou être effectuées en 8e et en 9e années.

Même si l'élève de 9e année est parvenu à la tâche de réalisation en ce qui a trait à ses choix de cours, il se peut qu'une revision de sa situation en 10e année l'invite à entreprendre de nouveaux comportements de l'ordre de l'exploration et de la cristallisation. Toujours dans le même sens, l'élève de 12e année qui termine son secondaire se retrouve en face de choix à faire par rapport à son orientation post-secondaire. Ce contenu précis lui demandera alors d'atteindre la tâche de réalisation. Il devra auparavant avoir eu la possibilité de compléter les trois autres tâches.

Cette démarche séquentielle a été brièvement exposée en tenant compte de quelques contenus particuliers, mais elle peut tout aussi bien s'appliquer à d'autres aspects. Des thèmes comme l'identité personnelle, l'adaptation scolaire, la valeur de l'éducation, le sens du travail et les intérêts pourraient également être traités à partir d'une telle démarche.

Pour les conseillers qui souhaiteraient suivre la séquence A.D.V.P. d'une façon plus encadrée, quelques ouvrages (Noiseux et Pelletier, 1972a, 1972b ; Pelletier et coll., 1974) font état d'un programme d'activation où les vingt-quatre sous-tâches sont associées aux quatre tâches de la séquence.

Degré d'implication de l'élève. La démarche éducative A.D.V.P. a ceci de particulier qu'elle respecte l'évolution personnelle de l'élève quant au degré d'implication requis pour chaque mise en situation. Par le biais de diverses stratégies expérientielles d'activation, le conseiller peut proposer des activités qui tiennent compte des capacités d'implication personnelle des élèves.

Parfois le niveau d'avancement de ces derniers appelle un degré d'implication d'un ordre perceptif-imaginaire. À d'autres moments, avec un groupe manifestant une plus grande ouverture, le conseiller peut proposer une stratégie expérientielle d'un ordre subjectif-émotionnel ou encore comportemental-situationnel.

Cette particularité de l'approche favorise l'insertion de divers contenus expérientiels selon un degré d'engagement plus ou moins élevé. Par exemple, une activité sur les valeurs pourrait être présentée à un niveau expérientiel perceptif-imaginaire en 7e, alors que le même thème pourrait être traité à un niveau expérientiel subjectif-émotionnel en 9e année.

La possibilité de passer d'un niveau expérientiel moins impliquant à un niveau plus engageant par rapport au même contenu laisse plus de souplesse dans la mise en œuvre de stratégies d'activation.

Démarche éducative d'apprentissage. En plus d'assister l'élève dans l'élaboration de son processus développemental d'orientation, l'approche propose des interventions qui fournissent à l'élève l'occasion d'acquérir des habiletés et des attitudes cognitives qui lui serviront ultérieurement. Elle tient compte de l'évolution affective de l'individu aussi bien que de sa démarche cognitive.

À partir d'une telle méthodologie de l'orientation, le conseiller dépasse le simple fait d'assister l'élève dans ses choix. Il voit à ce que les expériences éducatives entreprises dans les activités d'orientation aient des fonctions d'apprentissage à court et à long termes. Pelletier et ses collègues (1974) précisent cette conception de l'orientation comme suit :

> Les visées tout à fait centrales de l'orientation consistent, selon nous, à instrumenter l'individu par rapport aux tâches vocationnelles. Cette instrumentation comprend certaines habiletés à développer, certaines attitudes et certaines connaissances à faire acquérir ou à mobiliser lorsqu'elles sont déjà existantes (p. 64).

L'approche donne ainsi au conseiller la possibilité d'intervenir plus globalement sur le développement de l'individu. L'activité du conseiller va bien au-delà de la transmission d'informations, elle engage pleinement l'élève dans son processus d'orientation et elle vise à le rendre autonome. C'est en cela que cette approche prend l'allure d'une démarche éducative d'apprentissage.

Contribution de l'A.D.V.P. au processus décisionnel. Le processus décisionnel inhérent à l'approche A.D.V.P. s'apparente assez bien à la réalité de l'orientation. Que ce soit à propos de lui-même, des exigences scolaires ou du monde du travail, l'élève a des décisions à prendre dans le déroulement de son orientation. Chaque étape qu'il franchit le met en face de nouveaux choix à faire. Le fait d'aborder l'orientation de l'élève en tant que processus décisionnel a comme conséquence de mieux structurer la démarche d'orientation et de la simplifier davantage.

D'ailleurs, d'autres auteurs comme Gelatt (1962), Hilton (1962), Katz (1966) ainsi que Tiedeman et O'hara (1963) se sont souciés du processus décisionnel en orientation. Récemment, même Super (1980) intégrait le concept d'« étapes décisionnelles » à son modèle développemental de décision de carrière. De plus, Tiedeman (1982) insiste maintenant sur l'importance de comprendre le processus de prise de décision pour celui qui décide.

Le processus décisionnel impliqué dans le développement personnel, scolaire, social et vocationnel semble à ce point important qu'une approche éducative devrait en tenir compte. C'est ce que fait l'A.D.V.P.

Quelques préalables à la mise en pratique d'une approche éducative. L'intégration d'une approche éducative en milieu scolaire pourrait difficilement se réaliser sans un encadrement propice. Dans la situation qui nous concerne, la structure pédagogique de l'école et la disposition des conseillers d'orientation en place représentent les deux éléments principaux dans la mise en œuvre d'une telle approche.

Quant à l'école, sa structure pédagogique devrait favoriser l'intervention du conseiller à partir d'un programme développemental et éducatif d'orientation. Une fois ce programme connu et accepté par l'école, le conseiller aurait la possibilité de rencontrer le groupe-classe quand les activités d'orientation le commandent. Sa démarche respecterait alors un rythme régulier et évolutif.

Présentement, au Nouveau-Brunswick, l'école secondaire premier cycle rend cet objectif réalisable en bonne partie. Toutefois, l'école secondaire deuxième cycle présente plus de difficultés à ce chapitre ; sa structure pédagogique ne prévoit pas cette possibilité. Pour qu'une approche soit vraiment éducative et évolutive, elle devrait être poursuivie pendant tout le secondaire. D'ailleurs, l'évolution de l'adolescent sur le plan personnel, social, scolaire et vocationnel se prolonge bien au-delà du secondaire premier cycle. C'est pourquoi l'élève devrait avoir accès à une telle démarche évolutive et éducative pendant tout son secondaire.

Chez les conseillers d'orientation, il serait primordial de retrouver des prédispositions constructives face à l'application d'une approche éducative. Il serait également important que les conseillers comprennent les objectifs et la conception d'une telle approche et qu'ils éprouvent le désir d'intervenir selon cette démarche.

La maîtrise d'une approche éducative nécessite souvent de la part du conseiller une préparation préalable adéquate. Dans le cas de l'A.D.V.P., l'intervenant doit faire preuve d'une compréhension des composantes du modèle et des objectifs d'apprentissage de celui-ci. En outre, la maîtrise des stratégies d'activation découlant du modèle est essentielle.

En somme, la connaissance de la population visée, une structure pédagogique propice, la compréhension de l'approche éducative et la volonté d'intervenir suivant cette approche, la maîtrise appropriée de celle-ci et, enfin, une conception évolutive de l'intervention nous apparaissent comme autant d'éléments nécessaires à l'application d'une telle démarche en orientation.

Il nous semble donc réaliste d'affirmer qu'une approche éducative comme l'A.D.V.P. peut servir d'encadrement pour répondre aux besoins d'orientation au Nouveau-Brunswick. Nous sommes conscients qu'un exposé aussi succinct que celui-ci ne peut rendre compte de l'ensemble des mérites associés à cette approche. Cela pourrait être l'objet d'un autre travail.

PERSPECTIVES D'AVENIR

À notre point de vue, l'approche éducative en orientation a toutes les chances de devenir l'essence même du processus d'orientation. Les changements des dernières décennies dans le domaine de l'éducation et du travail en particulier, et dans la société en général ont concrétisé davantage les idées émises par Ginzberg et ses collègues (1951), Ginzberg (1972), Super (1953, 1957, 1973), ainsi que Tiedeman et O'hara (1963) sur la conception d'un processus d'orientation continu suivant des stades de développement. Super (1980) maintient encore cette conception et il l'articule davantage en fonction des réalités nouvelles.

S'il est accepté que ce processus se présente d'une façon continue et séquentielle, il conviendrait alors d'activer son évolution à partir d'une démarche éducative. Déjà, au secondaire, l'élève en viendrait à faire des apprentissages en orientation qui l'aideraient à assumer sa vie personnelle, sociale, scolaire et vocationnelle.

Dans une telle perspective, le conseiller d'orientation doit devenir un intervenant dont le principal souci est le développement optimal de l'élève. Il doit provoquer ou stimuler chez ce dernier des apprentissages qui lui serviront bien au-delà des études secondaires. Si le conseiller désire entreprendre une démarche d'orientation éducative auprès de la population scolaire, son action doit dépasser la simple transmission d'information personnelle, sociale, scolaire et professionnelle ainsi que l'administration de tests, quoique ces services soient nécessaires. D'ailleurs, des programmes comme *Choix* (Corporation CSG, 1982) répondent déjà en bonne partie à ce type de besoins. D'autres programmes comme *Jobscan* (Commission de l'emploi et de l'immigration du Canada, sans date) s'y ajouteront bientôt.

Au rythme où les jeunes s'initient aux micro-ordinateurs, dans peu de temps, ils maîtriseront les rudiments techniques du système *Choix*. Le travail du conseiller sera alors d'assister l'élève dans le traitement, l'analyse et l'intégration de cette information. Le conseiller devra aider l'élève à retirer la signification que cette information prend pour lui. C'est ainsi que se manifestera son rôle d'éducateur.

Sur un plan plus global, à l'instar de Pelletier et de ses collègues (1974), le conseiller inspiré d'une approche éducative devrait mettre au point des interventions qui mobilisent les ressources affectives et cognitives de sa clientèle et qui favorisent le développement de celle-ci. De plus, sa démarche d'apprentissage proposée pourrait tenir compte du vécu expérientiel, du traitement cognitif de ce vécu ainsi que de l'intégration et de la signification de ce vécu pour l'individu.

L'objectif premier d'une approche éducative pourrait bien devenir le développement d'une autonomie chez l'élève de manière à ce que son efficacité humaine le rende apte à administrer sa propre vie. Avec le temps, le but ultime d'une telle approche ne deviendrait-il pas d'instrumenter l'élève au point qu'il aurait appris à se passer des services du conseiller d'orientation ?

BIBLIOGRAPHIE

BEAULIEU, J.P. : *Cahier d'orientation,* Services d'orientation, Conseil scolaire n° 33, Edmundston, N.-B., 1982/83.

BOUDREAU, M. : *L'historique de l'orientation scolaire et professionnelle chez les francophones du Nouveau-Brunswick de 1940-1973,* Thèse de maîtrise non publiée, Université de Moncton, 1974.

CARON, J.L. et S. Milot : *Programme d'orientation professionnelle,* Conseil scolaire n° 12, Bouctouche, N.-B., 1982/83.

CARRIER, C. : *J'ai une décision à prendre ou à reconsidérer,* Services d'orientation, Conseil scolaire n° 33, Edmundston, N.-B., 1978.

COLLIN, Z. : *Programme d'orientation,* Conseil scolaire n° 13, Moncton, N.-B., 1982/83.

COMMISSION DE L'ALCOOLISME ET DE LA PHARMACODÉPENDANCE et MINISTÈRE DE L'ÉDUCATION : *C'est ma responsabilité,* Gouvernement du Nouveau-Brunswick, Fredericton, N.-B., 1982.

COMMISSION DE L'EMPLOI ET DE L'IMMIGRATION DU CANADA : *Jobscan,* ministère des Approvisionnements et Services Canada, Ottawa, Ont., sans date.

COMMISSION DE L'EMPLOI ET DE L'IMMIGRATION DU CANADA, DIRECTION DE L'ANALYSE ET DU DÉVELOPPEMENT — PROFESSIONS ET CARRIÈRES : *Instruments de counseling d'emploi,* ministère des Approvisionnements et Services Canada, Ottawa, Ont., 1982.

COMMISSION DE L'EMPLOI ET DE L'IMMIGRATION DU CANADA, DIRECTION DE L'ANALYSE ET DU DÉVELOPPEMENT — PROFESSIONS ET CARRIÈRES : *Moi je sais comment,* ministère des Approvisionnements et Services Canada, Ottawa, Ont., 1981.

COMMISSION DE L'EMPLOI ET DE L'IMMIGRATION DU CANADA, DIRECTION DE L'ANALYSE ET DU DÉVELOPPEMENT — PROFESSIONS ET CARRIÈRES : *Planifier sa carrière,* ministère des Approvisionnements et Services Canada, Ottawa, Ont., 1979.

CONSEIL DU STATUT DE LA FEMME et MINISTÈRE DE L'ÉDUCATION DU QUÉBEC : *Vire-vie,* Gouvernement du Québec, Québec, Qué., 1977.

CORPORATION CSG : *Choix,* Choix CSG, Ottawa, Ont., 1982.

GELATT, H.B. : Decision-making : A conceptual frame of reference for counseling, *Journal of Counseling Psychology,* **9** : 240-245, 1962.

GERVAIS, R. et L. Noël : *Programme d'orientation,* Conseil scolaire n° 5, Caraquet, N.-B., 1982/83.

GINZBERG, E. : Toward a theory of occupational choice, *Personnel and Guidance Journal,* **30** : 491-494, 1952.

GINZBERG, E. : Toward a theory of occupational choice : A restatement, *Vocational Guidance Quarterly,* **20** : 169-172, 1972.

GINZBERG, E., S.W. GINSBURG, S. AXELRAD et J.L. HERMA : *Occupational choice : An approach to a general theory,* Columbia University Press, New York, 1951.

HILTON, T.L. : Career decision-making, *Journal of Counseling Psychology,* **9** : 291-298, 1962.

KATZ, M. : A model of guidance for career decision-making, *Vocational Guidance Quarterly,* **15** : 2-10, 1966.

MINISTÈRE DE L'ÉDUCATION : *Organisation de l'enseignement dans les écoles publiques,* Gouvernement du Nouveau-Brunswick, Fredericton, N.-B., 1968.

MINISTÈRE DE L'ÉDUCATION : *Organisation de l'enseignement dans les écoles publiques du Nouveau-Brunswick : école secondaire, 1er cycle,* Gouvernement du Nouveau-Brunswick, Fredericton, N.-B., 1972a.

MINISTÈRE DE L'ÉDUCATION : *Organisation de l'enseignement dans les écoles publiques du Nouveau-Brunswick : école secondaire, 2e cycle,* Gouvernement du Nouveau-Brunswick, Fredericton, N.-B., 1972b.

MINISTÈRE DE L'ÉDUCATION : *Organisation de l'enseignement dans les écoles publiques du Nouveau-Brunswick : enseignement élémentaire,* Gouvernement du Nouveau-Brunswick, Fredericton, N.-B., 1972c.

MINISTÈRE DE L'ÉDUCATION : *Plans d'études des écoles secondaires premier cycle,* Gouvernement du Nouveau-Brunswick, Fredericton, N.-B., 1974/75.

MINISTÈRE DE L'ÉDUCATION : *Un programme d'éducation de base pour les écoles publiques du Nouveau-Brunswick*, Gouvernement du Nouveau-Brunswick, Fredericton, N.-B., 1977.

MINISTÈRE DE L'ÉDUCATION, DIRECTION DES SERVICES PERSONNELS AUX ÉLÈVES : *Décidons-nous !*Gouvernement du Nouveau-Brunswick, Fredericton, N.-B., sans date.

MINISTÈRE DE L'ÉDUCATION, DIRECTION DES SERVICES PERSONNELS AUX ÉLÈVES : *Étude des besoins d'orientation scolaire et vocationnelle auprès des élèves de neuvième année*, Gouvernement du Nouveau-Brunswick, Fredericton, N.-B., 1981a.

MINISTÈRE DE L'ÉDUCATION, DIRECTION DES SERVICES PERSONNELS AUX ÉLÈVES : *Les services d'orientation en milieu scolaire*, Gouvernement du Nouveau-Brunswick, Fredericton, N.-B., 1976.

MINISTÈRE DE L'ÉDUCATION, DIRECTION DES SERVICES PERSONNELS AUX ÉLÈVES : *Programme-cadre en orientation. Niveau secondaire premier cycle*, Gouvernement du Nouveau-Brunswick, Fredericton, N.-B., 1981b.

MINISTÈRE DE L'ÉDUCATION, DIRECTION DES SERVICES PERSONNELS AUX ÉLÈVES : *Répertoire : services personnels aux élèves*, Gouvernement du Nouveau-Brunswick, Fredericton, N.-B., 1982/83.

NOISEUX, G. : *Activation du développement vocationnel*, Conférence prononcée au congrès de l'Association internationale d'orientation scolaire et professionnelle, Québec, 1973.

NOISEUX, G. et D. PELLETIER : *Dossier d'orientation I*, McGraw-Hill, Montréal, 1972a.

NOISEUX, G. et D. PELLETIER : *Dossier d'orientation I, Guide de l'animateur*, McGraw-Hill, Montréal, 1972b.

PELLETIER, D. : *Conception opératoire du développement vocationnel*, Conférence prononcée au congrès de l'Association internationale d'orientation scolaire et professionnelle, Québec, 1973.

PELLETIER, D. : *L'approche opératoire du développement vocationnel et personnel : ses fondements et ses valeurs*, Communication présentée au congrès de la Société canadienne d'orientation et de consultation, Montréal, 1977.

PELLETIER, D., G. NOISEUX et C. BUJOLD : *Développement vocationnel et croissance personnelle*, McGraw-Hill, Montréal, 1974.

SUPER, D.E. : A life-span, life space approach to career development, *Journal of Vocational Behavior*, **16** : 282-298, 1980.

SUPER, D.E. : A theory of vocational development, *American Psychologist*, **8** : 185-190, 1953.

SUPER, D.E. : Les théories du choix professionnel : leur évolution, leur condition courante et leur utilité pour le conseiller, in : C. Laflamme et A. Petit (Éds), *L'information scolaire et professionnelle dans l'orientation*, Centre de documentation scolaire et professionnelle, Université de Sherbrooke, Sherbrooke, 1973.

SUPER, D.E. : *The psychology of careers*, Harper & Row, New York, 1957.

SUPER, D.E., R. STARISHEVSKY, N. MATLIN et J.P. JORDAAN : *Career development : Self-concept theory*, College Entrance Examination Board, New York, 1963.

TIEDEMAN, D.V. : Processus et interventions de développement de carrière : formule pour une machine à orienter, in : Commission de l'emploi et de l'immigration du Canada, Direction de l'analyse et du développement — professions et carrières : *Connat*, ministère des Approvisionnements et Services Canada, Ottawa, Ont., 1982.

TIEDEMAN, D.V. et R.P. O'HARA : *Career development : Choice and adjustment*, College Entrance Examination Board, New York, 1963.

LISTE DES CONSEILLERS D'ORIENTATION CONSULTÉS

L'auteur est reconnaissant envers les conseillers d'orientation qu'il a consultés. Il les remercie d'avoir bien voulu lui faire part de leurs pratiques en milieu scolaire. Les renseignements qu'ils ont fournis se sont avérés précieux dans la rédaction de ce texte. La liste des personnes consultées est la suivante :

Jacques Beaulieu	Hélène J. Kearney
Jean-Louis Caron	Gérard Lévesque
Claude Carrier	Louise Melanson
Zoël Colin	Serge Milot
Lorraine Doucet	Lugi Noël
Rhéal Gervais	Camille Thériault
Francine Helmy	Denise Thériault

Chapitre 9

Le programme d'études « éducation au choix de carrière » du ministère de l'Éducation du Québec

Gilles Noiseux

INTRODUCTION

Sous le titre *Renseignements sur les écoles et les professions,* le département de l'Instruction publique introduisait, il y a plus de vingt ans, l'information scolaire et professionnelle comme programme d'enseignement* dans les écoles secondaires.

Récemment, le ministère de l'Éducation, dans son énoncé de politique et plan d'action *L'école québécoise*[1] établissait une nouvelle répartition des matières au secondaire et statuait sur la nécessité de rendre obligatoire le programme d'information scolaire et professionnelle pour tous les élèves des secondaires I à V. Cette politique nécessitait donc une revision en profondeur de l'ancien programme officiel.

Utilisant les enquêtes locales et régionales effectuées pour identifier les besoins des élèves, considérant les travaux de recherche sur les théories du développement vocationnel (entre autres les résultats de l'équipe A.D.V.P.[2]), mettant à profit les derniers ouvrages scientifiques en psychologie cognitive, les concepteurs procédèrent aussi à l'examen de nombreux programmes utilisés en Amérique du Nord et connus souvent sous le vocable de *Career Education.* Cette démarche a permis de mieux cerner l'objet et les orientations d'un nouveau programme appelé *Éducation au choix de carrière.*

Ce programme d'enseignement et de formation privilégie une approche collective de sensibilisation et d'implication aux phénomènes à considérer dans un processus d'orientation, processus crucial dans le développement de l'élève.

---

* Ce programme devient alors la responsabilité d'enseignants désignés. Plusieurs possèdent un baccalauréat ou une maîtrise spécialisée en information scolaire et professionnelle ou en orientation ; les autres ont une formation générale en psycho-pédagogie.

[1] *L'école québécoise : énoncé de politique et plan d'action,* Gouvernement du Québec, ministère de l'Éducation, 1979.

[2] Pelletier, D., Noiseux, G. et Bujold, C. : *Activation du développement vocationnel et personnel,* Université Laval, Projet de recherche D.G.E.S. — F.C.A.C. — 72-04, Québec. Programme de formation de chercheurs et d'action concentrée, Gouvernement du Québec, 1971.

Dans son ensemble, le programme s'inspire de nouvelles conceptions de l'élève, de l'environnement et de l'intervention psycho-pédagogique. Mais il exploite, dans la sélection et la structuration de ses contenus, une redéfinition de l'information scolaire et professionnelle par rapport à la place qu'elle occupe dans le processus décisionnel et aux finalités qu'elle poursuit dans le cheminement vocationnel et le choix de carrière d'un individu. Finalement, le programme témoigne non seulement d'un effort de systématisation des contenus remis à jour par ce nouveau cadre conceptuel, mais aussi d'une approche totalement repensée dans la conception des programmes d'enseignement.

PROBLÉMATIQUES ET AXES DU PROGRAMME

Les études secondaires constituent dans le contexte québécois une étape déterminante au niveau de la préparation socio-professionnelle des élèves. C'est en effet pendant cette période que les jeunes sont confrontés de façon plus impérative aux problèmes de choix scolaires et professionnels. De ce fait, les besoins qu'ils éprouvent sont nombreux et complexes.[3]

Situation actuelle et besoins prioritaires

Actuellement, l'élève fait face à un monde du travail de plus en plus complexe et changeant où la technologie et l'automation modifient constamment les tâches professionnelles. Le système scolaire, pour sa part, multiplie et diversifie les types de formation et de préparation scolaires et professionnelles à divers niveaux d'étude pour satisfaire les exigences du marché du travail. Par conséquent, l'élève est placé entre deux mondes parallèles : le système scolaire et le monde du travail.

Pour choisir un profil ou une profession en connaissance de cause et afin d'effectuer ces choix d'une façon réaliste et éclairée, l'élève doit, dans un premier temps, avoir l'occasion de réfléchir sur lui-même. En effet, il importe que l'élève explore non seulement ses aptitudes mais aussi ses potentialités ; il doit de plus prendre conscience de ce qui l'enthousiasme et le passionne. La considération positive des éléments de sa propre identité sera l'élan vital qu'il cherchera à matérialiser dans un style de vie. Présentement, bon nombre d'élèves manquent de cette perspective temporelle susceptible d'encadrer leur cheminement vocationnel.

D'autre part, l'élève doit avoir la possibilité d'associer les nombreuses possibilités de formation scolaire aux voies d'accès et aux exigences de qualifications des différentes professions du monde du travail. Il s'agit là encore d'une lacune maintes fois notée dans les enquêtes de besoins. À cela s'ajoute la nécessité de se familiariser à différentes techniques de prise de décision, de manière à développer sa propre stratégie de choix professionnel.

Somme toute, de l'analyse de la situation actuelle ressortent certains besoins prioritaires qui pourraient s'énoncer comme suit pour l'élève :

---

[3] *L'information scolaire et professionnelle dans l'école secondaire,* Comité régional de l'information scolaire et professionnelle, Région 03, Les services aux étudiants, 12 juillet 1978.

— s'informer par la cueillette, l'analyse et l'utilisation de données sur le monde du travail et le monde scolaire ;

— donner une signification à ses expériences personnelles ;

— traduire ce qu'il connaît de lui-même en termes professionnels en se basant sur son répertoire d'informations professionnelles ;

— évaluer ses projets scolaires et professionnels et faire un choix en tenant compte du plus grand nombre possible de facteurs.

De ces besoins prioritaires résulte un besoin plus englobant que les autres qui pourrait se formuler ainsi :

— pouvoir se situer par rapport à son environnement (parents, amis, école, marché du travail) en fonction de son avenir scolaire et professionnel.

Situation désirée

Tous les agents d'éducation : parents, enseignants, administrateurs scolaires, conviennent que l'élève a un droit strict de recevoir l'aide nécessaire pour satisfaire ses besoins d'orientation.

Ainsi, l'école devra donc instrumenter l'élève, d'une part, en connaissances sur soi et sur l'environnement scolaire et professionnel et, d'autre part, en habiletés cognitives et en attitudes de façon à ce qu'il puisse réaliser les tâches requises par la société et s'engager dans une profession satisfaisante pour lui.

De plus, l'école devra offrir un encadrement adéquat qui facilitera à l'élève le développement de son autonomie, de sa liberté et de son sens des responsabilités face à son choix scolaire et professionnel. Elle devra chercher à habiliter l'élève à détecter les sources d'information et de documentation, à analyser la validité de ces informations et finalement à exploiter au maximum toutes les données qu'il aura ainsi recueillies. Cette formation à l'autonomie vise à abolir les liens de dépendance entre les sources d'informations, quelles qu'elles soient, et ceux qui les détiennent.

Quant à la liberté du choix, elle est souvent proportionnelle à l'abondance et à l'étendue des informations dont l'élève dispose sur lui-même et sur l'environnement scolaire et professionnel. En effet, plus il disposera d'informations, plus l'élève aura de garanties que sa décision correspond à ses intérêts et à ses aptitudes, mais aussi satisfait ses besoins et ses valeurs. S'il est impérieux, dans un processus de choix scolaire et professionnel, de disposer d'une vaste information, celle-ci doit aussi être de qualité, provenir de sources multiples et fournir des indications supplémentaires nouvelles par rapport au milieu culturel dans lequel l'élève évolue.

L'éducation à la responsabilité implique que l'élève ait la possibilité ou bien d'attendre la fin de ses études avant d'être placé devant l'imminence du choix, ou bien de se prendre en main immédiatement. En outre, la complexité d'un être humain est telle que quelques années de réflexion sur ses expériences personnelles ne sont pas de trop pour arriver à connaître qui l'on est, tant sur le plan des habiletés que sur le plan des potentialités.

Le programme : une voie de solution

Les choix scolaires et professionnels ne doivent pas être laissés au hasard des vicissitudes de l'existence mais plutôt résulter d'une profonde réflexion visant à exploiter ses potentialités et aptitudes dans les possibilités offertes par la société.

L'élève de niveau secondaire pourra atteindre un degré suffisant de maturité dans le développement de sa carrière scolaire et professionnelle s'il peut satisfaire l'ensemble de ses besoins et aspirations. Le programme *Éducation au choix de carrière*, notamment par les contenus notionnels qu'il véhicule et par les objectifs de formation qu'il souhaite atteindre, rejoint plusieurs aspects du processus d'orientation et est ainsi susceptible d'exercer un certain impact sur le développement vocationnel de l'élève.

C'est pourquoi le programme *Éducation au choix de carrière,* tout en tenant compte de la nécessité de fournir des renseignements précis, met l'accent sur la réception, la transformation et l'utilisation de l'information par l'élève. Cette éducation psychologique pour la vie pourra être l'assise sur laquelle l'élève pourra construire son développement et sa progression dans sa carrière.

CARACTÉRISTIQUES DU PROGRAMME

L'école doit permettre à tout élève de s'épanouir dans un milieu éducatif équilibré. Le programme *Éducation au choix de carrière,* par la spécificité de ses caractéristiques : valeurs privilégiées, fondements, principes directeurs et démarche pédagogique, contribue à la réalisation de cet idéal.

Valeurs privilégiées par le programme

Les visées éducatives d'épanouissement et de réalisation de soi par le biais des choix et du processus décisionnel se réclament ou s'inspirent de certaines valeurs :

— *le sens de l'autonomie,* par lequel l'élève, tant dans ses attitudes que dans ses habiletés, apprend à gérer son propre développement vocationnel ;

— *le sens de la liberté,* qui, sans nier l'appartenance à un milieu donné, permet à l'élève de prendre conscience de stéréotypes et de préjugés qui limitent, d'une certaine manière, la perception de soi et de son environnement social et culturel ;

— *le sens de la responsabilité* et de la prise en charge personnelle suppose que, face à la complexité du processus de décision, l'élève inscrive ses préoccupations dans une perspective préventive où il apprendra à vivre, étape par étape, les habiletés et les attitudes qu'il lui faut maîtriser pour progresser ;

— *le sens de l'effort* et le souci de travailler à son épanouissement, par lesquels l'élève s'attache à découvrir ce qu'il a à donner et à investir dans sa vie d'adulte ;

— *le sens de l'intériorité* et l'aptitude à communiquer avec authenticité les expériences de son quotidien, sans cependant négliger dans cette ouverture au monde tout son univers affectif, et cela dans le respect de lui-même et d'autrui ;

— *la formation à la créativité ;* l'élève est instrumenté et habilité à dépasser ses limites personnelles et les contraintes de son milieu.

Fondements du programme

Les interventions des enseignants doivent s'articuler à partir de certaines conceptions qui ont servi de fondements au programme mais qui servent constamment de guides dans la communication avec les élèves.

Conception de l'élève. Le programme adhère à la conception humaniste selon laquelle la personne est un être unique qui doit être respecté dans son originalité et son individualité propre, en tenant compte de son histoire personnelle et de ses aspirations profondes. Comme, d'ailleurs, le souligne *L'école québécoise* (p. 26), l'élève est vu dans sa globalité comme un être qui se développe en même temps sur les plans affectif, cognitif et psycho-moteur. Cette croissance s'accomplit par la découverte de soi et de son environnement et par le sens donné aux expériences et aux prises de conscience. Cette croissance s'accompagne aussi de l'expression créatrice de ses valeurs et de ses habiletés et, finalement, de la prise en charge autonome et responsable de sa propre existence dans une perspective de réalisation de soi.

Ainsi le programme considère que l'élève a non seulement des projets à réaliser mais qu'il est lui-même un projet en devenir. Plus précisément, il est une personne qui se construit des idéaux conséquents avec les valeurs et les besoins qui émergent, idéaux qui se concrétisent dans son existence par la direction qu'il se donne.

Conception de la société. Pour se perpétuer et évoluer, toute société doit pouvoir compter sur la contribution de ses membres. Chaque personne peut être considérée à cet égard comme un actif potentiel, comme un rouage indispensable dans cet immense mécanisme social qui détermine souvent les types d'interaction, de réussite et d'échec. La société représente donc l'ensemble des possibles dans lesquels l'élève pourra actualiser ses potentialités.

Conception de l'intervention enseignant-élève. Dans son développement et dans son cheminement vers l'épanouissement de son être, l'élève ne peut être laissé à lui-même puisque, comme le précise *L'école québécoise* (p. 84), « il s'exposerait à rester bien en deçà de ce qu'il doit et peut devenir ». Le programme privilégie une intervention de l'enseignant qui vise à soutenir l'élève dans la préparation de ses rôles professionnels, en l'aidant à se découvrir et à connaître les possibilités offertes par la société. Cette intervention doit permettre à l'élève de s'approprier sa propre existence, d'en fixer lui-même les buts et de cheminer dans une progression constante et réfléchie à travers les différentes étapes de son développement.

Ce modèle d'intervention s'inspire aussi d'un nouveau courant psycho-pédagogique qui a pour nom « l'éducation psychologique ». En mobilisant toutes ses ressources affectives et cognitives, en étant stimulé au besoin, l'élève apprend, par ses expériences, tout en demeurant fidèle à lui-même, à répondre d'une façon satisfaisante aux attentes et aux pressions de son environnement. L'intervention est donc conçue dans une perspective de formation et d'éducation au choix.

Principes directeurs

L'organisation structurelle du programme est fonction de certains principes directeurs.

Principes de la discipline et postulats sous-jacents

— Le développement vocationnel est fonction du développement personnel et social de l'élève et les deux s'influencent mutuellement.

— Le développement vocationnel peut être considéré comme un problème à vivre et à résoudre. Il ne peut se concrétiser, vu sa complexité et le temps qu'il faut y consacrer, au hasard de quelques rencontres fortuites. Il découle d'une progression qui suppose un encadrement constant et suivi.

— Le développement vocationnel se traduit par des choix qui supposent la maîtrise d'informations et de connaissances. L'information prend toute sa valeur quand elle s'attache à satisfaire les besoins des élèves et qu'elle est utilisée par ceux-ci afin de faciliter l'expression de choix éclairés.

— Si les choix professionnels ne peuvent plus s'improviser, en raison de la complexité de la société, il en est de même des choix scolaires qui doivent les préparer. L'information doit aider l'élève à réconcilier ces deux mondes que sont l'école et le travail.

— *L'Éducation au choix de carrière* trouve sa finalité d'abord dans le choix par l'élève d'un programme de formation, puis d'une occupation, et ultimement, dans l'élaboration continue d'un plan de carrière répondant à ses aspirations.

Conséquemment, on peut énoncer les postulats suivants :

a. *L'information doit être associée aux théories du développement vocationnel.* Puisque l'information a pour finalité d'aider les élèves à faire des choix éclairés, il est nécessaire qu'elle soit associée aux théories qui veulent expliquer ces phénomènes.

b. *L'information doit être significative.* L'élève va s'appliquer à rechercher et à recevoir toute information qui répond à un besoin ressenti, ou qui lui apparaît comme utile et nécessaire à son développement.

c. *L'information doit être structurée.* Les informations nécessaires à la formulation d'un choix éclairé sont de toute évidence dispersées et complexes. L'ensemble des éléments à connaître doit être, selon les théories de l'apprentissage, hiérarchiquement présenté de sorte que chaque notion serve d'ancrage à des contenus notionnels de plus en plus complexes.

d. *L'information doit être traitée en considérant les états affectifs et cognitifs de l'élève.* La psychologie cognitive explique comment les attitudes et les états émotifs affectent les façons de percevoir et de sélectionner les données. Il faut donc, dans un contexte de formation et de développement, privilégier des apprentissages où les processus affectifs sont intégrés aux processus cognitifs.

e. *L'information doit miser sur le potentiel de l'élève et lui redonner confiance.* Les élèves ont souvent l'impression d'être absolument incapables de contrôler leur environnement scolaire et professionnel. Surtout, lorsqu'il s'agit de choisir, il se croient prisonniers de la structure ou du contexte. C'est en connaissant les difficultés inhérentes aux processus décisionnels que l'élève saura mieux les surmonter.

Principes d'ordre conceptuel. Face à la tâche de préparer son insertion dans la société, l'élève peut témoigner de sa maturité personnelle et évoluer dans sa problématique développementale vers des choix adaptés. Il atteint sa maturité progressivement en accomplissant certains apprentissages présentés selon une séquence développementale. Le programme amène donc l'élève à manifester, en rapport avec cette séquence, quatre types de comportement recouvrant la réalité globale du processus décisionnel. Il s'agit en l'occurrence de l'*exploration* de soi et de l'environnement scolaire et professionnel, de la *cristallisation* des préférences vocationnelles, de la *spécification* de ces mêmes préférences et, finalement, de la *réalisation* des choix.

Cependant, pour provoquer chez l'élève l'émergence de ces comportements attendus, il doit se produire une interaction entre les habiletés cognitives, les attitudes et les connaissances.

a. *Les habiletés cognitives.* Tout élève dispose d'un certain nombre d'habiletés intellectuelles, habiletés nécessaires pour comprendre, apprendre, retenir ou encore pour résoudre des problèmes, prendre des décisions et enfin réaliser les décisions prises. Cependant les élèves n'ont pas nécessairement développé à leur maximum toutes ces habiletés.

Si l'on désire voir émerger les comportements attendus, il conviendra d'instrumenter l'élève de diverses habiletés cognitives pour qu'il puisse explorer ses possibilités, cristalliser ses préférences, les spécifier et réaliser ses décisions. Cette instrumentation, qui peut être la conséquence d'une intervention pédagogique, s'appuie sur la psychologie cognitive, et plus particulièrement sur ce qu'il est convenu d'appeler, « l'éducabilité des processus mentaux ». Selon certaines données expérimentalement reconnues[4], l'élève peut disposer, spontanément ou à la suite d'un entraînement approprié, de certaines habiletés cognitives jugées indispensables à la réalisation du processus décisionnel.

b. *Les attitudes.* Les attitudes désignent, d'une part, la manière d'être, de réagir et d'agir et, d'autre part, la façon dont on interprète ce qui est perçu en lui donnant une signification. Ce concept prend donc une place importante dans le programme puisque les attitudes sont en quelque sorte les composantes affectives des habiletés cognitives que l'élève est appelé à développer.

c. *Les connaissances.* Faire un choix suppose un vaste éventail de connaissances. Si les habiletés cognitives et les attitudes permettent de circonscrire le contexte général des situations éducatives que peut engendrer le programme, ce sont quand même les connaissances qui font la spécificité des interventions et qui vont définir le contexte particulier de ces situations.

Démarche pédagogique

Puisque l'apprentissage émane du vécu, le programme entend privilégier une pédagogie expérientielle de situation. Le contexte méthodologique d'une pédagogie basée sur l'expérience conduit les éducateurs à concevoir, planifier et mettre en place des situations

---

[4] Parnes, S.J., Noller, R.B. et Biondi, A.M. *Guides to Creative Action*, New York, Charles Scribner's Sons, 1977 (revised edition of 1966 edition). Covington, M.V., Crutchfield, R.S., Devies L. et Olton, R.M. *The Productive Thinking Program.* Columbus, Ohio, Charles E. Merrill Publishing Co., 1972.

éducatives. Un soin particulier sera apporté dans le choix des consignes et des procédures pédagogiques pour rejoindre l'élève dans ses dimensions autant affectives que cognitives. Ces activités éducatives doivent faire appel à toutes les ressources dont dispose l'élève. L'innovation pédagogique suscite chez l'élève l'exercice d'habiletés cognitives et d'attitudes affectives qui facilitent le traitement de l'information.

OBJECTIFS ET BUTS DU PROGRAMME

Le programme entend donc rejoindre l'élève sur tous les plans. Puisque le processus décisionnel se caractérise par des habiletés, des attitudes et des informations appropriées et de qualité, l'éducation au choix, préoccupation ultime du programme, doit, tout en visant l'expression et l'épanouissement de l'élève dans des choix éclairés, faciliter son intégration dans un milieu éducationnel et professionnel. Le programme entend ainsi, par sa démarche formative et éducative, contribuer à former un citoyen autonome et responsable.

Objectif global

Ces visées éducatives, qui veulent spécifiquement répondre aux besoins prioritaires de l'élève, peuvent se synthétiser dans une formule qui devient l'objectif global du programme :

Le programme, tout en intégrant dans une démarche d'éducation psychologique au choix certains aspects importants du développement vocationnel, vise à habiliter l'élève à faire des choix éclairés d'éducation et de formation professionnelle, choix congruents par rapport à lui-même et réalistes par rapport au marché du travail, le tout dans une perspective de réalisation de soi.

Buts du programme

De cette formule découlent les buts poursuivis qui viennent exprimer plus particulièrement le rôle que le programme est appelé à jouer au regard de l'objectif. Ce programme devrait permettre à l'élève :

a. de développer les *habiletés* lui permettant de traiter cognitivement et affectivement les informations dont il dispose ou qu'il peut acquérir, de telle sorte que ces informations puissent être mises à profit dans le processus de décision ;

b. de développer des *attitudes* positives à l'égard de sa démarche personnelle de formation scolaire et professionnelle et de la réalité socio-politico-économique, sans lesquelles la qualité de toute éducation au choix serait compromise ;

c. d'acquérir et de maîtriser, afin de les intégrer au processus de décision, les *informations* nécessaires à la formulation de choix éclairés ;

d. d'être en mesure d'élaborer et d'appliquer, le moment venu, un *plan personnel de carrière*.

Objectifs généraux du programme

Ces buts, à leur tour, doivent se traduire dans des intentions éducatives plus spécifiques et dans des changements anticipés chez l'élève.

À cet égard, les objectifs généraux du programme énoncent des comportements recouvrant la réalité du processus décisionnel. Parce que les intentions de formation et d'éducation ont trait à des développements séquentiels et cumulatifs dans le développement vocationnel et que ce programme de développement s'étend des secondaires I à V, chacun des objectifs généraux se situe à un degré ou à un autre du secondaire. Ils deviennent ainsi des objectifs généraux de degré. Ainsi l'élève sera amené :

— en secondaires I et II à : *explorer* les diverses composantes de son identité personnelle et de son environnement scolaire et professionnel dans une démarche de développement vocationnel ;

— en secondaire III à : *cristalliser* dans la formulation d'une orientation générale les multiples éléments de connaissance découverts lors de l'exploration ;

— en secondaire IV à : *spécifier* ses préférences vocationnelles et décider des projets qui tiennent compte de ce qu'il veut et de ce qu'il peut ;

— en secondaire V à : *réaliser* les décisions prises antérieurement en prévoyant toutes les étapes de matérialisation de ses choix scolaires et professionnels.

CONTENUS DU PROGRAMME

Par rapport aux contenus d'un programme, deux règles de base interviennent pour en fixer l'étendue et leur organisation ; ce sont la sélection et la structuration. Pour chacune de ces règles, il existe des critères qui délimitent les contenus à privilégier et leur place dans le programme.

Sélection des contenus

C'est en fonction même de la spécificité de l'information dans le processus décisionnel que les critères de congruence et d'utilité ont été retenus.

Critère de congruence. Comme les comportements doivent se différencier d'une étape à l'autre du processus décisionnel, il est essentiel que les habiletés, les attitudes et les connaissances soient distinctes à chacune des étapes pour que des comportements adéquats émergent. Il faut donc que chaque élément soit congruent au comportement anticipé. Ce critère cherche explicitement à identifier les habiletés, les attitudes et les connaissances qui conviennent à chaque comportement du développement vocationnel.

Pour ce qui est de l'adéquation entre des habiletés cognitives et les types de comportement, ce programme s'inspire de la conception opératoire[5] qui associe divers modes de pensée aux comportements manifestés dans le développement vocationnel. Comme le définit l'approche opératoire, la *pensée créatrice* s'associe à l'*exploration*, la *pensée conceptuelle* à la *cristallisation*, la *pensée évaluative* à la *spécification* et la *pensée implicative* à la *réalisation*. Les modes de pensée sont des regroupements, par affinité, de diverses habiletés cognitives. Toute activité mentale peut, d'une certaine manière, s'extérioriser dans des comportements.

De plus, ayant été définies comme des dispositions à l'action, les attitudes ont aussi un lien de congruence avec les modes de pensée. Cette conjonction entre les attitudes et les

---

[5] Pelletier, D., Noiseux, G. et Bujold, C. : *Développement vocationnel et croissance personnelle : approche opératoire*, McGraw-Hill, Montréal, 1974.

modes de pensée facilitera le traitement affectif et cognitif qui sera opéré par l'élève sur chaque donnée d'information avec laquelle il sera en contact.

Critère d'utilité et éléments notionnels. Si le programme entend combler toutes les insuffisances en information pour répondre aux besoins prioritaires des élèves, il convient dès lors de cerner quelles sont les connaissances utiles, voire même indispensables, dans un processus décisionnel. Comme le processus est complexe, le critère d'utilité permet d'identifier quatre types distincts de contenus notionnels.

a. Notions relatives aux stratégies décisionnelles : tout au long de son développement, l'élève se voit confronté à des décisions à prendre et à des problèmes à résoudre. Chaque expérience, chaque apprentissage peut devenir significatif par rapport à un futur plus ou moins éloigné que l'élève essaie d'anticiper et de planifier. L'élève doit de plus réaliser que tout processus implique une combinaison d'éléments affectifs et rationnels.

b. Notions relatives au monde scolaire : l'école demeure un lieu privilégié où les élèves ont l'occasion de faire différents apprentissages et de vivre diverses expériences significatives pour leur développement.

L'évolution qu'a connue le système scolaire québécois pose des exigences aux élèves sur le plan de l'implication et de l'application personnelles. Les élèves doivent donc apprendre à cheminer dans ce système pour y réaliser leurs intentions de formation académique.

c. Notions relatives au monde du travail : ces notions sont d'autant plus importantes que l'élève n'a en effet qu'une connaissance très limitée des professions. Parfois même la connaissance de ces professions est superficielle et tient plus du stéréotype et de la valeur sociale et culturelle qui y sont rattachés que d'une connaissance objective inspirée d'observations directes. Divers facteurs augmentent l'insécurité des élèves face à la nécessité de choisir une profession et un plan de carrière dans un monde de travail en perpétuel changement. Pour éviter des mésaventures professionnelles et des difficultés d'adaptation à des tâches de travail peu satisfaisantes, il faut permettre à l'élève du secondaire d'acquérir les informations professionnelles nécessaires à des décisions judicieuses.

De plus, au-delà de la profession que l'élève choisira, se posent les réalités globales du monde du travail entourant l'exercice d'une profession. C'est pourquoi le programme donnera à l'élève des connaissances générales sur les aspects majeurs de cette trame de fond.

d. Notions relatives à l'identité personnelle : toutes ces démarches relatives au développement vocationnel, toutes ces connaissances portant sur la résolution de problèmes et la prise de décision, toutes ces considérations relatives à l'*éducation au choix de carrière* n'ont vraiment de valeur que dans la mesure où elles sont associées à cet ensemble organisé et structuré qu'est l'identité personnelle.

Toutes les représentations de soi que construit l'adolescent à la suite d'expériences diverses vont avoir une influence prépondérante dans la formulation de ses choix.

L'élève se motive à acquérir, organiser, analyser, évaluer et intégrer l'information quand il peut la relier à lui-même, à sa personnalité. Tenir compte de l'identité personnelle peut être une source de motivation à s'occuper de son développement vocationnel et à considérer l'information comme quelque chose de proche de sa réalité. L'exploration successive de divers rôles va stimuler l'exploration de soi et cette dernière va à son tour conduire à une exploration de plus en plus spécifique des rôles scolaires et professionnels qui peuvent lui convenir.

Structuration des contenus

Quant à l'organisation des contenus à l'intérieur du programme, deux critères ont particulièrement prévalu.

Critère de hiérarchie. Les objectifs généraux, terminaux et intermédiaires se caractérisent par des verbes actifs correspondant, sur un plan vertical, à un niveau de complexité croissante du traitement cognitif et affectif.

Pour les contenus notionnels retenus, ils ont été regroupés et hiérarchisés selon la règle de la filiation de concept. Les concepts les plus simples sont présentés en début de programme et servent alors de supports à d'autres concepts de plus en plus complexes. À l'intérieur du programme, la structuration des contenus notionnels requis à une étape du processus a entraîné un regroupement de ceux-ci en modules.

Critère de complémentarité. Dans la perspective où la connaissance des contenus notionnels est essentielle pour que l'élève manifeste des comportements pertinents à chaque étape du processus décisionnel, le programme unifie les quatre contenus dans chaque module.

CONCLUSION

Le programme *Éducation au choix de carrière,* par ses visées éducatives et formatives, est susceptible de contribuer d'une façon particulière à l'amélioration de l'orientation des élèves au Québec. S'il ne peut prétendre résoudre tous les problèmes de ces milliers de jeunes en instance d'orientation, du moins il se justifie par l'apport significatif qu'il aura aux plans de leur bien-être et de leur développement.

Tableau 9.1

Vision intégrée du programme

OBJECTIF GLOBAL : habiliter à faire des choix

BUTS :
- développer des habiletés
- développer des attitudes
- maîtriser des informations
- élaborer des plans de carrière

TÂCHES DU DÉVELOPPEMENT VOCATIONNEL (OBJECTIFS GÉNÉRAUX)	CONTENUS			
	ÉLÉMENTS NOTIONNELS	MODES DE PENSÉE	HABILETÉS COGNITIVES	ATTITUDES
EXPLORATION	• stratégie décisionnelle • monde scolaire • monde du travail • identité personnelle	pensée créatrice	• observer • décrire • questionner • découvrir • définir • imaginer	• ouverture • sensibilité • curiosité • tolérance • imagination • hypothèse
CRISTALLISATION	• stratégie décisionnelle • monde scolaire • monde du travail • identité personnelle	pensée conceptuelle	• réduire • associer • regrouper • classer • résumer • classifier	• intéressement • estime de soi • organisation • ordre • cohérence • sens de la continuité
SPÉCIFICATION ET DÉCISION	• stratégie décisionnelle • monde scolaire • monde du travail • identité personnelle	pensée évaluative	• comparer • examiner • hiérarchiser • éliminer • évaluer • choisir	• appréciation • confiance • responsabilité • discernement • sens critique • propension à la réflexion
RÉALISATION	• stratégie décisionnelle • monde scolaire • monde du travail • identité personnelle	pensée implicative	• déduire • prévoir • appliquer • généraliser • planifier • élaborer	• certitude • implication • efficacité • perspicacité • détermination • sens pratique

Septième partie
Réflexions majeures sur les pratiques éducatives en orientation

Chapitre 1

Le but de l'activation : activer

Louise Fréchette

Cet article repose, pour l'essentiel, sur les réflexions d'un groupe de travail composé de Robert Quesnel, Sylvie Pelletier, André Bélanger et moi-même, tous quatre psychologues et consultants en orientation dans des cégeps de la région du Montréal métropolitain depuis plusieurs années.

PETIT HISTORIQUE POUR SITUER LES RÉFLEXIONS QUI SUIVENT

L'état de la pratique

La pratique de l'A.D.V.P. (Activation du développement vocationnel et personnel), qui a connu un essor important dans les cégeps du Québec vers le milieu des années 70, semble depuis quelque temps s'être stabilisée. Les jeunes générations de praticiens et praticiennes, qui exploraient à l'époque diverses pratiques d'intervention, ont maintenant recours, pour la plupart, à des démarches structurées. Certains ont délaissé l'utilisation systématique de l'A.D.V.P. tout en retenant son esprit et quelques-unes de ses stratégies. D'autres, par contre, ont continué d'approfondir et d'affiner leurs interventions dans le cadre de cette approche.

Quel que soit maintenant l'état des pratiques en orientation dans les cégeps du Québec, un fait demeure : l'approche A.D.V.P., préconisée à l'origine par Pelletier, Noiseux et Bujold (1974) et reprise par Louise Landry et Danielle Riverin-Simard (1974) du cégep de Ste-Foy au milieu des années 70, a profondément marqué toute une génération de consultants en leur offrant à la fois un cadre théorique ancré dans la notion d'approche éducative et un ensemble de stratégies d'intervention.

Depuis 1974, l'approche A.D.V.P. a été utilisée en groupe dans plusieurs cégeps du Québec. Récemment, toutefois, certains d'entre nous avons senti le besoin de faire le point par rapport à cette pratique. Ce désir d'évaluer notre démarche était également lié à une conjoncture politico-économique restrictive qui sévit depuis quelques années au Québec, comme dans beaucoup de pays industrialisés. Les besoins demeurant les mêmes ou s'accroissant, cette conjoncture exige que nous fassions plus avec moins de ressources et, partant, que nous rendions des comptes sur notre productivité.

C'est donc la notion d'*accountability* (rendre des comptes) conjuguée au souci d'améliorer nos interventions qui nous a incités à développer des moyens d'évaluation pouvant justifier la pertinence de ces interventions et témoigner des effets de celles-ci. Nous trouvions en effet préférable d'être les agents évaluateurs de nos propres interventions plutôt que de voir celles-ci évaluées par des administrateurs qui, dans bien des cas, sont plus soucieux de rentabilité administrative que de rentabilité éducative.

C'est dans cette foulée que l'un de nos confrères, Robert Quesnel, psychologue au cégep Lionel-Groulx, introduisait au Colloque annuel des psychologues et conseillers d'orientation des cégeps de décembre 1980 une notion d'inspiration américaine, la notion d'indicateur. Il proposait à cette occasion la mise sur pied d'un groupe de recherche qui aurait pour but d'appliquer la notion d'indicateur à certaines des activités que nos services de consultation avaient l'habitude d'offrir à la clientèle étudiante. Ce groupe de recherche dut, après une année de travail, se subdiviser en deux sous-groupes pour des raisons d'efficacité : un sous-groupe intéressé à appliquer la notion d'indicateur à des activités de méthode de travail intellectuel, et l'autre intéressé à appliquer cette notion aux activités de groupe A.D.V.P. comme celles que l'on pratique dans des cégeps de la région du Montréal métropolitain.

C'est de l'état des travaux de ce dernier sous-groupe, composé de Robert Quesnel (cégep Lionel-Groulx), Sylvie Pelletier et André Bélanger (cégep Bois-de-Boulogne) et de moi-même (cégep Ahuntsic) dont il sera question dans le présent article.

La notion d'indicateur

Selon Quesnel (1980), la notion d'indicateur tente de répondre à deux questions :
1. Qu'est-ce que je veux atteindre quand je mets sur pied une activité ?
2. Quels sont les moyens à ma disposition pour évaluer si j'ai atteint les résultats désirés ?

La notion d'indicateurs s'inspire du modèle de Stufflebeam (1977) et doit être comprise dans la perspective suivante : « ...un outil d'observation quantitatif et neutre qui assure le suivi des variables impliquées dans chaque étape de la planification du programme jusqu'à l'atteinte des objectifs fixés pour ces variables » (p. 2). Plus loin, Quesnel (1980) ajoute :

« Par définition, l'indicateur n'est pas isolé de tout contexte, il est l'expression quantifiée d'une mesure qui décrit le déroulement et le progrès vers un objectif depuis un point de départ jusqu'à un point d'arrivée. Les indicateurs se réclament de l'évaluation formative puisqu'ils illustrent un cheminement et qu'ils sont destinés à fournir des informations qui permettront après évaluation, de corriger, d'améliorer la suite d'un programme ou les résultats à atteindre » (p. 6).

L'amorce d'une démarche de réflexion

En janvier 1981, c'est avec enthousiasme que Robert Quesnel, Sylvie Pelletier, André Bélanger et moi-même entreprîmes d'appliquer la notion d'indicateur aux activités de groupe A.D.V.P.

Comme nous animions depuis quelques années déjà des groupes A.D.V.P. dans nos cégeps respectifs, cette recherche-action se présentait comme une heureuse occasion de reconsidérer notre pratique et de l'envisager sous un angle nouveau.

La première tâche à laquelle nous étions confrontés au départ était celle d'identifier les meilleurs indicateurs à utiliser. Pour ce faire, nous devions définir de façon opérationnelle les variables significatives à observer et à mesurer. Cette étape — qui peut sembler de prime abord fort simple à réaliser — retiendra notre attention durant quatre rencontres qui s'étalent de janvier à septembre 1981. Il s'agissait, à toutes fins utiles, d'élaborer un modèle définissant opérationnellement les éléments de changement perceptibles et observables qui témoignent d'un cheminement réussi chez les étudiants et étudiantes ayant participé à un groupe A.D.V.P. Ces éléments de changement observables nous permettront d'identifier des *indicateurs* à partir desquels nous pourrons évaluer si l'activité de groupe A.D.V.P. telle que nous la menons* permet aux étudiants(es) de progresser dans le processus de clarification de choix.

Cette tâche de définition opérationnelle eut tôt fait de nous placer — on l'aura compris — en plein cœur d'une réflexion sur la nature et les dimensions du processus de clarification de choix. Il nous fallait répondre à des questions du genre de celles-ci : Que doit-il se passer pour l'étudiant qui participe à une activité de groupe A.D.V.P., pour que nous puissions affirmer que nous avons atteint notre objectif ? Que se passe-t-il, de fait ? Sur quelles dimensions de la personne souhaitons-nous agir quand nous intervenons ? Sur quels critères pouvons-nous fonder notre mesure du changement et de la progression à l'intérieur du processus de clarification du choix professionnel ?

REDÉCOUVRIR LE SENS PREMIER DU PHÉNOMÈNE D'ACTIVATION ; OU : COMMENT RÉINVENTER LA ROUE EN DÉMONTANT SON MÉCANISME

Identification des morceaux du puzzle

Lors de notre première rencontre, en janvier 1981, nous commençons par relire les réponses d'étudiants(es) à des questionnaires de relance que nous leur avons déjà fait passer, un an ou deux auparavant, dans nos cégeps respectifs. Tout en effectuant ce « retour aux sources », nous laissons émerger librement les interrogations et les commentaires qui nous viennent, sans trop chercher à structurer notre propre démarche. À la faveur de cette période d'échanges libres, nous en arrivons à conclure que le fait qu'un participant parvienne à préciser deux ou trois possibilités de choix suite à un groupe A.D.V.P. ne constitue pas un indicateur valable, et ce, pour deux raisons : d'abord parce qu'un seul critère s'avère être une mesure nettement insuffisante dans la logique de la notion d'indicateur, et ensuite parce que le critère « arriver à préciser deux ou trois possibilités de choix » renseigne peu sur la dimension qualitative de la démarche. Il ne tient pas suffisamment compte de l'évolution d'un participant qui, ayant déjà en tête une ou deux possibilités de choix avant de

---

* Les groupes que nous animons ont généralement une durée de quinze (15) à vingt (20) heures réparties sur trois (3) ou cinq (5) semaines selon les cégeps. Pour être mieux renseigné sur le contenu et le déroulement des groupes, on peut se référer aux sources suivantes :
— Publications québécoises : DUFRESNE, J.P. ; FRÉCHETTE, Louise ; MURRAY, Y. ; BÉLANGER, A. ; CAJOLET, Carole et BOURQUE, Carmen : *Guide de travail A.D.V.P. au niveau collégial*, Fédération des cégeps, 1975 (Polycopié). Si on ne peut se procurer cet ouvrage, l'ouvrage suivant, bien que destiné à un usage individuel, peut donner une idée des étapes suivies et du genre d'exercices proposés dans un groupe A.D.V.P. de niveau collégial : FRÉCHETTE, Louise et LAFLEUR, Josée : *Guide d'orientation professionnelle*, Agence d'Arc Inc., Montréal, 1980.
— Publication européenne : NUOFFER, Jacques : *Orientation et formation professionnelles*, Organe de l'Association suisse pour l'orientation scolaire et professionnelle, 66e année, Zürich, Suisse, octobre 1981 (p. 291 à 304).

participer au groupe, termine le groupe en maintenant ces mêmes alternatives, mais en ayant cette fois une vision plus claire de leurs implications et une confiance en soi accrue par rapport à son projet professionnel. Ainsi, nous remarquons, à la faveur des questions et commentaires, qu'il devient nécessaire d'arriver à :

— identifier les étapes que le participant doit franchir pour atteindre l'objectif fixé ;
— définir des points de référence relatifs aux comportements susceptibles de nous aider à suivre le participant jusqu'aux résultats attendus ;
— vérifier s'il n'y a pas des retombées dans d'autres sphères de la personnalité, retombées susceptibles de nous indiquer si les résultats sont atteints (Extrait du procès-verbal de la réunion du 30 janvier 1981).

Nous continuons à laisser flotter les concepts jusqu'à ce qu'une configuration, une *gestalt* commence à s'organiser au fil de nos interactions. L'ensemble de cette réflexion finit par prendre la forme d'une matrice qui inclut selon nous les dimensions les plus importantes du processus de clarification du choix professionnel (cf. Tableau 1.1).

Ce qui guide l'élaboration de cette matrice, c'est que le processus de clarification du choix nous paraît appartenir tout autant à la dimension cognitive qu'à la dimension affective de la personne. Il n'y a évidemment rien de très original à constater ce que Pelletier, Noiseux et Bujold (1974) avaient déjà affirmé dans leur chapitre consacré au modèle d'activation du développement (p. 63 à 90). L'originalité réside plutôt dans le fait d'aboutir empiriquement à la même conclusion, à partir de l'examen des réponses des étudiants à un questionnaire de relance.

Affirmer que le processus de clarification du choix est autant lié à la dimension cognitive qu'affective peut à première vue sembler simpliste. On ne saurait toutefois perdre de vue qu'en tant que praticiens et praticiennes, nous agissons bien souvent comme si le processus de choix appartenait presque à une seule dimension au détriment de l'autre. Selon notre formation, nos valeurs et notre personnalité, nous sommes portés à privilégier l'une des deux dimensions et à considérer l'autre comme secondaire sinon en pensée, du moins dans nos actions. Par conséquent, il ne va pas toujours de soi que nos interventions parviennent à activer *à la fois* la dimension cognitive et la dimension affective chez l'individu, d'où l'importance de se remémorer constamment que les deux dimensions sont en jeu dans le processus, même si la chose peut paraître évidente.

Il convient aussi de préciser que même si nous distinguons ces deux dimensions à des fins conceptuelles, nous considérons qu'elles sont liées de manière organique et se trouvent en constante interaction l'une avec l'autre dans le déroulement du processus.

À la suite de cette première rencontre, nous convenons d'élaborer, chacun pour soi, un questionnaire expérimental que nous pourrons administrer aux participants des groupes qui doivent débuter dans les semaines suivantes. Les questions auront pour but de recueillir plus d'information sur les quatre facteurs que nous venons d'identifier (*étendue, clarté, assurance, mobilisation*), mais seulement au regard de deux des quatre zones : « Individu relativement à lui-même » et « Individu relativement au monde extérieur (information scolaire et professionnelle) ».

Le manque de temps ne nous permet pas de travailler sur toutes les données du problème en même temps. Nous choisissons donc de consacrer le temps et l'énergie disponibles à investiguer les deux zones qui nous paraissent les plus pertinentes et les plus prometteuses

Tableau 1.1

Dimensions les plus importantes du processus de clarification du choix professionnel

ZONES	DIMENSION COGNITIVE				DIMENSION AFFECTIVE			
	Facteur	Étendue	Facteur	Clarté	Facteur	Confiance	Facteur	Mobilisation
Individu relativement à lui-même								
Individu relativement aux autres								
Individu relativement au monde extérieur (information scolaire et professionnelle)								
Individu relativement aux animateurs								

au regard des interrogations que nous nous posons. Nous convenons d'administrer le questionnaire avant et après l'activité de groupe. L'analyse des différences entre les réponses « avant » et « après » devraient, selon nous, indiquer s'il y a évolution par rapport à chacun des facteurs et si oui, de quelle nature et de quel ordre est cette évolution. L'analyse des réponses des participants devrait logiquement nous aider — du moins le supposons-nous — à définir opérationnellement et de façon plus rigoureuse les éléments apparus dans l'élaboration de la matrice.

Analyse des données empiriques

Afin de mieux définir la réalité qui sous-tend chacun des facteurs et ce, au moyen de données empiriques, nous avons dépouillé les réponses de quelque vingt (20) répondants au questionnaire expérimental que nous leur avions administré. À la faveur de cette cueillette, nous effectuons une analyse comparative des contenus des réponses « avant » et « après » données par un même participant. Nous nous attardons surtout à analyser les réponses à la première question ; celle-ci avait été conçue pour susciter des réponses pouvant nous renseigner sur les facteurs *étendue* et *clarté* par rapport à la zone « Individu relativement à lui même ». Elle était ainsi formulée :

> Si tu avais à te décrire à quelqu'un d'autre pour que cette personne te connaisse le mieux possible et t'aide à choisir ton orientation, que lui dirais-tu ? (Réponds autant que possible sous forme d'une liste de caractéristiques qui te décrivent bien : intérêts, capacités, besoins, valeurs, traits de personnalité).

Le questionnaire comportait également d'autres questions visant à susciter des réponses liées aux facteurs *assurance* et *mobilisation* dans la zone « Individu relativement à lui-même » ainsi que des questions pouvant nous renseigner sur les quatre facteurs, mais cette fois dans la zone « Individu relativement au monde extérieur » (à savoir l'*étendue* et la *clarté* de l'image que l'individu se fait du monde extérieur de même que l'*assurance* et la *mobilisation* en regard du projet professionnel).

L'analyse des réponses — particulièrement des réponses à la première question — nous permet de déceler dans les réponses « après » de la plupart des répondants des différences qui ne s'expliquent par aucune des variables contenues dans la matrice. Ces différences n'ont pas trait comme telles au contenu des réponses, mais révèlent plutôt quelque chose de l'ordre d'un dynamisme interne, d'une vitalité dans les propos, d'une qualité de « mouvance » qui se présente à la façon d'une donnée fondamentale d'un autre ordre que celui défini par les variables de la matrice et qui les concernerait toutes. Nous constatons, en quelque sorte, que les réponses « après » reflètent l'*engagement dans un mouvement* de connaissance de soi et/ou de l'environnement, alors que les réponses « avant » présentent une allure plutôt *cristallisée*, plutôt *statique*. L'emploi plus fréquent du « je », l'emploi de verbes indiquant l'intention d'agir, le caractère plus organisé et plus cohérent des réponses « après », laissent supposer un bouillonnement, un meilleur degré d'appropriation et de vitalité dans les réponses « après » que dans les réponses « avant ».

Alors que nous sommes en train de constater l'existence de cette nouvelle venue dans le champ de notre compréhension, quelqu'un d'entre nous prononce le mot « activation ». Du coup, nous avons l'impression que nous venons de redécouvrir la signification fondamentale, l'essence première de cette approche que nous pratiquons depuis déjà plusieurs années.

Clarification des concepts et compréhension du phénomène d'activation

Une réflexion subséquente nous a permis : a) d'affiner notre compréhension des concepts avancés dans la matrice, en y superposant le concept d'activation à la manière d'une troisième dimension, et b) d'esquisser un modèle d'activation un peu différent de celui offert par Pelletier, Noiseux et Bujold (1974) mais qui, tout en étant différent, se présente comme complémentaire, comme si nous avions envisagé le même phénomène à partir d'un angle de vision légèrement modifié. C'est cette compréhension que nous avons développée et dont nous aimerions vous faire part maintenant, par le biais notamment de l'examen de quelques facteurs.*

Le facteur étendue. Il fait référence à la quantité d'éléments inclus dans le champ de la conscience, à la grandeur du champ perceptuel conscient. Analogiquement, cette notion pourrait se comparer à l'étendue du champ de vision entrevue dans le viseur d'une caméra. Comme chacun le sait, il est possible d'agrandir ce champ de vision soit en prenant un peu de recul, soit en changeant d'objectif au profit d'un objectif « grand angle ». Chez l'individu, cela signifie qu'il peut être amené à agrandir son champ de vision (image de soi consciente) soit en prenant un peu de recul, soit en abordant sa réalité sous un angle nouveau. De cette manière, de nouveaux éléments pourront être intégrés au champ perceptuel conscient. (C'est à dessein ici que je précise « champ perceptuel *conscient* » par opposition à la notion de champ perceptuel *pré-conscient* ou *inconscient* qui ferait plutôt référence à un ensemble d'éléments qui pénètrent le champ perceptuel mais de façon subliminale, sans que ces éléments soient nécessairement intégrés à la conscience.) Ces éléments peuvent autant appartenir à la zone qui a rapport à l'image de soi qu'à celle ayant rapport au monde extérieur. Opérationnellement, l'*étendue* pourrait se mesurer par :

a. *le nombre de facettes* (ou de catégories) retenues dans le champ de la conscience. Ces facettes ou catégories peuvent avoir trait à l'image de soi (intérêts, aptitudes, besoins, valeurs, traits de personnalité) ou à l'image que l'individu possède du monde extérieur (secteurs de travail, programmes d'études reliés au domaine qui intéresse l'individu, etc.) ;

b. *le nombre d'éléments* retenus au regard de chacune des facettes (ou catégories). Encore là, il peut s'agir d'éléments de connaissance de soi (capacité de reconnaître et d'énumérer un plus grand nombre d'intérêts, d'aptitudes, etc.) ou d'éléments de connaissance du monde extérieur (capacité d'énumérer un plus grand nombre de professions reliées à un secteur de travail donné par exemple).

Le facteur clarté. Il fait référence à la notion d'image précise et détaillée par opposition à la notion d'image floue ou embrouillée. Si on reprend l'analogie de la caméra, ce facteur s'apparenterait à la mise au focus de l'image. Le facteur *clarté* n'a pas à voir avec la grandeur du champ perçu mais bien plutôt avec le *degré de précision et de détail* du champ. Opérationnellement, la *clarté* pourrait se mesurer par :

---

* Les lecteurs trouveront les concepts développés ci-dessous résumés à l'intérieur du Tableau 1.2.

Tableau 1.2
Description des facteurs

| ZONES | DIMENSION COGNITIVE | | DIMENSION AFFECTIVE | |
	ÉTENDUE FACTEUR	CLARTE FACTEUR	CONFIANCE FACTEUR	MOBILISATION FACTEUR
• Individu relativement à lui-même	• Diversité des facettes connues par l'individu (intérêts, aptitudes, besoins, valeurs, etc.). • Diversité des éléments connus dans chaque facette (Ex. : pour la facette intérêt, nombre de champs d'intérêt ou nombre d'activités identifiées comme intéressantes).	• Degré de précision des éléments de connaissance de soi (précision du vocabulaire et clarté des concepts dans la description de soi).	• Expression subjective de la satisfaction après avoir accompli une tâche. • Meilleure capacité d'identifier chez soi les forces et les faiblesses. • Meilleure capacité de critiquer et d'évaluer ses perceptions, confiance accrue dans ces perceptions.	• Implication dans des activités ayant pour but ou pour conséquence une meilleure connaissance de soi. • Capacité de généraliser les éléments de connaissance de soi à des situations analogues.
• Individu relativement au monde extérieur (information scolaire et professionnelle)	• Diversité des facettes connues par rapport au monde des professions (nombre de secteurs professionnels connus, conditions du marché, style de vie). • Diversité des éléments connus dans chaque facette (nombre de professions connues dans un secteur, conditions d'étude, conditions du marché du travail, etc.).	• Degré de précision des éléments de connaissance par rapport au monde professionnel (détail des tâches connues à l'intérieur d'une fonction de travail ou d'un milieu de travail donné).	• Meilleure capacité de prendre des risques dans des activités d'étude ou de travail. • Meilleure capacité de juger les avantages et les inconvénients d'une situation donnée. • Croyance accrue dans la justesse de ses perceptions face à diverses situations. • Meilleure tolérance de l'inconnu. • Moins peur du marché du travail.	• Implication dans des activités ayant pour but ou pour conséquence une meilleure connaissance de la réalité du monde du travail. • Capacité de généraliser ce type de démarche à d'autres situations.

— *le degré de précision, de raffinement, de détail* avec lequel l'individu se perçoit lui-même (par exemple, un individu qui arrive à préciser dans sa réponse « après », qu'il aime persuader, vendre tel type d'objet, à tel genre de clientèle alors que dans sa réponse « avant » il indiquait vaguement qu'il aimait le contact avec les gens). Cette définition s'applique aussi à la perception du monde extérieur (connaissance plus détaillée des exigences d'une profession, image plus précise du milieu de travail éventuel, etc.).

Ainsi, le facteur *étendue* a trait à l'inclusion de nouveaux éléments dans le champ perceptuel conscient, agrandissant ce champ, alors que le facteur *clarté* a trait à la précision des éléments inclus dans le champ perceptuel conscient, permettant une vision plus nette et détaillée de celui-ci. Ces deux facteurs sont d'abord rattachés à la *dimension cognitive,* bien qu'on ne puisse les dissocier de la DIMENSION AFFECTIVE. (Il faut voir ici les dimensions sous l'angle de la prédominance de l'une par rapport à l'autre et non sous l'angle de l'exclusion mutuelle.) Rattachés à la DIMENSION AFFECTIVE, nous avons identifié deux autres facteurs que nous avons nommé CONFIANCE et MOBILISATION.

— Le facteur CONFIANCE a trait au sentiment qu'éprouve l'individu après qu'il a acquis une vision de soi et du monde plus large et plus précise. Ce facteur se présente en quelque sorte comme une résultante des deux facteurs précédents. Opérationnellement, la CONFIANCE pourrait se mesurer par:

- l'expression subjective d'un sentiment de satisfaction, du sentiment d'avoir complété une action de façon satisfaisante
- le développement, chez l'individu, d'une meilleure capacité d'identifier ses forces et ses faiblesses
- une meilleure capacité, chez l'individu, de critiquer et d'évaluer ses perceptions (de lui-même comme du monde extérieur)
- une capacité accrue de prendre des risques et d'accepter une certaine part d'inconnu (tolérance de l'ambiguïté).

— Enfin, le facteur MOBILISATION se présente lui aussi comme une résultante des facteurs précédents : dans la mesure où l'individu aura développé une vision de lui-même et du monde extérieur plus étendue et plus claire, dans la mesure où cette nouvelle vision lui aura permis d'acquérir plus de confiance dans ses perceptions, dans la même mesure il se sentira plus motivé à passer à l'action soit pour clarifier son choix (implication accrue dans la démarche du groupe A.D.V.P.) ou pour le consolider lorsque celui-ci deviendra clair (démarches auprès de différentes sources d'information : centre de documentation, visite dans les institutions, rencontre avec des personnes exerçant la profession, etc.) ou encore pour travailler à sa réalisation (amélioration du rendement scolaire, expériences connexes pouvant contribuer à la formation souhaitée, etc.).

3.2 La notion d'activation

En définissant les facteurs contenus dans la matrice nous avons buté sur la redécouverte de la notion d'ACTIVATION. Nous aimerions expliciter ici la compréhension que nous avons développée par rapport à cette notion au cours de nos rencontres.

Lorsqu'un individu s'inscrit à une activité de groupe A.D.V.P. c'est souvent parce qu'il a atteint une sorte de plateau dans sa démarche de clarification d'un choix professionnel, ou encore qu'il se sent sur le point d'atteindre un tel plateau. En général, il a déjà ressassé lui-même les éléments dont il dispose et relatifs à sa connaissance de lui-même et du monde extérieur. Mais il n'arrive pas à déboucher sur une solution satisfaisante. En réalité, sa perception de lui-même comme sa perception du monde extérieur se sont progressivement figées de telle sorte que la clarification d'un choix se présente bien souvent à lui sous la forme d'une équation insoluble.

Eu égard à cela, on comprendra que le but de l'intervention A.D.V.P. de même que son sens premier consistent à *remettre en mouvement* un processus qui — pour toutes sortes de raisons — a pu être amené à progressivement figer. La pratique de l'intervention A.D.V.P. visera donc à défiger, en quelque sorte, les termes de l'équation (perception de soi et perception du monde extérieur) avec lesquels l'individu doit composer, de manière à permettre l'apparition d'une solution satisfaisante.

Les stratégies de groupe A.D.V.P. ont donc pour but de « mettre en déséquilibre » l'individu tant par rapport à la perception qu'il a de lui-même que par rapport à sa perception du monde extérieur.

Ainsi, de nouveaux éléments (ÉTENDUE) et des éléments mieux définis (CLARTÉ) pourront être intégrés dans le champ perceptuel conscient, permettant ainsi à l'individu d'avoir accès à une nouvelle « gestalt », ou si l'on veut à une nouvelle vision de l'équation qui se présente à lui. On postule qu'une nouvelle vision de l'équation et des termes qui la composent entraînera une confiance accrue qui, conjuguée à la MOBILISATION de l'individu dans des actions observables, lui permettra de progresser vers un développement professionnel et personnel.*

Nous avons parlé plus haut de « mise en déséquilibre ». Il est bon de préciser ici qu'il ne s'agit pas de provoquer un chambardement de fond en comble chez l'individu. D'ailleurs, on peut aisément observer qu'au regard de l'activation, la notion de « mise en déséquilibre » suit la même courbe que la notion d'anxiété au regard de la performance, soit une courbe en ⌢ : trop peu de mise en déséquilibre n'arrive pas à générer suffisamment d'activation, trop de mise en déséquilibre inhibe l'activation. Il faut donc viser la « mise en déséquilibre optimale ». En ce sens, bien que nous insistions sur la notion de « mise en déséquilibre », nous partageons avec Pelletier (1974) la conviction que l'individu doit en arriver à « structurer et à organiser... les perceptions et informations de lui-même en regroupements larges et inclusifs... » (p. 74) de manière à atteindre une synthèse lui offrant suffisamment de sécurité pour s'exposer à nouveau à la « mise en déséquilibre ».

L'idéal serait de permettre à l'individu d'en venir à une perception de lui-même et du monde présentant un bon ancrage dans l'estime de soi et dans la réalité objective. De cette manière, l'individu acquerrait une perception de lui-même et du monde extérieur cohé-

---

* Cette vision des choses s'apparente étroitement aux conceptions de Gendlin que l'on peut retrouver dans un texte intitulé *Une théorie du changement de la personnalité,* traduit par Fernand Roussel (cf. Références). D'ailleurs, tout comme la théorie de Gendlin, la théorie de l'A.D.V.P. est d'abord une théorie centrée sur le processus, plutôt qu'une théorie qui se définit à partir de contenus.

rente et stable tout en maintenant une disponibilité à l'émergence de nouveaux éléments dans son champ perceptuel conscient.

La « mise en déséquilibre » — on l'aura compris — vise donc essentiellement à activer un mouvement, à mettre en branle un processus. C'est là le sens de la notion d'*activation*. Bien que cette notion soit difficile à définir opérationnellement, nous avons identifié quelques caractéristiques nous permettant de la cerner. Ainsi, on pourrait dire que l'*activation* ne se définit pas par rapport à des *contenus* (comme cela était le cas pour les facteurs *étendue*, *clarté*, *confiance* et *mobilisation*) mais bien plutôt par rapport à des *fonctions* :

a. effectuer des relations entre les éléments présents dans le champ perceptuel conscient, regrouper, organiser ces données, hiérarchiser ;

b. donner une signification aux configurations, établir une cohérence ;

c. intégrer les éléments au moi conscient, se les approprier (par opposition au fait de croire ce que les autres disent de soi sans pour autant l'avoir fait sien et l'éprouver), les intérioriser, en faire sa propre substance.

En résumé, on pourrait dire que la qualité de l'*activation* est directement reliée au degré d'appropriation, d'organisation et d'intégration des données présentes dans le champ perceptuel conscient de l'individu. L'*activation* est une notion essentiellement dynamique alors que les facteurs *étendue*, *clarté*, *confiance* et *mobilisation* se rapportent à des notions descriptives et statiques rattachées à des contenus. L'*activation** peut être mesurée à la fois par :

a. *des indices verbaux* fournis par l'analyse comparative des réponses à un questionnaire, ce qui permet de déceler une progression dans le degré d'intériorisation et d'appropriation des éléments de connaissance de soi et du monde extérieur, ainsi que leur degré de cohérence et d'organisation ;

b. *des indices non verbaux* comme les indices corporels : degré de vitalité et d'énergie dans le regard, le mouvement, la voix, par opposition à un regard éteint, une posture passive, des mouvements agités, un ton de voix anxieux, etc.

Esquisse d'un modèle d'activation complémentaire à celui énoncé par Pelletier, Noiseux et Bujold (1974)

Le modèle qui suit ne prétend pas supplanter celui énoncé par Pelletier, Noiseux et Bujold (1974), mais bien plutôt amener un éclairage complémentaire sur la façon dont on peut comprendre le déroulement du processus de clarification du choix.

Suite à la clarification des différentes notions, nous vous proposons un schéma qui est en quelque sorte une tentative d'articulation cohérente de toutes ces notions. Il ne s'agit pas d'un schéma définitif et il est important de le considérer comme un modèle susceptible d'être critiqué et remanié. Il traduit surtout l'état de la réflexion du groupe de travail, au moment d'écrire cet article. Considérons, pour les fins de l'exemple, que le schéma s'applique à la zone « Individu relativement à lui-même », mais il pourrait tout autant s'ap-

---

* Nous n'ignorons pas que le concept d'activation gagnerait sûrement à être défini de manière plus systématique, tant au plan sémantique qu'au plan opérationnel, mais pour l'instant, nous n'avons pas de définition plus précise que celle-ci à offrir. Nous la soumettons en souhaitant susciter l'intérêt de ceux et celles qui pourraient être tentés de s'atteler à cette tâche.

pliquer à la zone « Individu relativement au monde extérieur ». Étant donné que nous choisissons la zone « Individu relativement à lui-même », les éléments de contenu dont il sera question auront donc trait à la perception de soi.

**Figure 1.1
Individu relativement à lui-même**

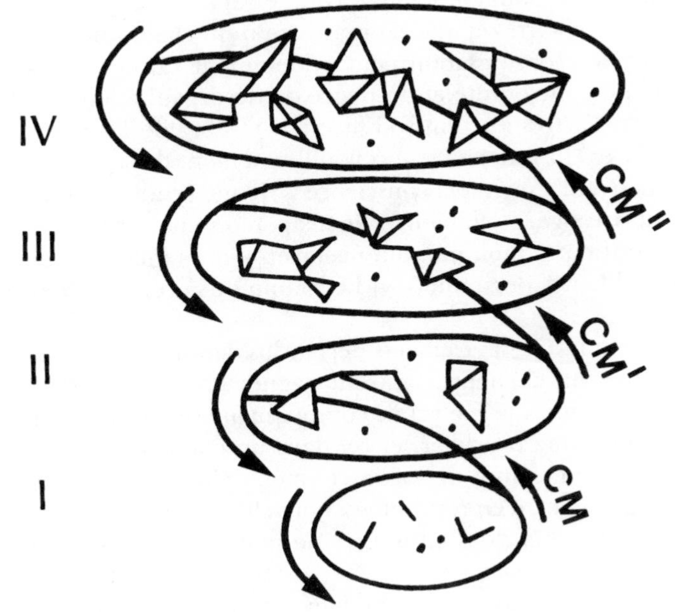

- I, II, III et IV représentent les différents stades dans la progression vers une image de soi incluant plus d'éléments *(étendue)* et des éléments mieux définis *(clarté)*. (À ne pas confondre avec les 4 phases du processus A.D.V.P. : exploration, cristallisation, spécification et réalisation. Nous établirons plus loin les liens pouvant exister entre ce modèle et les quatre phases du processus selon Pelletier, Noiseux et Bujold).

- CM, CM^I et CM^{II} font référence aux mouvements que permettent la *confiance* et la *mobilisation*. Ces mouvements s'enracinent dans une perception de soi agrandie, mais ils entraînent également une nouvelle perception de soi.

- Les flèches veulent traduire l'idée de mouvement qui anime continuellement la spirale.

Voyons maintenant comment les choses se passent dans le concret. Au départ, l'individu possède déjà une connaissance de lui-même mais cette connaissance est limitée, à des degrés divers, à certains éléments qui « flottent » dans la conscience de façon plus ou moins organisée selon le degré de conscience de soi de l'individu.

Surgit un élément d'activation (un exercice d'exploration de soi qu'on propose dans un groupe, ou bien encore une expérience de travail qui révèle des ressources ou des limites auparavant insoupçonnées, ou bien le commentaire d'un ami, ou bien un résultat scolaire qui ne concorde pas avec les attentes, bref, un élément qui rompt l'équilibre et vient ébranler l'image de soi). Cet élément confrontant peut être considéré comme positif ou négatif, peu importe, et il met en branle chez l'individu un mouvement dont le but ultime sera de rétablir l'équilibre, de réorganiser la perception de soi en un tout cohérent.

C'est ce mouvement, ce bouillonnement, cette effervescence qui constitue le phénomène d'activation et fait en sorte qu'une réorganisation du champ perceptuel conscient va se produire. Le degré de réorganisation peut évidemment varier et dépend directement de la stimulation qui a été introduite et du degré de désorganisation qu'elle a entraîné.

Ainsi, un élément d'activation s'introduit en I, et ébranle l'image de soi qui s'était préalablement organisée. Un rebrassage, un bouillonnement des éléments se produit. Des éléments nouveaux peuvent surgir à la conscience (« Je me rends compte que ce qui m'importe, c'est d'avoir du prestige. » Ou bien : « Je m'aperçois que je suis mal à l'aise, au fond, quand les autres se confient à moi, moi qui m'étais toujours imaginé que je voulais aider les gens dans leurs problèmes personnels. ») Le champ de la conscience de soi gagne alors en *étendue*.

À la faveur de ce rebrassage, les éléments déjà inclus dans le champ perceptuel conscient, de même que les nouveaux éléments, peuvent gagner en *clarté* (« Je savais que j'aimais travailler avec mes mains, mais je me rends compte maintenant que c'est avec des instruments de précision que j'aime travailler, et ce, dans un contexte de laboratoire »). Ainsi, l'individu ayant agrandi son champ de vision et amené plus de précision dans les régions plus floues de son image de lui, il en résultera sa nouvelle « gestalt ». Les éléments pourront se lier différemment entre eux pour présenter de nouvelles configurations dans l'image de soi.

Quand une nouvelle « gestalt » est complétée et que le ou les éléments (positifs ou négatifs) ont été intégrés par l'individu, cela génère en principe une *confiance* accrue. L'individu éprouve alors sa perception de lui-même comme étant en meilleure concordance avec la réalité telle qu'elle lui est reflétée par l'environnement. Étant plus sûr de lui, il se sent plus en mesure d'évaluer les risques des choix qu'il envisage poser. Concurremment, l'individu s'investit davantage sur le plan de la réalité (plutôt qu'en phantasmes). Il pose des gestes, passe à l'action, se confronte à des situations réelles. La confrontation au réel permet un *feedback* qui pourra faire émerger de nouveaux éléments de connaissance de soi ou en préciser d'autres. Alors, l'individu passe au stade II : à ce stade, il se produira une nouvelle mise en déséquilibre, un nouveau rebrassage des éléments ; l'atteinte d'une nouvelle gestalt alimente la *confiance* et provoque à nouveau la *mobilisation* (CM[1]), ce qui correspond à une implication accrue et à des gestes concrets par rapport aux objectifs professionnels et personnels que l'individu s'est posés. Le mouvement recommence d'un stade à l'autre. Théoriquement, la spirale peut se dérouler jusqu'à l'infini ou presque étant donné qu'elle peut représenter le processus de l'individu de sa naissance à sa mort et inclure toutes les zones (ou contenus) possibles de l'existence, de même que l'étendue, la clarté et le degré d'organisation et de complexité des contenus que l'individu intègre.

Ainsi, lorsque nous parlons des objectifs de l'individu, il est bon de préciser que ce modèle s'applique autant aux grands objectifs d'une vie (devenir médecin) qu'à des sous-objectifs (aller discuter avec un médecin pour avoir une idée plus claire des implications de cette profession ou encore travailler pour réussir un cours de mathématiques préalable à l'admission en médecine).

Dans le schéma, nous avons traduit les notions *confiance* et *mobilisation* par une ligne qui se projette vers l'avant (CM, CM^I et CM^{II}) étant donné que pour nous, la conjugaison de ces deux facteurs permet à l'individu d'avancer en se situant sur le plan de l'agir, alors que les facteurs *étendue* et *clarté* se situent plutôt sur le plan de la chimie interne. On pourrait dire en quelque sorte que l'activation des facteurs *étendue* et *clarté* relève surtout d'un mouvement *intérieur,* la réorganisation se produisant dans l'univers subjectif de la personne, alors que l'activation des facteurs *assurance* et *mobilisation* est plutôt liée à l'action *extérieure* et observable, en ce sens qu'elle trouve son aboutissement dans la réalité objective et comportementale.

LE MODÈLE D'ACTIVATION ET LA DÉMARCHE A.D.V.P.

Nous allons tenter maintenant de faire le lien entre le modèle d'activation explicité plus haut et la démarche A.D.V.P. en quatre phases (exploration, cristallisation, spécification, réalisation) qu'ont mise de l'avant Pelletier, Noiseux et Bujold (1974).

Nous prévenons les lecteurs que les idées que nous avançons à ce sujet demeurent embryonnaires et ne sauraient être considérées comme une réflexion achevée sur le sujet. Le schéma de la page 347 tente d'illustrer l'état de cette réflexion.

Si nous considérons le modèle que nous venons de développer par rapport au modèle en quatre phases de Pelletier, Noiseux et Bujold, (1974) nous pouvons dire que, grossièrement, la « mise en déséquilibre » permettant l'émergence et/ou la réorganisation des éléments dans le champ de la conscience (i.e. facteurs *étendue* et *clarté*) se retrouve surtout dans les phases d'*exploration** et de *cristallisation***. En début de processus, ces deux phases ont pour objet la connaissance de soi et se rattachent uniquement à la zone « Individu relativement à lui-même ». Toutefois, à la phase de spécification, en même temps que le travail dans la zone « Individu relativement à lui-même » se poursuit par la formulation de critères de choix basés sur une connaissance de soi plus claire et plus étendue, on peut dire qu'il y a début d'exploration, puis cristallisation, par rapport à la zone « Individu relativement au monde extérieur (information scolaire et professionnelle) ». En effet, là aussi, il faut introduire la « mise en déséquilibre » des images préconçues, des stéréotypes, des préjugés, au regard des programmes d'études et de professions, afin de permettre à

---

* Pelletier, Noiseux et Bujold (1974) disent de la personne en phase d'exploration que « c'est par son intention et son attention nouvelles à questionner l'évidence, à reprendre son familier dans une seconde naïveté que les éléments nécessaires à sa connaissance d'elle-même et de son milieu vont finalement surgir » (Pelletier, Noiseux et Bujold, p. 72 et 73).

** Parlant de la phase de cristallisation, Pelletier, Noiseux et Bujold (1974) disent encore : « ...celui qui organise, structure, cristallise les percepts et informations de lui-même en regroupements larges et inclusifs, échappe au dispersement de la concrétude, atteint la vision d'ensemble, parvient à la synthèse indispensable à sa propre certitude » (p. 74).

l'individu d'en arriver à une vision plus ouverte, vivante et réelle du monde extérieur. L'intégration de nouveaux éléments de connaissance du monde extérieur (programmes de cours, tâches professionnelles, débouchés, conditions d'étude et de travail, milieux d'emploi, etc.) amène dans cette zone l'apparition d'une nouvelle configuration qui — nous le souhaitons — saura remplacer la vision du monde stéréotypée et figée par une vision dynamique.

Dans cette perspective, la phase de *spécification** et la phase de *réalisation*** se présentent comme des moments où l'individu est amené à établir une connection organique (par « organique » nous entendons une connection laissant place à la mouvance et à une constante évolution) entre une *perception de soi* plus *claire* et plus *étendue* et une *perception du monde* également plus *claire* et plus *étendue*. De l'établissement de cette connection résultera un projet professionnel qui comportera des alternatives de choix, des priorités, une vision plus nette des objectifs de développement de soi que l'individu compte poursuivre à travers sa dimension professionnelle.

Or, ce qui permet à l'individu d'établir une connection organique satisfaisante entre ce qu'il connaît de lui et les éléments du monde extérieur, c'est le degré de *confiance* qu'il possède par rapport à ses perceptions (de lui-même et de l'environnement) ainsi que le degré de *mobilisation* qui l'amène à poser des gestes concrets (recherche d'information sur soi et sur les alternatives offertes par le monde extérieur par le biais de lectures, rencontres, expériences de travail, de loisir). Ces gestes concrets permettent à l'individu de tester la réalité et en retour d'être alimenté par des éléments d'information sur lui-même et sur l'environnement, lesquels viennent confirmer ou infirmer ses perceptions. C'est à travers cette interaction avec le réel qu'il aura la possibilité d'accroître sa confiance, devenant par le fait même plus disponible à l'état de mise en déséquilibre qui lui permet de s'acheminer vers un état d'être toujours plus complet, complexe et intégré.

En établissant la concordance d'ensemble entre notre modèle et les phases du processus présentées par Pelletier, Noiseux et Bujold (1974), nous avons constaté que la séquence du processus se reproduit de manière microcosmique à chaque phase du processus et même à chaque exercice proposé dans le groupe. Tout comme si les mêmes lois régissaient, en quelque sorte, à la fois l'ensemble de la démarche et chaque étape que l'individu franchit à l'intérieur de cette démarche.

Ainsi, il est possible d'envisager le déroulement de chacun des exercices de la façon suivante : 1) la consigne fait émerger à la conscience de nouveaux éléments, ou bien permet

---

* Pelletier, Noiseux et Bujold (1974) disent de la spécification : « C'est le moment où il (le sujet) compare plusieurs aspects de lui-même jusqu'à constater l'importance et l'omniprésence de certains d'entre eux dans ses comportements. De toutes les images de lui-même, il identifie les plus caractéristiques, les plus déterminantes de son individualité. C'est le moment où la démarche du sujet atteint son but spécifique et que les réponses les mieux appropriées commencent à se dégager.(...) Les décisions à prendre, les expériences à vivre sont considérées dans la conjoncture concrète des contingences quotidiennes. En somme, ses intentions de changement et ses possibilités d'action sont envisagées dans un contexte évaluatif de délibération, de vérification et de réalisme » (p. 75 et 76).

** Au sujet de la réalisation, les auteurs affirment : « Il ne suffit pas d'avoir trouvé la meilleure solution pour soi, encore faut-il que cette possibilité d'action ou ce nouveau mode d'être se réalise, se matérialise dans la réalité » (p. 76).

Figure 1.2

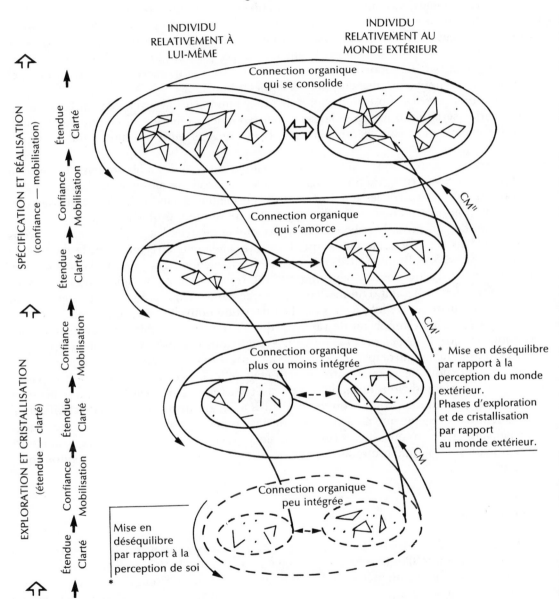

LE CHAMP DES PERCEPTIONS CONSCIENTES S'ORGANISE, ÉTABLIT DES RAPPORTS, STRUCTURE, INTÈGRE : IL EST EN ÉTAT D'ACTIVATION.

Note : Les ---- indiquent que les rapports entre les éléments sont plutôt lâches, peu articulés et peu intégrés à la conscience.

de préciser des éléments auparavant vagues (mise en déséquilibre, rebrassage des éléments en place et/ou émergence de nouveaux éléments) ; 2) après un certain rebrassage, ces données s'organisent en une nouvelle configuration (l'image progresse en *étendue* et en *clarté*) ; 3) si ces données sont bien intégrées, on constate une augmentation de la *confiance* et de la *mobilisation* (cela peut se traduire, dans le groupe, par un plus grand nombre d'interventions de la part de l'individu, au moment du retour sur l'exercice dans le groupe, et par des interventions de plus en plus personnelles).

Lors de l'exercice subséquent, un individu ayant accru son niveau de confiance et de mobilisation sera plus ouvert à se laisser « mettre en déséquilibre » afin d'intégrer de nouveaux éléments dans son champ perceptuel conscient, et ainsi de suite, d'un exercice à l'autre.

Nous en arrivons donc à une vision des choses où ce qui semble soutenir l'activation de tout le processus (programme global d'A.D.V.P.) ce sont les multiples petites activations (exercices) qui, articulées les unes aux autres, permettent à l'individu de progresser vers la clarification de son choix et le développement de son moi professionnel.

Avant de conclure, il est bon de rappeler que le modèle d'activation que nous avons présenté dans cet article, de même que les rapprochements effectués avec le modèle de Pelletier, Noiseux et Bujold (1974) ne prétendent en aucune façon cerner, dans sa totalité, le phénomène d'activation. Il s'agit plutôt d'une représentation que nous nous en faisons *à un moment donné*. Il s'agit d'un modèle avec lequel les lecteurs sont invités à « jouer » afin d'en découvrir de nouvelles facettes ou d'en tirer une nouvelle compréhension.

Il est également important de rappeler que ce modèle veut faire état de ce que nous considérons être le *déroulement idéal d'un processus*. Nous n'ignorons évidemment pas que, dans la pratique, les participants au groupe ne progressent pas sans problème à travers le processus que nous décrivons. Notre objectif était de mieux cerner ce qui devrait se passer *idéalement* chez les individus de manière à préciser des repères, des *indicateurs* qui pourraient nous renseigner sur la progression des individus à l'intérieur du processus de clarification de choix. Cela explique que nous ne nous soyons pas penchés sur les problèmes spécifiques qui peuvent surgir au cours du processus. Ce silence relativement aux difficultés de parcours des individus ne signifie toutefois pas que nous les ignorons ou que nous prétendons qu'il n'en existe pas.

CONCLUSION

L'objectif de cet article était de faire état de la réflexion qui a animé notre groupe de travail sur la notion d'indicateurs appliquée aux groupes A.D.V.P. Sans que nous l'ayons prévu, nous avons été amenés à redécouvrir en quelque sorte le sens premier de la notion d'activation et à la situer par rapport à diverses composantes, à l'intérieur d'une perspective de processus.

Cette réflexion n'est pas achevée et nous sommes conscients, à l'intérieur du groupe de travail, du caractère partiel et transitoire du modèle dont nous avons tenté de faire état. Nous nous proposons de poursuivre cette démarche. Nous en sommes à identifier les indicateurs qu'il est important d'avoir à l'œil compte tenu du modèle que nous avons formulé, de même qu'à fabriquer un instrument (questionnaire) qui nous permettrait de les mesurer.

Il est à souhaiter que ce travail de recherche puisse être poursuivi par d'autres.

Sans doute le meilleur témoignage que nous puissions donner est d'affirmer qu'au fur et à mesure que nous progressions dans la formulation du modèle et la définition de ses composantes, nous nous sommes aperçu que nous étions en train de vivre nous-mêmes, à l'intérieur de nos rencontres, ce processus que nous étions occupés à cerner : 1) des éléments nouveaux venaient destructurer l'image cristallisée que nous nous étions faite au cours des années par rapport à l'approche A.D.V.P. ; 2) il s'ensuivait un rebrassage des éléments et l'émergence d'une nouvelle configuration significative pour nous et témoignant d'une meilleure intégration des notions relatives à l'A.D.V.P. ; et enfin, 3) ayant acquis une nouvelle assurance quant à notre compréhension du phénomène d'activation, nous nous sentions mobilisés pour poursuivre la réflexion et la recherche pratique. La notion d'activation, si l'on doit en croire notre expérience, s'apparente tout compte fait beaucoup plus au plaisir ludique et créateur qu'au labeur astreignant.

Nous terminons en souhaitant à ceux et celles qui seraient intéressés à poursuivre la réflexion amorcée autant de plaisir et d'enthousiasme que nous en avons nous-mêmes éprouvé tout au cours de nos rencontres.

RÉFÉRENCES

PELLETIER, D., G. NOISEUX et C. BUJOLD : *Développement professionnel et croissance personnelle*, McGraw-Hill, éditeur, Montréal, 1974.

RIVERIN-SIMARD, Danielle et Louise LANDRY-SIMARD : *Approche A.D.V.P. (Niveau collégial)*, Document de travail inédit, Cégep de Ste-Foy, 1974.

QUESNEL, R. : *La notion d'indicateur appliquée aux services de consultation*, gouvernement du Québec, ministère de l'Éducation, Direction générale de l'enseignement collégial, Service des affaires étudiantes, Québec, 1980.

QUESNEL, R. : *La notion d'indicateur appliquée aux services de consultation (Condensé)*, gouvernement du Québec, ministère de l'Éducation, Direction générale de l'enseignement collégial, Service des affaires étudiantes, Québec, 1980.

STUFFLEBEAM, *in : LUCIER, P., Analyse institutionnelle et accountability*, CADRE, Montréal, 1977.

GENDLIN, E.T. : *Une théorie du changement de la personnalité*, Centre Interdisciplinaire de Montréal, Trad. Fernand Roussel, Montréal, 1964.

Chapitre **2**

Les groupes en orientation :
revus, corrigés et augmentés

Jacques Limoges

INTRODUCTION : L'ÉTAT DE FAIT

La lecture régulière de la littérature sur les groupes d'orientation, les contacts fréquents avec les praticiens ainsi que, depuis trois ans, la supervision annuelle d'étudiants de la maîtrise en orientation scolaire et professionnelle, me révèlent que l'intervention en groupes dans ce domaine est en perte de vitesse et même en situation de crise.

Il est à noter que cette crise par rapport aux groupes n'est pas unique à l'orientation et il suffit de lire Back (1972), Schur (1976) et Rondeau (1980) pour en être convaincu.

Pourtant, théories, recherches et conjonctures socio-économiques ne cessent de nous rappeler l'importance et l'utilité d'un tel mode d'intervention. D'abord, les arguments économiques en faveur de l'intervention de groupe sont à l'effet qu'il y a une rareté de professionnels de l'orientation, que cette rareté va s'amplifier avec les restrictions budgétaires, que, alors que la clientèle à desservir est abondante, seulement une infime partie de celle-ci est présentement rejointe par les conseillers d'orientation et que, oh absurdité, étant donné les coupures, cette partie va s'amenuiser.

Quant aux arguments plus sociologiques, ils vont dans le sens que les petits groupes sont plus aptes à briser le statut d'aidant-expert, donc à réduire la relation dominant-dominé et par conséquent, à susciter chez les participants leur prise en charge (Rondeau, 1980).

Enfin, les théories psychologiques et vocationnelles voient dans les petits groupes le véhicule par excellence pour créer et recréer les dynamiques interactives et interpersonnelles propres à l'orientation scolaire et professionnelle, pour susciter l'entraide psychologique entre les individus, et aussi pour activer le développement et les prises de décision vocationnelles.

Comment expliquer alors l'état de fait mentionné plus haut ? Comment expliquer l'impopularité des petits groupes d'orientation et des petits groupes en orientation, tant chez les conseillers que chez les clientèles ?

Pour le Québec du moins, il me semble que cet état de fait peut s'expliquer en partie comme suit :

a. Jusqu'à très récemment (et encore aujourd'hui dans certains milieux), les conseillers d'orientation ne recevaient pas ou recevaient peu de formation spécifique et systématique à l'intervention de petits groupes : cours, practica, stages, etc.

b. De plus, suite à la formation initiale, les supervisions et les mises à jour étaient, et sont encore, presque inexistantes, peu structurées, et même laissées à la discrétion et à la motivation des conseillers d'orientation. Ainsi, pour attester de cela et de ceci, aucun regroupement des conseillers d'orientation intéressés dans le travail de groupe n'existe au Québec, alors que l'*American Personnel and Guidance Association* (**APGA**) possède une association spécialisée et dynamique regroupant lesdits spécialistes (ex. : *American Specialists in Group Work*). En revanche, les conseillers d'orientation du Québec sont depuis longtemps une clientèle très imposante des centres spécialisés de formation professionnelle tels que : Institut de formation par le groupe, Ressource en développement, Institut Québécois de Gestalt, etc.

c. La formation à l'intervention de groupes fut trop inspirée des modèles thérapeutiques et pathologiques et pas assez des modèles éducationnels tels que les modèles de prise de décision, de communication ou de développement. Or, une des caractéristiques des modèles thérapeutiques, c'est l'initiation au modèle, presque exclusivement, par la consommation de la thérapie en question (*ex. :* on devient psychanalyste en se faisant psychanalyser) ce qui, scientifiquement, fut démontré comme inefficace dans le développement du savoir-faire (Carkhuff 1969 ; Ivey 1976 ; Limoges 1982).

d. Au Québec, on a souffert du manque de variété. Les groupes d'orientation et en orientation convergent autour de deux grands pôles, celui des groupes orientés sur le processus de style rogérien et celui des groupes axés sur la prise de décision en grande majorité inspirés de la méthode Activation du développement vocationnel et personnel (A.D.V.P.).

e. Une attitude pro-clinique et anti-pédagogique chez plusieurs conseillers d'orientation a fait que ceux-ci ont dédaigné les groupes puisque pour eux, ce terme était associé à enseigner.

f. Il s'est produit un manque de compréhension — ou d'opérationnalisation de cette compréhension — des clientèles spécifiques rencontrées dans les petits groupes. Ainsi, on fait de façon uniforme les quatre phases de l'A.D.V.P., que ce soit au secondaire, au cégep ou avec des adultes de 40 ans.

g. Le préjugé s'est largement répandu et entretenu que l'intervention individuelle est meilleure et plus efficace que celle de groupe. Les conseillers qui adhèrent à ce préjugé — souvent de façon inconsciente comme s'il s'agissait d'un objectif non dit — parviennent à transmettre cette attitude à leurs clientèles qui, à leur tour, comme par hasard, en viennent à manifester ce même préjugé ! Par exemple, rien de plus efficace pour passer ce message aux clientèles, que de n'organiser des petits groupes qu'occasionnellement, de s'empresser ensuite de dire et d'écrire que ces groupes seront annulés si un minimum déterminé de participants n'est pas atteint, puis d'utiliser une formule de recrutement des participants et de publicité qui ferait rougir le jeune vendeur de limonade au coin de la rue du quartier et enfin, à la date fatidique, d'annoncer avec bruit et satisfaction à peine voilée, que le tout est annulé et que l'on essaiera de nouveau *peut-être* l'an prochain !

h. On a utilisé, pour promouvoir les petits groupes, l'argument simpliste et souvent erroné que les petits groupes sont économiques pour le système. Cela donne aux clients une perception de rabais cachant une imperfection de classe A. Or, de fait, les petits groupes peuvent exiger autant, et même plus de temps du conseiller. C'est surtout parce que les petits groupes apportent quelque chose de plus et de mieux que l'intervention individuelle, c'est-à-dire interaction, microcosme de la société, confrontation des perceptions, etc., qu'ils méritent d'être encouragés.

i. Enfin, trop de groupes d'orientation et en orientation abordent tout sauf la problématique vocationnelle. Ils constituent par exemple des mini-thérapies ou des séances d'information scolaire et professionnelle. Conséquemment, les clientèles sont déçues de la publicité trompeuse, ce qui devient à son tour une mauvaise publicité pour les groupes. Quand des participants répondent sur leur grille d'évaluation, suite à ces groupes dits d'orientation, qu'ils ont appris à mieux se connaître, mais qu'ils ne sont pas plus avancés dans leur processus décisionnel vocationnel, n'y a-t-il pas lieu de s'interroger ?

Globalement, trois constats ressortent de cette analyse, constats de faits qui ne doivent pas être pris pour des jugements de valeur :

a. Les groupes dits d'orientation portent généralement sur les prises de décision scolaires et vocationnelles.

b. Dans la pratique, ces groupes dits d'orientation camouflent toutes sortes de groupes (*ex. :* un groupe dit d'orientation qui est de fait un « groupe de sensibilisation » axé uniquement sur la connaissance de soi) ou, à l'inverse, utilisent toutes sortes de groupes pour camoufler l'orientation scolaire et professionnelle (*ex. :* un groupe dit de croissance personnelle mais qui aborde presque exclusivement la croissance vocationnelle).

c. Enfin, au Québec, ce que l'on appelle des groupes d'orientation sont, à toutes fins utiles, des groupes d'Activation du développement vocationnel et personnel (A.D.V.P.).

VERS UNE REDÉFINITION DES PETITS GROUPES D'ORIENTATION ET DES PETITS GROUPES EN ORIENTATION

Ces constats justifient le présent article qui tente de les analyser. Pour ce faire, il faudra replacer les choses dans leur ensemble et, les servitudes du quotidien en quelque sorte mises de côté, il faudra se poser les questions suivantes :

a. Qu'est-ce que l'orientation scolaire et professionnelle ?

b. Conséquemment, quels sont les aspects de l'orientation scolaire et professionnelle ?

c. Comment ces aspects sont-ils traitables en petits groupes ?

d. Et enfin, qu'est-ce qui distingue un petit groupe *d'orientation* ou *en orientation* d'un petit groupe en général ?

Qu'est-ce que l'orientation scolaire et professionnelle ?

Des livres entiers ont été écrits à ce sujet et pourtant, nous sommes convaincu qu'un livre entier reste à écrire. Pour le moment, au risque de paraître simpliste, soulignons quatre points de vue sur l'orientation ou sur l'acte de s'orienter. D'abord pour le *client,* s'orienter veut dire prendre une décision ou encore résoudre un problème relié à *ses* études et/ou à *son* travail... Il arrive que dans son vocabulaire, le client appelle cette démarche — avec tout ce que cela implique — « se faire dire quoi faire »...

Quant au *professionnel* de l'orientation scolaire et professionnelle, il partage généralement le point de vue du client, du moins en ce qui a trait aux objectifs immédiats, c'est-à-dire prendre une décision ou résoudre un problème touchant le *client*, ses *études* et son *travail* (on reviendra sur ces trois volets du contenu un peu plus loin). Mais de plus, pour le professionnel, cette décision ou cette résolution de problème que doit prendre le client fait partie d'un processus couvrant toute sa vie, processus appelé plan de carrière ou tout simplement la carrière (Super, 1954). Mais pour le professionnel de l'orientation comme pour son client, le contenu comprend et doit conserver trois volets : *soi, étude, travail.* Ces trois volets constituent les angles d'un même triangle (cf. Figure 2.1) et ce n'est que dans la mesure où ces trois volets sont maintenus en interaction et stimulés dans cette interaction qu'il y a, pour le client comme pour le conseiller d'orientation, orientation scolaire et professionnelle. Évidemment, ce contenu peut être abordé par l'un ou l'autre des trois volets, mais la démarche du client et/ou du conseiller d'orientation doit viser à rejoindre les deux autres volets. Lorsque ce trio est brisé, on a autre chose, comme de la thérapie ou de l'information scolaire et professionnelle déguisée en orientation.

Figure 2.1

Contenu de l'orientation scolaire et professionnelle

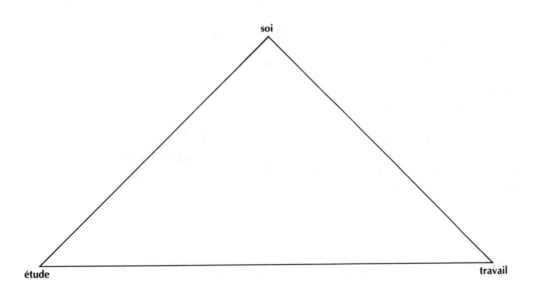

Le débat n'est plus de savoir si le conseiller d'orientation doit ou ne doit pas aborder les « gros problèmes » de l'individu ; il doit le faire en interaction avec les autres volets. Dans ce cas seulement, il ne pourra être accusé de fausse représentation, de faire le travail de l'autre et pas le sien, et même, sera justifié de revendiquer la priorité — voire même l'exclusivité — de certains types de groupes au nom de sa compétence spécifique.

D'un point de vue plus *psychologique*, Vaillant (1977), qui n'avait aucune préoccupation particulière pour la problématique vocationnelle, en vient à considérer, après un suivi de près de quarante ans auprès de 268 sujets, que cette problématique vocationnelle porte de fait sur l'intégration progressive et souvent douloureuse du prototype des rôles humains, celui de travailleur. Prototype car l'étude en question démontre que, selon que l'intégration du rôle de travailleur est réussie ou non, l'intégration de tous les autres rôles de la personne (social, familial, conjugal, etc.) en est directement affectée. Et ailleurs, Terkel (1974) confirme ces conclusions après avoir interviewé des milliers de travailleurs de toute allégeance.

La priorité et l'importance du rôle de travailleur, et conséquemment du développement vocationnel de même que de leur effet généralisateur sur les autres dimensions de la personnalité humaine, sont aussi démontrées par Limoges et Paul (1981) dans leur chapitre sur l'ego et le développement vocationnel.

Enfin, d'un point de vue plus existentiel ou *philosophique*, cette problématique vocationnelle n'est que la manifestation d'un sens profond de la vie. Elle s'inscrit dans l'un des principes fondamentaux de l'existence humaine, entre le *naître* et le *mourir*, elle s'associe au *croître*. Malheureusement, socialistes et capitalistes ont tous les deux réduit le travail à des fonctions sociétales et économiques. N'est-il pas dommage que dans notre société, le mot travail rime avec salaire ? Au niveau existentiel, tout acte visant à prolonger la vie, et conséquemment à retarder la mort, est travail (Watts, 1981). Pour l'organisme, s'alimenter et se reproduire, comme se recréer, sont autant de production, donc de travail, et toute prise de décision vocationnelle tente avec plus ou moins de succès et de lucidité de s'harmoniser avec cette loi fondamentale de survie ; toute prise de décision d'orientation est une tentative pour le client de se préciser comme être existentiellement productif et ainsi, de préciser le sens qu'il veut donner à sa production de tous les jours. Et ceci est d'autant plus pertinent lorsque pour l'individu, son travail sert davantage à retarder la mort (cf. insatisfaction au travail, travail de survie, mauvaises conditions de travail, etc.) qu'à prolonger la vie (cf. créativité, autonomie, satisfaction, etc.). Certains diront que l'on verse dans la mini-philosophie ! Pourtant, comment expliquer et comprendre la remise en question systématique du professionnel reconnu et qui réussit très bien ? Comment expliquer l'attitude du cégépien qui sait quoi faire mais qui ne trouve pas la motivation pour le faire ? Comment expliquer ce travailleur qui excelle dans un emploi pour lequel il n'a pas été formé et qu'il n'a pas choisi, mais qui était le seul gagne-pain disponible ?[1]

---

[1] Lire à ce sujet O'Neill, 1967 ; Pirseg, 1974 ; Bolles, 1978 ; Henderson, 1978 ; et le numéro 34 d'octobre 81 de la revue *Autrement*, intitulé « Dix heures par jour — avec passion ».

Les aspects de l'orientation scolaire et professionnelle

Il importe maintenant d'opérationnaliser ces quatre points de vue* en en dégageant les différents aspects qui sont, à toutes fins utiles, les aspects de l'orientation scolaire et professionnelle.

a. D'abord, la prise de décision et la résolution de problèmes que l'on retrouve dans les points de vue du client et du professionnel de l'orientation, impliquent des étapes à suivre qui peuvent être et doivent être franchies dans une limite de temps assez courte, sinon il n'y aurait pas de décision à prendre ni de problème à résoudre. Conséquemment, cela implique que, ultimement, le client puisse avoir une vue d'ensemble des étapes, puisse recourir à l'aide du professionnel pour bien achever l'étape en cours ou encore, pour affronter l'étape suivante. Enfin, le client peut faire appel à l'aide du professionnel pour réaliser la décision ou solution prise, ou encore pour la maintenir. En revanche, surtout si cette décision a été prise avec l'aide d'un aidant, il ne devrait pas être question de reprise, mais plutôt d'une nouvelle décision à prendre.

b. Quant au processus de carrière** qui se dégage spécifiquement du point de vue du professionnel de l'orientation, il peut être perçu comme un continuum d'actualisation entre le « peu amorcé » et le « très amorcé » avec, par conséquent, un critère d'intensité, c'est-à-dire un critère quantitatif. Par contre, ce processus peut aussi être perçu comme développemental, impliquant des stades différents qualitativement les uns des autres. Opérationnellement, cette vision du processus implique pour le client la nécessité de consolider le stade en cours, de prévoir le prochain, ou d'amorcer la transition vers un nouveau stade. Mais comme il s'agit d'un processus qui dure toute la vie, contrairement aux techniques de prise de décision et de résolution de problèmes, le client n'a guère d'intérêt pour l'ensemble du processus. De plus, il n'a présentement aucune emprise sur l'ensemble du processus (*ex. :* l'incapacité pour un jeune de 20 ans de préparer sa retraite). Super (1963) avait déjà décrit les grands stades de la vie à la mort. Cependant, les études récentes sur l'adulte ont donné plus de chair à ces stades (cf. Riverin-Simard, 1980 ; Sheehy, 1977 ; et la prise de position au congrès de la Corporation professionnelle des conseillers d'orientation du Québec, 1982).

c. Se référant encore au point de vue du professionnel, mentionnons également, comme aspect spécifique de l'orientation scolaire et professionnelle, le contenu à trois volets. Ce

---

* Ce sont, à notre avis, les quatre points de vue qui peuvent nous aider à repenser l'orientation scolaire et professionnelle, tous les autres se rapportant davantage à des concepts comme celui de placement, de système économique, etc.

** Une ambiguïté apparente peut se glisser ici, du fait que les mots exploration, cristallisation, spécification et réalisation sont utilisés par certains auteurs pour décrire les phases de la résolution de problèmes (cf. Pelletier, 1974 et Gordon, 1979), et par d'autres comme Super (1963) pour décrire les *stades* de la vie. En fait, Pelletier (1974) l'utilise aussi dans ce second sens.

contenu peut être considéré dans sa forme universelle résistante au temps et à l'espace (Limoges 1975, 1981) (certains diraient ici « objective ») ou encore dans sa forme particulière ou subjective à chaque individu. Ce contenu comprend bien sûr, les trois volets : connaissance de soi, connaissance du système scolaire et connaissance du marché du travail. Un minimum de ces connaissances est nécessaire pour réaliser une orientation éclairée et consciente. Selon Wise (1978), une orientation consciente implique quatre aspects : « *the four aspects are knowledge, values, preferences and self concepts* » (1978, p. 223).

d. Le point de vue psychologique nous amène à considérer dans l'orientation l'importance du rôle de travailleur pour l'individu-client. Opérationnellement, cela implique identifier, pratiquer, évaluer, consolider et intégrer ce rôle, ou encore le réajuster à la suite d'insatisfactions ou autres conjonctures.

c. Enfin, le point de vue philosophique, bien qu'il recoupe sur bien des aspects le point de vue psychologique, apporte également ses aspects propres. Ainsi, il met en évidence les attitudes se rapportant au sens que le client accorde au travail, la relation qu'il établit pour lui personnellement entre travail et loisir ou encore entre travail et épanouissement, etc. (A.S.O.P.E., 1979 ; Super, 1980 ; Bujold, 1980 ; Perron, 1981). Ces attitudes rejoignent aussi bien le point de vue psychologique (i.e. l'intégration du/des rôle/s de travailleur/s) que philosophique (i.e. sens du travail dans la vie), le premier n'étant de fait qu'une manifestation du second.

L'intégration du rôle du travail comme du sens du travail, implique aussi des agirs ou comportements, certains d'entre eux étant génériques, c'est-à-dire applicables ailleurs et dans d'autres occasions (c'est, par exemple, l'expérience ou la capacité de défendre ses idées, etc.) et les autres agirs étant plus reliés à une situation précise, donc difficilement transférables.

Le tableau 2.1 résume l'ensemble de ces points de vue, les quatre qui, à notre avis, ont une incidence sur l'orientation, les deux premiers (client et conseiller d'orientation) étant ceux des personnes impliquées directement dans la démarche d'orientation et les deux autres points de vue, psychologique et philosophique, servant à expliquer le contexte de l'orientation. Tout autre point de vue, si valable soit-il, mène à d'autres problématiques que celle de l'orientation, soit celles du placement, du système économique, etc.

Comment ces aspects sont-ils traitables en petits groupes ?

Une fois les aspects de l'orientation scolaire et professionnelle déduits des différents points de vue, il devient par la suite facile d'articuler ces aspects en objectifs ou finalités pour un groupe particulier. C'est ce que tente de faire le tableau 2.2 qui, en plus de compléter le précédent tableau, démontre, à l'aide d'exemples, quelles formes pourraient prendre ces groupes.

Sans avoir la prétention d'être exhaustif ou incontestable, surtout quant aux exemples, ce tableau s'inscrit directement dans la ligne du « document de position » de la Société canadienne d'orientation et de consultation (1982), de même que dans des orientations

Tableau 2.1

**Aspects de l'orientation se dégageant
des points de vue de l'orientation**

SOURCE DES POINTS DE VUE	POINTS DE VUE	ASPECTS DE L'ORIENTATION
Client et professionnel de l'orientation	L'orientation est une des prises de décision ou une des résolutions de problème reliées à soi-étude-travail.	1. Prendre une décision ou résoudre un problème en tout ou en partie reliés à soi-étude-travail. 2. Réaliser la décision ou solution adoptée. 3. Maintenir la décision ou solution adoptée. 4. Concevoir une nouvelle décision parce que la précédente fut mal conçue.
Professionnel de l'orientation	L'orientation est un processus de carrière.	1. Consolider le stade en cours. 2. Prévoir et amorcer le stade suivant.
	L'orientation est un contenu spécifique et comprend trois volets : soi-étude-travail, ayant deux formes :	
	1. fixe et universelle	1. Apprendre cette forme fixe et universelle du contenu à trois volets. 2. Se situer (valoriser, préférer) par rapport à ce contenu.
	2. situationnelle et personnalisée	1. Apprendre cette forme situationnelle et personnelle du contenu à trois volets. 2. Se situer par rapport à ce contenu en fonction de la décision à prendre ou du problème à résoudre.
Psychologue	L'orientation est l'intégration progressive du rôle du travailleur.	1. Prise de conscience de ce rôle. 2. Simulation de ce rôle. 3. Évaluation de ce rôle en fonction des autres rôles et des expériences acquises dans ce rôle pour consolider ou réajuster ce rôle.
Philosophe	L'orientation est la prise de conscience du sens du travail dans la vie d'un individu.	1. Attitude face au travail. 2. Prise de conscience de la place et du rôle du travail dans son existence.

Tableau 2.2
Aspects de l'orientation selon les
points de vue relatifs aux petits groupes

ASPECTS DE L'ORIENTATION	FINALITÉS DU PETIT GROUPE RELIÉES À CET ASPECT	EXEMPLES*
PRISE DE DÉCISION VOCATIONNELLE		
1. Prendre une décision reliée à soi-étude-travail.	Apprendre et pratiquer les habiletés reliées aux étapes puis les appliquer à la décision à prendre.	1. Groupe d'ADVP avec des élèves du secondaire. 2. Méthode dynamique de recherche d'emplois. 3. Groupe pour élèves ayant abouti dans leur 3e choix, suite à deux refus, pour intégrer cette étape de cristallisation.
2. Réaliser la décision.	Faire en sorte que la décision prise s'incarne dans les faits.	1. Groupe d'*affirmation de soi* visant à aider les sujets à réaliser leur décision**. 2. Simulation d'entrevue de sélection. 3. Approche conceptuelle : aspect interpersonnel.
3. Maintenir une décision.	Supporter la réalisation des démarches reliées à la réalisation.	1. Groupe de relaxation visant à supporter des élèves en période d'examen nécessaire à l'admission au barreau. 2. Méthode de travail individuel assurant un rendement minimum. 3. Groupe de réchauffement vocationnel pour finissants sans travail.
PROCESSUS DE CARRIÈRE		
1. Consolider un stade.	Aider les individus à tirer le maximum de leur situation.	1. Groupe type *Burn-out* pour aider des gens au stade de consolidation de carrière, à intégrer les différents engagements pris.
2. Prévoir et amorcer le stade suivant.	Informer, se familiariser avec un état de vie vocationnel différent.	1. Programme de préparation à la retraite pour les 55 ans et plus. 2. Programme de réajustement suite à un accident, une crise cardiaque, un deuil, etc. 3. *Nouveau départ*.
CONTENU SOI-ÉTUDE-TRAVAIL **Fixe et universel**		
1. Apprendre ce contenu.	Informer les individus par rapport à soi, étude et travail.	1. Groupe d'information scolaire et professionnelle (**I.S.E.P.**). 2. Groupe d'éducation à la carrière. 3. Approche conceptuelle de l'orientation, aspect extra-personnel.
2. Se situer par rapport à ce contenu.	Aider les individus à réagir à ce contenu fixe et universel.	1. Groupe de clarification de valeurs. 2. Approche conceptuelle de l'orientation, aspect interpersonnel. 3. *Vivre-vie*. 4. Groupe de type *croissance* appliquée à la connaissance de soi par rapport à étude et travail.

Situationnel et personnalisé	Aider les individus à intégrer la dynamique, le contenu spécifique à leur orientation.	1. *Clinique d'I.S.E.P.* 2. Groupe axé sur l'interprétation de tests psychométriques. 3. *Clarification de valeurs* dans des groupes homogènes au point de vue scolaire ou professionnel.
RÔLE DE TRAVAILLEUR 1. Prise de conscience.	Aider l'individu à identifier ce rôle et son importance.	1. Groupe pour chômeurs ou étudiants chroniques. 2. *Dynamique de la vie*
2. Simulation de ce rôle de travailleur.	Aider des gens à se mettre en situation de travail afin d'y évaluer le rôle impliqué.	1. Mise en situation ou simulation du rôle de travail, ex. : stages exploratoires. 2. Groupe type *sensibilisation* visant à recréer un contexte de travail.
3. Évaluation de ce rôle en fonction des expériences et autres rôles.	Aider les gens à saisir l'importance du travail pour consolider ou reviser son rôle.	1. *Nouveau départ.* 2. *Burn-out.* 3. Clarification de valeurs.
SENS DU TRAVAIL 1. Attitude face au travail dans la vie.	Aider les gens à harmoniser leur vie.	Clarification de valeurs. Dilemmes moraux d'orientation.
2. Prise de conscience de la place du travail.	*Idem.*	

* Ces exemples s'inspirent d'un plan d'intervention élaboré par Sylvie Saint-Louis (Collège Montmorency) qui l'a aimablement mis à ma disposition.
** Les expériences décrivant une technique ou un programme précis figurent en italiques.

nouvelles proposées par la Corporation professionnelle des conseillers d'orientation du Québec (1981).

Jusqu'à maintenant, nous avons utilisé simultanément les expressions « groupes d'orientation » et « groupes en orientation ». Une analyse classique des groupes du tableau 2.2 mènerait sans doute à la conclusion que les groupes se rattachant à la « prise de décision vocationnelle » sont habituellement appelés groupes *d'orientation,* alors que les autres sont plus des groupes *en orientation.* Dans la ligne de Parsons (1975), on peut dire qu'un groupe d'orientation qui s'inspire d'un modèle ou d'une thématique utilisés ailleurs (par exemple la Gestalt, la relaxation ou le groupe de type croissance) est plus un groupe *en orientation.* Cette précision terminologique reconnaît la source inspiratrice, permet de s'y abreuver plus honnêtement, au besoin justifie une formation supplémentaire ou la collaboration d'un expert-ressource, et explique certains tâtonnements de rodage. De plus, elle évite d'embrouiller les clientèles. C'est donc une question d'honnêteté envers soi et ses clients.

Qu'est-ce qui distingue un simple petit groupe d'un petit groupe d'orientation ou en orientation scolaire et professionnelle ?

Si l'on précise d'abord que la définition d'un petit groupe psychosocial est « le regroupement d'individus ayant pour but de : a) nouer des relations explicites et b) d'avoir les uns pour les autres une perception réciproque » (Anzieu et Martin, 1968) ; si l'on précise ensuite avec Hansen (1980) que les principales caractéristiques d'un petit groupe psycho-social sont :

    a. l'existence d'un climat d'acceptation ,

    b. la création d'une dynamique explicite entre les membres (d'où la nécessité d'un nombre restreint) ,

    c. l'utilisation maximale de rétroactions,

on doit conclure qu'il n'existe pas de différence entre les petits groupes psychosociaux et les petits groupes d'orientation ou en orientation scolaire et professionnelle, du moins en ce qui a trait aux définitions et caractéristiques.

Ce n'est que lorsque l'on aborde les objectifs spécifiques et le contenu à proprement parler, que deux différences significatives apparaissent.

Premièrement, les petits groupes d'orientation ou en orientation scolaire et profes-sionnelle exigent une redéfinition des clientèles, redéfinition qui doit se faire à la lumière des théories du choix et du développement vocationnel. Il faudrait être superficiel et ir-responsable pour ne pas voir à quel point les Super (1963), Tiedeman (1963), Crites (1969), Pelletier (1974), Knefelkamp (1978), Riverin-Simard (1980) et plusieurs autres complètent, précisent, nuancent, voire même remettent en question les théories de la personne. On a trop souvent perçu leurs contributions comme détachées de celles des Piaget (1966), Erikson (1972), Loevinger (1976), Perls (1979), pour n'en citer que quelques-uns.

Deuxièmement, les petits groupes d'orientation ou en orientation scolaire et profes-sionnelle se distinguent des petits groupes psychosociaux classiques par la présence d'une seconde dynamique dans la structure du groupe, la dynamique vocationnelle. Cette seconde dynamique influence et interagit avec la dynamique propre à tout petit groupe. Et la for-mation spécifique reçue doit aider le professionnel de l'orientation à voir cette influence

Figure 2.2

Les dynamiques d'un petit groupe d'orientation ou en orientation

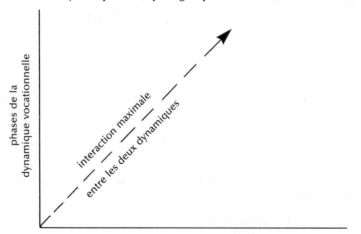

et cette interaction entre les dynamiques. On peut représenter cette interaction par la figure 2.2.

Sur l'axe horizontal sont inscrites les phases de la dynamique d'un petit groupe en général, telles que définies par Rogers (1970), St-Arnaud (1972), Hansen (1980), etc. Hansen par exemple, parle de cinq phases :

a. l'amorce du groupe et de sa dynamique ;

b. conflit et confrontation ;

c. cohésion ;

d. productivité ;

e. dénouement.

L'axe vertical, par contre, représente les phases vocationnelles comme celles de la résolution de problèmes (qui furent si bien mises en relief par l'A.D.V.P.), soit :

a. l'exploration ;

b. la cristallisation ;

c. la spécification ;

d. la réalisation ;

ou encore les phases de la prise de conscience, selon Eisenberg et Delaney (1977) :

a. exploration ;

b. prise de conscience ;

c. nouveau comportement.

La connaissance de la clientèle dont nous venons de parler permet de pondérer ces phases, et dans certains cas, leur ordre. Ainsi, on ne peut plus faire de l'exploration (i.e. la phase) avec une personne de 40 ans comme avec un adolescent de 15 ans ! La réalité de la personne de 40 ans est qu'elle se situe au *stade de maintien,* donc qu'elle a cristallisé et spécifié (i.e. phases de résolution de problème) et que tout nouveau processus de prise de décision doit maintenant se faire avec ces paradigmes...

Quant à la diagonale, elle représente l'intégration maximale des deux dynamiques. Lorsque cette ligne oblique se rapproche davantage de l'axe horizontal, il y a de fortes chances pour que les objectifs vocationnels spécifiques ne soient atteints. En revanche, si elle se déplace trop vers l'axe vertical, alors les objectifs d'orientation seront bien remplis, mais malheureusement, sans l'apport complémentaire et essentiel de la dynamique du groupe. Dans ce cas, le groupe aura été plus un fardeau qu'un support ! À l'extrême, une telle situation réduit le groupe d'orientation à la simple fonction de transmetteur d'information. Il est certain que dans l'opérationnalisation d'un petit groupe en orientation, à un moment donné, pour un objectif précis ou une activité particulière, un mouvement s'éloignant de la diagonale est nécessaire et souhaitable, de sorte que « l'histoire » d'un petit groupe d'orientation peut être présentée par une ligne ondulante comme l'indique la figure 2.3.

Quoi qu'il en soit, ce n'est que par le biais d'objectifs intermédiaires et par le choix d'activités spécifiques que ces deux dynamiques peuvent interagir et se compléter.

Pour concrétiser cela, voici deux exemples de groupes en orientation.

Figure 2.3
Profil d'un groupe type d'intervention

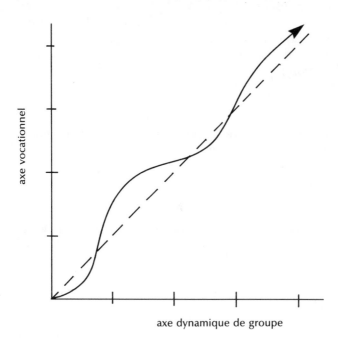

axe vocationnel

axe dynamique de groupe

Premier exemple. Celui-ci porte davantage sur la prise de décision et utilise, sur l'axe vocationnel, les phases de la prise de décision selon Pelletier (1974). L'axe horizontal reflète les phases d'un groupe selon Hansen (1980). Voici les coordonnées.

— Clientèle : groupe d'adolescents de secondaire III.

— Objectif : préparer le choix de cours de façon à ce qu'il stimule le développement vocationnel.

— Durée : 15 heures (5 rencontres de 3 heures).

— Programme :

Rencontre	Activité	Lien entre les dynamiques
1	Faire une entrevue avec un membre inconnu du groupe, puis le présenter au groupe, surtout en faisant ressortir une particularité.	Dès le début, cette activité exige l'amorce (phase sur l'axe horizontal) d'un contact et du même coup l'interviewé doit faire un peu d'auto-dévoilement, suite à une *exploration* et à une *cristallisation* sommaires (phase sur l'axe vertical).

2	Clarification de valeurs par rapport aux activités à l'école : cours, jeux, etc.	Poursuit l'*exploration*, mais surtout permet de *cristalliser* les valeurs et la hiérarchie de valeurs de l'individu (vertical) grâce à la *confrontation* et au choc des valeurs entre les participants du groupe, consolidant ainsi ce dernier (horizontal).
3	En sous-groupe, étude des « bulletins » de chacun avec pour objectif de lui faire part de nos perceptions des forces et faiblesses.	Il va de soi qu'une telle activité nécessite la confiance (donc la phase amorce située sur l'axe horizontal) ainsi que le désir et le droit d'être critique (nouvelle phase sur l'axe horizontal : la confrontation). Cependant, l'activité est possible et bénéfique seulement s'il y a un esprit de *cohésion* et de production. Si cette dynamique est assurée (horizontal), alors les participants pourront bénéficier de cette activité pour compléter leur *cristallisation* et amorcer leur *spécification* (vertical).
4	En sous-groupe, étude de la maquette, et simulation du choix de cours.	Cette activité cherche surtout à *spécifier* (vertical) les choix à l'aide de la simulation et à amorcer la *réalisation* (cette phase se fera vraiment lors du choix de cours). Cette tâche exige des coéquipiers de la *production*, mais à une tâche qui les distingue (dénouement) les uns des autres.

La figure 2.4. schématise ce premier exemple qui, lui-même, on l'aura constaté, résume le programme. C'est un exemple, car en réalité, on devrait retrouver plus d'objectifs et d'activités... Dans la figure 2.4, on remarquera d'abord comment une activité peut couvrir plusieurs phases sur l'un ou l'autre des axes. En revanche, une phase peut exiger plusieurs activités. Enfin, en reliant le sommet droit des cases représentant les activités, on obtient la particularité de l'intégration des dynamiques. Ainsi, tout en consolidant le groupe, la dynamique vocationnelle est d'abord privilégiée, alors que par la suite, la dynamique du groupe l'est à son tour, servant d'appui solide aux objectifs vocationnels. On remarquera que la compréhension théorique et pratique de la clientèle (i.e. secondaire IV) a amené à donner une importance différente et précise pour chacun des stades. Par exemple, la phase *cohésion* (horizontal) a pris de l'ampleur car elle correspond au stade conformiste des adolescents (cf. Limoges 1981). Par contre, la phase *réalisation*, en ordonnée, est ici très embryonnaire, car une activité scolaire précise à venir, c'est-à-dire le choix d'un programme de cours, assurera la réalisation de cette phase.

Figure 2.4
Schématisation de l'exemple premier

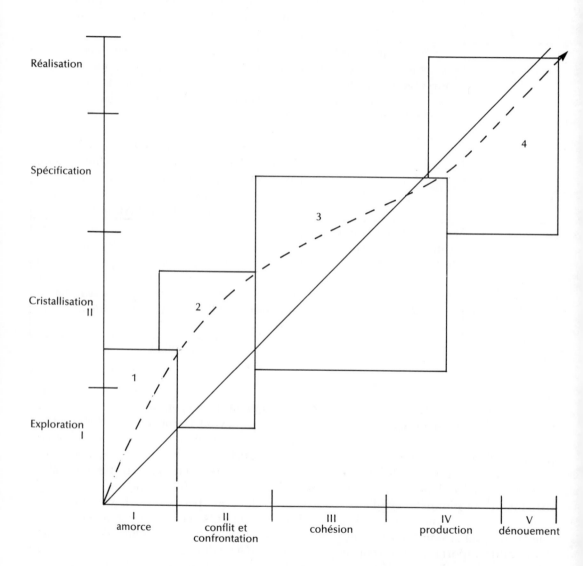

Deuxième exemple. Voici d'abord les coordonnées du groupe. À noter que l'interaction des dynamiques ne sera analysée que par la suite.

— Clientèle : femmes d'âge mûr retournant aux études.
— Objectifs : permettre aux participantes :
    a. de faire le point vocationnel ;
    b. de clarifier leurs besoins vocationnels ;
    c. de prendre les moyens pour combler ce besoin.
— Durée : 15 heures en 4 rencontres.
— Programme :

Rencontre	Objectifs intermédiaires	Activités
1 où j'en suis par rapport à soi-école-travail	• se présenter • verbaliser ses attentes • faire le point sur sa carrière	• utiliser un symbole résumant le mieux sa carrière jusqu'à ce jour • tour de table • questionnaire « Où en êtes-vous ? »
2 ce qui me manque voca-tionnel-lement	• enlever toute contrainte pour faire émerger le besoin vocationnel profond	• fantaisie de la réincarnation avec l'aide du vieux sage. Verbalisation de la fantaisie et rétroaction des autres participants
3 ce que m'offre ce milieu pour combler ce manque et ce qu'il m'offre en plus	• exploration du milieu où je viens de m'inscrire	• clarification de valeurs sur liste d'items décrivant le milieu • information scolaire reliée au milieu en question
4 action pour rapprocher soi-présent avec soi-désiré par rapport à école-travail	• identifier à quoi ce milieu répond et à quoi il ne répond pas • décider si je reste ou si je quitte • passer aux actes pour opérationnaliser cette décision	• jeu de la balance « pour et contre » • groupe type croissance • en dyade, élaborer un plan d'action • en groupe, faire réagir à ce plan d'action • contrat avec soi-même

Figure 2.5
Schématisation du deuxième exemple

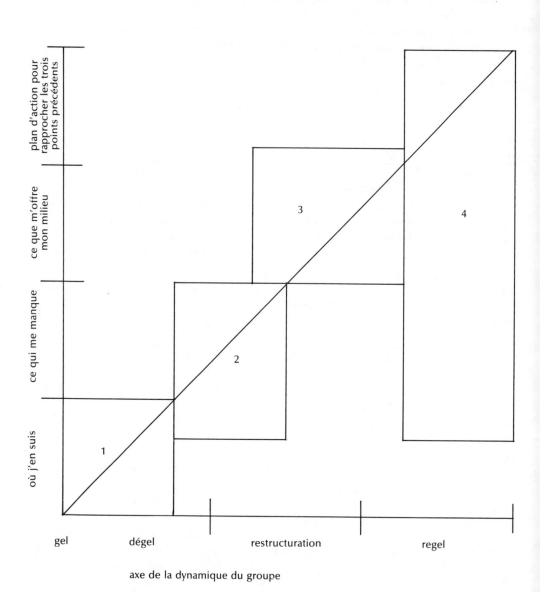

axe de la dynamique du groupe

Ce deuxième exemple, schématisé dans la figure 2.5, se situe davantage dans une démarche de consolidation d'un stade. L'axe vocationnel emprunte les phases de processus de prise de conscience (cf. Eisenberg et Delaney, 1977), alors que l'axe de la dynamique de groupe (horizontal) emprunte les phases selon Lewin (*in* Hansen, 1980), soit : a) gel ; b) dégel ; c) restructuration et d) regel. Ici seulement 4 rencontres furent indiquées. On constate donc que la première rencontre, en faisant l'exercice du « symbole », oblige la participante à faire le point, mais du même coup l'oblige à s'exprimer et à se faire connaître ; par conséquent à susciter les réactions des autres participants, amorçant ainsi le « dégel ».

Quant à la deuxième rencontre, grâce à la fantaisie, elle suscite des prises de conscience par rapport à « ce qui me manque » et, de façon déductive, lors de la verbalisation, par rapport à « ce que je suis », tout en achevant, sur l'axe horizontal, le dégel (grâce à l'auto-dévoilement) et la restructuration (au moyen des prises de conscience).

La troisième rencontre utilise encore la prise de conscience de « ce qui me manque » pour motiver l'individu à explorer son milieu scolaire. Sur l'axe horizontal, cela implique un changement d'attitude des participantes qui se connaissent davantage (par le biais de la phase dégel). Ayant perçu un besoin commun, elles sont moins sur leurs défensives et plus collaboratrices (restructuration), tout en réalisant que ce besoin commun s'incarne différemment dans chacune des participantes (début du regel).

Enfin, la quatrième rencontre vise à ce que chacune des participantes intègre ces prises de conscience et agisse en conséquence (plan d'action). Ultimement, c'est elle seule qui doit agir et non le groupe pour elle (regel).

CONCLUSION

L'analyse des différents points de vue de l'orientation scolaire et professionnelle permet donc de repenser le travail en petits groupes tout en dépassant trois constats reliés à l'état de fait actuel des petits groupes en orientation. Premièrement, l'orientation ne porte plus uniquement sur la prise de décision ou la résolution de problèmes vocationnels ; elle inclut aussi, d'une part la réalisation et le maintien de cette décision par rapport à soi-étude-travail, et d'autre part la consolidation des attitudes reliées aux rôles de travail aussi bien qu'au sens donné au travail.

Deuxièmement, l'analyse des différents points de vue sur l'orientation a permis de distinguer une foule de groupes d'orientation et en orientation, sans pour autant s'éloigner du contenu spécifique de l'orientation, c'est-à-dire le triangle soi-étude-travail.

Troisièmement, cette analyse permet de nous inspirer de plusieurs modèles théoriques selon les besoins et les réalités des clientèles.

Finalement, cette redéfinition des petits groupes d'orientation ou en orientation scolaire et professionnelle exige une adaptation des petits groupes psychosociaux, d'abord en redéfinissant les clientèles, et ensuite en permettant l'interaction de deux dynamiques complémentaires : la dynamique de groupe et la dynamique vocationnelle.

RÉFÉRENCES

ANZIEU, D. et J.-Y. MARTIN : *La dynamique des groupes restreints*, Presses Universitaires de France, Paris, 1968.
ASOPE : *La recherche ASOPE à mi-chemin : promesses et réalisations*, Service de la planification du ministère de l'Éducation, Québec, 1979.
BACK, K.W. : *Beyond words*, Russel Sage Foundation, New York, 1972.
BUJOLD, C. : Signification du travail et valeurs de travail : revue de la littérature canadienne de langue française, *L'orientation professionnelle*, 16(1), 1980.
BOLLES, R. : *The three boxes of life*, The Speed Press, Berkeley, 1978.
CARKHUFF, R. : *Helping and human relations*, **Vol. 1** et 2, HRW, New York, 1969.
CRITES, J. : *Vocational psychology*, McGraw-Hill, New York, 1969.
C.P.C.O.Q. : *Orientation 80*, C.P.C.O.Q., Montréal, 1980.
EISENBERG, S. et D. DELANEY : *The counseling process*, (2e éd.), Rand McNally, Chicago, 1977.
ERIKSON, E. : *Adolescence et crise*, Flammarion, Paris, 1972.
GORDON, T. : *Enseignants efficaces*, Éditions du Jour, Montréal, 1979.
HANSEN, J. et coll. : *Group counseling : theory and process*. (2e éd.), Rand McNally, Chicago, 1980.
HENDERSON, H. : *Creating alternative futures*, A perigee book, New York, 1978.
IVEY, A. : *Microcounseling*, Charles C. Thomas, Springfield, 1976.
KNEFELKAMP, L. et R. SLEPITZA : A cognitive-developmental model of career development, in : WHITELY, O., et A. RESNIKOFF (1977) : *Career counseling*, Brooks/Cole, Monterey, 1978.
LIMOGES, J. : L'ISEP : une conception de l'orientation basée sur la dynamique individu-environnement, *Revue des sciences de l'éducation*, **1**(1), 1975.
LIMOGES, J. : *S'entraider*, Éditions de l'Homme, Montréal, 1982.
LIMOGES, J. et D. PAUL : *Le développement du moi*, Prolingua, Longueuil, 1981.
LOEVINGER, J. : Ego développement, résumé par : LIMOGES et PAUL (1981), *Le développement du moi*, Prolingua, Longueuil, 1976.
O'NEILL, N. et G. O'NEILL : *Shifting gears*, Avon Book, New York, 1974.
PARSONS, W. : *Gestalt approaches in counseling*, HRW, Montréal, 1975.
PELLETIER, D. et coll. : *Développement vocationnel et croissance personnelle*, McGraw-Hill, Montréal, 1974.
PERLS, F., R. HEFFERLINE et P. GOODMAN : *Gestalt thérapie, vers une théorie du self*, s.l., 1979.
PERRON, J. : *Valeurs et choix éducationnel*, Edisen, Montréal, 1981.
PIAGET, J. : *La psychologie de l'enfant*, Presses Universitaires de France, Paris, 1966.
PIRSIG, R. : *Zen and the art of motorcycle maintenance*, Bantam Books, Toronto, 1974.
RIVERIN-SIMARD, D. : Développement vocationnel de l'adulte : vers un modèle en escalier, *Revue des sciences de l'éducation*, **6** (2), 1980.
ROGERS, C. : *Carl Rogers on encounter groups*, Harper and Row, New York, 1970.
RONDEAU, R. : *Les groupes en crise ?* Fidès, Montréal, 1980.
SCHUR, E. : *The awareness trap*, McGraw-Hill, New York, 1976.
SCOC : Document de position sur les services d'orientation et de conseillers, 1ère ébauche, *COGNICA*, **XIII**(6), 1982.
SHEEHY, G. : *Passages*, Bantam Books, Toronto, 1977.
ST-ARNAUD, Y. : *Le groupe optimal*, CIM-PUM, Montréal, 1972.
SUPER, D. : Career Patterns as a Basis for Vocational Counseling, *Journal of Counseling Psychology*, **1**, 1954.
SUPER, D. et coll. : *Career development : self concept theory*, CEER, Princeton, 1963.
SUPER, D. : The relative importance of work, *Bulletin AIOSP*, **37**, 1981.

TERKEL, S. : *Working*, Avon Books, New York, 1974.

TIEDEMAN, D. et R. O'HARA : *Career development : choice and adjustment*, CEEB, New York, 1963.

VAILLANT, G. : *Adaptation to life*, Little, Brown and Co., Toronto, 1977.

WATTS, A. : *Bienheureuse insécurité*, Stock-Plus, Paris, 1981.

WISE, R., T. CHARNER et M. RANDOUR : A conceptual framework for career awareness in career decision making, in : WHITELEY and RESNIKOFF, *Career counseling*, Books/Cole, Monterey, 1978.

Chapitre **3**

Les valeurs en orientation et dans la formation des conseillers

Jacques Perron

Le cumul et la convergence de facteurs déterminants de divers ordres ont récemment contribué à accroître l'importance des valeurs dans l'étude des interventions de nature psychologique et éducative.

À un premier niveau, on enregistre des progrès remarquables quant à la définition et à la mesure des valeurs dans les domaines de la psychologie sociale et de la personnalité. Parallèlement, on réalise des gains non moins importants en appliquant la notion de valeurs dans le cadre d'études sur l'adolescence, l'éducation, les représentations du monde du travail, la relation d'aide et les processus d'influence interpersonnelle.

À un second niveau, un dérèglement plus ou moins généralisé des forces sociales et économiques se répercute de façon marquée sur nos façons habituelles de concevoir et d'expliquer, dans une optique évolutive, les relations de la personne avec la réalité du travail. En effet, si pour les quelques décades précédentes, nos théories du choix, du développement et de la maturité vocationnels posaient *a priori* le travail comme générateur de l'actualisation des individus, un tel postulat, de nos jours, semble de moins en moins acquis. Il s'ensuit que les indices traditionnels qui permettaient de prédire l'accès des personnes au travail et les progrès qu'elles pouvaient y réaliser perdent une large part de leur efficacité. La situation de crise actuelle remet en cause des portions centrales du système de significations des individus et rend nécessaires un élargissement et un assouplissement des bases de la représentation de soi, des professions, voire de la société dans laquelle elles s'exercent. C'est à cause de cette modification de perspective que la notion de valeurs prend une place prépondérante dans la psychologie vocationnelle.

À un troisième niveau, la recherche sur l'efficacité des interventions à but thérapeutique en psychologie tend de plus en plus à mettre en évidence que des variables afférentes à la personne du client et à celle de l'intervenant ont, sur le dénouement de l'intervention, un poids plus lourd que celui des facteurs spécifiques à l'une ou l'autre approche particulière de la relation d'aide. Ainsi, les attentes mutuelles des clients et des conseillers quant à la nature des problèmes à résoudre ou quant au succès escompté s'avèrent déterminantes de l'issue de l'intervention et sont inévitablement présentes dans toute forme d'aide, indépendamment de son orientation théorique et de ses modalités techniques d'application. Il en est de même des valeurs que l'on doit compter parmi les facteurs communs à toutes les interventions et dont les transactions, en cours de processus, ne semblent aucunement étrangères aux résultats produits en matière de changement.

C'est donc autour de ces trois pivots de problématique que s'organise l'essentiel du propos qui suit et dont les visées consistent 1) à établir une notion de valeurs à partir de ses constituants, de son rôle dans le fonctionnement de la personnalité et de ses liens avec l'orientation ; 2) à dégager les conclusions d'un ensemble de recherches en ce qui concerne les valeurs, leur évolution et leur différenciation au cours de l'adolescence ; 3) à discuter de la neutralité et des biais axiologiques des interventions en counseling et en psychothérapie ; et 4) en conséquence, à préconiser une démarche de sensibilisation, de conscience et d'éducation aux valeurs dans le contexte de la formation des conseillers.

DÉFINITION DES VALEURS

Par rapport à d'autres concepts qui appartiennent exclusivement au vocabulaire de la psychologie, celui de *valeurs* est tributaire de la philosophie (Lavelle, 1951, 1955 ; Ruyer, 1952), d'autres disciplines des sciences sociales, comme l'économie et l'anthropologie, et même du langage populaire. Au plan pratique, ces origines et enracinements diversifiés concourent à enrichir la signification du terme mais contribuent aussi à rendre complexe et ardue la tâche qui consiste à se faire une idée précise et articulée de ce que sont les valeurs. En effet, à cause de son caractère générique, le terme prend toutes sortes de connotations qui lui confèrent une plasticité telle qu'il revêt une allure de passe-partout ou, pis encore, de fourre-tout et que tous et chacun ont l'impression d'en saisir d'emblée le sens du simple fait qu'ils en font usage. Se départir de cette connaissance apparemment infuse et foncièrement trompeuse des valeurs est donc en quelque sorte un préalable à leur définition opérationnelle.

Pendant longtemps les sciences humaines, y compris la psychologie, ont négligé de s'astreindre à ce préalable. Ainsi, sur la base d'un empirisme à courte vue, on a vu poindre une panoplie de définitions *pro domo* qui servaient davantage à sustenter quelques données ou hypothèses fragmentaires qu'à échafauder un savoir cumulatif et ordonné à propos des valeurs (Smith, 1963). Toutefois, les contributions de fond d'Allport (1960), Morris (1956), Kluckhohn (1951), Tisdale (1961), Smith (1969, 1978), Rokeach (1973) et Feather (1975) ont donné lieu à un consensus de plus en plus élargi quant à la notion de valeurs. En effet, malgré certaines distinctions de formulation, il est évident que la pensée de ces auteurs est convergente pour ce qui est des constituants de base des valeurs.

Le constituant cognitif

Ainsi que le soutiennent les tenants des théories de l'attribution de la causalité, l'humain se caractérise par un besoin d'expliquer les événements qui l'entourent tout autant que ceux qui lui arrivent personnellement. L'activité cognitive qu'il déploie, pour ce faire, le met en rapport avec des situations problématiques de deux ordres distincts : les premières sont solubles à l'aide d'opérations qui conduisent à des conclusions dont le bien-fondé est démontrable ; les secondes sont solubles elles aussi, mais il est impossible de soutenir que la conclusion à laquelle le sujet arrive soit la seule valable. Dans le premier cas, la connaissance est fondée sur le savoir et, dans le second, sur le croire. Il s'agit donc ici de la distinction entre le jugement de fait et le jugement de valeur.

Les valeurs sont des productions cognitives décantées que l'individu acquiert au gré de ses interactions avec son univers physique et interpersonnel. Elles lui servent de repères lorsqu'une situation problématique exige qu'il se prononce sur ce qui *doit* être ou arriver, sur ce qu'il *doit* faire ou non. Ce sont donc des schémas normatifs auxquels est confrontée l'information issue d'une situation problématique et qui permettent à la personne d'en évaluer la signification. Il s'ensuit qu'au plan cognitif, les valeurs sont des abstractions d'un ordre plus ou moins élevé, qu'elles ne sont pas directement observables et qu'elles transcendent l'immédiat d'une situation.

Le constituant affectif

Les contenus que renferment les cognitions normatives ainsi définies ont depuis toujours constitué un point central dans la discussion et l'étude des valeurs. Les anciens ont retenu le beau, le bon et le vrai comme fondements de l'axiologie. Piaget (1957), pour sa part, avance qu'il s'agit de conduites idéalisées. Les psychanalystes soutiennent que ce sont ou bien des prescriptions et proscriptions cristallisées au niveau du Surmoi ou encore des idéaux du Moi (Schafer, 1965). De toute manière, il s'avère que les contenus de valeurs ont comme caractéristique principale d'exercer un puissant attrait sur les individus et, partant, de susciter des investissements énergétiques d'une envergure telle qu'ils sont souvent désignés ou perçus comme éléments centraux de l'identité.

À l'occasion de l'élaboration de son instrument de mesure des valeurs *(Value Survey)*, Rokeach (1973) est sans doute celui qui nous a procuré une des meilleures synthèses sur les contenus de valeurs. Suite à un exercice de réduction systématique d'une abondante littérature sur le sujet, il propose en effet que les objets de la valorisation soient de deux ordres distincts de généralité. Il s'agit, d'une part, de fins d'existence ou de grands objectifs de vie qui sont de nature **sociale** comme l'*Égalité* et la *Paix dans le monde* ou **personnelle** comme le *Bonheur* et la *Sagesse* (niveau intrapersonnel) ou encore comme l'*Amour* et la *Considération* (niveau interpersonnel). Ces valeurs sont dites *terminales*. D'autre part, il s'agit de modalités d'être ou d'agir ayant une connotation **morale** (*Honnête, Responsable*) ou de **compétence** (*Logique, Capable*). Ces valeurs sont dites *instrumentales*. On trouve au tableau 3.1 une version française (Perron 1976) des deux listes de valeurs ainsi établies par Rokeach. Cette nomenclature des valeurs (qui est sans doute, depuis quelques années, la plus utilisée dans les études faites en Amérique du nord) a l'avantage de réunir un ensemble de contenus valorisables selon un système de classification qui correspond aux principales dimensions de base préalablement identifiées dans les écrits sur le sujet. Par ailleurs, sa compacité et son exhaustivité en font un instrument pratique et d'utilisation simple.

Tableau 3.1
Liste des valeurs terminales
et instrumentales
d'après Rokeach*

VALEURS TERMINALES	VALEURS INSTRUMENTALES
une vie aisée	ambitieux
une vie passionnante	large d'esprit
le sentiment d'avoir fait quelque chose	capable
la paix dans le monde	gai
la beauté dans le monde	propre
l'égalité	courageux
la sécurité de la famille	indulgent
la liberté	serviable
le bonheur	honnête
la paix intérieure	imaginatif
l'amour	indépendant
la sécurité nationale	intellectuel
le plaisir	logique
le salut	aimant
le respect de soi	obéissant
la considération	poli
l'amitié véritable	responsable
la sagesse	maître de soi

* L'ordre de présentation des items correspond à l'ordre alphabétique en anglais.

Le constituant behavioral

Les croyances acquises à propos d'objectifs de vie et de modes d'être et d'agir affectivement attrayants ont pour fonction d'orienter l'action, et ce, principalement dans des situations qui exigent de faire des choix déterminants pour la défense, l'adaptation ou l'actualisation de la personne. D'ailleurs, selon que ce soit l'une ou l'autre de ces trois motivations qui entre en jeu, la nature du lien entre la valeur et le comportement diffère. Ainsi, lorsque la motivation est défensive, le rapport entre la valeur et le comportement est souvent ténu, voire même inexistant. Dans un tel cas, la valeur affirmée n'a qu'une fonction de paravent pour abriter une déficience, une incapacité ou une incompétence à être ou à faire. Par contre, quand la motivation est adaptative, on remarque un lien fonctionnel entre la valeur et le comportement dans des situations qui requièrent ou exigent de la personne qu'elle soit consistante. En l'absence de cette pression extérieure, il peut n'y avoir aucun lien entre valeur et comportement. Enfin, si la motivation est actualisante, on note entre la valeur et le comportement une continuité qui tient au fait que plutôt que de relever de prescriptions ou de proscriptions ou encore d'un système de contrôle externe, la valeur a pour l'individu le sens d'un projet, d'un idéal personnel dont la réalisation est prometteuse de parfaire l'identité ou de maintenir ou rehausser le niveau d'estime de soi.

Valeurs et personnalité

D'après Rokeach (1973), trois types de situations sont principalement susceptibles de déclencher la mise en opération du système de valeurs chez l'individu.

a. *Les rapports d'attraction et de répulsion interpersonnelles* font appel à la présentation et au dévoilement de soi autant qu'à la perception et au choix d'autrui. Les valeurs sont intimement reliées à ces processus interactionnels car elles comptent parmi les caractéristiques centrales que la personne attribue à autrui ou à l'aide desquelles elle se décrit elle-même.

b. *La résolution de conflits* engage aussi le fonctionnement du système de valeurs. Il arrive en effet que des situations paradoxales (e.g. enfreindre la loi pour rendre service à un ami) mettent en opposition deux ou plusieurs valeurs et que, pour réduire la dissonance ainsi engendrée, l'individu doive procéder à des réaménagements de son système de valeurs ou à des modifications de ses attitudes ou de son comportement.

c. *La prise de décision* entraîne souvent les individus à recourir à leur système de valeurs. Après avoir analysé le rôle crucial des valeurs dans le processus de prise de décision, Heath (1976) a démontré que les valeurs centrales dans la hiérarchie contribuent à la continuité des décisions d'une situation à une autre, alors que les valeurs périphériques, de par leur importance, assurent la flexibilité des décisions d'une situation à une autre.

Liens avec le choix de carrière et la pratique de l'orientation

Les valeurs ainsi définies par leurs constituants et leurs fonctions par rapport à la personnalité représentent un point d'entrée intéressant sur le phénomène du choix de carrière de même que sur les interventions destinées à en faciliter ou à en activer le processus.

Les ouvrages relatifs à la psychologie vocationnelle et à l'orientation ont d'ailleurs depuis longtemps fait état de l'importance des valeurs. Dukes (1955), dans son analyse critique des recherches faites à l'aide du *Study of Values,* souligne de quelle manière l'instrument d'Allport, Vernon et Lindzey (1951) s'avère utile pour marquer des différences entre les individus en fonction de leur choix de carrière. Ginzberg, Ginsburg, Axelrad et Herma (1951) présentent les valeurs comme un des principaux déterminants du choix d'une profession : elles forment la base de l'un des stades de développement de leur théorie. Rosenberg (1957), dans son ouvrage consacré aux valeurs et aux professions, démontre non seulement que les valeurs reflètent les différences individuelles dans le choix d'une profession, mais qu'elles président aussi aux changements qui surviennent dans le processus du choix vocationnel. Super (1957) considère la structuration et la différenciation des valeurs relatives au travail comme des indices de maturité vocationnelle. Par la suite, il élaborera le *Work Values Inventory* (Super, 1970, 1973), un instrument destiné à tenir compte des valeurs comme facteur du choix et du développement vocationnels. Zytowski (1970) apporte une contribution à l'analyse et à la définition du concept de valeurs de travail et le considère à la manière d'une infrastructure du système d'intérêts professionnels. On retrouve chez Descombes (1980) une synthèse et une analyse exhaustive de cinquante années de recherche sur le thème des valeurs professionnelles. Bujold (1980) s'est aussi intéressé à la même question, mais en s'arrêtant spécifiquement, pour sa part, aux travaux canadiens de langue française. D'autres ouvrages (Barry & Wolf, 1965 ; Gellat, Varenhorst & Carey, 1972 ; Katz, 1963) ont mis en évidence la place prépondérante des valeurs dans l'intervention en counseling aussi bien que dans le phénomène de prise de décision. Bref, ce ne sont pas les antécédents ni les appuis qui manquent à cette idée de recourir aux valeurs comme à une des composantes importantes du choix vocationnel et de l'intervention en counseling et en orientation.

Il faut toutefois remarquer qu'une forte majorité de ces recherches ont été effectuées selon une optique actuarielle d'appariement spécifique des caractéristiques de l'individu avec celles des professions. Compte tenu de l'instabilité actuelle et à venir du monde du travail, ce mode de conceptualisation et de prédiction nous apparaît suranné. C'est pourquoi il nous semble impérieux de recourir aux valeurs dans une perspective élargie dont l'objectif ultime consisterait à trouver et à donner un sens au travail, à la profession et à la carrière. En effet, si au cours des dernières décades la signification du travail était un acquis préalable au choix d'un métier ou d'une profession, rien n'indique, pour une large portion des jeunes, que ce soit le cas actuellement, pas plus que dans l'avenir. On ne s'étonnera donc pas que la première priorité du counseling de la prochaine décennie soit de redécouvrir le sens du travail (Myers, 1982) et que, pour le même horizon temporel, les valeurs apparaissent en tête de liste des thèmes sur lesquels les chercheurs en psychologie vocationnelle ont l'intention de se pencher (Gottfredson, 1982).

VALEURS ET ADOLESCENCE

À cause des liens étroits qu'elles ont avec la personnalité, les valeurs jouent un rôle de premier plan dans le développement de la personne. La façon dont elles sont acquises de même que leur évolution en fonction des diverses étapes de la vie ont d'ailleurs été traitées dans le cadre d'orientations théoriques variées telles que la psychanalyse (Érikson, 1959), le behaviorisme (Hill, 1960), la phénoménologie (Rogers, 1964) et la psychologie sociale cognitive (Feather, 1975 ; Rokeach, 1973). Certains auteurs (Hoffman, 1980, 1982 ; Kohlberg, 1976 ; Piaget, 1957) les ont envisagées dans une optique spécifiquement morale. Comme il serait illusoire de considérer ici les valeurs par rapport à l'ensemble du continuum développemental en même temps que dans toutes leurs ramifications de contenus, nous nous en tiendrons, compte tenu des visées du présent ouvrage, à la place qu'elles occupent au cours de l'adolescence en privilégiant l'étude de leur rôle dans le choix et le développement vocationnels.

Étape cruciale dans la formation de l'identité, l'adolescence représente un temps fort en matière d'acquisition de nature biologique, cognitive, affective et sociale. Les changements qui la caractérisent ont un retentissement et des implications d'une telle envergure que l'on est en mesure de penser qu'ils se répercutent sur le système de référents servant d'assises à la définition de la personne. On pense ici aux réorientations de fond dans les identifications (Erikson, 1959, 1968 ; Loevinger, 1966) qui, par un détachement des modèles premiers, marquent l'installation progressive de l'autonomie et de l'individualité. La pensée subit aussi des modifications majeures. Elle cesse graduellement d'être contingente aux événements pour se centrer sur la façon dont les événements se répercutent sur soi (Kohlberg & Gilligan, 1971). L'exploration et l'appréhension de l'univers physique, interpersonnel et intrapersonnel se voient appliquer une importante correction de trajectoire et président à l'émergence de projets de vie. Enfin, au plan social, l'appartenance à une sous-culture en marge de celles des enfants et des adultes contribue à un élargissement des réseaux d'interaction et à une mise à l'épreuve des structures et des modalités de fonctionnement de la société.

Une des façons qu'a préconisées la psychologie en vue de comprendre et d'expliquer le « passage » de l'adolescence réside dans l'utilisation du concept de tâche développementale mis de l'avant par Havighurst (1956). Repris, entre autres, par Manaster (1977) dans ses implications à la période de l'adolescence, ce concept s'avère fort utile au sens où il désigne un ensemble progressif et ordonné d'accomplissements qui mènent à l'acquisition de diverses formes de maturité. Or, l'une des tâches développementales typiques de l'adolescence consiste en l'instauration et la mise à l'essai du système de valeurs. L'importance de la maîtrise de cette tâche est telle que non seulement elle se trouve parmi les objectifs principaux de plusieurs programmes d'intervention de nature préventive ou développementale, mais elle devient de plus en plus l'une des préoccupations majeures de l'éducation. L'existence aux États-Unis et au Canada de nombreux programmes d'éducation psychologique (Authier, 1977 ; Mosher & Sprinthall, 1971 ; Van Hesteren, 1978), d'éducation aux valeurs (Fraenkel, 1977, 1980a, 1980b ; Meyer, 1976) et d'éducation morale (Hersh, Miller & Fielding, 1980) témoigne des efforts récents déployés pour aider les jeunes à apprendre et à maîtriser cette tâche développementale.

D'ailleurs, pour les adolescents d'aujourd'hui, plusieurs facteurs concourent à accroître l'importance de détenir un système de valeurs. En effet, par rapport à ceux des générations qui les précèdent, on est en mesure de penser qu'ils sont confrontés par un plus grand nombre de décisions à prendre tout en étant moins favorisés par la conjoncture économique et sociale. Ainsi, ils sont à l'heure des taux de chômage élevés, de tensions aiguës dans le monde du travail, d'une cadence sans précédent des changements technologiques, d'une augmentation des divorces, d'une plus grande diversité des idéologies, d'un accroissement de la déviance sous toutes ses formes et d'une recrudescence de mouvements fanatiques de tous genres.

Sur un plan plus général, ils doivent composer avec une société fortement marquée par la science et la technologie en même temps que peu soucieuse des effets secondaires que le progrès peut avoir sur les environnements physique et humain. Bref, ils vivent à une époque de flagrante discontinuité entre le savoir-faire et le savoir-être. Néanmoins, il leur est tout aussi nécessaire que les autres de s'échafauder un système de référents de base qui leur serve à évaluer ce qui les entoure et ce qui leur arrive et à faire les choix qui les amèneront à la maturité.

À partir des recherches, quel profil peut-on tracer des valeurs des adolescents ? Comment les valeurs évoluent-elles au cours de cette tranche d'âge ? Comment se différencientelles en fonction des caractéristiques des individus et des choix qu'ils effectuent ou envisagent ? Comment les influences de la famille, de l'école et des pairs se répercutent-elles sur les valeurs des adolescents ? Les réponses à ces questions sont de nature à établir, au profit des praticiens de l'orientation et du counseling, un portrait susceptible de déterminer une partie de leurs interventions.

Valeurs en général

Dans un chapitre consacré aux valeurs et à l'adolescence, Feather (1980) passe en revue les acquis accumulés en psychologie au cours des dix années précédentes. On peut succinctement résumer de la façon suivante les conclusions qui se dégagent de son analyse.

Les changements de valeurs qui se produisent à l'adolescence sont conformes à l'émergence de l'identité, de l'autonomie et de la fidélité en même temps qu'ils traduisent un affranchissement de l'autorité parentale. Cette conclusion s'appuie principalement sur la recherche de Beech et Schoeppe (1974).

Par ailleurs, comme les valeurs varient selon divers segments de la population d'une part, et les différentes époques d'autre part (Yankelovich, 1973), il est essentiel, dans les études de nature évolutive, d'être attentif à la continuité et au changement dans les systèmes de valeurs pour diverses tranches de la population d'une même génération autant que d'une génération à une autre.

Les valeurs se modulent en fonction du genre. Bien qu'à ce titre on remarque des ressemblances entre les garçons et les filles, les disparités de valeurs vont dans le sens d'une socialisation différenciée en fonction du genre. Celle des filles est davantage axée sur la coopération, la bienveillance, l'obéissance et la responsabilité alors que celle des garçons est prioritairement orientée vers la compétition, la confiance en soi et la réussite (Block, 1973). Il faut toutefois retenir que cette conclusion ne s'appliquerait pas aux adolescents particulièrement doués, les garçons et les filles de cette fraction des jeunes n'accusant pas de différences dans leur système de valeurs (Colangelo & Parker, 1981).

Les corrélations entre les valeurs des parents et celles des enfants s'avèrent toutes positives, mais varient sensiblement de par leur envergure (Feather, 1975). Les systèmes de valeurs sont donc à la fois semblables et différents. Sous l'angle des valeurs, on observe que les filles s'approchent davantage de leurs parents que les garçons. Par ailleurs, les différences enregistrées proviennent du fait que les parents valorisent plus que leurs enfants la sécurité de la famille et la sécurité nationale, le respect de soi, la responsabilité et la compétence, la politesse et la propreté. En revanche, les adolescents accordent plus d'importance que leurs parents au plaisir et à la vie excitante, à l'égalité et à la liberté, à l'esthétique, à l'amitié et au fait d'être large d'esprit et imaginatif.

Enfin, l'école a des répercussions sur les valeurs des étudiants. Ainsi, l'éducation américaine de niveau collégial a pour effet d'accentuer les différences de valeurs déjà présentes au départ (Feldman & Newcomb, 1969). Elle contribue donc à populariser les étudiants au sens où les libéraux le deviennent davantage, les modérés se libéralisent et les conservateurs le demeurent (Astin, 1977). On note encore que l'insatisfaction des étudiants s'accroît proportionnellement au décalage entre leurs valeurs prioritaires et celles qu'ils attribuent à l'école (Feather, 1975). Pour notre part, nous avons été en mesure de constater (Perron et Boulard, 1981) que les étudiants qui s'attribuent uniquement à eux-mêmes ou qui attribuent à leurs parents et à eux-mêmes le choix de l'école qu'ils fréquentent sont plus satisfaits que ceux qui attribuent ce choix uniquement à leurs parents ; l'insatisfaction de ces derniers est particulièrement plus marquée d'ailleurs s'ils sont inscrits à une école privée plutôt qu'à une école publique.

En marge de ces quelques grandes conclusions, il nous semble important de retenir qu'à l'adolescence les valeurs générales sont en formation et s'organisent autour de deux axes principaux, l'un de nature évolutive et l'autre de nature différentielle. L'autonomie par l'internalisation du système de valeurs est la direction dans laquelle est orienté le premier axe tandis que le second, par voie de différenciations progressives, est dirigé vers l'individualité.

Par ailleurs, comme le souligne judicieusement Feather (1980) :

> Le réseau des influences qui affectent les valeurs des adolescents est manifestement complexe et, vu l'état actuel des connaissances, il n'est pas possible d'avancer des théories précises quant à la façon dont ces influences se combinent pour donner lieu à des dénouements particuliers* (p. 261).

Il importe donc de poursuivre le cumul des observations et des connaissances à propos des valeurs des adolescents, tout en étant conscient des limites culturelles qui souvent les caractérisent.

Comme nous l'avons évoqué précédemment, plusieurs autres recherches ont aussi porté sur les valeurs à l'adolescence, mais dans des contextes d'application plus restreints que celui des valeurs terminales et instrumentales. C'est le cas de travaux spécifiquement consacrés aux valeurs caractéristiques de l'éducation et du travail.

Valeurs spécifiques à l'éducation

Considérant certaines limites inhérentes au *Value Survey* et à d'autres instruments du même genre — niveau d'abstraction des énoncés, technique de choix forcé, mesure ipsative, fidélité modérée — qui ne sont pas sans répercussion sur leur applicabilité auprès d'une population d'adolescents (Kitwood & Smithers, 1975 ; Kitwood, 1980), nous avons choisi (Perron, 1981a) d'étudier les valeurs des étudiants par rapport à un champ d'activité circonscrit, celui de l'éducation. Le *Questionnaire de Valeurs d'Éducation* (Q.V.E.) (Perron, 1974) utilisé dans le cadre de ces recherches mesure sept dimensions valorisées en éducation et que l'analyse factorielle permet de ramener à deux facteurs. La RÉALISATION a des saturations semblables à chacun des deux facteurs tandis que le STATUT, le CLIMAT et la SÉCURITÉ n'ont des saturations élevées qu'au premier facteur et le RISQUE, la LIBERTÉ et la PARTICIPATION, qu'au deuxième facteur. On en conclut que le premier facteur mesure une forme *impressive* et le deuxième une forme *expressive* de réalisation de soi. Les valeurs du premier facteur dénotent des aspects de l'éducation qui sont dépendants de l'environnement et ont un caractère adaptatif alors que celles du deuxième ont une

---

* La traduction est de nous.

Figure 3.1

Courbes illustrant les variations de l'importance accordée à la *Réalisation impressive* (RI) et à la *Réalisation expressive* (RE) en fonction du genre (G = garçons, F = filles) et du niveau scolaire (S = secondaire, C = collégial) ; N = 2 442.

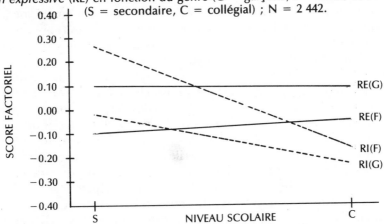

connotation d'affirmation de l'individu par rapport au milieu de l'éducation et font surtout appel au versant expressif de la personnalité.

Parmi les résultats obtenus à l'aide du Q.V.E. auprès de 2 442 étudiants québécois des niveaux secondaire (14 à 17 ans) et collégial (17 à 19 ans), il importe, à la suite des propos précédents sur les valeurs à l'adolescence, de retenir particulièrement ceux qui se rapportent au genre et au niveau scolaires.

Les données illustrées graphiquement par la figure 3.1 montrent que :

a. l'importance accordée à la *Réalisation expressive* (Risque, Liberté, Participation) est constante du niveau secondaire au niveau collégial ;

b. aux deux niveaux d'études, les garçons valorisent davantage la *Réalisation expressive* (Risque, Liberté, Participation) que les filles ;

c. la *Réalisation impressive* (Statut, Climat, Sécurité) diminue en importance du niveau secondaire au niveau collégial, la différence étant beaucoup plus marquée pour les filles que pour les garçons ;

d. les filles valorisent davantage la *Réalisation impressive* (Climat et Sécurité, mais non Statut) que les garçons au niveau secondaire et de façon semblable au niveau collégial.

Ces résultats, recueillis à l'aide d'un instrument à la portée de la population adolescente, rejoignent fidèlement ceux des recherches sur les valeurs générales en ce qu'ils reflètent des différences selon l'âge et le genre en même temps qu'ils décrivent le passage d'un système de référents externes à un système de référents internes dans la représentation axiologique que les étudiants se font de l'éducation.

Valeurs spécifiques au travail

Les recherches consacrées aux valeurs spécifiques au travail et réalisées auprès des adolescents et des jeunes sont probablement plus nombreuses que celles qui ont porté sur les valeurs générales de nature terminale et instrumentale. La monographie de Descombes

(1980) sur ce qu'il désigne comme des « valeurs professionnelles » (*work values*) est d'ailleurs très éloquente puisqu'elle retrace les études faites de 1925 à 1975.

L'idée principale qui sous-tend ces recherches est que le travail est source d'identité pour les individus du fait qu'en tant qu'activité, il renferme des dimensions hautement valorisées (Kelvin, 1981). Par ailleurs, au cours de l'adolescence, les représentations de soi et des professions sont en évolution (Huteau, 1982) et leur jonction s'avère un important déterminant du choix et du développement vocationnels.

La grande diversité des instruments de mesure (questionnaires, inventaires, enquêtes) et des techniques propres à chacun (mise en rangs, choix forcés, comparaisons pairées, échelles de type Likert), l'hétérogénéité des méthodes de comparaison de groupes de sujets (longitudinales, transversales), la variabilité dans le contenu et le niveau de généralité des items et, enfin, les différences notoires dans les groupes de sujets comparés constituent autant de sources de disparités qui rendent difficile l'analyse ordonnée des résultats connus sur les valeurs spécifiques au travail et leurs manifestations au cours de l'adolescence. Néanmoins, il est possible de conclure, sur la base de recherches répétées et, particulièrement, en milieu nord-américain, que les valeurs de travail : 1) s'installent, se structurent et se cristallisent pendant l'adolescence ; 2) contribuent nettement à caractériser et à distinguer les jeunes en fonction de la profession qu'ils envisagent et du champ d'étude dans lequel ils sont engagés ; 3) marquent, entre les garçons et les filles, des différences évidentes au niveau de la population générale mais qui s'estompent lorsque les jeunes des deux genres se retrouvent au sein d'une même concentration d'étude ou envisagent une même profession ; 4) évoluent selon le niveau d'étude (secondaire : 14 à 17 ans, collégial : 17 à 19 ans, universitaire : 19 à 22 ans) dans le sens d'une diminution de l'importance accordée à des composantes à base de référents externes et d'une augmentation de l'importance accordée à des composantes à base de référents internes.

Un des problèmes qui touchent la francophonie dans la compréhension et l'application des résultats des études sur les valeurs de travail tient au fait que la plupart d'entre elles ont été réalisées en milieux anglophones où le travail est fortement teinté par l'éthique protestante. Une des pratiques courantes dans les pays bilingues consiste à traduire en français des instruments originellement *conçus* en anglais. Nous avons eu recours à ce procédé en traduisant la première version du *Work Values Inventory* de Super (Perron, 1964). Toutefois, à la suite de quelques recherches infructueuses à l'aide de cet inventaire traduit et des changements apportés par Super à la facture de la version finale de son instrument (Super, 1970), nous avons résolu de concevoir et d'élaborer notre propre instrument, le *Questionnaire de Valeurs de Travail* (Q.V.T.) (Perron & Dupont, 1974). Dans une recherche réalisée auprès d'étudiants francophones et anglophones, St-Onge (1979) a utilisé le Q.V.T. et sa version anglaise. Or, malgré la justesse de la traduction, il s'est avéré que l'homogénéité des items de certaines échelles et les corrélations entre les échelles étaient différentes pour les sujets des deux groupes ethniques. Pour rendre l'instrument équivalent dans les deux langues, l'auteur dut donc réduire le nombre d'items avant de procéder aux comparaisons entre les deux groupes de sujets.

Nous ne sommes pas en mesure d'affirmer l'équivalence des qualités métrologiques du Q.V.T. auprès de sujets français. Toutefois, une recherche effectuée avec le Q.V.E.

auprès d'un groupe d'étudiants des régions d'Aix-en-Provence et de Marseille a mis en évidence la très grande similarité des qualités métrologiques — homogénéité des items, consistance interne et intercorrélations des échelles — de l'instrument (Perron, 1981b).

Le *Questionnaire de Valeurs de Travail* qui a servi à plusieurs recherches menées surtout auprès d'étudiants québécois est un instrument qui comprend 68 énoncés auxquels les sujets répondent à l'aide d'une échelle d'appréciation en 6 points (1 = Presque pas d'importance, 6 = Très grande importance). Il permet de mesurer cinq dimensions valorisables dans le travail.

— RÉALISATION (RÉAL) : créativité, découverte, utilisation des ressources personnelles, connaissance et expression de soi, persévérance et participation active.

— STATUT (STAT) : être admiré(e), populaire et reconnu(e), occuper un poste élevé, être influent(e) et avoir un revenu élevé.

— CLIMAT (CLIM) : être compris(e) et accepté(e) par les autres, évoluer dans un milieu bien organisé, plaisant et avec des gens agréables.

— RISQUE (RISQ) : surmonter des difficultés, faire face à des situations imprévues, inconnues et dangereuses, travailler dans des conditions compétitives.

— LIBERTÉ (LIB) : indépendance, liberté, auto-détermination, individualisme et distinction par rapport aux autres.

Éprouvé auprès d'environ 3 000 étudiants québécois des niveaux secondaire (de 14 à 17 ans) et collégial (de 17 à 19 ans), le Q.V.T. s'est avéré très satisfaisant tant par l'homogénéité moyenne (r item-total corrigé) des items de chacune de ses échelles (RÉAL = 0,50, STAT = 0,58, CLIM = 0,45, RISQ = 0,51, LIB = 0,44) que par la consistance interne (alpha) des échelles (RÉAL = 0,83, STAT = 0,89, CLIM = 0,78, RISQ = 0,84, LIB = 0,79) et par les intercorrélations (r) des échelles (de 0,05 à 0,53).

Les résultats de travaux récents (Aubin, 1982 ; Cantarella, 1981 ; Léger, 1982 ; Perron, 1980) réalisés à l'aide du Q.V.T. nous amènent aux conclusions suivantes :

a. La hiérarchie des valeurs s'avère distincte selon que les étudiants sont de niveau secondaire (14 à 17 ans), collégial (17 à 19 ans) ou universitaire (19 ans et plus). Ainsi, le Climat et la Réalisation sont les valeurs les plus importantes (moyennes entre 47 et 50 sur un maximum possible de 60) et sont relativement stables d'un niveau à l'autre. Cependant, l'importance accordée à la Liberté augmente systématiquement d'un niveau à l'autre (moyennes de 35, 37 et 40), celle dévolue au Statut diminue (moyennes de 35, 33 et 31) et celle attachée au Risque est semblable aux niveaux secondaire (moyenne de 34) et collégial (moyenne de 33) et moindre au niveau universitaire (moyenne de 30).

b. La principale différence selon le genre tient au fait que les filles valorisent davantage la Réalisation et le Climat et moins le Risque que les garçons.

c. En revanche, on n'observe jamais de différences de valeurs selon le genre au sein de regroupements d'étudiants homogènes de par leur champ d'étude (sciences de la santé, sciences physiques, sciences humaines, sciences administratives, arts et lettres) ou leur type de personnalité (Réaliste, Investigateur, Artistique, Social, Entreprenant, Conventionnel) établi selon la typologie de Holland (1973) à partir de la profession qu'ils envisagent.

d. Aux niveaux collégial et universitaire, les valeurs de travail permettent de distinguer les étudiants en fonction de leur champ d'étude.

e. Les valeurs de travail contribuent à différencier les étudiants selon leur type de personnalité et ce, de mieux en mieux de l'un à l'autre des trois niveaux d'étude.

Ces conclusions recoupent en grande partie celles des études précédemment mentionnées tout en apportant un ajout quant à la différenciation des types de personnalité en matière de valeurs de travail. À cause de la fréquente utilisation de la typologie de Holland (1973), du moins dans le contexte de l'orientation nord-américaine — elle est intégrée à l'inventaire d'intérêts *Strong-Campbell* (Campbell, 1977) et à la classification canadienne des professions (Emploi et Immigration Canada, sans date) — ces nouvelles données pourraient représenter un supplément intéressant dans les interventions destinées à l'exploration de soi et du monde des professions.

Résumé

À partir de cet ensemble de considérations sur les valeurs et l'adolescence, l'idée centrale qu'il nous semble pertinent de mettre en évidence tient au caractère dynamique et mouvant que prend le système de valeurs pour les jeunes de cette catégorie d'âge. Changements dans les contenus de valeurs et souvent même dans le processus de valorisation, différenciations successives et parfois simultanées sur une multiplicité de fronts — la famille, l'autorité, les pairs de genre, de niveau d'étude, de champ d'étude, de type de personnalité différents, les idéologies diverses aux plans économique, politique, social et religieux —, telles sont, en grande partie, les caractéristiques d'un segment important de la clientèle visée par l'orientation et le counseling.

Avec un système de valeurs en voie de définition et d'établissement, ces jeunes se présentent d'emblée comme des candidats idéaux à l'exploration de soi, de la réalité sociale, du travail et des professions ; mais, à cause précisément de ces mêmes caractéristiques, ne sont-ils pas aussi particulièrement vulnérables aux influences auxquelles ils sont continuellement exposés, y compris celle sur laquelle pourrait reposer l'essentiel des interventions en counseling et en orientation ? À moins que nous puissions prétendre être neutres et aseptiques dans nos interventions ? C'est cette question que nous allons maintenant aborder.

VALEURS ET INTERVENTIONS

La mise à jour du rôle déterminant qu'ont sur le dénouement de la thérapie des facteurs non spécifiques à l'approche préconisée par les thérapeutes (Parloff, Waskow & Wolfe, 1978) a fait ressurgir avec une acuité accrue la question de la neutralité axiologique des interventions en psychologie et en orientation (Greben & Lesser, 1976 ; Weisskopf-Joelson, 1980). En fait, il nous semble commode de préciser cette question générale à l'aide de deux sous-questions plus spécifiques : les valeurs ont-elles une incidence sur les interventions ? et, si oui, de quelle façon se manifestent-elles dans la relation de counseling et d'orientation ?

Incidence

S'il fut un temps où les principales théories d'intervention en counseling et en orientation prétendaient être neutres, comme la psychanalyse, non directives, comme l'approche centrée sur le client, ou objectives, comme le behaviorisme, il semble bien que cette époque soit d'ores et déjà révolue. En effet, depuis le célèbre débat sur le contrôle du comportement (Rogers & Skinner, 1956), des tenants de ces trois grandes orientations, et ceux de plusieurs autres, ont sensiblement modifié leur point de vue.

Ainsi, selon Redlich (1960), « ...la thérapie analytique, comme les autres thérapies, se préoccupe des valeurs et est influencée par les valeurs. Elle ne s'exerce pas dans un vacuum culturel » (p. 100). Krasner (1965), traitant du point de vue behavioriste sur la même question, affirme : « ...la psychothérapie *est* un processus d'influence. Le nier, c'est se dérober à ses responsabilités réelles » (p. 20). Même, d'après Rogers (1961), « en thérapie centrée sur le client, nous sommes profondément engagés à prédire et à influencer le comportement. En tant que thérapeutes, nous mettons de l'avant certaines conditions attitudinales et le client a relativement peu à dire quant à l'établissement de ces conditions » (p. 449). Plusieurs autres auteurs abondent dans le même sens. Dans son ouvrage sur les valeurs et le counseling, Peterson (1976) consacre un chapitre à analyser le rôle dévolu aux valeurs dans le cadre de multiples approches qu'il regroupe selon qu'elles sont actives, moins actives ou de synthèse.

La consultation auprès de la clientèle féminine constitue à notre avis un exemple flagrant de l'incidence des valeurs sur les interventions spécifiques au counseling et à l'orientation (Schlossberg & Birk, 1977 ; Schlossberg & Pietrofesa, 1973). On sait en effet que les conseillers sont victimes de biais (favorables et défavorables) quand ils doivent aider des femmes à abandonner des rôles conventionnels ou à choisir des carrières traditionnellement non féminines. Dans un autre ordre d'idées, Sicuro, Lecomte et Bernstein (1982) ont mis en évidence que les attentes des conseillers en matière de diagnostic, de processus et de pronostic (à partir de la description d'un cas fictif) varient tout autant selon leur propre genre que selon celui du client.

Si, en définitive, les interventions d'aide ne sont pas aseptiques, en quoi peut-on y reconnaître la présence des valeurs ? La documentation relative à cette question est principalement de deux ordres. On retrouve, d'une part, des opinions, des explications et des discussions quant aux manifestations des valeurs en psychothérapie, en counseling et en orientation. D'autre part, des recherches à base d'expérimentation relatent les effets de la plus ou moins grande ressemblance entre les valeurs de l'intervenant et du client sur le dénouement de l'intervention, ou explicitent les mécanismes de transmission de valeurs dans le processus de la relation d'aide. On s'attachera à considérer les principales conclusions issues de ces deux ordres d'analyse.

Manifestations : analyse générale

Parce qu'appuyés sur diverses conceptions de l'être humain et de son fonctionnement, les systèmes d'intervention sont directement reliés à des orientations de valeurs. Glad (1959) s'est intéressé à cette question et son analyse l'a conduit à rattacher à des valeurs dites « opérationnelles » les buts et stratégies de quelques systèmes d'intervention. Selon lui, le paternalisme caractérise la psychanalyse du fait qu'elle porte principalement son attention sur les processus inconscients. La socialisation constitue l'objectif ultime de la psychiatrie interpersonnelle et se reflète dans l'importance accordée à la recherche de la sécurité et de la réduction de l'anxiété occasionnée par des relations interpersonnelles inefficaces. La créativité est au cœur de l'approche dynamique relationnelle qui se centre sur les sentiments vécus dans l'immédiat de la relation d'aide. L'individualité oriente l'approche phénoménologique qui s'attache essentiellement à la réalité personnelle du client telle qu'éprouvée au niveau du soi intime et privé.

Lowe (1959) et Buhler (1962) se sont aussi livrés à une analyse du même genre que celle de Glad (1959). Plus récemment, Brunelle (1982) a comparé les approches psychanalytique, behavioriste, phénoménologique et rationnelle-émotive sur la base de leur conception de la personne, de la santé mentale, des buts de l'intervention et des valeurs. Ces réflexions sur des liens de nature générale et en apparence théoriques ne sont pas sans retentissement à des niveaux plus tangibles et plus immédiats auxquels s'exerce la relation d'aide.

En effet, il est logique de penser que les valeurs inspirent 1) la définition du changement consécutif à l'intervention, 2) les méthodes préconisées pour le déclencher et le soutenir et 3) les moyens utilisés pour en mesurer l'ampleur et la direction. Ces trois composantes d'ordre différent, mais néanmoins intimement reliées, ont tellement servi à alimenter le débat sur l'efficacité et les mérites respectifs d'approches rivales à l'intervention que l'on doit se rendre à l'évidence qu'elles étaient enracinées dans des jugements de valeurs. Il aura d'ailleurs fallu faire la preuve que l'issue du traitement était déterminée davantage par les attributs des intervenants et des clients que par la nature de l'approche préconisée pour que l'on voie s'implanter un courant de pensée plus éclectique en rapport avec toute cette problématique.

Dans un autre ordre de considérations, la sélection de la clientèle est guidée par des critères personnels et, très souvent, repose sur des jugements de valeurs de la part de l'intervenant (Lowe, 1976). Les thérapeutes ont fortement tendance, selon Hollingshead et Redlich (1958), à traiter des clients de leur propre classe socio-économique. Sous ce rapport, le client-type qui semble le plus bénéficier des interventions des thérapeutes et des conseillers est jeune, attrayant, verbal, intelligent et réussit bien dans la vie (Goldstein, 1973).

Les valeurs morales et sociales des intervenants ainsi que leur idéologie risquent d'être mises à l'épreuve à cause de la nature même de certaines difficultés éprouvées par la clientèle (inégalités économiques, raciales et sociales, pauvreté, chômage, comportements abusifs, etc.). De l'avis de divers auteurs (London, 1964, 1977 ; Lowe, 1976 ; Peterson, 1976), ces problématiques sont inévitables du fait que la relation d'aide, si elle est scientifique dans ses modalités d'opération, est néanmoins morale et sociale dans la formulation et la poursuite de ses objectifs ultimes. Or, beaucoup reste à faire de ce point de vue si l'on retient qu'aux États-Unis les valeurs des conseillers sont devenues plus conservatrices au cours de la dernière décennie (Katz & Beech, 1980). Une recherche en milieu québécois (Lecomte & Perron, 1980) nous amène aussi à conclure que les psychologues sont peu conscients des problèmes soulevés par la conjoncture actuelle, se voient peu outillés pour y faire face et, par surcroît, n'accordent pas une très grande importance à la conscience sociale ni aux habiletés d'intervention de nature sociale.

Manifestations : évidences de recherche

En complément à cet ensemble de considérations générales, on dénote aussi un courant de recherches relatives au rôle des valeurs dans l'intervention. Les travaux de synthèse d'Ehrlich et Wiener (1961), Kessel et McBrearty (1967) et Beutler (1978a, 1978b) permettent d'ailleurs d'en retracer fidèlement le cheminement.

La première question abordée est celle de l'effet sur l'issue de l'intervention de la plus ou moins grande similarité des valeurs du client et de l'intervenant. Citant près d'une dizaine de recherches à ce sujet, Kessel et McBrearty (1967) en arrivent à conclure que « ... la similarité du patient et du thérapeute affecte le résultat de la thérapie. La dissemblance entre le client et le thérapeute, particulièrement en termes d'attributs cognitifs, a un effet négatif sur le résultat de la thérapie » (p. 680). Les recherches plus récentes de Hlasny et McCarrey (1980) et de Lewis et Walsh (1980) apportent un ajout à ces résultats en ce qu'elles démontrent que des variations dans la similarité des valeurs se répercutent sur la façon dont le client a confiance en le thérapeute et le reconnaît comme efficace.

Bien qu'on ne sache pas clairement jusqu'à quel point la ressemblance des valeurs du client et de l'intervenant trouve un retentissement spécifique sur leurs comportements dans la relation d'aide, on ne saurait nier qu'elle a pour conséquence de biaiser le système de perceptions du client par rapport à des caractéristiques importantes de l'intervenant. Il reste encore à isoler et à élucider le rôle particulier que peuvent avoir les valeurs comparativement à d'autres éléments constitutifs de la ressemblance entre aidant et aidé.

Une autre question qui a fait l'objet de recherches soutenues est celle du changement des valeurs du client au cours du processus d'intervention. Prenant appui, à ce propos, sur le travail inaugurateur de Rosenthal (1955) et sur plusieurs autres recherches qui s'ensuivirent, Kessel et McBrearty (1967) soutiennent « ... qu'il y a une convergence des valeurs du thérapeute et du client pendant la psychothérapie et que l'intériorisation par le client des valeurs du thérapeute a un effet facilitant sur les résultats de la thérapie » (p. 678).

Les travaux plus récents de Beutler (1978a, 1978b, 1979) ne démentent en rien cette première conclusion. En effet, ses données l'amènent à affirmer que les valeurs des clients changent en cours de thérapie et qu'un tel changement va essentiellement de pair avec le succès de la thérapie. Il ajoute que lorsque les clients changent de valeurs, c'est pour adopter celles de leur thérapeute et non pas n'importe quelles autres valeurs. Il mentionne enfin qu'il existe une similarité entre les paramètres à la base des gains thérapeutiques et les paramètres qui affectent la persuasion sociale telle qu'elle est définie en laboratoire. Dans son article consacré à la façon dont les conseillers influencent les clients, Senour (1982) reprend cette dernière conclusion et la développe à la lumière de diverses théories d'attraction, de comparaison et d'influence interpersonnelle.

La proposition initialement faite par Strong (1968) de concevoir le counseling à la manière d'un processus d'influence interpersonnelle nous apparaît centrale pour comprendre la dynamique des changements de valeurs qui surviennent dans le processus de la relation d'aide. Passant en revue plus de dix ans de recherches à ce sujet, Heppner et Dixon (1981) en arrivent à conclure : 1) que certaines variables contribuent à déclencher chez le client la perception de l'influence de l'intervenant, et que 2) le fait que le client les perçoit a pour effet d'accroître le pouvoir d'influence de l'intervenant sur les comportements et opinions du client. Ces deux conclusions s'appliquent dans le cas de l'*expertise* (évidence objective de formation, comportements spécifiques de l'intervenant, indices de prestige), de l'*attrait* au plan verbal (révélation de soi, basse tonalité de la voix) et non verbal (sourires, gestes, contact des yeux, position du corps) et de la *crédibilité* (comportements non verbaux, interprétations, comportements associés à la confidentialité).

Si le réseau par lequel s'échangent les valeurs dans le processus d'intervention est ainsi constitué, il faut convenir que l'on est loin d'une forme d'endoctrinement ou de manipulation grossière que plusieurs craignent être à la base de la transmission des valeurs. En effet, le pouvoir de l'intervenant devient alors associé à des aspects de la communication beaucoup plus subtils, essentiellement interdépendants, inscrits dans l'implicite et souvent caractérisés par une évanescence qui risque de mystifier tout autant l'observateur que les personnes en présence dans la relation d'aide. La façon relativement insidieuse dont se déroulerait le processus de transmission de valeurs dans l'intervention laisse entrevoir jusqu'à quel point peut s'avérer complexe la tâche d'en devenir conscient en tant qu'intervenant.

En conclusion, que ce soit à cause des conceptions de la personne sur lesquelles elle se fonde, des objectifs qu'elle se propose d'atteindre, des méthodes qu'elle préconise ou des problèmes de la clientèle qu'elle dessert, la relation d'aide n'est pas à l'abri des jugements de valeurs. Par ailleurs, bon gré mal gré, lorsque le conseiller fait des interventions réussies, c'est auprès de clients qui, d'un point de vue axiologique, lui sont relativement semblables au départ et lui ressemblent de plus en plus au fur et à mesure que se déroule le processus d'aide du fait, semble-t-il, qu'ayant perçu son expertise, son attrait et sa crédibilité, ils lui concèdent un pouvoir accru de les influencer.

Le fait de reconnaître une telle situation n'est pas sans conséquence dans l'optique de la formation des conseillers et c'est à cette question qu'est consacrée la dernière partie de notre propos.

LA PLACE DES VALEURS DANS LA FORMATION DES CONSEILLERS

Nombreux sont ceux, comme le souligne Morrill (1980), qui soutiennent qu'il n'incombe pas à l'éducation supérieure de dispenser un enseignement relatif aux valeurs. Généralement, ils s'appuient sur le fait que la formation de niveaux collégial et universitaire a pour seul objectif d'éduquer à la connaissance et à la maîtrise de disciplines, scientifiques ou autres, dont la finalité est essentiellement régie par les méthodes d'investigation et d'explication qui leur sont propres. Ce serait verser dans l'endoctrinement que de déborder un tel objectif pour aborder une analyse axiologique des découvertes aux plans théorique et pratique ainsi que des moyens utilisés pour y arriver.

Cependant, les tenants d'une telle position, surtout dans le domaine des sciences humaines, sont de plus en plus attaqués (Chauvin, 1981 ; Mahoney, 1976 ; Morin, 1982 ; Smith, 1980) non seulement quant à la crédibilité de leur processus d'expertise, mais aussi quant à la manière dont ils esquivent parfois leur responsabilité sociale.

Dans le cas particulier de la psychologie envisagée surtout sous l'angle des interventions qu'elle préconise en vue d'aider les gens à modifier des comportements auto ou allo-destructeurs, à résoudre des crises qui marquent certaines étapes de leur développement ou à prévenir des problèmes, il nous semble indispensable, vu l'état actuel des connaissances, d'éveiller les professionnels à toutes les formes de biais, y compris celui de leurs valeurs, qui, consciemment ou à leur insu, teintent leur pratique. En counseling, cette position est de plus en plus soutenue et plusieurs auteurs s'y sont récemment ralliés (Abeles, 1980 ; Corey, Corey & Callanan, 1979 ; Kibler & Van Hoose, 1981 ; Losito, 1980 ; Van Hoose & Kottler, 1977 ; Van Hoose & Paradise, 1979).

L'atteinte de cet objectif général d'éveil aux valeurs dans la formation en counseling ne nous semble pleinement possible qu'en envisageant trois formes d'apprentissage (le savoir-être, le savoir et le savoir-faire) et qu'en plaçant le candidat en situation d'explorer et d'exprimer ses propres valeurs, de percevoir et de comprendre celles d'autrui et de réaliser la place qu'elles occupent dans ses interventions. Plusieurs stratégies d'éducation aux valeurs, qu'elles soient adaptées ou utilisées comme telles, peuvent servir comme autant de moyens diversifiés et efficaces dans la poursuite d'un tel objectif. Mentionnons, à titre d'exemples, celles de la clarification (Raths, Harmin & Simon, 1978 ; Smith, 1977), de l'investigation (McGrath, 1974), de l'analyse (Fraenkel, 1980a, 1980b), de la conscience (Bohm, 1979), de la confrontation (Abeles, 1980) et de la critique (Morrill, 1980) des valeurs.

Il est par ailleurs essentiel de découper en séquences et en unités spécifiques les apprentissages qui, ordonnés les uns aux autres, représentent une opérationnalisation de l'objectif général. À cette fin, nous proposons, ci-après, deux ensembles d'activités. Le premier est essentiellement axé sur l'exploration et l'expression des valeurs du conseiller en formation de même que sur sa perception des valeurs d'autrui. Le second concerne davantage les valeurs en rapport avec l'intervention, et ce, dans un contexte de simulation et de laboratoire.

Valeurs : exploration, expression de soi et perception d'autrui

Identification subjective des valeurs. Sans autre définition préalable que la sienne propre, chaque étudiant-conseiller est mis en situation de dresser une liste exhaustive de ses valeurs, de la comparer à celles des autres et d'en dégager les ressemblances et les différences. Une telle activité donne invariablement lieu à un constat de disparité dans la façon de définir les valeurs, à une discussion de la notion de valeurs et à la nécessité de distinguer les valeurs d'un certain nombre d'autres concepts connexes. Elle trouve son pendant théorique dans le fait de prendre connaissance d'écrits choisis sur la base de leur contribution particulière à la définition des valeurs.

Identification « objective » des valeurs. Dans un deuxième temps, l'exploration des valeurs se fait à l'aide d'instruments de mesure comme le *Value Survey* (Rokeach, 1973) pour ce qui est des valeurs générales ou de l'un ou l'autre des nombreux inventaires sur les valeurs professionnelles. Les sujets choisissent les instruments auxquels ils désirent répondre, se les administrent et prennent connaissance de leurs résultats tant à un plan individuel que collectif. Dans la mesure du possible, il est très avantageux de leur fournir l'occasion de comparer leurs résultats à ceux d'étudiants d'autres départements à l'université, d'étudiants plus jeunes qu'eux, de professionnels œuvrant dans d'autres disciplines que la leur, de la population en général ou de segments de celle-ci. Cette séquence d'exploration se complète par la lecture et la discussion de travaux relatifs aux diverses modalités de mesure des valeurs et par l'analyse de leurs propriétés métrologiques respectives. Lorsque l'occasion s'y prête, le fait qu'ils administrent un instrument à des sujets expérimentaux ou à des clients constitue un supplément d'apprentissage très précieux.

Valeurs et expérience vécue : expression et perception. Une autre façon d'explorer ses valeurs qui se rapproche encore davantage de l'activité professionnelle des conseillers consiste à leur faire décrire un événement marquant de leur vie qui, selon eux, reflète bien l'une ou l'autre des valeurs qu'ils considèrent comme prépondérantes. Cette description est transmise aux autres participants qui ont pour tâche de reconnaître les valeurs ainsi exprimées. D'une part, cette activité donne à chacun la possibilité de vérifier avec quelle transparence la présentation de son vécu révèle ses valeurs et, d'autre part, elle renseigne aussi sur la capacité de chacun d'inférer avec justesse les valeurs de l'autre à partir de l'expression de son vécu. Enfin, au plan théorique, elle se complète par des lectures et des discussions sur le rôle des valeurs dans la présentation et le dévoilement de soi ainsi que dans la perception d'autrui.

Processus de valorisation. À l'aide des étapes du processus de valorisation définies, par exemple, dans l'optique de la clarification des valeurs, les conseillers en formation retracent le cheminement qu'ils ont parcouru pour en arriver à détenir une valeur qui leur apparaît présentement comme centrale. Comme la précédente, cette activité se fait dans un contexte de communication interpersonnelle et permet autant à la personne qui se raconte qu'à celle qui l'écoute d'utiliser la clarification des valeurs comme grille d'analyse. En guise de complément théorique à cette activité, les étudiants en formation sont invités à lire et à discuter des textes portant sur diverses explications (psychodynamique, phénoménologique, behaviorale, perceptuelle) du processus d'acquisition des valeurs.

Valeurs et influences. Encore dans un contexte de communication interpersonnelle, chaque étudiant doit identifier et décrire les personnes qu'il perçoit comme exerçant ou comme ayant exercé le plus d'influence auprès de lui. Cette démarche peut être proposée tout autant avec les personnes qu'il a directement connues qu'avec celles qui l'ont indirectement influencé par leurs réalisations ou leurs œuvres (savants, artistes, philosophes, etc.). Dans le premier cas, elle fait ressurgir les personnes significatives qui, en matière d'autorité, d'égalité et d'intimité, ont marqué la socialisation du sujet. Il arrive même que les étudiants rapportent jusqu'à quel point ils se sentent influencés par les membres de l'équipe qui contribuent actuellement à leur formation. Dans le deuxième cas, cette démarche permet de retracer les sources où s'alimentent l'idéologie et le système d'explications des étudiants. Dans un cas comme dans l'autre, elle trouve un prolongement théorique approprié dans des lectures et des discussions sur le rôle de l'influence interpersonnelle, de l'éducation et de la socialisation dans l'acquisition, le maintien et le changement des valeurs.

Conflits de valeurs. Il nous semble nécessaire, pour compléter cette séquence d'identification, d'exploration, d'expression et de perception de valeurs, de placer les candidats en situation de conflit de valeurs et de les sensibiliser aux façons qu'ils préconisent pour résoudre de telles situations problématiques. Trois niveaux d'expérience peuvent être utilisés en vue d'un tel apprentissage. D'abord, l'étudiant est confronté à une situation qui met en conflit au moins deux de ses propres valeurs. Ensuite, ses valeurs sont mises en opposition avec celles d'un de ses collègues. Dans un troisième temps, on lui demande de prendre position dans un conflit simulé entre deux autres personnes. À chaque occasion, le sujet est amené à identifier ce qu'il éprouve et à analyser les moyens qu'il préconise pour solutionner le problème auquel il est confronté. Des lectures et des discussions sur la notion de conflit de valeurs et sur le rôle des valeurs dans la solution de problèmes et la prise de décision sont de nature à compléter ce genre d'activité d'un point de vue théorique.

Valeurs et intervention

Valeurs et représentation du client. Chaque sujet est mis en situation de décrire, premièrement, une personne en difficulté, deuxièmement, l'intervention qu'il préconiserait pour l'aider et, troisièmement, les changements escomptés à la suite d'une telle intervention. Le but de cette activité est de mettre en relief les valeurs sous-jacentes aux conceptions de la personne et de son fonctionnement ainsi que celles qui sous-tendent les systèmes d'intervention les plus fréquemment utilisés en counseling. Chaque conseiller en formation communique ses opinions à l'ensemble du groupe. L'animateur identifie les contenus qui se dégagent de chacune des trois descriptions, aide les participants à reconnaître les valeurs qui, implicitement ou explicitement, soutiennent leurs représentations, et les amène à faire des rapprochements avec leurs propres valeurs. Il attire aussi leur attention sur des éléments qu'ils ont pu systématiquement ignorer dans leur description de la personne, de l'intervention ou du changement. Au niveau théorique, cette activité trouve son prolongement dans des lectures et des discussions sur le rôle des valeurs dans la conception de la personne, la place qu'elles occupent dans divers systèmes d'intervention et leur fonction dans la définition du changement.

Valeurs et sélection du client. Il est essentiel que les conseillers en formation identifient les genres de clients qu'ils estiment pouvoir et ne pas pouvoir aider. Que ce soit par le biais de brèves descriptions, de jeux de rôles ou d'enregistrements magnétoscopiques, on peut leur faire voir une douzaine de cas qui soulèvent diverses problématiques de valeurs (pour d'excellents exemples, voir Corey, Corey & Callanan, 1979). Chacun remplit un questionnaire sur une base individuelle et communique ses résultats à l'ensemble du groupe en apportant les raisons qui justifient ses choix. C'est le rôle de l'animateur de faire ressortir les tendances communes et les divergences dans les opinions ainsi exprimées et d'inviter les participants à identifier les valeurs qui ont présidé à leurs choix. Comme complément théorique à une telle activité, il est indiqué d'amener les conseillers en formation à lire et à discuter les écrits relatifs au rôle des divers biais, y compris celui des valeurs, dans la sélection de la clientèle.

Valeurs et évaluation de l'intervention. Le fait que le conseiller apprenne à évaluer des interventions est un élément indispensable à sa formation. Il nous semble toutefois tout aussi important qu'il réalise jusqu'à quel point ses valeurs interviennent dans son évaluation d'une intervention. L'expérience suivante, qui est facilement reproductible dans un contexte de formation en orientation, nous a récemment permis de constater ce phénomène. À l'occasion d'un cours de psychologie, les étudiants ont tous répondu au *Value Survey* (Rokeach, 1973). À la fin de ce cours, on leur a présenté une entrevue sur bande magnétoscopique en leur demandant, à l'aide d'un questionnaire destiné à mesurer l'influence interpersonnelle, d'évaluer l'efficacité de la conseillère qu'ils avaient vue à l'œuvre. Au préalable, le groupe avait été divisé en deux sous-groupes : dans le premier, chaque étudiant recevait un profil (fictif) des valeurs de la conseillère qui était très semblable au sien ; dans le second, chaque étudiant était informé que les valeurs (fictives) de la conseillère étaient peu semblables aux siennes. Il s'est avéré que les étudiants du premier sous-groupe ont évalué la conseillère comme plus efficace que ceux du second. Le fait de prendre connaissance de ces résultats s'est avéré très révélateur pour les étudiants et a suscité une analyse et une discussion approfondies des biais imputables aux valeurs dans l'évaluation de l'efficacité de l'intervention.

Valeurs et aspects éthiques de l'intervention. Dans plusieurs programmes de formation en counseling et en orientation, un cours complet (de 30 à 45 heures) est souvent consacré à cette seule thématique. Lorsque la pratique professionnelle des psychologues ou des conseillers d'orientation est régie par un code de déontologie, comme c'est le cas au Québec par exemple, une large portion des apprentissages est dévolue à l'étude et à la maîtrise des contenus de ce code d'éthique. Cependant, nombreux sont les auteurs qui soutiennent que ces codes ne représentent que de façon minimale les situations auxquelles les professionnels sont confrontés. Il est évident par ailleurs qu'il est insuffisant d'assimiler et d'appliquer de façon mécanique les dispositions contenues dans ces codes. C'est pourquoi les conseillers en formation auraient tout avantage à comprendre les aspects éthiques de l'intervention en analysant les valeurs qu'ils renferment et en vérifiant jusqu'à quel point ces valeurs recoupent celles qu'ils détiennent eux-mêmes. Car, en définitive, l'éthique et la conscience morale personnelles sont souvent les fondements dont s'inspire la pratique professionnelle.

Les apprentissages réalisés au cours de cet ensemble d'activités sont évidemment susceptibles d'accroître chez les conseillers la conscience de leurs valeurs en même temps que la connaissance pratique et théorique du rôle des valeurs dans l'intervention. Une fois transposés et intégrés dans les stages de formation professionnelle, ils sont de nature à améliorer l'efficacité de la relation d'aide et, en dernière analyse, à permettre aux conseillers de décanter, dans l'influence qu'ils exercent inévitablement auprès de leurs clients, la part qui peut être imputable à leur propre système de valeurs.

BIBLIOGRAPHIE

ABELES, N. : Teaching ethical principles by means of value confrontations, *Psychotherapy : theory, research, and practice*, **17** : 384-391, 1980.
ALLPORT, G.W. : *Personality and social encounter*, Beacon Press, Boston, 1960.

ALLPORT, G.W., P.E. VERNON et G. LINDZEY : *A study of values,* Houghton Mifflin, Boston, 1951.

ASTIN, A.W. : *Four critical years,* Jossey-Bass, San Francisco, 1977.

AUBIN, S. : *Étude différentielle et évolutive des valeurs de travail dans le contexte d'une vérification de la théorie de Holland,* Mémoire de maîtrise inédit, Université de Montréal, 1982.

AUTHIER, J. : The psychoeducation model : definition, contemporary roots and content, *Conseiller Canadien,* **12** : 15-22, 1977.

BARRY, R. et B. WOLF : *Motives, values, and realties : a framework for counseling,* Bureau of Publications, Teachers College, Columbia University Press, New York, 1965.

BEECH, R.P. et A. SCHOEPPE : Development of value systems in adolescents. *Developmental psychology,* **10** : 644-656, 1974.

BEUTLER, L.E. : Value influences in psychotherapy : a symposium, *Counseling and values,* **23** : 41-64, 1978 (a).

BEUTLER, L.E. : Interpersonal persuasion in psychotherapy, in : L.E. Beutler et R. Greene (Éds), *Special problems in child and adolescent behavior,* CT : Technomic Publishing Co., Westport, 1978 (b).

BEUTLER, L.E. : Values, beliefs, religion and the persuasive influence of psychotherapy, *Psychotherapy : theory, research and practice,* **16** : 432-440, 1979.

BLOCK, J.H. : Conceptions of sex role : some cross-cultural and longitudinal perspectives, *American Psychologist,* **28** : 512-526, 1973.

BOHM, D. : On insight and its significance for science, education, and values, *Teachers College Record,* **80** : 403-418, 1979.

BRUNELLE, D. : *Valeurs et psychothérapie : analyse selon une perspective d'influence interpersonnelle et application à la formation en counseling,* Mémoire de maîtrise inédit, Université de Montréal, 1982.

BUHLER, C. : *Values in psychotherapy,* Free Press, New York, 1962.

BUJOLD, C. : Signification du travail et valeurs de travail : revue de la littérature canadienne de langue française, *L'orientation professionnelle,* **16** : 5-47, 1980.

CAMPBELL, D.P. : *Strong Vocational Interest Blank : manual for the Strong-Campbell interest inventory T325,* Stanford University Press, Stanford, 1977.

CANTARELLA, C. : *Valeurs de travail des étudiants de niveau collégial,* Thèse de doctorat inédite, Université de Montréal, 1981.

CHAUVIN, R. : *Des savants, pour quoi faire ?* Payot, Paris, 1981.

COLANGELO, N. et M. PARKER : Value diffferences among gifted adolescents. *Counseling and values,* **26** : 35-41, 1981.

COREY, G., COREY, M.S. et P. CALLANAN : *Professional and ethical issues in counseling and psychotherapy,* Brooks and Cole, Monterey, 1979.

DESCOMBES, J.-P. : Cinquante ans d'études et d'évaluation des valeurs professionnelles (1925-1975), *Revue de psychologie appliquée,* **30** : 1-101, 1980.

DUKES, W.F. : Psychological studies of values, *Psychological bulletin,* **52** : 24-50, 1955.

EHRLICH, D. et D.N. WIENER : The measurement of values in psychotherapeutic settings, *Journal of general psychology,* **64** : 359-372, 1961.

EMPLOI ET IMMIGRATION CANADA : *Codes Holland pour la C.C.D.P.,* Gouvernement du Canada, Ottawa, sans date.

ERIKSON, E.H. : Identity and the life cycle, *Psychological issues,* **1** : 1-171, 1959.

ERIKSON, E.H. : *Identity : youth and crisis,* Norton, New York, 1968.

FEATHER, N.T. : *Values in education and society,* Free Press, New York, 1975.

FEATHER, N.T. : Values in adolescence, in : J. Adelson (Éd.), *Handbook of adolescent psychology,* Wiley, New York, 1980.

FELDMAN, K.A. et T.M. NEWCOMB : *The impact of college on students,* Jossey-Bass, San Francisco, 1969.

FRAENKEL, J.R. : *How to teach about values : an analytic approach,* Prentice-Hall, Englewood Cliffs, N.J., 1977.

FRAENKEL, J.R. : *Helping students think and value : strategies for teaching the social studies,* Prentice-Hall, Englewood Cliffs, N.J., 1980 (a).

FRAENKEL, J.R. : Goals for teaching values and value analysis, *Journal of research and development in education,* **13** : 93-102, 1980 (b).

GELLAT, H.B., B. VARENHORST et R. CAREY : *Deciding : a study in values,* College Entrance Examination Board, New York, 1972.

GINZBERG, E., S.W. GINSBURG, S. AXELRAD et J.C. HERMA : *Occupational choice : an approach to a general theory,* Columbia University Press, New York, 1951.

GLAD, P.D. : *Operational values in psychotherapy,* Oxford University Press, New York, 1959.

GOLDSTEIN, A.P. : *Structured learning therapy : toward a psychotherapy for the poor*, Academic Press, New York, 1973.

GOTTFREDSON, L.S. : Vocational research priorities, *Counseling psychologist*, **10** : 69-84, 1982.

GREBEN, S.E. et S.R. LESSER : The question of neutrality in psychotherapy, *American journal of psychotherapy*, **30** : 623-630, 1976.

HAVIGHURST, R.J. : Research on the developmental task concept, *School review*, **64** : 214-223, 1956.

HEATH, R.L. : Variability in value system priorities as decision-making adaptation to situational differences, *Communication monographs*, **43** : 325-333, 1976.

HEPPNER, P.P. et D.N. DIXON : A review of the interpersonal influence process in counseling, *The personnel and guidance journal*, **59** : 542-550, 1981.

HERSH, R.H., J.P. MILLER et G.D. FIELDING : *Models of moral education : an appraisal*, Longman, New York, 1980.

HILL, W.F. : Learning theory and the acquisition of values, *Psychological review*, **67** : 317-331, 1960.

HLASNY, R.G. et M.W. McCARREY : Similarity of values and warmth effects on clients' trust and perceived therapist's effectiveness, *Psychological reports*, **46** : 1111-1118, 1980.

HOFFMAN, M.L. : Adolescence, in : J. Adelson (Éd.), *Handbook of adolescent psychology*, Wiley, New York, 1980.

HOFFMAN, M.L. : Affect and moral development, in : D. Cicchetti et P. Hesse (Éds), *Emotional development*, Jossey-Bass, San Francisco, 1982.

HOLLAND, J.L. : *Making vocational choices : a theory of careers*, Prentice-Hall, Englewood Cliffs, N.J., 1973.

HOLLINGSHEAD, A.B. et F.C. REDLICH : *Social class and mental illness*, Wiley, New York, 1958.

HUTEAU, M. : Les mécanismes psychologiques de l'évolution des attitudes et des préférences vis-à-vis des activités professionnelles, *L'orientation scolaire et professionnelle*, **11** : 107-125, 1982.

KATZ, B. et R.P. BEECH : Values and counselors 1969-1978 : Stability or change ? *Personnel and guidance journal*, **58** : 609-612, 1980.

KATZ, M. : *Decisions and values : a rationale for secondary school guidance*, College Entrance Examination Board, New York, 1963.

KELVIN, P. : Work as a source of identity : the implications of unemployment, *British journal of guidance and counselling*, **9** : 2-11, 1981.

KESSEL, P. et J.F. McBrearty : Values and psychotherapy : a review of the literature, *Perceptual and motor skills*, **25** : 669-690, 1967.

KIBLER, R.D. et W.H. VAN HOOSE : Ethics in counseling : bridging the gap from theory to practice, *Counseling and values*, **25** : 219-226, 1981.

KITWOOD, T. : *Disclosures to a stranger : adolescent values in an advanced industrial society*, Routledge and Kegan Paul, London, 1980.

KITWOOD, T.M. et A.G. SMITHERS : Measurement of human values : an appraisal of the work of Milton Rokeach, Educational research, **17** : 175-179, 1975.

KLUCKHOHN, C. : Values and value-orientations in the theory of action : an exploration in definition and classification, in : E. Parsons, E.A. Shils (Éds), *Toward a general theory of action*, Harper, New York, 1951.

KOHLBERG, L. : Moral stages and moralization : the cognitive-developmental approach, in : T. Lickona (Éd.), *Moral development and behavior*, Holt, Rinehart and Winston, New York, 1976.

KOHLBERG, L. et C. GILLIGAN : Twelve to sixteen : early adolescence, *Daedalus*, **100** : 1051-1086, 1971.

KRASNER, L. : The behavioral scientist and social responsibility : no place to hide, *Journal of social issues*, **21** : 9-30, 1965.

LAVELLE, L. : *Traité des valeurs* (**Tome 1**), Presses Universitaires de France, Paris, 1951.

LAVELLE, L. : *Traité des valeurs* (**Tome 2**), Presses Universitaires de France, Paris, 1955.

LECOMTE, C. et J. PERRON : Analyse multidimensionnelle de la responsabilité sociale de la psychologie, *Conseiller Canadien*, **14** : 186-190, 1980.

LÉGER, C. : *Valeurs de travail d'étudiants universitaires en fonction du genre et du champ d'étude*, Mémoire de maîtrise inédit, Université de Montréal, 1982.

LEWIS, K.N. et W.B. WALSH : Effects of value-communication style and similarity of values on counselor evaluation, *Journal of counseling psychology*, **27** : 305-314, 1980.

LOEVINGER, J. : The meaning and measurement of ego development, *American psychologist*, **21** : 195-206, 1966.

LONDON, P. : *The modes and morals of psychotherapy*, Holt, Rinehart and Winston, New York, 1964.

LONDON, P. : *Behavior control*, New American Library, New York, 1977.

LOSITO, W.F. : The argument for including moral philosophy in the education of counselors, *Counseling and values*, **25** : 40-46, 1980.

LOWE, C.M. : Value-orientations : an ethical dilemma, *American psychologist*, **14** : 687-693, 1959.

LOWE, C.M. : *Value orientations in counseling and psychotherapy (2ᵉ éd.)*, The Carroll Press, Cranston, 1976.

MAHONEY, M.J. : *Scientist as subject : the psychological imperative*, Ballinger, Cambridge, Mass., 1976.

MANASTER, G.J. : *Adolescent development and the life tasks*, Allyn and Bacon, Boston, 1977.

McGRATH, E.J. : Careers, values, and general education, *Liberal education*, **60** : 1-23, 1974.

MEYER, J.R. (Éd.) : *Reflections on values education*, Wilfrid Laurier University Press, Waterloo, Ont., 1976.

MORIN, E. : *Science avec conscience*, Fayard, Paris, 1982.

MORRILL, R.L. : *Teaching values in college*, Jossey-Bass, San Francisco, 1980.

MORRIS, C.W. : *Varieties of human value*, University of Chicago Press, Chicago, 1956.

MOSHER, R.L. et N.A. Sprinthall : Psychological education : a mean to Promote personal development during adolescence, *Counseling psychologist*, **2** : 3-74, 1971.

MYERS, R.A. : Education and training — the next decade, *Counseling psychologist*, **10** : 39-44, 1982.

PARLOFF, M.B., I.E. WASKOW et B.E. WOLFE : Research on therapist variables in relation to process and outcome, in : S. L. Garfield et A.E. Bergin (Éds), *Handbook of psychotherapy and behavior change : an empirical analysis (2ᵉ éd.)*. Wiley, New York, 1978.

PERRON, J. : Inventaire de Valeurs de Travail (traduction du *Work Values Inventory* de Super), Document inédit, Université de Montréal, 1964.

PERRON, J. : *Questionnaire de valeurs d'éducation*, Document inédit, Université de Montréal, 1974.

PERRON, J. : Inventaire de valeurs (traduction du *Value Survey* de M. Rokeach), Document inédit, Université de Montréal, 1976.

PERRON, J. : Valeurs de travail d'étudiants québécois : changements et différences aux niveaux secondaire et collégial, *Critère*, **29** : 21-40, 1980.

PERRON, J. : *Valeurs et choix en éducation*, Edisem, St-Hyacinthe, 1981 (a).

PERRON, J. : Éducation et valeurs : analyse des qualités métrologiques d'un instrument de mesure québécois utilisé auprès de sujets français, *Bulletin de psychologie*, **35** : 193-200, 1981 (b).

PERRON, J. et R. BOULARD : École publique et privée : analyse des valeurs et attitudes des élèves, des enseignants et des parents, *Conférence au Congrès mondial des sciences de l'éducation*, Trois-Rivières, 1981.

PERRON, J. et R.M. DUPONT : *Questionnaire de valeurs de travail*, Document inédit, Université de Montréal, 1974.

PETERSON, J.A. : *Counseling and values (2ᵉ éd.)*, The Carroll Press, Cranston, 1976.

PIAGET, J. : *Le jugement moral chez l'enfant*, Presses Universitaires de France, Paris, 1957.

RATHS, L.E., M. HARMIN et S.B. SIMON : *Values and teaching (2ᵉ éd.)*, Charles E. Merrill, Columbus, 1978.

REDLICH, F.C. : Psychoanalysis and the problem of values, in : J.H. Masserman (Éd.), *Psychoanalysis and human values*, Grune and Stratton, New York, 1960.

ROGERS, C.R. : The place of the person in the new world of the behavioral sciences, *Personnel and guidance journal*, **39** : 442-451, 1961.

ROGERS, C.R. : Toward a modern approach to values : the valuing process in the mature person, *Journal of abnormal and social psychology*, **68** : 160-167, 1964.

ROGERS, C.R. et B.R. SKINNER : Some issues concerning the control of human behavior : a symposium, *Science*, **124** : 1057-1066, 1956.

ROKEACH, M. : *The nature of human values*, Free Press, New York, 1973.

ROSENBERG, M. : *Occupations and values*, Free Press, Glencoe, 1957.

ROSENTHAL, D. : Changes in some moral values following psychotherapy, *Journal of consulting psychology*, **19** : 431-436, 1955.

RUYER, R. : *Philosophie de la valeur*, Librairie Armand Colin, Paris, 1952.

SCHAFER, R. : Ideals, the ego ideal, and the ideal self, *Psychological issues*, **5** : 131-174, 1965.

SCHLOSSBERG, N.K. et J.M. BIRK : *Freeing sex roles for new careers*, American Council on Education, Washington, 1977.

SCHLOSSBERG, N.K. et J.J. PIETROFESA : Perspectives on counseling bias : Implications for counselor education, *The counseling psychologist*, **4** : 44-54, 1973.

SENOUR, M.N. : How counselors influence clients, *Personnel and guidance journal*, **60** : 345-349, 1982.

SICURO, F., C. LECOMTE et B. BERNSTEIN : Les attentes et le sexisme en counseling, *Conseiller canadien*, **16** : 74-81, 1982.

SMITH, J.E. : Science and conscience, *American scientist*, **68** : 554-558, 1980.

SMITH, M.B. : Personal values in the study of lives, in : R.W. White (Éd.), *The study of lives*, Atherton, New York, 1963.

SMITH, M.B. : *Social psychology and human values*, Aldine, Chicago, 1969.

SMITH, M.B. : Psychology and values, *Journal of social issues*, **34** : 181-199, 1978.

ST-ONGE, L. : *Représentations axiologiques du travail et biculturalisme québécois : profils d'étudiants du niveau collégial*, Thèse de doctorat inédite, Université de Montréal, 1979.

STRONG, S.R. : Counseling : an interpersonal influence process, *Journal of counseling psychology*, **15** : 215-224, 1968.

SUPER, D.E. : *The psychology of careers*, Harper, New York, 1957.

SUPER, D.E. : *Work Values Inventory*, Houghton Mifflin, Boston, 1970.

SUPER, D.E. : The Work Values Inventory, in : D.G. Zytowski (Éd.), *Contemporary approaches to interest measurement*, University of Minnesota Press, Minneapolis, 1973.

TISDALE, J.R. : *Psychological value, theory and research : 1930-1960*, Thèse de doctorat inédite, Boston University, 1961.

VAN HESTEREN, F. : Developmental counselling and psychological education : an integrated conceptual framework, *Conseiller canadien*, **12** : 229-234, 1978.

VAN HOOSE, W.H. et J.A. KOTTLER : *Ethical and legal issues in counseling and psychotherapy*, Jossey-Bass, San Francisco, 1977.

VAN HOOSE, W.H. et L. PARADISE : *Ethics in counseling and psychotherapy*, Carroll Press, Cranston, 1979.

WEISSKOPF-JOELSON, E. : Values : the enfant terrible of psychotherapy, *Psychotherapy : theory, research and practice*, **17** : 459-466, 1980.

YANKELOVITCH, D. : *The changing values on campus*, Washington Square Press, New York, 1973.

ZYTOWSKI, D.G. : The concept of work values, *Vocational guidance quarterly*, **18** : 176-186, 1970.

Chapitre 4

L'éducation à la carrière : sa place dans l'école

Pierrette Dupont

Pour bien comprendre les différentes possibilités d'application du concept d'éducation à la carrière dans les écoles élémentaires et secondaires et pour juger de la pertinence de l'opérationnalisation de ce concept comme approche éducative en orientation, il convient dans un premier temps de clarifier ce concept en le situant dans le contexte américain dans lequel il s'est développé.

Si le mouvement d'éducation à la carrière prend essor aux États-Unis au début des années 70 et constitue une politique d'éducation adoptée par le United States Office of Education (**U.S.O.E.**) en 1974, c'est parce qu'on veut répondre aux critiques et aux reproches faits à l'endroit du système d'éducation.

Des auteurs comme Hoyt et coll. (1977), Marland (1972), Bailey et Stadt (1973) ont rappelé les principales critiques à l'endroit de l'éducation américaine, lesquelles, dans l'ensemble, sont semblables à celles que l'on formule fréquemment à l'endroit du système d'éducation du Québec. Un trop grand nombre de personnes sortaient du système d'éducation avec des déficiences dans la formation de base requise pour s'adapter à une société en changement rapide. Un trop grand nombre d'élèves ne voyaient pas de relation entre ce qu'on leur demandait d'apprendre à l'école et ce qu'ils feraient à leur sortie du système scolaire. D'après le United States Department of Health, Education and Welfare (1973), les jeunes se plaignaient que les matières enseignées à l'école étaient ennuyeuses et non adaptées. L'éducation américaine était davantage organisée pour rencontrer les besoins de la minorité, ceux qui continuaient des études avancées, et elle ne s'occupait pas adéquatement d'une forte proportion de sa clientèle. Elle était dépassée par la rapidité des changements dans la société professionnelle de telle sorte qu'en comparant les qualifications des travailleurs avec les exigences des emplois, on trouvait qu'un grand nombre de travailleurs étaient soit sous-spécialisés, soit surspécialisés. On reprochait aussi au système d'éducation d'accorder une attention insuffisante aux possibilités d'apprentissage existantes en dehors de la structure formelle d'éducation, et on trouvait que les parents et le milieu des affaires, de l'industrie et des organisations du travail ne jouaient pas un rôle adéquat dans la formulation des politiques d'éducation.

Selon Bailey et Stadt (1973, p. 57), l'école n'assumait pas sa responsabilité d'assister les individus dans la planification de la carrière, la prise de décision et la préparation pour entrer dans le monde du travail. Comme on le rappelait dans *A Design for Career Education*

(Montgomery County Public Schools, 1974), de nombreux élèves n'étaient pas conscients des diverses possibilités professionnelles qui leur étaient offertes, n'étaient pas conscients que leur choix professionnel pouvait influencer de façon significative les autres aspects de leur vie, et n'étaient pas sensibilisés à la dignité, aux valeurs et aux satisfactions liées au travail. En résumé, dans l'éducation, on ne reconnaissait pas d'une façon suffisante la place du travail dans le style de vie et les valeurs des individus. C'est pour remédier au manque de lien entre l'éducation et le travail qu'est né et s'est développé le mouvement d'éducation à la carrière.

DÉFINITION DE L'ÉDUCATION À LA CARRIÈRE

Il semble opportun d'accorder une attention particulière au concept d'éducation à la carrière tel qu'il est décrit dans les nombreuses publications de K.B. Hoyt, président de l'Office of Career Education des États-Unis depuis 1974, date de l'adoption de la première politique d'éducation à la carrière. On doit aussi considérer l'évolution de la définition du concept d'éducation à la carrière. En 1972, dans *Career education : what it is and how to do it,* l'éducation à la carrière était définie comme :

> L'effort total du système d'éducation et de la communauté dans le but d'aider tous les individus à devenir familiers avec les valeurs d'une société orientée vers le travail, à intégrer ces valeurs dans leur système de valeurs personnelles, et à implanter ces valeurs dans leur vie de telle façon que le travail devienne possible, significatif et satisfaisant pour chaque individu (p. 1).

Dans une publication de 1975 intitulée : *An introduction to career education : a policy paper of the U.S. Office of Education,* on définissait l'éducation à la carrière comme « la totalité des expériences à travers lesquelles on apprend et on se prépare à s'engager dans le travail qu'on considère comme une partie de sa façon de vivre » (p. 4).

Dans une autre monographie de Hoyt, *A primer for career education,* publiée en 1977, l'éducation à la carrière était présentée comme « un effort pour concentrer l'éducation américaine et les actions de la communauté en général afin d'aider les individus à acquérir et utiliser les connaissances, les habiletés et les attitudes nécessaires pour que chacun puisse faire un travail significatif, productif et satisfaisant dans sa vie » (p. 5).

En 1978, dans une monographie du United State Office of Education (**U.S.O.E.**) : *Refining the concept of collaboration in career education,* l'éducation à la carrière a été définie d'une façon plus opérationnelle en identifiant 10 habiletés, connaissances ou attitudes devant être acquises pour faciliter l'adaptation de tous les individus à la société professionnelle, et en fournissant des exemples de genres d'activités d'apprentissage. Les 10 éléments de connaissances, d'habiletés ou d'attitudes sont les suivants :

1. une solide formation de base en lecture, en communication orale et écrite et en mathématiques ;

2. de bonnes habitudes de travail ;

3. un ensemble de valeurs de travail personnellement significatives qui motivent l'individu à vouloir travailler ;

4. des connaissances de base du système économique et de l'organisation du travail afin d'y fonctionner efficacement ;

5. des habiletés de prise de décision dans la carrière ;

6. une connaissance de soi et une connaissance des possibilités du monde scolaire et du monde du travail ;

7. des habiletés pour chercher, trouver, obtenir et conserver un emploi ;

8. des habiletés pour utiliser d'une façon productive les temps de loisirs considérés comme travail non rémunéré, y compris le volontariat et le travail à la maison ;

9. des attitudes pour combattre les stéréotypes qui enlèvent la liberté des choix scolaires et professionnels ;

10. des attitudes pour rendre son travail plus humain.

Les activités d'apprentissage proposées pour atteindre ces buts sont majoritairement de nature expérientielle. Les exemples d'activités d'apprentissage fournis dans la définition sont les suivants :

— étude des implications dans la carrière des matières scolaires enseignées ;

— observation de travailleurs ;

—utilisation dans les classes de personnes ressources venant du milieu de la communauté ;

— expérience de travail dont le but premier est l'exploration en vue de la carrière ;

— activités de simulation aidant à connaître un secteur donné du travail ;

— étude du matériel écrit concernant le travail et les milieux de travail ;

— utilisation des médias pour connaître la société professionnelle ;

— visites dans des milieux d'affaires, dans des industries et dans des syndicats de travailleurs ;

— travaux individuels ou en groupe dans le but d'aider les personnes à développer des attitudes positives à l'endroit du travail ;

— organisation et opération d'un mini-commerce ou d'une mini-industrie ;

— travail volontaire dans le milieu ;

— jeux de rôles.

Bien que la définition d'éducation à la carrière ait été révisée au cours des années, on y trouve des points communs : l'éducation à la carrière était caractérisée par les relations éducation/travail, elle devait être applicable à toutes les personnes de tous les âges et dans tous les milieux d'éducation, et elle était considérée comme un effort qui demande la participation conjointe du système d'éducation et de la communauté en général.

Au début des années 70, on accordait une importance primordiale aux valeurs d'une société orientée vers le travail en adoptant la croyance que chaque personne avait une obligation sociale de travailler. Sans toutefois renier cette valeur, le travail n'est plus d'abord considéré comme une obligation sociale mais plutôt comme un besoin fondamental de l'être humain de se sentir quelqu'un parce qu'il fait quelque chose et de savoir que les autres ont besoin de lui en partie pour ce qu'il fait. Cette exigence humaine peut être satisfaite dans un travail rémunéré mais aussi dans des activités de loisirs, dans le volontariat ou dans des tâches réalisées à la maison.

Dans la politique du gouvernement américain, cette vision humaniste du travail continue à être la base du concept d'éducation à la carrière malgré de nombreuses pressions pour substituer le mot « vie » au mot « travail », le mot « vie » étant trop englobant. On ne veut pas perdre de vue l'importance accordée à la préparation au travail comme un des buts de l'éducation et en même temps on ne veut pas perdre le support des milieux des affaires, de l'industrie, des organisations de travail. On doit admettre que l'éducation à la carrière n'est pas tout en éducation, que le travail, aussi important qu'il soit, n'est pas tout dans la vie et que le but de l'éducation au travail, aussi important qu'il soit, n'est pas le seul but fondamental de l'éducation. On doit aussi accepter qu'à côté des autres buts primordiaux de l'éducation, dont ceux d'instruire et de préparer à la vie de famille, de citoyen, etc., se trouve le but de préparer au travail.

ÉDUCATION À LA CARRIÈRE, ORIENTATION DE LA CARRIÈRE, DÉVELOPPEMENT DE LA CARRIÈRE

Pour approfondir le concept d'éducation à la carrière, il est important, comme l'a fait Hoyt (*A primer for career education*, 1977), de distinguer les expressions éducation à la carrière, orientation de la carrière, développement de la carrière, qui dérivent d'un modèle de carrière plutôt que d'un modèle de professions.

Le développement de la carrière réfère au processus développemental qui s'étend sur presque toute la vie d'un individu, par lequel la personne développe la capacité pour travailler et pour s'engager dans le travail qui est considéré comme une partie de son style de vie. Le développement de la carrière est ainsi vu comme une partie du développement humain total. Comme processus, il se traduit en stades développementaux dans la carrière, généralement appelés prise de conscience, exploration, prise de décision, planification et préparation, établissement, maintien et déclin. La conceptualisation et l'implantation de l'éducation à la carrière, comme celle de l'orientation de la carrière, se fondent sur les processus du développement de la carrière.

L'orientation de la carrière est plutôt considérée comme un ensemble de services conçus et organisés dans le but d'assister les personnes dans leur processus de développement de la carrière. Ces services veulent amener l'individu à un concept de soi plus positif, lui faire connaître les possibilités scolaires et professionnelles existantes, l'assister dans le processus d'une prise de décision ou l'aider à réaliser des décisions prises. Évidemment, par l'éducation à la carrière, on veut s'assurer que les individus reçoivent ces mêmes services et en ce sens, orientation de la carrière et éducation à la carrière sont semblables. Cependant, deux différences opérationnelles importantes existent entre ces expressions. L'orientation de la carrière a d'abord été pensée comme le rôle du conseiller d'orientation, mais les partisans de l'éducation à la carrière maintiennent que la fonction orientation de la carrière, en plus des efforts des conseillers d'orientation, requiert la participation des enseignants, de la famille et des milieux des affaires, du travail, de l'industrie, du gouvernement. Si le conseiller d'orientation accepte cette vision de travail d'équipe, son rôle d'orientation de la carrière est aussi un rôle d'éducation à la carrière. Il demeure cependant une différence entre ces expressions puisque l'éducation à la carrière met l'accent sur le processus d'enseignement et d'apprentissage en plus du processus de développement de la carrière comme fondement de sa conceptualisation, tandis que l'orientation de la carrière se base plutôt sur le développement de la carrière. À ce point de vue, les deux expressions ne sont pas synonymes et le concept d'éducation à la carrière est plus large que celui d'orientation de la carrière.

Sans développer les différentes théories du développement de la carrière, on peut mentionner la publication de Herr (1972), *Unifying an entire system of education around a career development theme*, qui a repris des théories du développement de la carrière pour en faire les thèmes unifiant et intégrateur de la conceptualisation et de l'opérationnalisation de l'éducation à la carrière. On peut signaler aussi une série intéressante de monographies, *Career Education and the Curriculum* (1975), traitant de l'éducation à la carrière au regard de chaque matière et dans lesquelles les concepts du développement de la carrière sont reliés aux contenus des matières scolaires pour fournir le contenu de programmes d'éducation à la carrière.

Il semble opportun d'expliciter brièvement le rôle de l'éducation à la carrière par rapport au processus d'enseignement et d'apprentissage. On a déjà signalé qu'une des critiques à l'endroit du système était que les jeunes quittaient l'école sans une formation de base assez solide pour rencontrer les exigences de la société professionnelle changeante. Vers 1977, ce fut un cri d'alarme à travers la nation pour un retour à la formation de base. L'éducation à la carrière fut alors considérée comme un véhicule pour améliorer cette formation académique de base. C'est ainsi qu'on a ajouté des éléments au concept d'éducation à la carrière qui sont directement reliés au processus d'enseignement et d'apprentissage.

L'éducation à la carrière, affirme Hoyt (1977), cherche à apporter des changements dans l'enseignement et l'apprentissage en voulant contribuer à augmenter le rendement scolaire des élèves dans la classe. Ainsi, un moyen efficace de motiver l'élève à vouloir apprendre et les enseignants à vouloir enseigner efficacement est de faire ressortir l'utilité de cette matière dans le travail. L'éducation à la carrière veut apporter une plus grande variété dans le processus d'apprentissage et ainsi accroître la motivation à apprendre par une implication plus active du milieu. Il faut reconnaître que les élèves peuvent apprendre par d'autres moyens que la lecture, ailleurs que dans la classe et auprès d'autres personnes que les enseignants. L'éducation à la carrière veut développer chez l'élève de bonnes habitudes de travail, comme arriver à temps à l'école, faire son travail le mieux possible, finir un travail qui lui est assigné, collaborer avec les autres élèves, etc., qui seront utiles dans son apprentissage actuel et plus tard comme travailleur.

L'ÉDUCATION À LA CARRIÈRE DANS L'ÉCOLE

Il est temps de considérer la place qu'on accorde à l'éducation à la carrière dans les pratiques éducatives de l'école et la possibilité de l'opérationnalisation de ce concept, principalement en orientation.

Ces questions ont fait l'objet de nombreuses études ces dernières années. Super, Busshoff, Pellerano et Watts ont réalisé une étude pour l'UNESCO intitulée : *La fonction d'orientation des contenus de l'éducation* (1979) qui rejoint en grande partie la conception d'éducation à la carrière telle que nous l'avons décrite. Sous le titre « Des programmes éducatifs pour le développement personnel et professionnel », ils fournissent plusieurs arguments justifiant une pratique d'éducation à la carrière par une plus grande intégration de l'orientation au programme scolaire.

> Il est évident que plus le contenu de l'enseignement sera défini en relation avec la vie, plus il contribuera à développer la maturité (...). Il faut aussi développer la connaissance de soi, et toutes les disciplines peuvent servir à révéler la personne à elle-même dès lors que l'élève peut découvrir ses potentialités et ses aptitudes à travers le vécu des activités proposées (p. 292).

Cette étude de l'UNESCO rapporte aussi que la France et l'Allemagne se préoccupent de plus en plus de cette question de la relation de l'école avec la vie et la communauté.

Dans *Innovative approaches to career guidance* (1981), Freeman rapporte qu'en Australie, le concept d'éducation à la carrière tel que décrit précédemment a fait l'objet d'une étude approfondie par l'Australian Education Council et a amené des recommandations générales l'éducation à la carrière doit être considérée comme un nouveau modèle à développer pour répondre aux besoins de l'éducation, et les éléments du concept de carrière doivent être intégrés dans toutes les matières scolaires.

Au Canada, des volumes entiers de la revue *The School Guidance Worker* ont traité de l'éducation à la carrière : « Career Education : What, Why & How », vol. 34 (1978) et « Career Education », vol. 35 (1979).

Un récent document du ministère de l'Éducation du Québec, soumis à la consultation populaire et traitant de la réforme de l'éducation dans la formation professionnelle des jeunes, insiste sur l'importance, tant à l'élémentaire qu'au secondaire, de préparer les jeunes à la vie active. On décrit cette dimension de la formation comme :

> l'acquisition de connaissances utiles à tout citoyen et facilitant l'intégration sociale et professionnelle. Cette préparation porte, en particulier, sur la connaissance des lois et règlements du monde du travail (...), sur l'initiation aux réalités industrielles et économiques, sur les caractéristiques de la main-d'œuvre, etc. (ministère de l'Éducation, Québec, 1982, p. 32.)

L'Office of Career Education américain considère qu'on ne peut pas parler d'éducation à la carrière s'il n'y a pas de collaboration entre tous les éducateurs de l'école et du milieu et s'il n'y a pas une intégration à tous les programmes de formation tant générale que professionnelle, de la maternelle à la fin du secondaire. Puisque ce concept se fonde sur le processus de développement de la carrière qui est continu et développemental, l'intégration à l'école doit commencer à l'élémentaire. De bonnes habitudes de travail, de même que des attitudes positives envers le travail, peuvent être enseignées efficacement à la plupart des individus, et par ailleurs, l'assimilation de telles connaissances est plus efficace si on commence dès l'enfance. La relation entre l'éducation et le travail peut être faite d'une façon significative à travers les matières scolaires.

Selon Hoyt (1977), le rationnel de base soutenant cette nécessité de l'intégration aux programmes scolaires des concepts favorisant l'éducation à la carrière est le suivant : « les élèves peuvent acquérir les habiletés, les connaissances et les attitudes que l'éducation à la carrière cherche à développer pendant que, simultanément, ils sont motivés à apprendre et à augmenter la somme de matière actuellement apprise » (p. 13). On peut illustrer cette affirmation par plusieurs exemples : des élèves peuvent devenir conscients de la nature du monde du travail et en même temps apprendre l'importance de la formation académique de base pour obtenir du succès dans la société professionnelle ; les élèves peuvent explorer leurs intérêts dans des carrières possibles et en même temps apprendre pourquoi les matières étudiées à l'école sont essentielles dans ces carrières ; les élèves peuvent augmenter leur efficacité à lire en lisant sur les carrières pour lesquelles ils ont exprimé de l'intérêt et en même temps apprendre plus sur les carrières ; des habiletés de prise de décision peuvent être acquises si l'enseignant utilise des méthodes où les élèves sont amenés à prendre des décisions.

Un très grand nombre d'expériences et de recherches en vue d'opérationnaliser le concept d'éducation à la carrière ont été réalisées aux États-Unis. On peut rappeler qu'entre 1975 et 1978, le gouvernement américain a subventionné 425 projets d'éducation à la carrière. Ces projets élaborent des programmes complets de la maternelle à la douzième année, ou étudient soit les fondements, soit diverses approches, soit des modes d'évaluation ou d'autres dimensions qu'implique le concept d'éducation à la carrière. Mentionnons à titre d'exemple le National Center for Research on Vocational Education de l'Ohio State University, qui a développé du matériel didactique pour toutes les matières scolaires visant à établir le lien entre les apprentissages scolaires et la carrière. Grâce à l'appui du National Institute of Education, Finn et ses collaborateurs ont aussi préparé et publié un important matériel pour les enseignants de toutes les matières, à tous les niveaux d'étude, de la maternelle à la fin du secondaire, qui s'intitule : *Career education activities for subject area teachers* (1978).

RÔLE DE L'ENSEIGNANT

La mise en évidence de l'importance du rôle de l'école et du programme scolaire pour une éducation à la carrière fait fortement ressentir celle du rôle de l'enseignant. Considérant que le développement vocationnel sur lequel se fonde l'éducation à la carrière est un des aspects du développement personnel total, Tennyson, dans *The Teacher's role in career development,* affirme que « l'éducation en vue du développement vocationnel ne peut être la tâche exclusive d'une personne parmi tout le personnel d'une école. Tous doivent partager les responsabilités, les conseillers comme les enseignants » (1971, p. 7). Il reconnaît l'importance du rôle de quelques personnes ayant des connaissances et des habiletés spéciales, mais selon lui, le professeur de classe est le plus important élément dans le développement de l'élève. Tennyson appuie ses arguments sur la définition de l'orientation et du développement vocationnel de Super. Ce dernier a défini l'orientation comme « un processus qui aide un individu à développer et à accepter une image intégrée et adéquate de lui-même et de son rôle dans le monde du travail, à tester ce concept dans la réalité, et à le traduire dans la réalité avec satisfaction pour lui et bénéfice pour la société » (Tennyson, 1971, p. 10). « Si on considère soigneusement cette définition, dit Tennyson, il devient évident que les enseignants contribuent de diverses façons au processus de développement vocationnel » (p. 12). Selon lui, les valeurs développementales sont mieux réalisées quand l'enseignant donne aux élèves la possibilité de tester et d'explorer le monde du travail et de s'explorer eux-mêmes en relation avec ce monde.

L'opérationnalisation du concept d'éducation à la carrière amène à spécifier le rôle que l'enseignant est appelé à jouer. Dans *A Primer for career education* (1977, p. 27 à 28), on assigne certains objectifs à l'enseignant. On demande à celui-ci de travailler à améliorer le rendement scolaire des élèves en leur faisant comprendre l'importance et l'utilité de la ou des matières enseignées dans le travail, dans la carrière, et de développer chez les élèves de bonnes habitudes de travail nécessaires à l'acquisition d'une formation de base solide et à la réussite dans la carrière future. On lui demande aussi de combiner une approche expérientielle et cognitive dans son enseignement et d'aider les élèves à acquérir des habiletés de prise de décision en utilisant des méthodes axées sur des projets ou des activités qui les amènent à apprendre à pouvoir prendre des décisions. Il doit tenter de faire disparaître les stéréotypes qui enlèvent toute liberté dans les choix professionnels. Il doit aussi aider les élèves à découvrir de quelles façons les matières apprises peuvent être valables dans l'utilisation efficace de leur temps de loisir et les aider à développer un ensemble de valeurs de travail en observant, en étudiant et en discutant des valeurs de travail de personnes de diverses professions. D'autres objectifs importants sont aider les élèves à devenir conscients et à connaître la nature d'une variété de professions de même que les exigences scolaires requises pour y réussir, amener les élèves à une meilleure connaissance du système économique et de l'organisation du travail, aider les élèves à réfléchir et à considérer l'importance des choix professionnels.

RÔLE DE CONSEILLER D'ORIENTATION

On ne peut pas parler des implications du concept d'éducation à la carrière dans l'école sans s'interroger sur la place de l'orientation et du conseiller d'orientation. À ce propos, Super, Busshoff, Pellerano et Watts (1979) affirment :

> On peut penser que l'orientation est une fonction omniprésente dans le curriculum, qu'elle est une des différentes fonctions du curriculum dans son ensemble, ou qu'elle est une fonction de certains contenus particuliers. En fait, ces trois points de vue ne sont pas exclusifs : l'orientation peut être à la fois diffuse dans tout le curriculum, en être une fonction particulière et être servie spécifiquement par certains contenus (p. 250 à 291).

Selon Kenneth B. Hoyt, président de l'Office of Career Education des États-Unis (1977, p. 2), le personnel d'orientation a la possibilité de jouer des rôles clés dans l'implantation de l'éducation à la carrière. Dans *The School counselor's involvement in career education* (1980), il présente les similarités de l'évolution historique et des fondements des mouvements d'orientation et d'éducation à la carrière, et affirme que « l'éducation à la carrière offre maintenant au mouvement d'orientation une opportunité de promouvoir les concepts de base sur lesquels il s'est fondé ». Il ajoute en plus que « l'éducation à la carrière a absolument besoin des conseillers professionnels de l'orientation comme membres de l'équipe d'éducation à la carrière » (p. 11).

En été 1980, cette question des relations entre l'éducation à la carrière et l'orientation a fait l'objet d'une table ronde à l'Annual Summer Institute for Guidance Leadership de l'Université de Pennsylvanie, dont les résultats ont été édités par Herr et ses collaborateurs (*Career Education and Career Guidance, Perspectives on Relationships and Implementation,* 1980). Dans le document *An Introduction to career education* (p. 9), l'United States Office of Education des États-Unis a décrit le rôle majeur du personnel d'orientation et de counseling dans l'éducation à la carrière. En 1974, dans un texte intitulé *Career guidance : role and functions of counseling and personnel practitioners in career education*, l'American Personnel and Guidance Association (**A.P.G.A.**) définissait dans le même sens que l'Office of Education les fonctions du conseiller dans l'éducation à la carrière en les regroupant en deux catégories : des fonctions de leadership et des fonctions de participation (Hoyt et coll., *Career Education in the High School,* 1977).

Lors d'un séminaire organisé par l'United States Offices of Education en 1975, un groupe de conseillers d'orientation expérimentés et impliqués dans l'implantation de l'éducation à la carrière dans leur école, ont relevé de nombreuses fonctions possibles pour le conseiller dans l'application du concept d'éducation à la carrière. Voici une énumération de ces fonctions, dans laquelle ne figure pas le counseling puisqu'il n'est pas considéré comme une nouvelle fonction d'orientation : a) des fonctions d'enseignement de la prise de conscience de soi, de la prise de décision, de la clarification de valeurs et des moyens pour chercher, obtenir et conserver son emploi ; b) des fonctions de travail avec les enseignants, qui consistent à les aider dans leur tâche d'établir la relation entre les matières scolaires et les carrières, à leur fournir des listes d'activités qu'ils peuvent essayer en classe, à leur faciliter les contacts avec des personnes ressources provenant du milieu, à leur procurer du matériel tel que films, diapositives, bandes, etc., et à donner une formation à ceux qui sont intéressés à s'initier aux méthodes de la prise de décision, de la clarification de valeurs et aux processus de groupe ; c) des fonctions de leadership comme coordonner et faire l'implantation de l'éducation à la carrière, assister les administrateurs dans l'acquisition de connaissances concernant les concepts d'éducation à la carrière, expliquer ces concepts aux parents et à la communauté ; d) des fonctions dans le développement de programmes scolaires ; e) des fonctions d'évaluation f) d'autres fonctions auprès des élèves ou enseignants comme planifier et réaliser un programme d'exploration dans le milieu, assister les élèves dans la planification de leurs études, coordonner et organiser des visites dans le milieu, organiser des centres de documentation pour les élèves et les enseignants (Hoyt et coll., *Career Education in the High School,* 1977).

Il apparaît clairement que l'implantation du concept d'éducation à la carrière ne diminue pas l'importance des professionnels de l'orientation dans l'école mais qu'au contraire, elle valorise davantage leurs services en créant des besoins nouveaux chez les élèves, les enseignants, les administrateurs, les parents, et dans le milieu.

Bien qu'au Québec, on introduit dans les écoles secondaires différents programmes dont les objectifs peuvent viser certaines finalités de l'éducation à la carrière et qui concernent l'initiation à la vie économique, l'éducation au choix de carrière, les formations personnelle et sociale, une plus grande implication des enseignants et une insertion des éléments de l'éducation à la carrière dans les différentes matières et activités scolaires contribueraient à améliorer la pratique actuelle de l'information et de l'orientation scolaires et professionnelles. Dans cette perspective, les spécialistes de l'information et de l'orientation devraient assurer le leadership dans l'application d'une approche d'éducation à la carrière dans les écoles élémentaires et secondaires.

C'est principalement à partir de cette conception d'éducation à la carrière qu'on a entrepris, à la Faculté d'éducation de l'Université de Sherbrooke, une recherche afin d'expérimenter certains éléments de cette approche en orientation. Le projet s'intitule : *Développement et évaluation d'une méthode d'exploration professionnelle intégrée aux matières scolaires du secondaire.*

Cette méthode a pour but de favoriser chez des élèves de secondaire III une meilleure exploration de soi par une exploration des professions accessibles à la sortie du système scolaire ; cette exploration en groupe se réalise à l'intérieur des classes de français et de mathématiques, des ateliers de dessin et d'électrotechnique par les enseignants de ces matières, et aussi dans quelques cours-synthèses d'information scolaire et professionnelle déjà à l'horaire, donnés par un professionnel de l'information. Un certain nombre d'élèves bénéficie d'interventions additionnelles de counseling en petits groupes axées sur la connaissance de soi.

Le but premier de cette recherche est d'évaluer l'efficacité de cette méthode d'exploration professionnelle au point de vue du réalisme des élèves dans la connaissance de leurs aptitudes et de leurs intérêts, des connaissances acquises concernant le monde du travail et de la motivation scolaire. On veut aussi vérifier dans quelle mesure les comportements adoptés ou les performances réalisées pendant l'exploration structurée des activités en atelier de dessin permettent de mesurer par une observation systématique du processus et une évaluation du produit fini, les aptitudes de perception spatiale, de perception des formes, de dextérité digitale et de coordination visuo-motrice des élèves. Si de telles activités de dessin permettaient l'évaluation des aptitudes des élèves, elles constitueraient non seulement une méthode d'exploration de soi, mais aussi un instrument d'évaluation des plus utiles pour les élèves eux-mêmes et pour le conseiller d'orientation. Ce projet se situe dans une étude globale qui vise à développer un modèle d'éducation à la carrière adapté au système scolaire québécois.

RÉFÉRENCES

BAILEY, L.J. et R. STADT : *Career education, new approaches to human development*, McKnight, Bloomington, 1973.
FIN, PETER et coll. : *Career education activities for subject area teachers*, Abt Publications, Cambridge, 1978.
FREEMAN, ANDREW R. : Innovative approaches to career guidance, *Communiqué présenté à la National Conference of Guidance and Counselling for the Eighties*, Kuring-gai Coll. of Advanced Education, Lindfield, Australia, 1981.
GUIDANCE CENTRE : Career education : what, why, and how, *The school guidance worker,* **vol. 34,** (n° 2), Faculty of Education, University of Toronto, nov./déc. 1978.
GUIDANCE CENTRE : Career education, *The school guidance worker,* **vol. 35,** (n° 1), University of Toronto, Faculty of Education, sept./oct. 1979.
HERR, EDWIN L. : Unifying and entire system of education around a career development theme, in : Keith Goldhammer et Robert E. Taylor, *Career Education, perspective and promise*, Charles E. Merrill, Ohio, Columbus, 1972.
HERR, E.L. et coll. (éd.) : Career education and career guidance, Perspectives on relationships and implementation, *Travaux de l'Annual Summer Institute for Guidance Leadership*, University Park, Pennsylvania, Pennsylvania State Dept. of Education, Harrisburg, 1980.
HOYT, KENNETH B. et coll. : *Career education, what it is and how to do it*, Olympus Publishing Company, Salt Lake City, Utah, 1972.
HOYT, K.B. : *An introduction to career education : A policy paper of the U.S. Office of Education*, U.S. Office of Education, Washington, D.C., 1974.
HOYT, K.B. : *The school counselor and career education*, U.S. Office of Education, Washington, D.C., 1976.
HOYT, K.B., R.N. EVANS, G. MANGUM et D. GALE : *Career education in the high school*, Olympus Publishing Company, Salt Lake City, Utah, 1977.
HOYT, K.B. : *A primer for career education*, U.S. Office of Education, Washington, D.C., 1977.
HOYT, K.B. : *Refining the career education concept : part III*, U.S. Office of Education, Washington, D.C., 1978.
HOYT, K.B. : *Refining the concept of collaboration in career education*, U.S. Office of Education, Washington, D.C., 1978.
HOYT, K.B. : Contrasts between the guidance and the career education movements, in : Francis E. Burtnett (Éd.), *The school counselor's involvement in career education*, American Personnel and Guidance Association, Washington, D.C., 1980.
MARLAND, S.P. : Career education now, in : Keith Goldhammer et Robert E. Taylor, *Career education, perspective and promise*, Charles E. Merrill, Ohio, Columbus, 1972.
MARLAND, SIDNEY P. : *Career education : a handbook for implementation*, U.S. Department of Health, Education and Welfare, Washington, D.C., 1972.
MINISTÈRE DE L'ÉDUCATION : *La formation professionnelle des jeunes*, Québec, 1982.
MONTGOMERY COUNTY PUBLIC SCHOOLS : *A design for career education*, Rockville, 1974.
PETERSON, JOHN C. et MARLA P. PETERSON : Career education and mathematics, NORMAN W. SIEVERT, Career education and industrial education, PATRICIA RUTAN et JEANNE WILSON, Career education and english, in **series IX :** *Career education and the curriculum*, Houghton Mifflin Company, Boston, 1975.
SUPER, D.E., L. BUSSHOFF, J. PELLERANO et A.G. WATTS : *La fonction d'orientation des contenus de l'éducation*, UNESCO, 1979.
TENNYSON, W., WESLEY et coll. : *The teacher's role in career development*, American Personnel and Guidance Association, Washington, 1971.
U.S. DEPARTMENT OF HEALTH, EDUCATION AND WELFARE : Career education, in : *Career education : purpose, function and goals*, Washington, D.C., 1973.

Chapitre 5

L'éducation à la carrière : horizons nouveaux en éducation

Raymonde Bujold et Geneviève Fournier

Traditionnellement, le rôle de l'école pouvait s'énoncer comme suit : faciliter l'acquisition d'une somme de connaissances dans des domaines variés. Des objectifs de formation tels que la discipline personnelle, la clarification des valeurs, le sens des responsabilités, la maturité vocationnelle, apparaissaient importants mais secondaires par rapport aux connaissances à acquérir. La quantité des savoirs accumulés surpassait l'intégration et l'usage que l'élève pouvait en faire.

De plus en plus, et en particulier depuis les années 70, des éducateurs reconsidèrent ce rôle traditionnel de l'école. Il semble périmé de croire qu'une somme de connaissances puisse répondre au besoin d'actualisation des personnes. Instruire et éduquer ne sont pas des synonymes. Ils seraient plutôt complémentaires au sens où ils tiendraient compte de toutes les dimensions de la personne. L'école doit donc viser l'acquisition de connaissances tout autant que de savoirs psychologiques, sociaux et professionnels.

Vu sous cet angle, il apparaît important d'instituer, dans le système scolaire, des programmes susceptibles de façonner l'identité personnelle et professionnelle des jeunes. De tels programmes devraient favoriser la clarification des buts poursuivis, des motivations à agir de même que l'acquisition d'habiletés assurant l'autonomie.

Bref, il est devenu essentiel de créer des moyens qui feraient de l'école un milieu de vie préparant les jeunes aux rôles de citoyens, de travailleurs. Ainsi, elle remplirait une double mission, soit l'acquisition de connaissances de base et la maîtrise de compétences personnelles et interpersonnelles essentielles à l'entrée et à l'adaptation au marché du travail.

Bailey et Cole (1975) soutiennent que l'école devrait fournir aux jeunes des moyens concrets pour devenir autonomes et s'actualiser. L'école devrait aussi bien répondre à la question : « Quelles habiletés sont essentielles pour qu'un individu puisse jouir pleinement de la vie ? » qu'à la question : « Qu'est-ce que l'individu doit savoir ? » Il serait impérieux que les matières scolaires soient en rapport avec la réalité quotidienne de sorte qu'elles soient immédiatement applicables dans la vie de tous les jours. Ainsi l'école respecterait autant la nécessité d'acquérir des connaissances que celle de fournir aux jeunes des moyens d'effectuer une transition heureuse entre l'école et le marché du travail. Elle serait non seulement le lien du savoir mais aussi un lieu de croissance.

C'est de cette nouvelle tendance qu'est née l'éducation à la carrière. Certains la voient comme une préparation au monde du travail. D'autres lui accordent une mission plus grande et plus englobante, soit préparer l'étudiant aux différents rôles qu'il aura à jouer dans la société. Avant d'en déterminer l'importance dans le système actuel, nous ferons état des différentes définitions et objectifs qui lui sont attribués et nous mettrons en lumière les principaux éléments de ses programmes. Nous présenterons ensuite quelques exemples d'éducation à la carrière intégrée aux matières scolaires ainsi que quelques programmes en opération actuellement aux États-Unis, au Canada et au Québec. Nous présenterons les moyens dont nous disposons pour évaluer ces programmes. Enfin, nous ferons le point sur la pertinence et le bien-fondé de l'éducation à la carrière telle qu'elle se vit actuellement dans les écoles. Nous proposerons en dernier lieu des moyens concrets d'opérationnaliser les objectifs de sorte qu'ils répondent le plus adéquatement possible aux besoins des étudiants.

DÉFINITION ET OBJECTIFS

C'est Marland qui, le premier, a développé le concept d'éducation à la carrière. Déjà, en 1971, il soutenait qu'elle devait répondre aux principes suivants : faire partie intégrante du programme d'étude de tous les étudiants ; débuter au niveau élémentaire pour se terminer à la fin du secondaire ou plus tard encore si cela s'avère nécessaire ; permettre de développer toutes les habiletés requises à une vie heureuse et ayant du sens. L'auteur insistait sur la nécessité d'inclure dans l'éducation à la carrière toutes les expériences éducatives susceptibles de préparer l'individu à une indépendance économique, à un bien-être personnel et à un sens des responsabilités au travail.

Alors que Marland (1971) voit l'éducation à la carrière dans une perspective de développement global de la personne, Raizen (1971) lui attribue des objectifs plus centrés sur l'économie et la productivité. Pour cet auteur, l'éducation à la carrière doit viser à réduire le chômage, à augmenter les revenus des bas-salariés et à favoriser l'épanouissement de l'individu au travail. Dans le même sens, Keller (1970) fait de l'éducation à la carrière un processus à long terme commençant par une sensibilisation des étudiants au monde du travail. Elle doit essentiellement faire le pont entre le monde de l'éducation et le marché du travail. Pour sa part, Doherty (1972) soutient que l'éducation à la carrière doit permettre à l'étudiant de vivre des expériences en vue d'acquérir une perception réaliste de ses capacités, de se préparer à occuper et à conserver un emploi ou à poursuivre des études supérieures.

L'adaptation au travail est un thème qui a retenu l'attention de nombreux chercheurs. Pour Hoyt et ses collaborateurs (1974), le succès de l'éducation à la carrière est tributaire d'un effort collectif visant à aider les étudiants à composer avec les valeurs d'une société centrée sur le travail, à intégrer ces valeurs dans leur vie de sorte que le travail devienne significatif et satisfaisant pour chacun d'entre eux. Ils définissent donc le processus d'éducation à la carrière comme étant la somme des expériences à travers lesquelles l'individu apprend et se prépare à s'engager dans un travail qui fera partie de son mode de vie. Finch et Sheppard (1975) voient l'éducation à la carrière comme un volet du processus d'éducation visant une adaptation réussie au monde du travail. Elle doit développer toute cette partie de l'éducation qui assiste l'individu dans la découverte, la définition et le raffinement de ses talents de sorte qu'il puisse les utiliser adéquatement dans la poursuite de sa carrière. Pour ces auteurs, l'éducation à la carrière consiste en toutes ces expériences et activités à travers lesquelles l'étudiant acquiert des connaissances au sujet du monde du travail, que ce soit au niveau de l'exploration, de la sélection, de l'entrée ou de l'avancement dans une carrière.

Dans ses orientations politiques, la Chambre de Commerce des États-Unis d'Amérique (1975) pose, à l'éducation à la carrière, la finalité suivante : préparer les individus à faire des choix personnels et bien éclairés tout comme ils auront à le faire au cours de leur vie. Afin de développer ces habiletés, ils doivent apprendre à identifier leurs forces, leurs faiblesses, leurs intérêts, leurs valeurs ainsi que leurs buts professionnels. Pour sa part, Herr (1975) considère que l'éducation à la carrière doit poursuivre essentiellement deux objectifs, soit la connaissance de soi et l'acquisition des stratégies de prise de décisions. Nous en sommes donc à une étape importante dans l'évolution du concept, où apparaît la nécessité d'organiser les apprentissages en un processus économique et précis.

Goldhamer (1975) précise les attentes ou les résultats d'un processus de choix de carrière réussi. L'enfant deviendra un adulte riche de possibilités, engagé, productif et pleinement actualisé. Dans cette perspective, il définit l'individu polyvalent comme étant celui qui a su développer des habiletés et acquérir des connaissances dans des sphères variées d'activités. L'individu est engagé s'il a appris à s'impliquer et à prendre ses responsabilités sociales. Il est productif s'il utilise ses capacités pour produire des biens et services utiles aux membres de la société. Il est pleinement actualisé s'il a su développer et raffiner ses potentialités. Enfin, Super (1975) propose que l'éducation à la carrière doive aider les individus à planifier leur avenir, à considérer tous les rôles qu'ils auront à jouer plus tard, à comprendre, développer et planifier des stratégies qui leur permettront d'être satisfaits dans leurs rôles de travailleur, de citoyen et de membre de famille.

En regardant de près les définitions et objectifs assignés à l'éducation à la carrière, nous constatons une évolution graduelle dans la précision des objectifs. Les auteurs sont passés d'une perspective de développement global à une préoccupation plus centrée sur l'économie et la productivité. Ils ont fait valoir l'importance de l'adaptation au travail en insistant sur un développement harmonieux de la carrière et sur la nécessité de définir un processus de choix qui serve de toile de fond aux apprentissages reliés à l'actualisation de soi.

L'éducation à la carrière n'a pas comme but unique de faire effectuer un choix de carrière à l'étudiant. Elle propose plutôt des buts multiples : aider l'étudiant à comprendre le marché du travail à partir de ses propres valeurs et de ses propres besoins ; saisir le fonctionnement de la société dans laquelle il aura à s'impliquer plus tard ; développer des stratégies de prise de décisions qui lui assureront une plus grande autonomie. Si ces objectifs sont atteints, l'étudiant quittera le système d'éducation mieux équipé pour vivre dans une société en changement rapide et continuel. Il aura acquis une identité et une connaissance de soi qui lui permettront de savoir ce qu'il veut et comment l'obtenir. Il sera également en mesure d'identifier ses propres motivations et capable de mieux choisir les orientations et le style de vie qui répondront à ce qu'il est comme personne.

PRINCIPAUX ÉLÉMENTS DES PROGRAMMES D'ÉDUCATION À LA CARRIÈRE

Certains auteurs (Mitchell, 1975 ; Herr, 1976 ; Hansen, 1977 ; Hoyt, 1977) estiment que l'éducation à la carrière devrait débuter à l'école élémentaire, la sensibilisation à la carrière étant un processus qui s'étend de l'enfance à l'âge adulte. Ils proposent donc d'utiliser les matières scolaires pour aider les jeunes à développer une image d'eux-mêmes qui les rende aptes à vivre des relations interpersonnelles satisfaisantes. Ce serait le premier pas dans la préparation au choix.

Au niveau secondaire, on devrait développer chez les jeunes des habiletés dans la recherche d'emploi, dans la compréhension de soi et des autres. Hoyt (1975) propose que tout programme d'éducation à la carrière implique des thèmes présentés de façon progressive. Il suggère l'ordre suivant : l'éveil à la carrière, l'exploration, la motivation, le choix, la préparation à la carrière, l'entrée et la progression dans une carrière. Il définit en quelque sorte les grandes étapes d'un modèle de prise de décisions.

Pour Chiko et Marks (1979) les programmes d'éducation à la carrière devraient être basés sur des apprentissages expérientiels. Ces derniers intègrent les aspects cognitif, affectif et psychologique du comportement humain. Ce mode d'apprentissage rend mieux compte de la philosophie de l'éducation à la carrière en ce qu'il valorise l'unicité de l'individu, ses aptitudes et son potentiel à croître. Ces mêmes auteurs font ressortir trois dimensions à mettre en évidence, soit les valeurs reliées au travail, la facilité à vivre des choix de carrière efficaces, les habiletés à effectuer de bons changements dans sa carrière. Conséquemment, ils énoncent cinq grands principes qui devraient sous-tendre les programmes d'éducation à la carrière :

a. Dans la perspective de l'éducation à la carrière, le travail fait partie du mode de vie de l'individu. Ce dernier se forge une identité à partir de la nature du travail qu'il fait. Les programmes devraient donc tendre à ce que les individus adoptent une attitude positive face au travail.

b. Les individus ont besoin de se comprendre eux-mêmes. Les programmes devraient donc impliquer des stratégies qui, d'une part, aident l'individu à devenir conscient de ses aptitudes, préférences, intérêts, limites et caractéristiques personnelles et, d'autre part, l'aident à identifier et clarifier ses aspirations, ses buts, son intentionnalité.

c. Les individus ont besoin, pour se développer et croître, de posséder différents types d'information. Les programmes d'éducation à la carrière devraient inclure la possibilité d'acquérir des informations sur soi (intérêts, aptitudes, valeurs, etc.), des informations sur les différentes occupations (exigences, mode de vie qu'elles impliquent, etc.) et des informations socio-économiques (connaissances des différents paliers du gouvernement, des différents employeurs privés et publics, etc.).

d. Les individus ont besoin de développer certaines habiletés permettant de définir un niveau de satisfaction dans la vie. En conséquence, tout programme d'éducation à la carrière devrait impliquer le développement d'habiletés de prise de décisions, ainsi que d'habiletés à se trouver un emploi et à le conserver.

e. Les individus ont besoin de développer des moyens concrets pour faire face aux différents changements auxquels ils seront confrontés plus tard. Ainsi, tout programme d'éducation à la carrière devrait donner aux jeunes la chance de vivre des expériences à travers lesquelles ils pourront apprendre à s'adapter aux différentes situations qu'une société en plein développement est susceptible de leur faire vivre.

Enfin, Gysben, Magnuson et Moore (1974) se sont intéressés plus particulièrement aux principes fondamentaux reliés aux éléments de base impliqués dans tout programme d'éducation à la carrière. Ils définissent le terme carrière comme étant l'intégration de toutes les dimensions de la vie d'une personne. En conséquence, ils proposent un certain nombre de contenus déterminés.

Connaissance de soi et habiletés interpersonnelles

À l'intérieur d'un programme d'éducation à la carrière, les étudiants doivent prendre conscience de certaines de leurs caractéristiques personnelles afin de clarifier les types d'interrelations qu'ils entretiennent avec les autres. Ils deviennent ainsi plus conscients des façons et des moyens qu'ils ont pour composer avec leur environnement, et ainsi favoriser le développement de leur identité personnelle.

Rôles, milieux de vie et événements marquants

Dans le cadre de l'éducation à la carrière, les étudiants se sensibilisent aux différents rôles qu'ils auront à jouer, aux différents milieux dans lesquels ils auront à s'intégrer, ainsi qu'aux événements marquants reliés à leur carrière. Les rôles de citoyen, de travailleur, de bénévole, les milieux de vie comme le foyer, l'école, le travail et les événements marquants (les débuts dans un emploi, les promotions, etc.) sont examinés sous l'angle de leur influence sur le style de vie de chaque personne. Selon Gysben, Magnuson et Moore (1974), les étudiants commencent à être capables de répondre à la question : « Qui suis-je ? » à partir du moment où ils commencent à saisir l'interrelation existant entre les différents rôles qu'ils auront à jouer, les milieux de vie avec lesquels ils auront à composer et certains événements marquants de leur carrière.

Habiletés à planifier sa carrière

Planifier à long terme et prendre des décisions sont des habiletés essentielles pour un individu. Par conséquent, tout programme d'éducation à la carrière devrait inclure un temps où l'étudiant s'interroge sur ses valeurs, où il apprend à recueillir l'information dont il a besoin et où il se familiarise avec les étapes nécessaires à une décision de carrière.

Connaissances générales et préparation à une occupation

Le développement d'un individu se fait fondamentalement à partir de sa compréhension des grands champs d'études comme les arts, les mathématiques, la littérature, etc. Il est donc impératif que les disciplines traditionnelles enseignées à l'école soient considérées comme des éléments des programmes d'éducation à la carrière et ce, en faisant ressortir leur pertinence dans la réalité présente et future des étudiants. De la même façon, la préparation à une occupation spécifique doit faire partie intégrante du programme de chaque étudiant. Ainsi, les connaissances qu'il acquiert le préparent à bien fonctionner dans le style de vie qu'entraînera l'occupation choisie.

Au regard des objectifs de l'éducation à la carrière, nous pouvons dégager certaines conclusions. Tout programme doit offrir des contenus visant la connaissance de soi, la compréhension et la maîtrise de l'environnement, le développement d'habiletés à poser les choix qui reflètent le mode de vie auquel aspire l'individu. Nous observons également — et c'est une des originalités de l'éducation à la carrière — que cette dernière peut facilement s'intégrer à l'intérieur des activités courantes de l'étudiant plutôt que d'occuper une place à part dans ses fonctions quotidiennes. L'éducation à la carrière n'est pas un programme supplémentaire auquel l'étudiant doit se soumettre. Il regroupe plutôt un ensemble d'activités d'apprentissage structurées qui permettent à l'étudiant de progresser à son rythme, d'être en contact avec ses motivations intrinsèques et d'agir de façon plus responsable et plus autonome dans sa vie personnelle comme dans sa vie professionnelle.

Les principaux objectifs de l'éducation à la carrière étant énoncés, il convient maintenant de présenter quelques exemples d'activités intégrées à des classes de niveau élémentaire de même que certains modèles d'éducation à la carrière proposés aux étudiants de secondaire.

ACTIVITÉS, MODÈLES ET PROGRAMMES D'ÉDUCATION À LA CARRIÈRE

Dans leur volume intitulé *Career Education in the Middle/Junior High School*, Evans, Hoyt et Mangum (1973) présentent plusieurs modèles d'éducation à la carrière qui s'inscrivent dans le programme de l'étudiant. Nous avons choisi de présenter deux programmes, l'un en Illinois, l'autre au Minnesota. En plus d'être faciles d'application, ils illustrent de façon claire la manière d'intégrer des activités d'éducation à la carrière à l'intérieur des classes.

En Illinois, il existe pour les classes de 6e et 7e années, un projet appelé *ABLE* qui propose une façon d'éduquer à la carrière par le biais de l'enseignement des matières académiques de base. Pour les classes de sciences naturelles, les activités sont divisées en trois étapes et s'étendent sur toute l'année scolaire. Dans une première étape, l'enseignant propose aux élèves de classer les animaux par catégories. Ensuite, il leur demande d'étudier tous les emplois dont les fonctions principales impliquent de travailler avec les animaux pour finalement leur faire effectuer un projet de classe qui demande d'organiser un jardin zoologique imaginaire. Un autre exemple d'activité d'éducation à la carrière à l'intérieur d'une classe de sciences naturelles consiste à faire discuter les enfants sur les différents cycles de l'eau. Ensuite, on fait relier ces connaissances à des champs d'occupations, et finalement on fait effectuer en classe un modèle miniature d'une station météorologique.

Au Minnesota, des éducateurs ont expérimenté certaines activités d'éducation à la carrière à l'intérieur des cours de mathématiques. Avant de présenter l'une de ces activités, à titre d'exemple, nous voudrions mentionner les objectifs poursuivis dans ce type d'activités. Ils se lisent comme suit : aider l'étudiant à a) saisir l'interrelation entre les différents emplois ; b) évaluer la pertinence de ses habiletés et aptitudes par rapport aux grands secteurs d'éducation ; c) relier ses valeurs personnelles à différents types d'occupation ; d) saisir le monde des occupations selon le style de vie qu'elles impliquent ; e) anticiper les compromis à faire pour atteindre l'occupation choisie.

L'activité proposée est essentiellement scindée en deux étapes. Dans un premier temps, l'éducateur demande aux étudiants de planifier la construction d'une maison, soit tracer les étapes de construction d'une maison et faire une liste des occupations impliquées dans chacune des phases de construction. À partir de cette liste, les étudiants trouvent des problèmes mathématiques qui pourraient être reliés à chacune des occupations. Ainsi, ils découvrent une portée pratique aux mathématiques tout en apprenant l'interdépendance des occupations entre elles.

La deuxième phase de l'activité vise à donner aux étudiants une meilleure connaissance du système métrique. Ces derniers doivent reprendre le schéma de construction élaboré et transposer les mesures anglaises en mesures métriques. Ensuite, ils repèrent les occupations qui demandent l'utilisation des mesures métriques. Enfin, ils essaient de trouver des emplois qui les intéressent et dégagent toutes les façons possibles d'utiliser des mesures métriques à l'intérieur de ces professions.

Ces exemples ne se veulent pas, en soi, des modèles d'application à imiter, mais plutôt des façons d'utiliser des matières enseignées en classe pour éduquer les jeunes à la carrière. Est-il besoin de souligner que l'une des garanties de réussite de ces activités repose sur l'intérêt et la sensibilisation de l'enseignant au processus même d'éducation à la carrière ?

Voyons maintenant, comme nous l'avons annoncé précédemment, quatre modèles et programmes d'éducation à la carrière présentement en application aux États-Unis.

S.U.T.O.E. (Self understanding through occupation exploration)

Fondé sur le principe que tous les individus ont, un jour ou l'autre, à faire face à une variété de choix d'occupations, *S.U.T.O.E.* est une approche d'éducation à la carrière qui a comme objectif d'aider l'étudiant à acquérir une connaissance de soi en relation avec le monde des occupations. Le programme comporte dix unités ayant des objectifs précis. Chaque unité doit être vue dans l'ordre établi et est préalable à l'unité suivante. Voici donc, résumé de façon très succincte, le contenu de ce programme.

1- Engagement de l'étudiant dans le programme (6 semaines). Il se familiarise avec le but du programme, son contenu général, la méthode utilisée, les exigences spécifiques. Il apprend également la classification des occupations.

2- Auto-évaluation et compréhension de soi (4 semaines). L'étudiant recueille toute l'information possible sur lui-même. Il planifie des expériences qu'il désire vivre à l'intérieur et à l'extérieur de l'école, expériences qui l'aideront à miser sur ses forces et à réduire ses faiblesses.

3- Liens entre l'école et les exigences professionnelles (4 semaines). L'étudiant tente de relier les habiletés, les connaissances et les attitudes exigées à l'intérieur d'un cours spécifique à un emploi futur éventuel. Il élabore individuellement ou en groupe son plan d'études.

4- Rôle de l'individu dans le système économique (6 semaines). L'étudiant explore tous les aspects du milieu des affaires. Il remet en question son rôle de consommateur à l'intérieur du système économique.

5- Préparation de l'étudiant aux unités 6, 7 et 8 (4 semaines). Ce dernier trouve des activités qui l'aideront à rechercher et à organiser de l'information concernant différents champs d'occupations. Il essaie de relier certaines de ses préférences individuelles à des grands champs d'occupations.

6- Élaboration des emplois impliquant principalement du travail avec des idées et des symboles (2 semaines). L'étudiant explore et identifie les exigences spécifiques de même que les habiletés nécessaires pour les emplois dont la fonction principale est de travailler avec des idées et des symboles. Il évalue ses intérêts personnels pour cette catégorie d'occupation en relation avec les autres connaissances qu'il a de lui-même.

7- Exploration des emplois impliquant principalement du travail avec des personnes (2 semaines). Même procédure qu'en 6.

8- Exploration des emplois impliquant principalement du travail avec des objets (2 semaines). Même procédure qu'en 6.

9- Évaluation des expériences vécues et planification pour le futur (5 semaines). L'étudiant revoit ses besoins d'éducation futurs et réenvisage des choix d'occupation. Il apprend à connaître les ressources et les techniques nécessaires pour rechercher et obtenir un emploi. Il identifie les facteurs qui peuvent lui assurer du succès dans sa carrière.

10- Évaluation du programme et recommandations (1 semaine). Pour remplir les objectifs de *S.U.T.O.E.*, il peut s'avérer fort à propos d'utiliser une variété de ressources et de matériaux tels les jeux de rôle en classe, les conférenciers-invités, la psychométrie.

Modèle de Bailey et Cole (1975)

Ce modèle est principalement divisé en quatre étapes. Il débute en 3e année du système scolaire américain pour se terminer en 12e. En voici les grandes lignes.

1- Phase de l'éveil (« awareness stage ») (3e année). L'étudiant s'éveille à lui-même, à ses responsabilités personnelles et sociales. Il développe un sentiment de respect pour les autres et pour le travail qu'il fait. Il se familiarise avec les différents types de rôles professionnels et réalise qu'il existe des habiletés essentielles à une bonne prise de décisions.

2- Phase de l'adaptation (« adjustment stage ») (4e à 6e année). L'étudiant développe de plus en plus la conception qu'il a de lui-même et tente de la relier à sa conception du monde du travail. Il apprend à assumer une responsabilité grandissante dans la planification de son temps. Il développe des valeurs de travail et met en application certaines habiletés de prise de décisions.

3- Phase de l'orientation (7e et 8e années). L'étudiant clarifie de plus en plus la conception qu'il a de lui-même. Il comprend de mieux en mieux l'interrelation entre le système économique américain et le marché du travail. Il assume la responsabilité de la planification de carrière, développe des habiletés de résolution de problème et élabore une certaine conscience sociale.

4- Phase d'exploration et de préparation (9ᵉ à 12ᵉ année). L'étudiant acquiert une conception de lui-même bien définie. Il clarifie ses objectifs, s'engage dans un plan de carrière et met en application certaines habiletés de résolution de problème. Il se familiarise avec la dynamique d'un comportement de groupe dans une situation de travail. Enfin, il acquiert une discipline de travail.

En terminant, il importe de noter que ce programme s'effectue à partir d'apprentissages expérientiels. Les étudiants acquièrent et intègrent donc des connaissances à partir de leur vécu.

Modèle de Wiggleworth (1975)

Le troisième modèle que nous proposons est celui élaboré par Wiggleworth (1975). Alors que le modèle de Bailey et Cole (1975) met surtout l'accent sur le développement personnel, la définition et la conscience de soi, de ses besoins, de ses valeurs, celui de Wiggleworth (1975) se préoccupe davantage de la signification du travail, de la corrélation entre les caractéristiques personnelles et le choix d'une occupation. L'élaboration du modèle en fait foi.

1- Éveil à la carrière (1ᵉʳᵉ à 6ᵉ année). Les étudiants sont sensibilisés à la signification personnelle et sociale du travail. Ils deviennent plus conscients d'eux-mêmes en tant qu'individus et en tant que membres d'une collectivité. Ils commencent à se familiariser avec le monde des occupations et à réfléchir sur leurs aspirations de carrière.

2- Exploration de la carrière (6ᵉ à 8ᵉ année). À partir d'expériences pour la plupart vécues en classe, les étudiants identifient leurs intérêts, leurs aptitudes prédominantes, leurs valeurs, leurs besoins et les relient à des rôles professionnels.

3- Orientation de la carrière (9ᵉ et 10ᵉ années). Les étudiants explorent le monde des occupations plus en profondeur de sorte qu'ils sont en mesure de choisir un champ spécifique et de prendre des options scolaires qui leur conviennent ou encore de choisir une spécialité qui met fin à leurs études.

4- Développement d'habiletés (11ᵉ année et plus). Les étudiants développent des habiletés spécifiques, intellectuelles et pratiques dans un champ d'occupation choisi. Ils sont alors en mesure soit de poursuivre des études supérieures, soit de se préparer à occuper un emploi spécifique.

Programme Room to Grow

Le quatrième et dernier modèle que nous proposons est en application dans plus de 110 écoles aux États-Unis et implique au-delà de 50,000 étudiants. Ce programme s'intitule *Room to Grow*. Ses objectifs généraux sont d'aider les étudiants à acquérir une conscience plus éclairée du monde du travail et à développer une meilleure compréhension du lien qui existe entre la maison, l'école, la communauté et le marché du travail.

Les buts du *Room to Grow* sont atteints à travers six grandes étapes : 1) travaux pratiques supervisés par l'enseignant ; 2) séminaires organisés avec conférenciers-invités ; 3) visites du marché du travail ; 4) travaux pratiques réalisés par les étudiants ; 5) implication des parents, de la collectivité et de l'industrie ; 6) implication active des étudiants au moyen de travaux pratiques.

Étant donné le degré de complexité du programme en matière de matériel et de techniques, nous nous contenterons d'en rapporter les objectifs spécifiques et de donner les grandes lignes de chacune des étapes.

Les objectifs spécifiques de ce programme sont les suivants : développer chez l'étudiant une tolérance et une acceptation des différences individuelles ; favoriser une conscience de l'importance de tous les types de travail dans notre société ; encourager un sentiment d'acceptation de soi ; sensibiliser l'étudiant au fait que ses intérêts et ses buts vocationnels changent à mesure que son processus de maturation s'accroît ; développer une conception de la dignité du travail et une meilleure conscience de ses possibilités.

Les grandes étapes du programme se résument ainsi :

1- Travaux pratiques supervisés par l'enseignant. Les professeurs et les étudiants ont en main des cahiers de travaux pratiques à partir desquels les étudiants se livrent à toute une gamme d'activités qui les aident à mieux se connaître et se comprendre en relation avec le monde des occupations. Les travaux pratiques s'effectuent en tenant compte du niveau de développement de l'étudiant, de son âge, de son année scolaire, de ses préoccupations ainsi que de ses intérêts personnels.

2- Séminaires organisés par des conférenciers invités. Les étudiants choisissent des représentants de compagnie, d'industrie, de collège, etc., qu'ils veulent inviter en classe. Dans chaque cas, le conférencier invité explique le rôle qu'il joue à son travail. L'accent porte davantage sur l'individu en relation avec son travail que sur les tâches spécifiques inhérentes à un emploi.

3- Visites du marché du travail. Les étudiants organisent des visites dans les industries, les universités, les édifices gouvernementaux, etc. Ils ont alors l'occasion d'observer les professionnels à leur travail.

4- Travaux pratiques menés par les étudiants. Ces derniers inventent des activités et des projets de classe à partir desquels ils peuvent exprimer certains de leurs intérêts et de leurs buts vocationnels. Un exemple de projet effectué par les étudiants peut être de créer, en équipe, le modèle miniature d'une ville, ou encore de composer individuellement un recueil de poèmes.

5- Implication des parents, de la collectivité, de l'industrie. Les parents, des membres de la collectivité environnante ainsi que des représentants du milieu des affaires assistent les étudiants dans l'élaboration de leurs projets de carrière et de leurs programmes d'études.

6- Implication active des étudiants au moyen de travaux pratiques. Les étudiants écrivent des articles ou des monographies sur les différentes carrières. Ils inventent également différentes activités d'éducation à la carrière qui répondent à leurs besoins plus spécifiques, comme la production de diagrammes.

Les programmes présentés, qui recouvrent une grande partie des activités d'éducation à la carrière aux États-Unis, nous permettent de dégager certaines conclusions. Dans l'ensemble, nous remarquons un intérêt pour la connaissance de soi, mais cet intérêt est toujours subordonné aux nécessités et exigences du travail. Il semble évident que les éducateurs veulent de plus en plus tenir compte des variables relatives à l'insertion sociale de l'enfant. Le travail et la carrière deviennent des thèmes à exploiter avec plus de profondeur si l'on veut assurer aux éduqués une participation à la vie active et sociale qui soit à la mesure de leurs choix.

Même si les auteurs font souvent référence à un processus de choix nécessaire à la réussite des objectifs énoncés, nous arrivons difficilement à en voir l'évidence. Les programmes proposent des blocs d'activités qui sont interreliés, qui se découpent en phases tout en tenant compte du niveau développemental de l'enfant. Pour qu'il y ait reconnaissance d'un processus, il faudrait, en plus du contenu, la démonstration de procédures internes bien identifiées et responsables de la progression des apprentissages. Les auteurs devraient expliciter le « comment » des apprentissages qui se rapporte aux procédures internes utilisées en plus du « comment » pédagogique qui correspond au contenu de l'activité.

Au Canada, l'évolution du concept d'éducation à la carrière a suivi de très près celui des États-Unis. Les milieux anglophones utilisent largement les programmes élaborés aux États-Unis, en particulier ceux qui s'inscrivent à l'intérieur du programme scolaire de l'étudiant.

Programme *CHOIX* canadien

Le programme *CHOIX* comporte une originalité qu'il convient de souligner. Il met l'informatique à l'usage du choix. En effet, une banque de données informatisées permet à l'étudiant d'obtenir rapidement des coordonnées multiples et fiables concernant les occupations. Plus de 4 000 titres d'occupations y sont classifiés et répondent aux critères suivants : description du type de travail à effectuer ; intérêts, aptitudes et caractéristiques physiques requises ; traits de personnalité ; conditions environnementales ; profils d'études ; salaire ; possibilités d'emploi ; heures de travail. Les données sont traitées séparément pour chaque province du Canada et peuvent être comparées au besoin.

Le programme *CHOIX* propose quatre routes à l'étudiant : 1) l'exploration pour celui qui débute ; 2) la précision lorsqu'il s'agit de clarifier des données relatives à la connaissance de soi ou de l'occupation ; 3) la comparaison pour celui qui veut confirmer son choix, et 4) l'analogie pour celui qui désire consulter des professions analogues à celle qu'il a choisie.

L'étudiant entreprend donc un dialogue avec l'ordinateur. Un guide spécial lui indique les opérations à effectuer. Une feuille de route lui permet de consigner les informations recueillies. Même s'il est en mesure d'effectuer de nombreuses comparaisons entre ses intérêts, aptitudes, traits de personnalité et l'occupation choisie, l'étudiant aura besoin d'un conseiller. Ce dernier essaiera, par ses interventions, de faire clarifier le sens que prennent les données recueillies dans le vécu du consultant. Cette recherche du sens s'avère importante puisque le but de l'activité n'est pas de coordonner des informations entre elles, mais de permettre à l'informé une démarche plus en profondeur concernant les éléments de son choix. Le traitement de l'information reçue de même que l'intégration du sens des variables de choix sont indispensables à la réussite d'un processus éclairé et pertinent.

Programme québécois d'« *Éducation au choix de carrière* »

Au Québec, le ministère de l'Éducation propose un programme d'*Éducation au choix de carrière* qui répond à des besoins bien identifiés. Le lecteur en trouvera une description détaillée dans la sixième partie du présent ouvrage (cf. texte de Gilles Noiseux). Inspiré fortement du modèle théorique de l'A.D.V.P., ce programme a donné lieu à des réalisations pédagogiques fort intéressantes. En effet, Pelletier et coll. (1982) ont élaboré un ensemble de situations éducatives susceptibles de rejoindre les objectifs du programme. Ces situations éducatives font appel à trois types d'apprentissage :

a- *L'ingrédient de l'expérience.* Si l'élève éprouve quelque chose, s'il observe un phénomène, il dispose d'une base concrète pour travailler et réfléchir. Imaginer une situation, participer à un jeu de rôles, examiner des images, donne de la substance aux mots et aux abstractions.

b- *L'action cognitive.* L'élève traite l'information, c'est-à-dire qu'il doit effectuer des opérations mentales lui permettant d'obtenir l'information et de s'en servir adéquatement. L'enseignant fera donc toujours appel, dans ses consignes, à des habiletés intellectuelles.

c- *L'interaction sociale.* C'est en quelque sorte à une expérience collective d'apprentissage que sont conviés les élèves. Ce qu'ils observent et ce qu'ils pensent font l'objet d'une mise en commun, d'un partage. La procédure de la plénière sur le travail fait en petites équipes devrait faciliter l'échange des idées et des perspectives. L'interaction développe ainsi la tolérance et une plus grande complexité cognitive chez les élèves. Elle permet même que des individus de niveaux de développement moral ou intellectuel différents s'influencent mutuellement et se développent de ce fait davantage (Pelletier et coll., 1982).

L'ensemble des situations éducatives relatives à un niveau scolaire est présenté dans trois volumes complémentaires. *Le livre du maître* aide ce dernier à comprendre l'organisation générale du programme et surtout à préciser les objectifs poursuivis par chaque unité. C'est aussi un document qui offre des situations pédagogiques et qui présente pour chacune d'elles des commentaires et suggestions qui en favorisent le déroulement. Il propose pour chaque rencontre des instruments d'évaluation formative et sommative. De plus, il fournit un supplément d'informations sur l'animation et sur la pédagogie expérientielle.

Le manuel de l'élève contient un ensemble de données sur les processus décisionnels, le monde scolaire, le monde du travail et la connaissance de soi. Ces connaissances sont ordonnées du simple au complexe et adaptées à la capacité de comprendre de l'élève. Elles sont, pour l'étudiant, une invitation à s'informer et une incitation à utiliser les ressources du milieu.

Enfin, *le cahier d'intégration* doit être considéré comme le document essentiel de la collection puisqu'il permet à l'élève de s'impliquer personnellement dans sa démarche de choix de carrière. Il lui fournit l'occasion d'une prise en charge de lui-même, de sorte que les données objectives ne sont plus à distance, mais le concernent au plus haut point. C'est par-dessus tout un moyen de développement par lequel l'élève a des chances d'échapper aux déterminismes extérieurs.

Actuellement, les manuels présentant les activités éducatives pour les étudiants de secondaire I et II sont terminés. Les autres sont en préparation. Il est important de noter que chaque situation a été expérimentée par des groupes d'étudiants avant d'être retenue.

En résumé, l'éducation à la carrière veut assurer la réalisation d'un certain nombre d'objectifs bien précis et bien déterminés. Y est-elle parvenue ? C'est à cette question que nous essaierons de répondre en présentant certains travaux relatifs à l'évaluation des programmes en éducation à la carrière.

L'ÉVALUATION DES PROGRAMMES D'ÉDUCATION À LA CARRIÈRE

L'évaluation des programmes d'éducation à la carrière pose un certain nombre de problèmes qu'il convient d'abord de présenter. Pour ce faire, nous les regrouperons de la façon suivante : 1) difficultés inhérentes aux finalités de l'éducation à la carrière ; 2) complexité des variables en cause ; 3) adhésion à une philosophie du travail ; 4) problèmes reliés à la mesure elle-même.

Difficultés inhérentes aux finalités de l'éducation à la carrière

La plupart des auteurs qui œuvrent dans le champ de l'éducation à la carrière s'entendent sur l'énoncé d'un certain nombre de finalités à poursuivre. Hoyt (1979) résume ainsi ces finalités. L'éducation à la carrière vise à former des individus (de tous âges et de tous niveaux) qui, lorsqu'ils quittent l'école : sont compétents dans les activités scolaires de base de sorte qu'ils peuvent s'adapter à une société en constante évolution ; ont de bonnes habitudes de travail ; ont acquis un ensemble de valeurs personnelles suffisamment significatives pour produire en eux le désir de travailler ; ont acquis des habiletés de prise de décision et de recherche d'emploi ; ont un degré de compréhension d'eux-mêmes et une compréhension suffisante des options éducatives et professionnelles pour prendre de bonnes décisions de carrière ; sont conscients des moyens disponibles pour continuer leur éducation ; se trouvent ou cherchent une occupation en concordance avec leurs aspirations ; sont conscients et capables d'assumer les probabilités de changement.

Ces finalités multiples recoupent un éventail d'habiletés cognitives, interpersonnelles et sociales fort louables, mais difficiles à isoler pour des fins de recherche. À cause de leur interinfluence marquée, l'opérationnalisation de ces objectifs pose des problèmes appréciables. Si l'on considère, par exemple, la question des valeurs personnelles, comment les dissocier ou mesurer leur impact sur les autres finalités ? Comment définir opérationnellement une bonne habitude de travail ?

Complexité des variables en cause

Lorsque nous étudions les finalités de l'éducation à la carrière, nous observons sans difficulté la complexité des variables en cause. La première de ces variables s'adresse à la motivation au travail. À une période de la vie telle que l'adolescence, la motivation vient-elle du programme proposé ou du groupe d'appartenance ? Comment distinguer les sujets réellement motivés au travail de ceux qui adhèrent à une idéologie par peur du rejet ? Quelle est la part de l'autonomie et celle de la dépendance ?

En ce qui a trait à la compétence dans les activités scolaires de base, des facteurs multiples peuvent se recouper : le besoin de réussir, la peur d'échouer, la compétition, la curiosité de savoir, enfin, tout besoin relié à l'affirmation ou la reconnaissance de soi. Quelle est la part de l'éducation à la carrière dans l'utilisation de ces tendances ? Ici encore, les résultats de recherches nous apporteront quelques lumières.

La plupart des auteurs affirment la complexité des variables en cause dans l'éducation à la carrière. La difficulté principale résultant de cette complexité serait le manque de constance dans les activités du programme. Selon ce qu'il en comprend, l'intervenant met l'accent sur l'une ou l'autre des dimensions de l'apprentissage. Il en résulte donc ou des contenus différents ou des apprentissages axés sur des finalités différentes. En conséquence, un programme d'évaluation uniforme pour plusieurs groupes ne rendrait pas compte des mêmes réalités.

Adhésion à une philosophie du travail

La finalité première de l'éducation à la carrière étant de former des gens prêts à s'investir personnellement et socialement dans le travail, il va sans dire qu'elle définit ce dernier. En effet, les auteurs des programmes adhèrent à une philosophie à l'intérieur de laquelle le travail est central dans la vie de l'individu. Jusqu'à un certain point, il devient le moteur ou le cœur de l'activité humaine. Il est responsable du sens que l'individu donnera à sa vie. Vue sous cet angle, nous pouvons dire que l'éducation à la carrière est un peu missionnaire au sens où elle propose une croyance à laquelle on peut difficilement se soustraire si l'on veut vivre en harmonie avec les exigences que pose la société. Le travail devenant de plus en plus problématique, peut-on lui reconnaître la même valeur de motivation ? Quelle place accorde-t-on alors à l'expérience subjective ? Comment s'assurer que tous les intervenants adhèrent à cette philosophie du travail ?

Problèmes reliés à la mesure elle-même

La plupart des auteurs s'entendent pour dire que l'évaluation statistique ne rend pas compte de toute la réalité ou de la réalité spécifique à l'éducation à la carrière. L'évaluation traditionnelle tend à limiter sévèrement les variables considérées. La recherche dans ce secteur met trop facilement l'accent sur des évaluations quantifiées et néglige les points les plus subjectifs et les moins tangibles qui peuvent être reliés au processus de prise de décision lui-même (Owens et coll., 1979). De façon générale, les instruments de mesure utilisés ne tiennent pas suffisamment compte des variables environnementales, soit le degré d'accord des personnes concernées, l'adéquation du programme proposé au regard de ce qui existe à l'école, la nature du travail et son caractère appliqué.

Selon Baker (1979), les difficultés sont nombreuses dans l'évaluation des programmes d'éducation à la carrière. Étant donné la nature de ce concept, il est difficile de trouver des instruments de mesure appropriés. Lorsqu'il s'agit des valeurs de travail, il faut constater qu'il n'y a pas d'accord sur le contenu des mots « valeurs de travail ». La mesure de cet objectif est donc spécialement délicate. Le même problème se pose lorsqu'il s'agit de mesurer des buts tels que « habiletés de prise de décision », « habiletés relatives à l'emploi ». Il faudrait autant d'instruments de mesure qu'il y a de définitions opérationnelles des objectifs ou buts visés, ce qui n'est pas une mince tâche à réaliser.

Grilles d'évaluation proposées

Afin de pallier les difficultés que pose l'évaluation des programmes, Owens et coll. (1979) proposent ce qu'ils appellent la *responsive evaluation*. Ses caractéristiques sont !es suivantes : elle s'intéresse plus directement à des activités qu'à des intentions (buts) ; elle répond aux demandes d'information des candidats ; elle rend compte des différents points de vue des participants dans l'analyse du succès ou de l'échec du programme.

Selon ces auteurs, les stratégies d'évaluation à retenir seraient les suivantes :

STRATÉGIE	FORCES	LIMITES
Étude comparative avec modèle expérimental. Permet de comparer les performances et les progrès des étudiants avec ceux d'un groupe contrôle dans la détermination des effets du programme.	Essaie de contrôler les facteurs compromettant la validité interne et externe. Offre des standards et des procédures acceptables pour évaluer les différences significatives entre les groupes.	Ignore les variations existant à l'intérieur du traitement. Peut interférer avec les opérations naturelles du traitement. Se limite souvent à quelques comportements mesurables.
Étude longitudinale. Évalue les effets du programme sur la vie professionnelle, scolaire et personnelle des étudiants après qu'ils ont terminé le programme.	Permet d'évaluer l'impact du programme sur une longue période de temps.	Comme l'évaluation se fait sur une période de plus en plus éloignée du programme, il devient plus difficile d'établir les causalités.
Étude de cas. Fournit une évaluation en profondeur des performances, attitudes et interactions des étudiants avec les pairs, les parents, les patrons et les collègues de travail.	Apporte des précisions importantes et utiles pour la compréhension du comportement des étudiants. Permet une synthèse de plusieurs éléments à propos de l'étudiant. Utilise le jugement réaliste-subjectif pour l'interprétation.	À cause du peu d'étudiants concernés, la généralisation est difficile et facilement sujette aux biais de l'évaluateur.

Analyse de contenu. Transforme la documentation existante du programme dans une forme utilisable à des fins d'évaluation. | Utilise la documentation des programmes existants. Les données recueillies sont directement pertinentes aux opérations du programme. | Dépend de la compétence des examinateurs pour la cueillette et l'enregistrement de l'information. Les données manquantes peuvent être impossibles à retrouver ou à estimer.

Étude ethnographique. Décrit le comportement des étudiants en profondeur et dépeint leurs interactions avec leurs pairs, le personnel et les employeurs. | Permet une description intensive du programme basée sur l'observation quotidienne et l'interaction. | Généralement difficile à reproduire. Requiert un entraînement spécial. Peut contenir des jugements de valeurs difficiles à détecter.

Comité local de révision. Révise les données existantes afin de proposer des alternatives au programme. | Réévalue la nécessité du programme. Évalue chaque alternative proposée. Implique activement parents et collaborateurs dans l'évaluation. Intègre des données disponibles ou nouvellement recueillies. | Ces comités n'ont pas toujours la compétence nécessaire pour interpréter les données d'évaluation ou pour désigner de nouveaux instruments.

Étude organisationnelle. Étudie la structure organisationnelle et son interrelation avec le programme. | Applique des données sociologiques à l'étude. Intègre des rapports administratifs et des données personnelles. | Porte sur un seul aspect du projet. Est moins susceptible d'intéresser le lecteur.

Questionnaire-enquête. Permet d'obtenir les perceptions d'un nombre varié de personnes. | Permet de recueillir des opinions très particulières vu son caractère de confidentialité. Généralement économique. | Sujet aux incompréhensions et aux biais du répondant. Peut traiter les questions de façon superficielle.

Résultats de recherches

Afin de préciser l'apport des programmes d'éducation à la carrière aux États-Unis, Bonnet (1979) présente l'analyse de 47 programmes différents et d'environ 200 études relatives à ce sujet. Les projets analysés ont été retenus sur la base des critères suivants : le rapport d'évaluation donnait suffisamment d'information sur les instruments de mesure pour déterminer ce qui était mesuré ; les résultats du groupe expérimental étaient comparés au même groupe en pré-post tests ou à un groupe équivalent ; le rapport indiquait la direction de la différence entre les moyennes, c'est-à-dire que la différence positive ou négative était bien explicitée.

Voulant faire état de la recherche en éducation à la carrière aux États-Unis, nous présentons ici des résultats de la recherche de Bonnet (1979) relativement aux programmes et études mentionnés précédemment.

Tableau 5.1

Résultats obtenus à l'analyse de 47 programmes et 200 études relatifs à l'éducation à la carrière

Variables mesurées	Nombre de projets	Nombre d'études	Études avec résultats positifs significatifs à 0,05	Études avec différences + entre les moyennes pré-post tests	Probabilité que les différences + et − soient égales
— ʻCompétence dans des activités scolaires de base (lecture)	6	22	4 (18%)	9 (41%)	>0,1
— Compétence dans des activités scolaires de base (mathématiques)	6	21	6 (32%)	11 (52%)	>0,1
— Attitudes envers l'école	18	46	5 (12%)	21 (46%)	>0,1
— Relations interpersonnelles	19	41	1 (3%)	25 (61%)	<0,05
— Désir de travailler et attitudes envers le travail	20	44	5 (14%)	30 (68%)	<0,02
— Habiletés de prise de décision	28	105	24 (30%)	74 (70%)	<0,001
— Habiletés dans la recherche d'emploi	4	6	1	4	>0,1
— Connaissance de la carrière	36	175	47 (35%)	127 (73%)	<0,001

En ce qui concerne les résultats obtenus et décrits dans le tableau 5.1, nous pouvons formuler quelques observations. La connaissance de la carrière obtient les résultats les plus positifs. Les programmes d'éducation à la carrière remplissent donc bien leur rôle en ce qui a trait à l'acquisition de ces connaissances.

Les instruments de mesure les plus fréquemment utilisés pour évaluer les habiletés de prise de décision sont les suivants : *The Assessment of Career Development's Exploratory Occupational Experience, Career Planning Involvement, Career Planning Knowledge Scales, The Career Development Inventory's Planning Orientation and Resources for Exploration Scales, The Career Maturity Inventory's Goal Selection and Problem Solving Scales.* Ces échelles permettent de vérifier, entre autres, la connaissance des sources d'information relatives à la carrière ; l'implication dans les activités d'exploration et de prise de décisions ; l'habileté à choisir à partir de plusieurs possibilités ; la connaissance des solutions appropriées à un problème ; l'importance de la planification de carrière ; la tendance à prendre ses responsabilités à l'égard de ses choix. Bien que les résultats semblent encourageants, les auteurs se demandent si ces résultats sont attribuables à l'âge des enfants ou à la sophistication des programmes.

Les habiletés dans la recherche d'emploi ont été mesurées par le *Job-Seeking Skills Scale of the Career Orientation Battery* et *The New Mexico Job Applications Procedures Test*. Très peu d'études mesurent cette variable et les résultats ne sont pas concluants.

Quant au désir de travailler et aux attitudes envers le travail, les instruments de mesure suivants ont été utilisés : l'*Attitude Scale of the Career Maturity Inventory* dans 34 études ; pour les autres, les instruments utilisés furent variés bien que recoupant le même thème. Bien que les résultats de ces recherches ne soient pas identiques, il semble évident que les programmes influencent positivement le désir de travailler et les attitudes envers le travail.

Les relations interpersonnelles sont évaluées à partir des habiletés interpersonnelles, soit l'habileté à entretenir des relations satisfaisantes avec les autres. Les instruments utilisés sont des échelles de concept de soi, des mesures d'extraversion, de confiance en soi et de popularité perçue. Compte tenu du nombre d'études ayant des différences positives entre les moyennes pré-post tests, il y aurait de bonnes raisons de croire que les concepts de soi au regard des relations interpersonnelles changent avec le temps, mais il n'y a pas de preuves que ce soit les programmes d'éducation à la carrière qui soient responsables de ce changement.

Les attitudes envers l'école ont été mesurées, entre autres, au moyen des tests suivants : *Coopersmith Self-Esteem Inventory, The Self Appraisal Inventory, Self Observation Scales*. Ces instruments mettent l'accent sur les trois dimensions suivantes : attitude générale envers l'école, confiance dans le rôle de l'étudiant et désir de réussir ses études.

L'analyse des résultats ne permet pas de conclure que les programmes d'éducation à la carrière ont un effet marquant sur l'attitude des élèves envers l'école. Il semble que ce résultat soit dû en partie au fait que les instruments de mesure utilisés sont inadéquats par rapport aux variables mesurées. En effet, les programmes d'éducation à la carrière, qui visent à améliorer l'attitude des élèves envers l'école, axent davantage leurs interventions sur la qualité des expériences à offrir aux étudiants en vue de leur développement. Il serait donc souhaitable d'orienter l'évaluation de façon à obtenir des informations sur la valeur de l'éducation plutôt que sur l'attitude envers l'école.

Enfin, en ce qui a trait à l'acquisition de compétences dans des activités scolaires de base, soit la lecture et les mathématiques, les chercheurs ont utilisé des tests largement acceptés et standardisés pour la mesure de ces contenus. Les résultats obtenus ne permettent pas d'affirmer que l'éducation à la carrière améliore ou nuit à la performance des étudiants en lecture ou en mathématiques. Toutefois, puisque dans certains cas l'impact positif est plutôt important, il serait prématuré de conclure que l'éducation à la carrière ne peut pas stimuler ces habiletés de base.

En résumé, voici ce que nous retenons des études effectuées. Très peu d'affirmations sûres ou de données suffisamment positives permettent de déterminer l'impact des programmes d'éducation à la carrière. Le mieux que l'on puisse dire, c'est que les études démontrent que les programmes évalués ont une influence positive sur le désir de travailler et qu'ils remplissent bien leur rôle quant à l'acquisition des connaissances relatives à la carrière. Devant ces résultats, il faut bien admettre un certain échec dans les évaluations effectuées. Nous disons « un certain échec » au sens où ces études montrent ce qu'il vaudrait mieux ne pas faire en matière d'évaluation. Les auteurs blâment en grande partie les instruments de mesure qu'ils disent inadéquats. Après avoir investi autant d'énergie et d'efforts pour instaurer des programmes qui, au regard des objectifs qu'ils proposent et des activités qu'ils mettent en place, semblent plus que valables, il faudrait peut-être faire preuve de plus de créativité dans l'évaluation de ce travail.

Étant donné la nature des variables à mesurer, leur complexité et leurs interrelations inévitables, la mesure statistique traditionnelle est-elle appropriée ? Les programmes d'éducation à la carrière s'inscrivent, pour une large part, dans une démarche heuristique. Le sujet entreprend sa propre recherche compte tenu de ce qu'il est, en mettant davantage l'accent sur des processus internes. Or, les instruments de mesure traditionnels ne sont guère des mesures de changement. Ils permettent d'apporter certaines précisions par rapport à des structures cognitives, à l'organisation des concepts de soi, mais tiennent-elles suffisamment compte des dynamiques motivationnelles, des processus de changement et de la configuration du désir ? Il semble que les questionnaires-enquêtes (Nuoffer, 1982), les grilles de satisfaction (Audet, Benoit, Picard, 1982) permettent une évaluation plus subjective, plus près du vécu des participants. Peut-on mesurer une démarche heuristique, inductive, par des instruments qui posent des *a priori* ? L'évaluation d'une telle démarche ne devrait-elle pas être de la même nature que la démarche elle-même ? Les programmes d'éducation à la carrière nous obligeront sûrement à innover dans ce domaine.

CONCLUSION

L'éducation à la carrière se taille actuellement une place d'avenir. À la lumière des objectifs multiples et variés proposés par les auteurs qui œuvrent dans le domaine, nous pouvons déduire que ce champ de préoccupation est à la recherche d'une philosophie qui permettrait d'unifier les pratiques sans toutefois les figer dans le béton. Nous croyons cependant qu'il est utopique de penser que tous les intervenants impliqués dans l'application de ces programmes puissent adhérer aux mêmes croyances. Devrait-il y avoir une ou des philosophies pour répondre aux attentes des participants ? L'importance accordée au travail risque-t-elle d'être dépassée à court terme ? Comment éviter le piège d'une formalisation ou d'une standardisation indue du travail ? Y aurait-il lieu de définir et d'opérationnaliser des objectifs qui, tout en présentant un contenu axé sur le travail, permettraient des apprentissages généralisables à d'autres domaines de la vie ? Ici, les données de recherches pourraient clarifier le degré de transférabilité ou de recoupement des contenus en vue d'optimiser les résultats de programmes éventuels.

Nous aimerions souligner un danger qui guette l'éducation à la carrière, soit celui de ne penser qu'en fonction de connaissances, habiletés et attitudes à l'égard du travail ou de l'insertion dans la vie professionnelle et de négliger, de ce fait, une certaine gratuité dans les apprentissages qui rende compte des différences individuelles.

Il ne faudrait pas considérer l'éducation à la carrière comme un tremplin pour les difficultés que pose l'éducation. En d'autres mots, il faudrait distinguer les nécessités reliées à la carrière de celles que pose la vie intérieure des sujets.

Enfin, dans une société où l'informatique jouera un rôle de plus en plus grand, il conviendra d'insister sur les habiletés et les attitudes relevant de la communication, de l'expression et de l'affirmation de soi si l'on veut former des gens susceptibles de compléter la machine plutôt que d'entrer en concurrence avec elle.

RÉFÉRENCES

BAILEY, J. et P. COLE : Toward a « process » approach to career development education, *Journal of Career Education*, **2**(2) : 71-86, 1975.

BAKER, O.V. : Criteria for the evaluation of career education activities, *Journal of Research and Development in Education*, **12**(3) : 9-13, 1979.

BONNET, D.B. : A Synthesis of student impact evidence from 47 career education programs, *Journal of Research and Development in Education*, **12**(3) : 75-83, 1979.

CAMPBELL, E., WALZ, MILLER et KRIGER : *Career Guidance*, Charles E. Merril Publishing Company, Columbus, Ohio, 1973.

CHIKO et MARKS : Career education and experiential learning, *Conseiller Canadien*, **13**(4), 191-196, 1979.

DOHERTY in : Finch et Sheppard Career education is not vocational education, *Journal of Career Education*, **2**(1) : 37-46, 1975.

EVANS, HOYT, MANGUM : *Career Education in the Middle/Junior High School*, Olympus Publishing Company, Salt Lake City, Utah, 1973.

FINCH et SHEPPARD : Career education is not vocational education, *Journal of Career Education*, **2**(1) : 37-46, 1975.

GOLDHAMMER, K. : Career education : an human perspective on the functions of education, *Journal of Career Education*, **2**(2), 21-26, 1975.

GYSBEN, MAGNUSON et MOORE : Career education concepts, methods and processes for pro and in Service Education, *Journal of Career Education*, **1**(2) : 25-53, 1974.

HANSEN, L.R., in : Sankey Career education : what it is not and what it might be, *Conseiller Canadien*, **16**(0) : 41-49, 1981.

HERR : Career education : some perspectives on validity and content, *Journal of Career Education*, **2**(2) : 57-70, 1975.

HERR, in : Sankey Career education : what it is not and what it might be. *Conseiller Canadien*, **16**(1) : 41-49, 1981.

HOYT : *Career education : contribution to an evolving concept*, Olympus Publishing Company, Salt Lake City, Utah, 1975.

HOYT, K.B. : The career education treatment, *Journal of Research and Development in Education*, **12**(3) : 1-8, 1979.

HOYT, in : Sankey : Career education : what it is not and what it might be, *Conseiller Canadien*, **16**(1) : 41-49, 1981.

KELLER, in : Mouillette : New philosophies, renewed efforts and improved strategies for career education, *Journal of Career Education*, **1**(1) : 11-19, 1972.

MARLAND, in : Finch et Sheppard Career education is not vocational education, *Journal of Career Education*, **2**(1) : 37-46, 1975.

MITCHELL, A.M. : Emerging career guidance competencies, *Personnel and Guidance Journal*, **53**(9) : 700-773, 1975.

OWENS, T.R., J.F. HAENN et H.L. FEARENBAKER : The use of multiple strategies in evaluating experience — based on career education program, *Journal of Research and Development in Education*, **12**(3) : 35-49, 1979.

RAIZEN, in : E. SUPER, The Bable that is babel : A basic glossary for career education, *Journal of Career Education,* **5**(3) : 156-171, 1979.

SUPER, E. : *The psychology of careers : an introduction to vocational development.* Harper and Row, New York, 1957.

USOE : An introduction to career education, *Journal of Career Education,* **2**(2) : 44-56, 1975.

WIGGLEWORTH, C. : *Career Education,* Canfield Press, San Francisco, 1975.

WOAL, S. : Room to grow : educating for a total life experience, *Journal of Career Education,* **6**(3) : 217-224, s.d.

Huitième partie
L'identité du conseiller
d'orientation

Chapitre **1**

L'orientation, une question de transactions personne-environnement

Conrad Lecomte

Les problèmes actuels de notre société dans les domaines économique, politique et social, font l'objet de diverses analyses. Il semble que les analyses qui retiennent le plus l'attention sont celles qui se risquent à faire des prédictions. Compte tenu de l'ampleur des effets négatifs de la crise actuelle, les prédictions d'avenir prennent vite des significations d'espoir ou de profond pessimisme. La profession de conseiller* n'échappe pas à cette réalité. S'il est une profession qui est vulnérable aux contingences socio-économiques de notre société, c'est bien celle-ci. En effet, des changements dans le travail, la famille, les attitudes des contribuables, les professeurs en milieu scolaire, etc., ont des influences considérables sur le travail du conseiller (Wrenn, 1973). Il est alors des plus pertinents de s'interroger sur les perspectives futures de notre société et d'essayer de définir les contributions de la psychologie du counseling et de l'orientation. Ce travail exploratoire de réflexion se fera en trois temps. Une première section se veut une analyse des conditions actuelles de notre société et des perspectives futures tracées par les futurologues. Dans un deuxième temps, on dressera un tableau des contributions actuelles du counseling et de l'orientation. Finalement, une troisième section présentera des jalons de réflexion sur des dimensions critiques à considérer dans la définition d'une pratique pertinente et valide de l'orientation et du counseling pour les prochaines années.

UNE SOCIÉTÉ À LA RECHERCHE DE SON AVENIR

La crise que vit la société actuelle a tellement de ramifications que certains la qualifient déjà de crise de civilisation. Les effets de cette crise revêtent divers aspects sociaux et psychologiques et affectent la famille, le travail, la santé physique et mentale.

---

* Afin d'éviter une certaine lourdeur du texte, il est convenu que les termes généraux, comme « conseiller », englobent les personnes des deux sexes qui exercent cette profession.

Un survol rapide de certaines caractéristiques de la présente crise en illustre l'ampleur : a) on assiste à l'éclatement progressif de la famille nucléaire et à l'accroissement de la tendance à la famille mono-parentale ; b) le couple est envisagé de plus en plus comme une série de relations monogamiques où la séparation et le divorce deviennent plus souvent la règle que l'exception ; c) les parents vivent difficilement leurs responsabilités d'éducateurs et les exigences de leur développement professionnel ; d) de nombreux couples retardent constamment le moment d'avoir des enfants ; e) les écoles semblent connaître de plus en plus de problèmes disciplinaires, de problèmes de violence et de problèmes de méfiance ; f) le monde du travail est en complet bouleversement : le chômage atteint des sommets frôlant le désastre, le travail est souvent déshumanisant ; g) la population des centres urbains va en augmentant, ce qui provoque des problèmes d'espace, de logement et de communication ainsi que d'appartenance communautaire ; h) l'invasion de la télévision et de l'ordinateur s'effectue selon les seuls critères de consommation et de profit ; i) l'augmentation de la population des gens âgés sans réel contexte de développement social soulève de nombreux problèmes ; j) les problèmes d'inégalité et de discrimination sexuelle persistent ; k) les problèmes de santé mentale augmentent constamment : suicides, névroses, psychoses, délinquance, alcoolisme et drogues ; l) on rapporte de plus en plus souvent des cas de femmes et d'enfants battus.

Une telle liste ne va pas sans impressionner. Le plus inquiétant réside dans le fait que la majorité des gens se perçoivent comme des victimes impuissantes, souvent incapables de comprendre ou même de nommer ce qui leur arrive. Il semble que la présente crise se fasse presque uniquement dans des perspectives économiques de rentabilité et de profit. Cette vision matérialiste cache cependant des drames humains inacceptables dans des sociétés dites démocratiques.

L'analyse des effets du chômage illustre bien cette situation. Nul n'est besoin de rappeler les statistiques désastreuses du chômage pour souligner l'énormité du problème. Jusqu'ici, les effets du chômage ont été peu étudiés. Pour certains, il s'agit d'un mal nécessaire. D'autres postulent que les prestations d'assurance-chômage ou d'assistance sociale sauront pallier la perte de l'emploi. On entend peu parler des conséquences psychologiques du chômage. Des recherches plutôt récentes à partir d'études écologiques (Brenner, 1979 ; Catalano et coll., 1981) viennent souligner sans ambages que le chômage provoque des effets multiples directs et indirects : augmentation des admissions dans les hôpitaux psychiatriques, augmentation du taux de mortalité infantile, augmentation des troubles cardiovasculaires et du taux de suicide. Ces recherches illustrent de façon dramatique les effets du chômage sans pour autant expliquer les variables médiatrices de ces résultats. D'autres recherches (Kantor, 1977) ont mis en évidence les effets négatifs du chômage sur la famille et le couple. En effet, les épouses de chômeurs deviennent plus déprimées, anxieuses et tendues que les épouses d'hommes au travail.

Ces diverses recherches montrent combien la santé mentale des personnes est liée à l'influence de facteurs sociaux ; elles montrent aussi que le chômage n'affecte pas seulement l'individu, mais également tout un réseau familial et social.

Que nous prédisent les futurologues ? Essentiellement que les tendances actuelles se poursuivront. Plusieurs (Toffler, 1976 ; Harman, 1974 ; Kahn et Bruce-Briggs, 1972) s'entendent pour souligner que les progrès technologiques de la surindustrialisation ne seront pas sans causer de multiples problèmes. C'est ainsi que la mécanisation et les progrès technologiques risquent fort d'avoir des effets déshumanisants : changements trop rapides, travail sans signification, problèmes de vieillissement. Les tendances à l'éclatement de la famille, les problèmes de couple, d'éducation des enfants, se poursuivront. Ce n'est pas par hasard que le personnage de l'année choisi par le magazine *Times* soit l'ordinateur et non une personnalité. Des progrès énormes seront réalisés grâce à l'ordinateur. Le défi des prochaines années semble fondamentalement résider dans la capacité de la personne d'humaniser les progrès déjà en cours. Gabor (1969) souligne que les obstacles les plus importants qui nous guettent dans la voie de l'humanisation sont plutôt d'ordre psychologique, religieux, d'indifférence, de léthargie et d'ignorance que des obstacles économiques et techniques.

L'aspect que nous avons privilégié dans cette première section est donc la démonstration sans équivoque de l'influence considérable des conditions environnementales sur l'individu et son développement.

ANALYSE CRITIQUE DES CONTRIBUTIONS DE LA PSYCHOLOGIE DU COUNSELING ET DE L'ORIENTATION

Les recherches en counseling et en orientation

Il n'est pas facile de donner un reflet fidèle des contributions du counseling et de l'orientation à l'évolution de la société. Plusieurs auteurs, dont Osipow (1982) soulignent que dans une large mesure, le type et les contenus de recherche définissent assez explicitement les priorités réelles de la psychologie du counseling et de l'orientation. Diverses recensions des publications réalisées au cours des dernières années s'avèrent des sources importantes d'information pour tracer un profil de l'orientation et du counseling.

L'analyse des recensions de Foreman (1966) portant sur 12 années, de Munley (1974), de Holcomb et Anderson (1977) portant respectivement sur les années 1954 à 1972 et 1971 à 1975, de la recension de Lecomte et coll. (1981) au Canada, de celle de Pepinsky et coll. (1978) et finalement de la grande recension de Zytowski (1982) portant sur 30 années, nous amène aux constatations suivantes : a) il est difficile d'identifier des tendances nettes et précises à partir des contenus de recherche publiés ; b) au cours des années, les articles publiés deviennent de plus en plus empiriques ; c) la qualité de la recherche s'est nettement améliorée ; d) il semble que, de plus en plus, les publications en counseling s'apparentent aux publications des autres revues de psychologie ; e) au cours des dernières années, la plupart des recherches en counseling s'orientent davantage sur les processus que sur les résultats des interventions.

Ce premier niveau d'analyse ne nous apporte pas beaucoup de précisions sur les contributions de la psychologie du counseling et de l'orientation en ce qui concerne en particulier les multiples problèmes du monde contemporain. Si l'on pousse plus loin l'analyse des contenus de recherche publiés, on peut constater que les recherches ont porté sur un certain nombre de cibles fort pertinentes, comme la formation du conseiller, les variables sexuelles, les étudiants, les programmes multiples d'orientation, les méthodes et procédures du counseling, etc. Pour se faire une idée plus juste et plus précise du caractère réel des contributions de ces recherches, il faut pousser encore plus loin notre analyse et nous interroger sur les méthodes, les variables étudiées et le contexte utilisé. Par exemple, dans quelle mesure les recherches sont-elles généralisables à des situations réelles de pratique ? Les recherches tiennent-elles compte des variables environnementales autant que personnelles ?

Pour répondre à de telles questions, il faut procéder à des analyses de contenu fort différentes de celles qui nous sont présentées dans les publications. Il ne suffit pas de dire que des recherches ont porté sur les programmes d'orientation au secondaire ; il s'agit de spécifier quelles variables ont été étudiées et dans quelle perspective. Comme une telle tâche portant sur l'ensemble de la psychologie du counseling et de l'orientation s'avérerait complexe et fastidieuse, nous limiterons notre analyse à un domaine de recherche des plus importants, soit la psychologie vocationnelle. L'analyse de la recherche vocationnelle devrait vraisemblablement fournir un échantillon représentatif de la recherche en counseling et en orientation.

À partir de deux revues influentes en Amérique du Nord, soit le *Journal of Vocational Behavior* et le *Vocational Guidance Quarterly,* il devient intéressant de tenter de cerner les thèmes et les populations étudiés. À partir d'une analyse de contenu réalisée par Gottfredson (1982) sur ces deux revues, il est possible de constater les points suivants : a) ce sont les différences individuelles et l'évaluation de traitements et services qui ont reçu le plus d'attention. Cependant, il est intéressant de souligner que l'étude des différences individuelles porte d'abord sur les intérêts, les aspirations et les valeurs, alors qu'à peine 1 p. cent des recherches concernent les habiletés. Les recherches s'adressent plus à ce que les gens veulent faire qu'à ce qu'ils peuvent faire. Le même phénomène s'observe dans l'évaluation des services où l'on accorde plus d'attention à l'évaluation vocationnelle, aux systèmes d'orientation et aux pratiques du conseiller qu'à la formation ou au placement dont dépendent pourtant les habiletés et les emplois. b) Une autre catégorie de recherche a porté davantage sur les adaptations au travail et à la satisfaction que sur la préparation au travail, la perte et le changement d'emploi. c) L'étude des descriptions d'emplois est certes importante. Les recherches auraient cependant eu avantage à porter davantage sur les emplois disponibles et sur les facteurs influençant les employeurs dans leur choix d'employés. d) Il semble que les recherches en psychologie vocationnelle ont surtout investigué les préférences et les choix dans le développement d'une carrière. Malgré l'importance relative de ce domaine, il faut peut-être se demander si l'étude de facteurs externes de réalité qui peuvent faciliter ou entraver un tel développement n'offrirait pas une perspective plus nuancée quant aux choix et aux préférences vocationnels. e) La plupart des recherches (55 p. cent) effectuées ont été réalisées auprès d'étudiants. De plus, il est étonnant de constater que le statut socio-économique n'est que rarement spécifié. Goldman (1976) regrette l'absence de précision touchant les variables situationnelles des populations étudiées susceptibles d'éclairer les généralisations possibles. f) Très peu d'études ont porté sur les travailleurs non-étudiants et moins encore sur les chômeurs (1,9 p. cent) et les gens à la retraite (0,25 p. cent).

Il est troublant de constater que lorsqu'on demande aux chercheurs d'Amérique du Nord d'indiquer leurs intentions de recherche pour les prochaines années en termes de priorités souhaitables, on obtient peu de différence. En effet, les valeurs, les attitudes, la satisfaction, l'adaptation, les intérêts, les aspirations, de même que les caractéristiques des emplois et des environnements de travail sont perçus comme prioritaires ; alors que les facteurs qui influencent directement le développement de la carrière d'une personne, comme le marché du travail, l'employeur, les parents, l'école, le ou la conjointe, les enfants et la commmunauté sont jugés les moins prioritaires.

Au Québec, Lecomte, Ouellet et Perron (1977) ont procédé à une recherche auprès de 139 conseillers visant à déterminer quelle importance était accordée à douze catégories de compétences et quelles compétences étaient jugées comme faisant partie de leur répertoire. Cette recherche a permis de tracer le profil de la pratique professionnelle des conseillers tel qu'ils le perçoivent eux-mêmes.

Les résultats indiquent clairement que les conseillers se perçoivent comme moins compétents en matière d'habiletés d'intervention sociale, d'habiletés de formation et de supervision qu'en matière d'habiletés d'intervention individuelle et de caractéristiques personnelles. De même, les conseillers se décrivent comme possédant plus de conscience de soi que de conscience sociale. Il semble donc que les conseillers au Québec se perçoivent comme peu outillés pour intervenir sur le plan social. De tels résultats s'expliquent en partie en fonction d'une formation davantage orientée vers les interventions individuelles. Par ailleurs, il semble que les conseillers soient plus centrés sur leur propre développement et leur conscience personnelle que sur une conscience sociale.

De plus, les conseillers ont indiqué sur une échelle en 9 points l'importance qu'ils accordent à ces mêmes catégories de compétences. De façon générale, les résultats démontrent qu'ils valorisent davantage la conscience de soi, les caractéristiques personnelles, les interventions individuelles que les habiletés d'intervention sociale. Ce profil indique encore que les conseillers valorisent leur propre développement personnel et la conscience de soi et accordent peu d'importance à la conscience sociale.

Ces résultats semblent confirmer les recherches de Perron (1974) qui avait montré que les psychologues québécois manifestaient des valeurs de centration sur soi-même, de développement personnel et que la satisfaction de leurs propres intérêts était davantage valorisée que diverses formes d'engagement au niveau du travail et de la société.

Il semble donc que les conseillers québécois se perçoivent mal outillés pour intervenir de façon efficace au plan social. De surcroît, ils n'accordent pas beaucoup d'importance à la conscience sociale et aux habiletés sociales.

L'analyse des contenus de recherche réalisés en psychologie vocationnelle semble clairement indiquer une tendance à ignorer les influences environnementales actives. Un survol rapide de l'ensemble des contributions en psychologie du counseling et de l'orientation (Zytowski, 1982) laisse suggérer la même tendance, c'est-à-dire que les variables personnelles sont plus étudiées que les effets des variables environnementales. Malgré la pertinence de plusieurs des contributions touchant diverses cibles, il convient de s'interroger sur les raisons qui motivent le peu d'intérêt qu'accordent les chercheurs en psychologie du counseling et de l'orientation à des influences souvent déterminantes, soit les variables environnementales.

Cette interrogation prend d'autant plus d'importance du fait que certaines recherches (Endler et Magnusson, 1975) tendent à démontrer que l'étude des seules variables individuelles n'expliquerait que très peu la variance du changement personnel, soit environ 8 p. cent. Par ailleurs, l'étude des effets d'interaction des variables individuelles et environnementales permet d'augmenter substantiellement la variance expliquée.

L'« erreur parsonienne » et l'individualisme romantique

Comment se fait-il qu'une profession qui naquit dans un contexte d'urgences socio-économiques qui mettait en péril le développement harmonieux de la personne en soit venue à presque ignorer l'influence de l'environnement (Lecomte, 1981) ?

Ivey (1980) discute de cette question en parlant d'« erreur parsonienne » dont seraient affectés le counseling et l'orientation. Cette erreur consiste à n'accorder de l'importance qu'à la personne dans l'équation de personne-environnement proposée par Parsons, et ceci malgré que la psychologie du counseling et de l'orientation se définisse essentiellement en fonction d'interactions personne-environnement. Même si Parsons (1909) soulignait l'importance de considérer l'individu et l'environnement, il a toujours accordé plus d'attention à l'individu et a toujours préconisé que l'individu s'adapte à l'environnement. Cette acceptation presque totale de l'environnement a souvent contribué à faire des conseillers des agents d'intégration au système social, et plus encore à des situations d'oppression ou d'injustice.

D'une façon explicite ou implicite, cette même erreur semble se répéter dans la pratique du counseling et de l'orientation. Essentiellement, le counseling et l'orientation sont demeurés des processus individuels. Nous n'avons effectivement pas appris à travailler en fonction d'interactions personne-environnement. Il est certes plus facile de comprendre un individu que d'avoir à comprendre la complexité d'une personne et de son environnement et d'essayer d'intervenir à ce niveau.

Cette centration sur l'individu amène trop souvent le conseiller à limiter ses interventions au strict plan individuel. Plusieurs conseillers en arrivent de plus en plus à se limiter à des interventions de type psychothérapeutique auprès d'individus. Un nombre important de conseillers vont même chercher à se donner une formation ou un perfectionnement davantage centré sur l'intervention et la croissance individuelles sans tenir compte des contingences environnementales. Même le modèle psycho-éducatif proposé par Ivey (1976) et visant la formation à des habiletés centrales dans la vie des gens a été plutôt limité au développement individuel. On a peu cherché à traiter les individus, leurs institutions et leurs influences réciproques. Finalement, il faut reconnaître que les théories de counseling et d'orientation les plus en vue sont d'abord formulées en fonction du développement individuel.

Un deuxième niveau d'explication s'adresse aux postulats véhiculés dans les théories d'orientation utilisées par les conseillers. Un de ces postulats consiste à croire qu'un individu ayant une bonne motivation, de l'information et de l'orientation arrivera à se réaliser pleinement dans un travail en exprimant ses caractéristiques de personnalité. Un tel postulat suppose que tout travail peut mener à la pleine satisfaction d'un individu (Warnath, 1975). De tels postulats ne semblent pas tenir compte du fait que, de plus en plus, pour un nombre grandissant de gens, l'automatisation et la technologie signifient des emplois de survivance où les besoins de l'individu sont largement ignorés. Pour plusieurs, le travail est devenu une nécessité à peine supportable. Une recension de plus de 100 chercheurs réalisée par Rice, Near et Hunt (1980) indique que la relation entre la satisfaction au travail et la satisfaction de vie est de tout au plus de 0,30. En fait, si on tente de prédire la satisfaction de vie à partir de la satisfaction au travail, à peine 10 p. cent de la variance de la satisfaction de vie est expliquée. De tels résultats sont en totale contradiction avec la vision individualiste et romantique souvent véhiculée par les théories d'orientation et de counseling. En fait, ce n'est qu'une petite minorité de personnes qui peuvent maintenant prétendre que leur travail est essentiel à leur développement personnel. De telles constatations viennent remettre en question les bases conceptuelles de la pratique de l'orientation.

L'individualisme romantique sous-jacent à l'orientation et au counseling a souvent consisté à croire que tout est possible pour qui utilise les moyens adéquats, que le travail est noble et digne et que la personne possède en elle l'habileté de fonctionner et de se développer indépendamment des contraintes environnementales. Ces postulats ont amené le conseiller à ignorer trop souvent que les éléments les plus susceptibles de déterminer le choix vocationnel sont la classe socio-économique, l'origine sociale et la catégorie sexuelle plutôt que les aptitudes et les intérêts. Dans une telle perspective individualiste, la réalisation de soi a été conceptualisée en termes de caractéristiques personnelles ignorant la réalité des influences sociales en particulier dans le monde du travail.

Les conseillers se définissent comme des humanistes visant à aider l'individu à se développer au maximum de son potentiel. Cependant, ni les théoriciens ni les praticiens ne sont arrivés à résoudre le conflit important existant entre les besoins des individus et les besoins du système économique. Il est pourtant connu que la plupart du temps, ce sont les impératifs économiques qui sont les plus déterminants dans la vie des gens. Le vécu des travailleurs est alors peu reflété dans les conceptualisations en orientation et en counseling. Comme le souligne Ferkiss (1970), le travailleur heureux et satisfait est devenu un mythe.

L'« erreur parsonienne » et l'individualisme romantique, deux maux dont sont profondément affectés l'orientation et le counseling, ont sans doute contribué à ce que les variables les plus critiques de recherche reçoivent peu d'attention. Un tel état de choses explique peut-être pourquoi les recherches publiées présentent si peu de pertinence comme guide de la pratique professionnelle.

À un autre niveau, l'erreur « parsonienne » et l'individualisme romantique risquent d'entraîner un effet encore plus désastreux, que Suppe (1974) a qualifié de processus « d'ignorance secondaire ». Ce processus consiste dans la confirmation constante des anticipations entretenues par des chercheurs et/ou des praticiens. Une telle pratique entraîne la formation d'un cycle fermé et solidement établi de confirmation qui amène le chercheur à ne rechercher de façon sélective que l'évidence requise, en évitant systématiquement les expériences qui pourraient refuter ses convictions. Cette condition pernicieuse « d'ignorance secondaire » a surtout pour effet que les personnes qui en sont affectées en arrivent à ne plus savoir ce qu'elles ne connaissent pas ou ne comprennent pas.

L'analyse des recherches et de la pratique en psychologie de l'orientation et du counseling semble indiquer une nette tendance à ignorer l'influence des variables environnementales pourtant cruciales dans le développement de la personne et à tenter constamment d'expliquer le développement vocationnel, par exemple dans une perspective essentiellement individualiste. Il devient pertinent alors de se demander si l'orientation et le counseling ne sont pas affligés de ce mal désastreux de « l'ignorance secondaire ». Ce diagnostic apparaît encore plus évident lorsqu'on constate que des chercheurs se proposent de continuer à étudier le développement vocationnel en n'accordant qu'une importance minime aux influences du milieu. Il est à se demander si ces chercheurs ne sont pas devenus prisonniers de ce cercle vicieux de confirmation de leurs anticipations à partir d'informations sélectives de la réalité. Ce phénomène se comprend d'autant mieux lorsqu'on observe que, souvent, les chercheurs sont relativement captifs d'une information filtrée par les revues professionnelles qu'ils lisent et qui ne font que refléter le savoir entretenu par une discipline. La pratique de « l'ignorance secondaire » risque fort d'être un mal complexe et difficile à traiter du fait que ses adeptes en arrivent à des catégories solidement établies de connaissances, comme par exemple sur l'actualisation de soi et la réalisation de soi, qui les rendent aveugles à d'autres dimensions. Selon certains auteurs comme Goldman (1976), un tel état de choses nécessite ni plus ni moins qu'une révolution ou encore, selon Kuhn (1962b, 1970), l'éclatement d'un paradigme.

Considérations sur l'identité psycho-sociale du conseiller

Les contributions les plus importantes du counseling et de l'orientation se situent au niveau d'une multitude de services offerts d'abord et avant tout à l'individu dans une perspective humaniste de développement de la personne. Tout en reconnaissant l'importance de ces contributions, il faut souligner l'absence du conseiller aux plans social, politique et économique. Face aux problèmes humains considérables causés par la crise économique dans le monde du travail, dans la vie de milliers de gens, il est étonnant de constater l'absence relative du counseling et de l'orientation. Les initiatives les plus importantes de même que le leadership conceptuel face à la crise dans le monde du travail sont venus des milieux populaires et religieux. Il semble donc que même en temps de crise économique, le conseiller demeure peu impliqué socialement. Il ne faut peut-être pas en attendre davantage d'une profession qui est devenue centrée sur le développement personnel et qui ne tient pas compte des contingences environnementales.

Par ailleurs, de nombreuses controverses continuent d'être soulevées en ce qui concerne l'importance à accorder aux approches curatives, préventives et développementales. Plusieurs auteurs, dont Super (1979), reprochent sévèrement aux conseillers d'être trop proches de la psychologie clinique et de trop se centrer sur les approches curatives. Il semble que plus de 40 p. cent des objectifs de travail du conseiller soient de nature curative et que diverses approches psychothérapeutiques soient couramment utilisées. Comme le souligne Lecomte (1981), le système social dans lequel nous vivons continue d'accorder plus d'importance aux approches de style curatif s'approchant du modèle médical. L'absence d'une vision psychosociale de l'individu et de l'environnement a sans doute contribué à l'effritement de l'identité de l'orientation et du counseling. Les approches préventives et développementales, des plus pertinentes, qui auraient dû contribuer à donner un essor considérable à l'orientation et au counseling, sont demeurées malheureusement encore trop limitées à l'individu. Pourtant, si ces approches étaient utilisées dans une perspective sociale et communautaire, elles pourraient avoir un impact considérable, en particulier dans la conjoncture socio-économique actuelle.

Par ailleurs, on s'interroge de plus en plus sur la valeur et la nécessité de l'orientation en certains milieux. Les compressions budgétaires sont venues renforcer concrètement les doutes de l'administrateur et du contribuable. Au-delà des raisons discutées jusqu'ici, cette remise en question peut être aussi attribuable à l'absence de preuve de l'efficacité et de la rentabilité des services d'orientation. Plusieurs conseillers n'ont pas appris à évaluer, de façon systématique et intégrée à leur pratique, les services offerts. Une telle situation les rend particulièrement vulnérables aux restrictions budgétaires.

En ce qui concerne les prochaines années, le conseiller doit maintenant faire face à un double défi : redéfinir le counseling et l'orientation, et démontrer sa rentabilité et son efficacité. En ce sens, il m'apparaît des plus pertinent de tenter de poser les jalons d'une réflexion susceptible de contribuer au développement futur de l'orientation et du counseling.

L'avenir de l'orientation et du counseling me semble étroitement lié à sa capacité de redécouvrir et d'opérationnaliser les interactions personne-environnement. La réalisation d'un tel objectif pourra être grandement facilitée si l'intervention et la recherche en orientation et en counseling sont formulées dans une perspective humaine d'éthologie et d'écologie. Dans la section suivante, je tenterai de dégager les grands paramètres d'une telle perspective.

L'ORIENTATION : UNE QUESTION DE TRANSACTIONS PERSONNE-ENVIRONNEMENT

Les premières formulations de l'orientation et du counseling ont été faites dans une perspective d'interaction de l'individu et de son environnement. Parsons (1909) soulignait l'importance pour la personne de bien savoir et comprendre qui elle est dans ses diverses manifestations : aptitudes, habiletés, intérêts, limites ; dans un deuxième temps, d'avoir une connaissance éclairée de son environnement ; puis, finalement, de réfléchir sur les relations entre ces deux entités. Malheureusement, comme nous l'avons vu précédemment, l'orientation s'est d'abord et avant tout penchée sur les seules dimensions de l'individu. L'influence de l'environnement a été peu étudiée et les interactions personne-environnement demeurent à peu près inexplorées.

Il apparaît impérieux dans l'avenir que les transactions personne-environnement soient au cœur même de la pratique d'orientation et de counseling. Certaines formulations théoriques récentes permettent d'espérer qu'un tel objectif pourra être atteint. Ainsi, dans un modèle fort articulé, Bandura (1978) conçoit le développement du soi dans une perspective de déterminisme réciproque de l'environnement et de la personne. Une telle formulation permet de comprendre clairement que les interventions des conseillers devraient surtout porter sur les transactions personne-environnement comme facteurs déterminants du développement de la personne. Le conseiller devient alors un spécialiste des processus interactifs de la personne avec l'environnement plutôt qu'un expert de l'individu et/ou de l'environnement.

Une telle perspective permet de redécouvrir l'importance du monde du travail et de son influence considérable sur le bien-être de la personne (Barker, 1968). Les transactions personne-environnement se situent sans doute au cœur même d'une compréhension valide du monde du travail, tel qu'il est vécu par la personne. Comment expliquer les problèmes d'absentéisme, d'alcoolisme, de stress, d'accidents de travail, etc., sans une compréhension des transactions personne-environnement au travail ? Comment comprendre l'aliénation et le peu de motivation et de créativité des travailleurs sans, par exemple, être conscients des effets du travail répétitif, isolé et automatisé ? Comment intervenir de façon réaliste et pertinente auprès d'un chômeur qui en arrive à la violence physique dans sa famille sans une compréhension du déterminisme réciproque de l'environnement et des caractéristiques de cette personne ?

L'importance des transactions personne-environnement m'apparaît d'une importance cruciale dans la définition de l'identité du conseiller dans les prochaines années. Le conseiller devra continuer à s'intéresser à diverses cibles, comme le mariage, la famille, les personnes âgées, en gardant constamment comme orientation fondamentale de son travail les transactions personne-environnement. Si j'avais cependant à choisir une priorité dans les années à venir, je n'aurais aucune hésitation à préconiser que l'orientation et le counseling s'occupent d'abord et avant tout du monde du travail avec ses multiples ramifications. Une compréhension élargie des aspects socio-psychologiques du travail permet de situer les influences multiples du travail sur l'individu, sa santé physique et psychologique, la famille, le couple, l'éducation des enfants et même le développement des enfants. Les études récentes sur les effets du chômage permettent de recueillir des données fort révélatrices sur l'importance du travail (Catalano et coll., 1981).

Le counseling et l'orientation deviennent alors l'étude des transactions personne-environnement pour faciliter le développement de l'individu et des milieux signifiants (famille, groupe, institution). Ce travail devient alors une tâche plus complexe que la psychothérapie. Non seulement le conseiller doit-il bien connaître la personne et son environnement, mais il doit également saisir les dimensions dynamiques des interactions de la personne et de l'environnement.

Considérations théoriques et méthodologiques dans les transactions personne-environnement

L'orientation : d'abord un processus de résolution de problème. De plus en plus, le processus de résolution de problème (D'Zurilla et Golfried, 1971) sera considéré comme le fondement même des transactions personne-environnement. Toute intervention de counseling et d'orientation repose au fond sur une prise de décision en vue de solutionner un problème. Les interventions touchant l'environnement et celles touchant l'individu requièrent, les unes comme les autres, des prises de décision. Une approche appropriée aux transactions personne-environnement nécessitera un processus de résolution de problème plus complexe pour tenir compte des facteurs interactifs impliqués.

Malgré l'utilisation assez répandue des stratégies de résolution de problème, de nombreux problèmes méthodologiques et théoriques demeurent non résolus. En effet, au-delà des grandes étapes connues de la résolution de problème et de la prise de décision, nous possédons peu de connaissances précises sur les comportements du client et du conseiller susceptibles de faciliter la résolution de problème. Ainsi, il serait utile de connaître quels comportements différencient les personnes réussissant à résoudre leurs problèmes par rapport à celles qui ont un faible taux de succès (Heppner, 1978). En fait, nous connaissons peu les comportements souhaitables du client pour définir clairement un problème, générer des alternatives, prendre une décision, l'évaluer et en arriver à une solution efficace. De plus, il y a peu d'évidence empirique valide pour guider le conseiller dans son choix de comportements et pour faciliter la résolution de problème du client. Par exemple, quelles stratégies du conseiller favorisent le plus une prise de décision efficace et pertinente ? Les recherches sur la prise de décision en milieux naturels sont pratiquement inexistantes. Comme le paradigme de résolution de problème apparaît comme le processus le plus central du counseling et de l'orientation, il apparaît crucial que de plus amples recherches, en particulier en milieu naturel, soient réalisées afin d'aider le conseiller dans son travail de facilitateur de prise de décision.

Par ailleurs, il semble pertinent pour le conseiller de reconnaître que son travail auprès de clients et d'environnements repose constamment sur un processus de prise de décision (Nisbett et Ross, 1980 ; Kanfer et Goldstein, 1980). Les prises de décision ont d'importantes conséquences dans le choix de stratégies et dans le déroulement d'une intervention. Ces décisions sont sujettes à différents biais. Plusieurs recherches démontrent de plus en plus l'influence de facteurs comme l'attraction interpersonnelle (Wills, 1978) ou la classe socioéconomique (Garfield, 1971) dans la prise de décision du conseiller au cours d'une relation d'aide. Voilà un champ d'étude qui mérite des investigations sérieuses au cours des prochaines années. Certaines recherches sont en cours sur le sujet à l'Université de Montréal (Tremblay et Lecomte, 1982), recherches qui soulignent l'importance de ce processus dans la relation d'aide.

Certaines formulations théoriques peuvent aider le conseiller dans ses efforts d'application du processus de résolution de problème aux transactions personne-environnement. Kelly (1955) suggère au conseiller de tenter de saisir comment le client organise et comprend sa réalité selon une grille de construits. Cette perspective peut permettre une compréhension des variables personnelles et environnementales telles qu'elles sont vécues et conçues par le client. Par ailleurs, le conseiller devra au-delà des construits personnels du client, procéder à une évaluation des facteurs environnementaux (Barker, 1968). S'appuyant sur des propositions d'auteurs comme Lewin (1935), Bandura (1977), Hunt et Sullivan (1974), le conseiller aura avantage à conceptualiser ses interventions touchant les transactions personne-environnement dans la perspective proposée par Lewis et Lewis (1977) sous la forme counseling communautaire.

L'application sociale et communautaire du modèle psycho-éducatif. L'orientation continuera d'être avant tout un projet psycho-éducatif dans lequel les problèmes sont conçus comme des déficits relatifs aux habiletés sociales, émotives et behaviorales plutôt que comme des symptômes pathologiques. C'est donc d'abord dans une perspective de santé et de ressources vives que se situera le travail du conseiller d'orientation.

Le conseiller devra apprendre à utiliser de plus en plus les multiples procédures et stratégies développées, par exemple la formation aux habiletés d'aide et d'écoute (Danish et Hawer, 1973 ; Carkhuff, 1969 ; Kogan, 1975 ; Ivey et Gluckstern, 1974, 1976), la clarification des valeurs (Simon, Howe et Kirsckenbaum, 1972), l'éducation maritale et familiale (Guerney, 1977), et plusieurs autres.

Il faut espérer que le modèle psycho-éducatif, jusqu'ici essentiellement orienté vers l'individu, soit appliqué de façon pertinente pour aider les individus dans le contexte de leur environnement. En ce sens, les initiatives de Lewis et Lewis (1977) pour aider les individus à comprendre et changer leurs transactions avec leurs communautés pourraient servir de base aux applications psycho-éducatives. Plusieurs des recommandations d'Osipow (1982) touchant les applications possibles du counseling dans le monde de l'industrie dépendent dans une bonne mesure de l'application psycho-éducative du counseling. Divers objectifs de formation des superviseurs, par exemple des habiletés de communication ou encore des ateliers de planification de développement de carrière, reflètent bien les contributions d'un modèle psycho-éducatif du counseling au monde de l'industrie.

L'attribution et les attentes d'efficacité : concepts-clefs de changement. Parmi les concepts les plus importants susceptibles d'acquérir une certaine pertinence en orientation et en counseling, il faut retenir l'attribution causale et les attentes d'efficacité personnelle. Ces concepts peuvent permettre une compréhension active des succès et des échecs des tentatives de résolution d'un problème relativement à la complexité des interactions des variables personnelles et environnementales. Les attentes d'efficacité personnelle s'adressent au sens de la maîtrise d'un individu face à l'environnement et l'attribution amène l'individu à déterminer sa vision de la causalité des événements et des comportements selon des dimensions externes ou internes.

Le concept d'efficacité de soi mérite une attention particulière dans l'étude du changement. Selon Bandura (1977), ce concept s'adresse aux attentes qu'une personne entretient quant à sa capacité d'accomplir certaines activités, de réaliser des objectifs avec succès. Une telle formulation suggère que toute forme de counseling et d'orientation peut être efficace dans la mesure où le degré de certitude d'apprendre certaines habiletés, par exemple, est suffisant. Le rôle des attentes en counseling est connu depuis longtemps (Bernstein et Lecomte, 1982 ; Cyr, Lecomte et Bernstein, 1982). Il revient cependant à Bandura (1977) d'avoir donné plus de spécificité et de précision à ce concept. Il distingue le degré, la magnitude et la généralité, dans la mesure des attentes, de la conviction d'être capable d'accomplir certaines tâches avec succès. De plus, Bandura (1977) distingue les attentes de processus et les attentes de résultats. Une telle distinction permet de préciser ce qu'une personne pense que sont ses chances de réussir certaines tâches spécifiques par rapport à ce que sont ses chances totales de succès.

Un tel concept présente d'importantes implications en counseling et en orientation. Les attentes d'efficacité de soi sont intimement liées à la maîtrise de soi, à la compétence et à la responsabilité d'une personne. Les recherches de Bandura (1977) suggèrent que ce concept constitue peut-être un processus médiateur de la plus haute importance qui permettrait d'expliquer la persistance des changements obtenus en counseling. Diverses recherches effectuées en counseling (Cyr et Lecomte, 1982 ; Sicuro et Lecomte, 1982) et en counseling marital (Fish et Lecomte, 1982) semblent confirmer l'importance de l'étude de ce concept.

Les attentes d'efficacité de soi méritent d'être davantage étudiées dans un contexte de déterminisme réciproque de l'environnement et de la personne. Nous savons encore trop peu comment se fait le changement (Karoly, 1977), en particulier dans des conditions de vie naturelles. Peut-être est-il important de souligner que les forces les plus déterminantes des attentes d'efficacité de soi sont d'abord et avant tout les expériences concrètes et personnelles de succès. Les influences vicariantes, ou encore de persuasion verbale et de stimulation émotive, tout en étant importantes, sont moins efficaces dans la formation d'un sens de maîtrise et de compétence personnelles.

Un deuxième concept qui reçoit de plus en plus d'attention en counseling et en orientation est celui de l'attribution. L'attribution est un concept qui nous vient des recherches touchant la perception de la personne en psychologie sociale (Jones, Kanouse, Kelley, Nisbett, Kalins et Weiner, 1972). Essentiellement, les approches d'attribution voient la personne fonctionnant comme un chercheur, obtenant de l'information de son milieu et tentant de discerner les causes et les conséquences des événements behavioraux et environnementaux. Ce mouvement traduit pleinement l'influence de la psychologie cognitive.

Les approches d'attribution représentent une tentative de déterminer la perception de la motivation chez soi et les autres (Kelley, 1973). La proposition centrale de cette théorie est que la personne perçoit le comportement comme ayant une cause soit externe, soit interne, c'est-à-dire soit dans l'observateur, soit dans l'environnement. La personne cherche alors à trouver des raisons pour expliquer la manifestation d'un comportement particulier. Une telle recherche lui permet par la suite de prédire les événements futurs (Heider, 1958). Une des décisions cruciales que doit prendre la personne est de déterminer si la responsabilité d'une action dépend de l'environnement ou de la personne. Fondamentalement, la personne en arrive, selon Jones et Davis (1965), à estimer le degré de responsabilité, de justification et d'intentionnalité d'un comportement observé.

Les implications pour le counseling et l'orientation sautent aux yeux. On peut imaginer l'importance que peut représenter pour un conseiller en main-d'œuvre, par exemple, de bien comprendre comment un chômeur en arrive à ses attributions, c'est-à-dire comment il évalue les forces environnementales par rapport à ses forces personnelles. Une compréhension articulée des processus d'attribution peut s'avérer un apport considérable en counseling et en orientation. Les approches d'attribution présentent une contribution spécifique à une vision du counseling et de l'orientation en matière de transactions personne-environnement. En effet, toute attribution suppose d'abord une évaluation des forces de l'individu et des forces de l'environnement. Certaines applications fort pertinentes sont déjà commencées en counseling (Strong, 1970). Ce champ d'application semble des plus prometteurs.

En guise de conclusion, il semble important de souligner que les concepts d'attributions et d'attentes d'efficacité personnelle présentent d'importantes contributions pour l'opérationnalisation des transactions personne-environnement en counseling et en orientation.

Pour une formation intégrée en counseling et en orientation

L'expérience éducative en counseling et en orientation demeure encore trop morcelée en divers segments tels que la théorie, la recherche et la pratique. Trop souvent, la compétence consiste en un nombre de crédits obtenus concernant davantage l'accumulation des connaissances que leur utilisation (Lecomte, 1980). Comment en arriver à former de futurs conseillers capables de faire face aux défis psycho-sociaux des prochaines années ? En particulier, sur quelles bases de formation arriverons-nous à donner des compétences aux futurs conseillers pour répondre adéquatement aux exigences d'une perspective d'orientation et de counseling où les transactions personne-environnement sont centrales ?

D'abord, il semble impérieux que la formation souligne les perspectives pluralistes, multidimensionnelles et relativistes dans l'étude du comportement humain tant sur les plans théorique et pratique que sur celui des méthodes de recherche.

Pour éviter une formation trop souvent linéaire et désincarnée aux notions théoriques, pratiques et scientifiques, on pourrait envisager une perspective d'intégration constante de la théorie avec des cibles réelles d'application en termes scientifiques et pratiques. Kiesler (1980) nous rappelle fort justement que le modèle chercheur-professionnel a peut-être été un échec jusqu'ici parce qu'il n'a jamais véritablement été appliqué. Peut-être que la meilleure façon de former des chercheurs-professionnels, c'est d'abord de faire véritablement vivre aux futurs conseillers des expériences concrètes d'intégration de la théorie, de la recherche et de la pratique.

On peut s'interroger sur les exigences de formation qui seront nécessaires pour utiliser avec compétence les grands paramètres suivants : a) la remise en question de la relation d'aide dans des perspectives pluralistes ; b) le déterminisme réciproque des variables de la personne et de l'environnement dans le développement de la personne ; c) l'utilisation de méthodes éthologiques et écologiques de recherche. Ces divers paramètres semblent clairement souligner l'importance que prendra la réflexion critique, compte tenu des fondements philosophiques de nos options. En effet, les habiletés d'observation, de jugement, de logique et d'intuition seront fondamentales relativement aux exigences d'un counseling utilisant des approches éthologiques et écologiques. La complexité et le pluralisme des approches possibles par rapport aux interactions personne-environnement exigeront de plus en plus du conseiller des habiletés de pensée critique.

Étant donné les défis des prochaines années, le counseling et l'orientation ont un besoin urgent de penseurs. Walton (1982) estime que le counseling et l'orientation manquent de penseurs critiques et actifs. À peine 10 p. cent des formateurs en counseling et en orientation apportent une contribution de façon continue dans des revues professionnelles et scientifiques. Il apparaît donc impérieux qu'une attention toute particulière soit accordée à l'esprit critique et au développement de modèles conceptuels. La formation aux processus

inférentiels communs à la recherche et à la pratique apparaît une avenue des plus pertinentes (Barkley, 1982 ; Lecomte et Bernstein, 1975).

Les modèles actuels de formation semblent répondre aux nouveaux développements
de la société en se limitant à ajouter de nouveaux contenus de cours (Wantz, 1982). Des
questions aussi importantes que le rôle de la pratique, des jeux de rôle, des méthodologies
de supervision, demeurent sans réponse claire (Hansen et coll., 1982).

Les perspectives futures de l'orientation et du counseling laissent présager qu'il s'agira
d'une profession où la formation sera plus exigente et complexe que la psychothérapie et
l'intervention individuelle. Un tel énoncé devrait avoir d'importantes implications sur la
sélection, la formation et le perfectionnement.

La compétence : un processus continu d'évaluation de soi

L'explosion constante du savoir pose de sérieuses questions quant à la nécessité du
perfectionnement pour maintenir un degré de compétence adéquat. Comme le souligne
Dilley (1978), les conseillers qui ont reçu leur formation il y a 10 ans, 5 ans et même 3 ans
ne font probablement pas face aux nouvelles exigences de leur profession avec les compétences nécessaires. Il est illusoire de penser que les connaissances acquises à l'université
assurent une compétence perpétuelle (Bernstein et Lecomte, 1981).

Par ailleurs, des changements socio-économiques, entre autres, incitent de plus en plus
le conseiller à démontrer son utilité sociale et sa rentabilité. Une telle situation exigera du
conseiller une démonstration constante de sa compétence. Il est urgent que le conseiller
réalise que la pratique de sa profession n'est pas un droit mais bien un privilège que lui
accorde une société et qui attend en retour un degré élevé de compétence et d'utilité.

Plusieurs conseillers sont déjà convaincus de l'importance du perfectionnement pour
maintenir dans leur pratique un degré adéquat de compétence. Malheureusement, le conseiller est trop souvent laissé sans critère pour choisir un perfectionnement. Le choix de
cours ou d'ateliers repose souvent plus sur des critères extérieurs que sur une évaluation
détaillée de sa pratique. On peut s'interroger sur les résultats d'un perfectionnement aussi
aléatoire aux limites et ressources professionnelles d'un milieu.

Pour aider le conseiller à bien situer son choix de perfectionnement de façon intégrée
à son développement professionnel, une approche d'évaluation de soi et de supervision de
soi apparaît des plus pertinentes (Bernstein et Lecomte, 1979, Lecomte et Bernstein, 1978).
Le perfectionnement fondé sur l'évaluation de soi vise à aider le conseiller à s'auto-évaluer
dans sa pratique professionnelle selon des critères définis à partir du développement du
savoir. Nanti de ces critères d'auto-évaluation, le conseiller peut alors solliciter le feed-back
de pairs experts de son choix à partir d'une liste disponible. Les experts choisis lui font
parvenir une évaluation de sa pratique réalisée au moyen des mêmes critères qu'il a utilisés.
L'étude des convergences et des divergences de ces évaluations sert alors de guide au conseiller pour planifier ses besoins en perfectionnement. Une telle méthodologie utilisée de
façon périodique dans la vie professionnelle d'un conseiller permet le développement d'habiletés d'autosupervision qui sont peut-être la meilleure garantie de sa compétence.

Lecomte (1982) a opérationnalisé un tel programme d'évaluation de soi et d'auto-supervision pour la formation de psychologues en counseling et pour les corporations professionnelles de psychologie et d'orientation du Québec.

Une telle pratique présente de nombreux avantages : a) elle assure la collaboration active des intervenants à l'évaluation de leurs interventions ; b) elle maximise les choix pertinents de perfectionnement ; c) elle assure une compétence continue ; d) elle facilite une ouverture face à l'évaluation des interventions, et e) elle permet l'amélioration et la rentabilité sociale des services.

Devant les changements constants du monde du travail, il apparaît logique de postuler que des programmes d'auto-évaluation basés sur les habiletés, les stratégies d'intervention favorisant l'autonomie et la compétence professionnelle seront indispensables. L'intégration de procédures d'auto-évaluation dans une perspective d'évaluation des pairs donne une crédibilité professionnelle à une telle démarche (Clairborn, Stricker et Bent, 1982).

Compte tenu des attitudes négatives des conseillers face à l'évaluation de leurs interventions (Lecomte, Bernstein, Blais et Tremblay, 1981), il apparaît pertinent de situer la démarche d'auto-évaluation sur une base privée et anonyme. L'important consiste à donner des instruments et des critères permettant au conseiller d'évaluer sa pratique. Cette auto-évaluation peut porter sur des dimensions théoriques pratiques et scientifiques. Une telle méthodologie amène finalement une profession à démontrer à la société sa capacité de se prendre en main de façon responsable pour le maintien et le développement de sa compétence et de sa validité aux yeux du public.

À partir d'une méthodologie d'auto-évaluation professionnelle, il est possible d'imaginer une programmation cohérente du perfectionnement et de la formation universitaire et, de plus, de planifier comme étape subséquente des procédures valides et pertinentes de permis de pratique et d'accréditation.

Dans un même esprit, il apparaît pertinent d'aider le conseiller dans son développement personnel. Plusieurs auteurs soulignent les sentiments d'aliénation, de frustration, d'apathie qui résultent souvent du stress et des insatisfactions consécutifs au travail du conseiller (Garte et Rosenblum, 1978 ; Washburn, 1979). Le phénomène des conseillers à bout de souffle *(burnt out)* est de plus en plus fréquent. Des procédures d'auto-évaluation apparaissent indispensables pour aider le conseiller à prendre conscience de tels phénomènes et à planifier des solutions. Une telle démarche essentiellement préventive et éducative peut permettre d'éviter des conséquences coûteuses pour l'individu, la profession et la société.

CONCLUSION

Au terme de cette esquisse des grands paramètres de l'avenir de l'orientation et du counseling, que faut-il retenir ? D'abord que l'avenir de l'orientation et du counseling dépend peut-être de la réalisation des objectifs suivants :

a. La définition concrète et opérationnalisée de l'orientation et du counseling dans une perspective d'interactions personne-environnement. La réalisation concrète du déterminisme réciproque des variables individuelles et environnementales dans le développement de la personne.

b. La reconnaissance de l'importance du travail et de ses multiples répercussions dans la vie de la personne comme une transaction personne-environnement primordiale.

c. L'application sociale, institutionnelle et communautaire du modèle psycho-éducatif en matière de prévention et de développement.

d. La réalisation de recherches et d'interventions s'appuyant sur des approches d'éthologie et d'écologie humaines. Redécouvrir l'importance de l'observation systématique et de la description rigoureuse.

e. Une formation intégrée d'intervenants à la pensée créatrice et critique capables de s'auto-évaluer de façon périodique pour assurer le développement continu de leurs compétences professionnelles.

Si de tels objectifs sont réalisés, tout semble indiquer que le counseling et l'orientation pourraient avoir une influence considérable sur le marché du travail, dans l'industrie, dans l'éducation et les centres communautaires de santé mentale. Il est à prévoir que les conseillers continueront essentiellement de se définir autour de quatre rôles : préventif, curatif, éducatif et développemental. Leurs perspectives fondées sur les interactions personne-environnement ouvriront d'immenses possibilités d'application à différentes cibles : couple, famille, tâche développementale, gérontologie, éducation des enfants, éducation des parents...

Devant les graves effets psychologiques de la crise économique actuelle sur la vie de milliers de gens, l'orientation et le counseling peuvent représenter des projets d'espoir concrets et réels pour une société à la recherche d'un avenir.

BIBLIOGRAPHIE

BANDURA, A. : *Social learning theory*, Prentice-Hall, Englewood Cliffs, N.J., 1977.

BANDURA, A. : The self system in reciprocal determinism, *American psychologist* : 344-358, avril 1978.

BARKER, R.G. : *Ecological psychology : concepts and methods for studying the environment of human behavior*, Stanford University Press, Stanford, California, 1968.

BARKLEY, W. : Introducing research to graduate students in the helping professions, *Counselor education and supervision*, 21 (4) : 327-331, 1982.

BERNSTEIN, B. et C. LECOMTE : Self-critique training in a competency-based practicum, *Counselor education and supervision*, 18 : 30-36, 1979.

BERNSTEIN, B. et C. LECOMTE : Licensure in psychology : critical analysis and proposed directions, *Professional psychology*, 12 : 200-208, 1981.

BERNSTEIN, B. et C. LECOMTE : Therapist expectancies : gender, profession and level of training, *Journal of clinical psychology*, 1982.

BLAU, T.H. : Quality of life, social indicators and criteria of change, *Professional psychology*, 8 (4) : 464-473, 1977.

BRENNER, M.H. : Influence of the social environment on psychopathology : the historic perspective : in : J.E. Barrett (Éd.) : *Stress and mental disorder*, Raven Press, New York, 1979.

BRONFENBRENNER, U. : Toward an experimental ecology of human development, *American psychologist*, 32 : 513-531, 1977.

BRUNSWICK, E. : Organismic achievement and environmental probability, *Psychological review*, 50 : 255-272, 1943.

CARKHUFF, R. : *Helping and human relations* (**2 vol.**), Holt, Rinehart and Winston, New York, 1969.

CATALANO, R., D. DOOLEY et R. JACKSON : Economic predictors of admissions to mental health facilities in a non-metropolitan community, *Journal of health and social behavior,* **22** : 284-298, 1981.

CLAIRBORN, W.L., G. STRICKER et R.J. BENT : Peer review and quality assurance, *Professional psychology,* **13** (1) : 1-165, 1982.

CYR, M., C. LECOMTE et B. BERNSTEIN : Les attentes thérapeutiques en fonction de l'orientation théorique et de l'expérience professionnelle. *Revue canadienne des sciences du comportement,* **14** (3) : 164-174, 1982.

DANISH, S. et A. HAUER : *Helping skills : a basic training program,* Behavioral, New York, 1973.

DILLEY, J. : Continuing education for school counselors, *Counselor education and supervision,* **18** : 53-57, 1978.

D'ZURILLA, T. et M. GOLDFRIED : Problem solving and behavior modification, *Journal of abnormal psychology,* **78** : 107-126, 1971.

EDUCATIONAL TESTING SERVICE : Career guidance by computor, *Mosaic,* **10,** 1971.

ENDER, N.S. et D. MAGNUSSON (Éds) : *Interactional psychology and personality,* Hemisphere, Washington, D.C., 1975.

FERKISS, V.C. : *Technological man,* New York. Mentor Books, 1970.

FISH, J. et C. LECOMTE : Les attentes et la communication maritale, (article en préparation).

FRANK, J. : *Persuasion and healing,* The John Hopkins University Press, Baltimore, 1961, 1973.

GABOR, D. : Material development, in : R. Jungk et J. Galtung (Éds) : *Monking 2000,* Universitetsforloget, Oslo, 156-164, 1969.

GARFIELD, S.L. : Research on client variables in psychotherapy, in : S. Garfield et A. Bergin (Éds) : *Handbook of psychotherapy and behavior change,* Wiley, New York, 1971, 1978.

GARFIELD, S.L. : Psychotherapy : a 40-year appraisal, *American psychologist,* **36** : 174-183, 1981.

GARFIELD, S.L. et R. KURTZ : Clinical psychologists in the 1970s, *American psychologist,* **31** : 1-9, 1970.

GARFIELD, S.L. et A.E. BERGIN : *Handbook of psychotherapy and behavior change,* Wiley, New York, 1978.

GARTE, S.H. et M.L. ROSENBLUM : Lighting fires in burned-out counselors, *Personnel and guidance journal,* **15** : 158-160, 1978.

GLASS, G.V., V.L. WILAN et J.M. GOTTMAN : *Design and analysis of time series experiments,* Colorado Associated Universities, Boulder, Colorado, 1975.

GOLDMAN, L. : A revolution in counseling research, *Journal of counseling psychology,* **23** : 543-552, 1976.

GOLDMAN, L. : Toward more meaningful research, *Personnel and guidance journal,* **55** : 363-368, 1977.

GOLDSTEIN, A.P. : *Structured learning therapy : toward a psychotherapy for the poor,* Academic Press, New York, 1973.

GOTTFREDSON, L. : Vocational research priorities, *The counseling psychologist,* **10** (2) : 69-84, 1982.

GUERNEY, B.J. : *Relationship enhancement,* Jossey-Bass, San Francisco, 1977.

HANSEN, J.C., T.H. ROBINS et J. GRIMER : Review of research on practicum supervision, *Counselor education and supervision,* **22** (1) : 15-24, 1982.

HARMON, W. : The coming tranformation in our view of knowledge, *The futurist,* **8** : 126-128, 1974.

HARTING, F. et B.E. DEARING : *Exploratory data analysis,* Sage, Beverly Hills, California, 1979.

HEIDER, F. : *The psychology of interpersonal relations,* Wiley, New York, 1958.

HEPPNER, P. : A review of the problem-solving literature and its relationship to the counseling process, *Journal of counseling psychology,* **25** : 366-375, 1978.

HOLCOMB, W.R. et W.P. ANDERSON : Vocational guidance research : a five year overview, *Journal of vocational behavior,* **10** : 341-346, 1977.

HUFF, V. : *Living well : a holistic perspective.* Student Counseling Services, University of Arizona, Tuckson, Arizona, 1978.

HUNT, D. et SULLIVAN : *Between psychology and education,* Dryden, Hinsdale, Ill., 1974.

IVEY, A.E. : Counseling psychology, the psychoeducator model and the future, *The counseling psychologist,* **6** (3) : 72-74, 1976.

IVEY, A.E. : Counseling 2000 : time to take charge, *The counseling psychologist,* **8** (4) : 12-16, 1980.

IVEY, A. et N. GLUCKSTERN : *Basic attending skills and basic influencing skills,* Microtraining, North Amherst, Mass. 1974, 1976.

JONES, E.E., D.E. KANOUSE, H.H. KELLY, P.E. NISBETT, S. KALINS et B. WEINER (Éds) : *Attribution ; perceiving the causes of behavior,* General Learning Press, Morristown, New Jersey, 1972.

JONES, E.E. et K. DAVIS : From acts to dispositions : the attribution process in person perception, in : L. Berkowitz (Éd.) : *Advances in experimental social psychology* (**vol. 2**), Academic Press, New York.

KAGAN, N. : *Influencing human interaction,* American Personnel and Guidance Association, Washington, D.C., 1975.

KAHN, H. et B. BRUCE-BRIGGS : *Things to come : thinking about the seventies and eighties*, Macmillan, New York, 1972.

KANFER, F.H. et A.P. GOLDSTEIN : Introduction, in : F.H. Kanfer et A.P. Goldstein (Éds) : *Helping people change* (2ᵉ éd.), Pergamon, New York, 1980.

KANTOR, R.M. : *Work and family in the United States : a critical review and agenda for research and policy*, Russell Sage, New York, 1977.

KAROLY, P. : Behavioral self-management in children : concepts, methods, issues and directions, in : M. Hersen, R.M. Eisler et P.M. Miller (Éds) : *Progress in behavior modification* (ch. 5), Academic Press, New York, 1977.

KELLEY, H.H. : The processes of causal attribution, *American psychologist*, **28** : 107-128, 1973.

KELLY, G. : *The psychology of personal constructs*, **Vols I** et **II**. W.W. Norton, New York, 1955.

KIESLER, D.J. : Commentary on research in counseling, *The counseling psychologist*, **8** : 44-46, 1980.

KRUMBOLTZ, J.D. : Future directions for counseling research, in : J.M. Whiteley (Éd.) : *Research in counseling : evaluation and refocus*, Merrill, Columbus, Ohio, 1968.

KHUN, T. : *The structure of scientific revolution* (1ᵉʳᵉ éd., 2ᵉ éd.). University of Chicago Press, Chicago, 1962, 1970.

LECOMTE, C. : Le développement de la compétence en relation d'aide : modèle de formation critériée à l'évaluation de soi, *document inédit du programme de psychologie du counseling à l'Université de Montréal*, 1982(a)(b).

LECOMTE, C. : Analyse de la formation et de la pratique en psychologie appliquée, *Cahiers du psychologue québécois*, **1** : 26-28, 1978.

LECOMTE, C. : Pour une psychothérapie relativiste : une approche transthéorique, *communication présentée au congrès de l'ACFAS*, Québec, 1980.

LECOMTE, C. : L'orientation en mal d'orientation, *Prospectives*, **17** : (4), 186-189, 1981.

LECOMTE, C. : L'unification de la personne et la pédagogie du geste thérapeutique, *Les cahiers du psychologue québécois*, **4** (2) : 61-66, 1982.

LECOMTE, C. et B. BERNSTEIN : *Innovative package in counselor education*. American Personnel and Guidance Convention, New Orleans, 1975.

LECOMTE, C., G. OUELLET et J. PERRON : La formation en counseling, *L'orientation professionnelle*, **13** : 96-219, 1977.

LECOMTE, C. et B. BERNSTEIN : Development of self-supervision skills, *Communiqué présenté au congrès d'APGA*, Washington, D.C., 1978.

LECOMTE, C. et J. PERRON : Analyse multidimensionnelle de la responsabilité sociale de la psychologie, *Conseiller canadien*, **14** (3) : 181-185, 1980.

LECOMTE, C., B. BERNSTEIN, R. BLAIS et L. TREMBLAY : Les psychologues et les conseillers d'orientation face à l'évaluation de leurs interventions, *document de recherche n° II*, Office des professions du Québec, 1981.

LECOMTE, C., F. DUMONT et H. ZINGLE : Research in counselling psychology : changing emphases in a Canadian perspective, *Canadian counsellor*, **16** (1) : 9-20, 1981.

LEVINSON, D.J. et coll. : *The seasons of a man's life*, Knopf, New York, 1978.

LEWIN, K. : *A dynamic theory of personality*, McGraw-Hill, New York, 1935.

LEWIS, J. et M. LEWIS : *Community counseling*, Wiley, New York, 1977.

LIMOGES, J. : *L'entraide*, Éditions de l'homme, Montréal, 1982.

MAHONEY, J.J. : *Scientist as subject : the psychological imperative*. Ballinger, Cambridge, 1976.

MEAD, M. : Toward a human science, *Science*, **191**, 903-909, 1976.

MUNLEY, P.H. : A content analysis of the Journal of counseling psychology, *Journal of counseling psychology*, **21** (4) : 305-310, 1974.

NISBETT, R. et L. ROSS : *Human inference : strategies and shortcomings of social judgment*, Prentice-Hall, Englewood Cliffs, New Jersey, 1980.

OSIPOW, S.H. : Some revised questions for vocational psychology, *The counseling psychologist*, **1** (1) : 17-19, 1969.

OSIPOW, S.H. : Counseling psychology : applications in the world of work, *The counseling psychologist*, **10** (3) : 19-25, 1982.

PARSONS, F. : *Choosing a vocation*, Agathon, New York, 1909, 1967.

PEPINSKY, H.B., K. HILL-FREDERICK et D.L. EPPERSON : The Journal of counseling psychology as a matter of policies. *Journal of counseling psychology*, **25** : 483-496, 1978.

PERRON, J. : Résultats du questionnaire des renseignements généraux, *Le psychologue québécois*, **6** : 1-9, 1974.

PROCHASKA, J.A. et J.C. MOCROSS : The future of psychotherapy : a delphi poll., *Professional psychology*, **13** (5) : 620-627, 1982.

RAYMAN, J.P. et J. BOWLSKY : « Discover » : a model for a systematic career guidance program, *Vocational guidance quarterly*, **26** : 3-12, 1977.

RICE, R.W., P.J. NEAR et R.G. HUNT : The job-satisfaction/life satisfaction relationship : a review of empirical research, *Basic and applied social psychology*, **1** : 37-64, 1980.

SCHOFIELD, W. : *Psychotherapy : the purchase of friendship*, Prentice-Hall, Englewood Cliffs, N.J., 1964.

SCHWARTZ, R.M. et J.M. GOTTMAN : Toward a task analysis of assertive behavior. *Journal of consulting and clinical psychology*, **44** : 921-928, 1976.

SHEEHY, G. : *Passages : predictable crises of adult life*, Dutton, New York, 1976.

SICURO, F., C. LECOMTE et B. BERNSTEIN : Les attentes et le sexisme en counseling, *Conseiller canadien*, **16** (2) : 74-81, 1982.

SIMON, S., L. HOWE et H. KIRSCHENBAUM : *Values clarification*, Holt, Rinehart and Winston, New York, 1972.

STRONG, S.P. : Causal attribution in counseling and psychotherapy, *Journal of counseling psychology*, **17** : 388-389, 1970.

STRUPP, H.H. et S. HADLEY : A tripartite model of mental health and therapeutic outcomes : an integrated account, *Archives of general psychiatry*, **33** : 1291-1302, A.J.

SUPER, D.E. : The year 2000 and all that, *The counseling psychologist*, **8** (4) : 22-24, 1980.

SUPPE, F. : *The structure of scientific theories*, University of Illinois Press, Champaign Ill., 1974.

THORESEN, C.E. : Relevance and research in counseling, *Review of educational research*, **39** : 264-282, 1969.

THORESEN, C.E. : Making better science, intensively, *Personnel and guidance journal*, **56** : 279-282, 1978.

TOFFLER, A. : Statement of A. Toffler, Committee on anticipatory democracy, in : *Choosing our environment : can we anticipate the future ?* **part I,** *Futures analyses and the environment* (serial no. 94-H31, le 15 décembre 1975), Committee on public works, United States Senate, Government Printing Office, Washington, D.C., 1976.

TREMBLAY, L. : La pertinence de la méthode éthologique pour l'étude de la psychothérapie et de son impact, *Psychologie du counseling*, Université de Montréal, Montréal, Québec.

TROWER, P. : Situational analysis of the components and processes of behavior of socially skilled and unskilled patients, *Journal of consulting and clinical psychology*, **48** : 327-339, 1980.

WAGMAN, M. : PLATO DCS : An interactive computer system for personal planning, *Journal of counseling psychology*, **27** : 16-30, 1980.

WAGMAN, M. et K.W. KERBER : PLATO DCS, an interactive computer system for personal counseling : further development and evaluation, *Journal of counseling psychology*, **27** : 31-39, 1980.

WALTON, J.M. : Research activity and scholarly productivity among counselor educators, *Counselor education and supervision*, **21** (4) : 305-311, 1982.

WANTZ, R.A. : Trends in counselor preparation : courses, program, emphases, philosophical orientation and experiential components, *Counselor education and supervision*, **21** (4) : 258-259, 1982.

WARNATH, C.F. : Vocational theories : direction to nowhere, *The personnel and guidance journal*, **53** (6) : 422-428, 1975.

WASHBURN, H. : President's message, *ASCA Newsletter*, **16** (2), 1979.

WILLS, T.A. : Perceptions of clients by professional helpers, *Psychological bulletin*, **85** : 968-1000, 1978.

WRENN, C.G. : *The world of the contemporary counselor*, Houghton-Mifflin, Boston, 1973.

WRENN, G. : Observations on what counseling psychologists will be doing during the next 20 years, *The counseling psychologist*, **8** (4) : 32-35, 1980.

ZIMMER, J. : Concerning ecology in counseling, *Journal of counseling psychology*, **25** : 225-230, 1978.

ZYTOWSKI, D. : Grand tour : 30 years of Annual review of psychology. *The counseling psychologist*, **10** : 30, 1982.

Chapitre 2
L'évolution de l'orientation en France

Michel Huteau

Si l'on définit le système d'orientation par la structure de l'appareil de formation et par les règles et pratiques qui permettent la ventilation de la population scolarisée dans les diverses parties de cette structure, on ne peut que constater la position singulière du conseiller d'orientation dans ce système. D'un côté on peut le considérer comme une pièce rapportée qui pourrait facilement être enlevée, d'autant plus que les décisions d'orientation ne relèvent pas de sa compétence mais de celle de collectifs de formateurs, *« jury d'examen »* ou *« conseil d'orientation »,* ou, plus en aval, lorsqu'il s'agit plutôt de recrutement et d'embauche, de responsables de la production. Mais d'un autre côté il paraît indispensable. De toute évidence, le fonctionnement du système d'orientation ne fournit pas à ses usagers la satisfaction que ceux-ci seraient en droit d'attendre et, d'un point de vue général, il ne permet pas une utilisation optimum des ressources humaines. Aussi admet-on généralement qu'il est nécessaire de faire intervenir un spécialiste — le conseiller d'orientation — afin par exemple de mieux apprécier ou d'apprécier autrement les aptitudes, ou encore de mieux informer sur les choix scolaires et professionnels possibles et leurs conséquences. Ajoutons que l'on compte souvent un peu trop sur ce spécialiste pour corriger les dysfonctionnements du système et parfois même pour en assumer la responsabilité.

Les remarques suivantes, présentées du point de vue d'un chercheur, sont centrées sur des problèmes liés à la pratique des conseillers d'orientation et aux évolutions que l'on peut observer dans cette pratique. Le système d'orientation ne sera pas examiné en lui-même, mais seulement, et incidemment, dans la mesure où il conditionne la pratique professionnelle des conseillers. Une vision plus globale de l'évolution de l'orientation a été présentée dans l'essai prospectif de M. Reuchlin, *L'enseignement de l'an 2000, le problème de l'orientation.* Notre propos n'est pas de faire des pronostics, ni de décrire avec précision une réalité autre que celle que nous connaissons. Mais, partant du principe que l'évolution des conceptions et des pratiques d'orientation devant nous conduire d'un état relativement stable — un modèle de l'orientation essentiellement fondé sur l'évaluation des aptitudes — à un autre état, peut-être relativement stable lui aussi — un modèle de l'orientation surtout fondé sur le développement des capacités d'initiative des jeunes — est largement entamée, il s'agit plutôt pour nous de réfléchir sur la signification et les implications de cette évolution afin de mieux la maîtriser. Cette réflexion, comme toute interrogation quant à l'avenir, ne témoigne donc pas seulement d'une volonté d'anticiper, mais aussi de l'intention de contribuer à infléchir le cours des choses dans un sens jugé favorable.

LES TESTS, LES APTITUDES ET LA JUSTE SÉLECTION : UN MODÈLE DE L'ORIENTATION ET SA CRISE

Une pratique de l'orientation s'organise idéalement autour de trois éléments solidaires : des objectifs sociaux généraux essayant de coordonner, en leur donnant des pondérations et des significations diverses, des critères d'intérêt général et des critères de satisfaction individuelle ; des techniques permettant d'atteindre ces objectifs ; une théorie qui fonde les techniques.

Les fondateurs de l'orientation professionnelle en France ont donné une réalisation de ce schéma idéal qui s'est longtemps imposée avec la force de l'évidence (voir par exemple Huteau et Lautrey, 1979). L'objectif social consistait à promouvoir un type de société *justement hiérarchisée* dans lequel le statut et le rôle professionnel de chacun seraient déterminés par ses aptitudes et non par la position sociale des parents. Une telle organisation sociale doit permettre une utilisation optimum des aptitudes et rendre ainsi le système productif plus efficient. Elle maximise par ailleurs, pense-t-on, la satisfaction que chacun peut espérer tirer de son travail. L'utilisation des tests mentaux donne la possibilité d'atteindre ces objectifs dans la mesure où ils permettent d'évaluer objectivement des aptitudes qui se caractérisent, selon la théorie des aptitudes, par leur spécificité, leur origine naturelle et leur faible flexibilité. Dans ce contexte la science psychologique devait donc contribuer de manière décisive à une certaine forme de démocratisation de la vie sociale et l'on peut observer une convergence réelle entre le programme des fondateurs de l'orientation professionnelle et les aspirations populaires que traduisait la montée du mouvement ouvrier. Les conseillers qui acceptaient cet ensemble de propositions étaient des professionnels heureux.

Certes ce modèle de l'orientation n'a jamais été accepté par tous et il est même arrivé à ses promoteurs d'être minoritaires dans les congrès professionnels. Au nom d'un pragmatisme à court terme — et à courte vue — il s'est toujours trouvé des personnes pour récuser la discussion sur le choix ou l'explicitation des valeurs et pour mettre en cause la nécessité du détour qu'exige une recherche de fondements scientifiques. Il est vrai aussi que très tôt, dès les années 40, des doutes sérieux ont commencé à être émis sur le caractère scientifique des fondements de l'orientation professionnelle. Enfin notons que le programme des fondateurs de l'orientation n'a jamais été complètement appliqué. Il est resté une utopie. Parce qu'elle mettait en cause les privilèges des classes dominantes, la *juste sélection* par les aptitudes a été réservée aux élèves de fin de scolarité primaire se dirigeant vers des formations techniques courtes. Malgré ces réserves, le modèle de l'orientation fondé sur la théorie des aptitudes a longtemps été la référence unique des conseillers d'orientation et il a déterminé un type d'intervention caractéristique : l'examen psychologique unique, en fin d'études, consistant pour une large part en l'application d'une batterie de tests standards destinée précisément à évaluer les aptitudes et devant permettre un pronostic d'adaptation professionnelle, pronostic pondéré par des informations relatives aux goûts professionnels et au milieu familial recueillies au cours de l'entretien.

Cette conception harmonieuse de l'orientation a mal résisté au temps et l'on ne trouverait sans doute aujourd'hui personne pour la défendre dans les termes où nous l'avons brièvement résumée. L'évolution technologique a profondément modifié le tableau des qualifications professionnelles : certaines ont disparu, d'autres ont été profondément modifiées, d'autres encore ont fait leur apparition. Les recherches en psychologie ont montré que les dimensions pertinentes des différences individuelles étaient finalement assez peu spécifiques. On peut certes distinguer des grandes classes d'activité au sein desquelles les sujets ont des conduites relativement homogènes, ce qui permet de définir des grands axes de différenciation interindividuelle. Citons par exemple les *grands facteurs* (verbal, numérique, spatial...), les distinctions entre pensée convergente et pensée divergente, entre intelligence fluide et intelligence cristallisée. Mais, dès que l'on cherche à les affiner, les différenciations de ce type deviennent vite problématiques. Les échecs rencontrés dans les tentatives de validation des 120 dimensions postulées par le modèle *cubique* de Guilford témoignent de cette difficulté. Par ailleurs le niveau d'efficience d'un individu dans une activité donnée est le résultat d'interactions beaucoup plus complexes qu'on ne l'imaginait entre un potentiel génétique et des expériences, ce qui conduit à une certaine revalorisation des processus de formation. Il n'est donc pas possible d'établir une correspondance précise entre des aptitudes et des fonctions professionnelles. Par ailleurs, et nous y reviendrons, l'évolution sociale a fait apparaître de nouvelles valeurs qui relativisent les objectifs méritocratiques anciens. Le modèle classique de l'orientation est donc entré en crise. Cette crise n'est pas nouvelle — il nous semble que ses effets étaient déjà sensibles autour des années 1950[1] — et elle a suscité et continue à susciter des réponses et des tentatives d'adaptation dans lesquelles nous voyons la construction progressive d'un nouveau modèle de l'orientation. Cette émergence n'est pas toujours facile à saisir, non seulement parce que l'ancien et le nouveau restent toujours étroitement mêlés mais surtout parce qu'elle interfère avec une autre évolution commandée par la nécessité de se modifier pour répondre à des problèmes nouveaux : l'explosion scolaire dès la fin des années 50, la crise de l'emploi depuis le début des années 70.

DEUX INDICES DE L'ÉVOLUTION DES PRATIQUES ET DES CONCEPTIONS EN MATIÈRE D'ORIENTATION

Les évolutions en matière d'orientation, traduisant selon nous l'émergence d'un nouveau modèle, peuvent être repérées par de multiples indices. Nous en avons choisi deux : les thèmes retenus pour les Congrès de l'A.C.O.F.* et les statistiques ministérielles sur l'activité des Centres d'Information et d'Orientation. Bien que grossiers et imparfaits, ces indices nous semblent cependant suffisants pour mettre en évidence quelques phénomènes essentiels.

---

[1] Deux indices de cette crise : *La théorie de l'orientation professionnelle* de Naville (1945) et la *Psychopédagogie de l'orientation professionnelle* de Léon (1957).

* L'Association Générale des Orienteurs de France a été créée en 1930. Elle est devenue l'Association Générale des Conseillers d'Orientation de France (A.C.O.F.) en 1954.

En parcourant la liste des thèmes des 32 premiers Congrès de l'A.C.O.F. (voir ci-dessous), on peut d'abord relever la permanence de certaines interrogations sur les réalités sociales et économiques et leurs changements prévisibles ainsi que sur la fonction du conseiller d'orientation et son avenir. Si les premiers Congrès donnent une place importante aux aptitudes, à la technique de l'examen psychologique et à la description des métiers, ces thèmes disparaissent rapidement. Par contre, on voit bien apparaître fréquemment deux types de préoccupations non indépendantes. D'abord l'intérêt pour les problèmes de la scolarité et la psycho-pédagogie. Esquissée en 1948, reprise en 1953, cette interrogation devient très fréquente à partir de 1959 (59, 61, 65, 68, 70, 76, 79). Parallèlement, on se préoccupe de la formation des choix professionnels, vue d'abord sous l'angle de la simple information (52), puis à partir des besoins des jeunes (63), et en précisant de plus en plus ses aspects psychologiques : individualisation (71), aide à la prise de décision (73). Ces orientations se précisent dans les dernières années (76, 78, 80) en même temps que l'on met davantage l'accent sur l'autonomie des jeunes. Ces quelques notations seraient très vraisemblablement confirmées, et utilement précisées, par une analyse de contenu des comptes rendus de Congrès.

Les statistiques ministérielles décrivent d'une manière seulement approximative l'activité des centres d'information et d'orientation, et l'on sait très bien qu'elles ne sont pas toujours fondées sur des données fiables. Elles permettent cependant, notamment pour les 20 dernières années, période à laquelle nous nous sommes limités, de mettre en évidence des variations massives dans les pratiques professionnelles.

Pendant les deux dernières décennies, les services d'orientation se sont étoffés en même temps qu'ils étendaient leur champ d'action.

Les 32 premiers Congrès de l'A.C.O.F.
(source : Bulletin de l'A.C.O.F.)

Ier	1935	(Paris)
IIème	1939	L'orientation professionnelle et la famille. Continuité de l'O.P. L'orientation professionnelle et la situation économique (Lille).
IIIème	1948	L'orientation professionnelle et l'orientation dite scolaire. Étude du comportement dans l'examen d'orientation professionnelle. Relations entre l'orientation professionnelle et la psychologie industrielle (Nantes).
IVème	1949	Dossier d'orientation. Examen individuel. Les aptitudes des sujets sont-elles fonction des antécédents ? (Marseille)
Vème	1950	Les monographies professionnelles. L'essai d'estimation objective de la réussite professionnelle. La collaboration conseiller d'orientation scolaire et professionnelle — médecin d'orientation professionnelle (Roubaix).

VIème	1951	Valeur pratique de l'orientation professionnelle. Techniques nouvelles. Monographies professionnelles (Tarbes).
VIIème	1952	L'orientation professionnelle et l'apprentissage. L'information des enfants et des familles en orientation professionnelle. Le problème du caractère (Saint-Étienne).
VIIIème	1953	Rôle du conseiller en orientation scolaire : orientation et enseignement, orientation et profession. L'orientation professionnelle et l'intervention psychologique (Nancy).
IXème	1955	Rapports entre l'orientation professionnelle et le milieu. Évolution générale de l'idée d'orientation et de son intégration dans la vie sociale (Nice).
Xème	1956	Le conseiller d'orientation professionnelle devant l'évolution socio-économique (Angers).
XIème	1957	Le conseiller d'orientation professionnelle face à l'évolution du monde rural (Toulouse).
XIIème	1959	L'orientation et les structures de l'enseignement (Clermont-Ferrand).
XIIIème	1960	L'avenir social et professionnel des moins doués (Évreux).
XIVème	1961	Aspects économiques, sociologiques et psycho-pédagogiques de l'orientation des jeunes (Colmar).
XVème	1963	Les besoins des jeunes (Annecy).
XVIème	1964	Le conseiller d'orientation face à l'évolution économique et sociale (Chaumont).
XVIIème	1965	L'observation et l'orientation au cours du premier cycle (Douai).
XVIIIème	1967	L'information et l'orientation (Brest).
XIXème	1968	Adaptation des élèves et service d'orientation (Jouy en Josas).
XXème	1969	Le conseiller demain (Montpellier).
XXIème	1970	L'orientation sera-t-elle scolaire ou professionnelle ? (Belfort)
XXIIème	1971	Comment individualiser l'information ? (Grenoble)
XXIIIème	1972	La diversité des rôles dans l'unité de la fonction (Orléans).
XXIVème	1973	L'aide à la prise de décision (Niort).
XXVème	1974	L'orientation continue, mythe ou réalité ? (St-Germain en Laye)
XXVIème	1975	Les jeunes et le monde du travail (Limoges).
XXVIIème	1976	Les formations de second cycle et la psycho-pédagogie de l'orientation (Chambery).
XXVIIIème	1977	La formation du conseiller d'orientation (Toulouse).
XXIXème	1978	Porte ouverte sur les centres d'information et d'orientation. Témoignages sur l'activité des conseillers d'orientation (Caen).

XXXème   1979   La dimension éducative de l'orientation, de la formation initiale
                               à l'éducation permanente (Strasbourg).

XXXIème   1980   S'orienter dans les années 80 (Avignon).

XXXIIème   1981   Communication et orientation (Cergy-Pontoise).

De 1962-63 à 1980-81, le nombre des conseillers a été multiplié par 3,5 ; parallèlement, le nombre de consultants était multiplié en gros par 2*. Ces deux évolutions se faisant à des rythmes différents, les données statistiques brutes indiquant le nombre d'opérations effectuées (nombre d'examens collectifs, d'entretiens...) ne nous renseignent pas directement sur les changements dans l'activité des conseillers. Demandons-nous plutôt ce que fait un conseiller — il faut alors rapporter les données brutes au nombre de conseillers —, et ce qui risque d'arriver à un consultant lorsqu'il entre en contact avec un conseiller — il faut alors rapporter les données brutes au nombre des consultants.

On peut voir sur le graphique 1 comment a évolué l'activité des conseillers d'orientation** : diminution du nombre des examens collectifs, diminution du nombre des examens individuels, augmentation du nombre des simples entretiens. Ce genre d'évolution est connu mais son ampleur est généralement sous-estimée. En 12 ans, le nombre d'entretiens seuls double, celui des examens collectifs évolue dans un rapport de 5 à 3***. En 18 ans, le nombre des examens complets évolue dans un rapport de 6 à 1.

Les données relatives aux séances d'information montrent aussi une évolution spectaculaire**** : en 15 ans, de 1965-66 à 1980-81, le nombre de séances par conseiller passe de 9 à 32*****.

Si l'on examine maintenant l'accueil réservé aux consultants (graphique 2), les tendances précédentes apparaissent encore plus fortement. Le contact entre un consultant et un conseiller prenait la forme d'un *entretien sans examen individuel* 2 fois sur 10 en 1968-69 et 5 fois sur 10 en 1980-81, d'un examen collectif 9 fois sur 10 en 1968-69 et 6,5 fois sur 10 en 1980-81. Les *examens individuels avec entretien* qui touchaient 1 consultant sur 4 en 62-63 n'en touchaient plus que 1 sur 17 en 1981-82******.

---

* En 1962-63, on comptait environ 1 000 conseillers pour presque 800 000 consultants. En 1980-81 il y avait environ 3 500 conseillers pour un peu plus de 1,6 million de consultants.
Pendant cette même période, l'activité des centres s'est concentrée sur les élèves du premier cycle. Ils représentaient moins de 40% de la clientèle des centres en 1962-63, mais un peu plus de 80% en 1974-75 et 1977-78. Depuis, la population touchée s'est légèrement diversifiée (77% pour le premier cycle en 1980-81).

** On s'intéresse surtout ici aux tendances d'évolution. Pour obtenir une estimation plus précise du nombre d'opérations par conseiller il faudrait réviser en hausse les chiffres que nous indiquons. En effet nous n'avons pas utilisé le nombre des conseillers en exercice, mais le nombre des postes budgétaires de conseillers qui lui est un peu supérieur. En 1965-66 et avant, les statistiques ne distinguent pas les examens collectifs des examens de connaissances ; les simples entretiens — et ceci est symptomatique — n'apparaissent pas.

*** La courbe d'évolution concernant les épreuves de connaissances est voisine de celle des examens collectifs ; 1968-69 : 117 épreuves par conseillers (ce nombre a très vraisemblablement été inférieur les années antérieures, on a sans doute là un effet des secousses de 1968) ; 1971-72 : 55 ; 1974-75 : 48 ; 1977-78 : 39 ; 1980-81 : 35.

**** En 1980-81 on relève environ 110 000 actions d'information avec un peu plus de 2 millions de bénéficiaires.

***** 65-66 : 9 ; 68-69 : 13 ; 71-72 : 24 ; 74-75 : 22 ; 77-78 : 26 ; 80-81 : 32.

****** Les consultants ayant passé un examen collectif peuvent avoir passé un examen individuel avec entretien, ils peuvent aussi avoir eu un entretien sans examen individuel.

Graphique 1 :
L'évolution de l'activité du conseiller d'orientation.

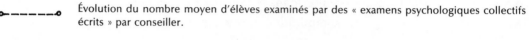

o————o Évolution du nombre moyen d'élèves examinés par des « examens psychologiques collectifs écrits » par conseiller.

o————o Évolution du nombre moyen d'élèves examinés par des « examens individuels avec entretien ».

o·········o Évolution du nombre moyen d'élèves examinés par les « entretiens sans examen individuel ».

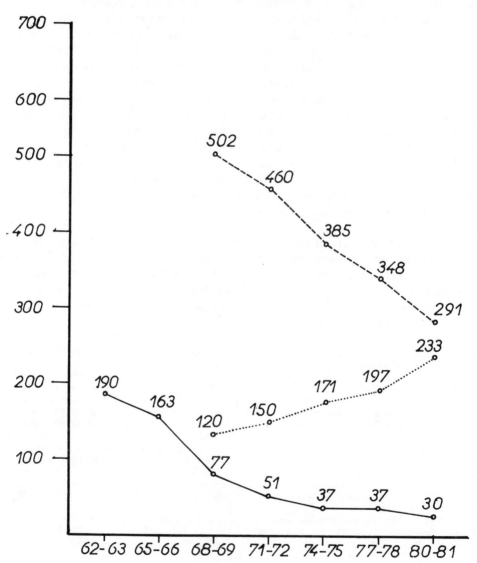

Graphique 2 :
L'évolution de l'accueil offert aux consultants

o – – – – – – o % des consultants ayant passé un « examen psychologique collectif écrit ».

o————o % des consultants ayant passé un « examen individuel avec entretien ».

o··············o % des consultants ayant passé un « entretien sans examen individuel ».

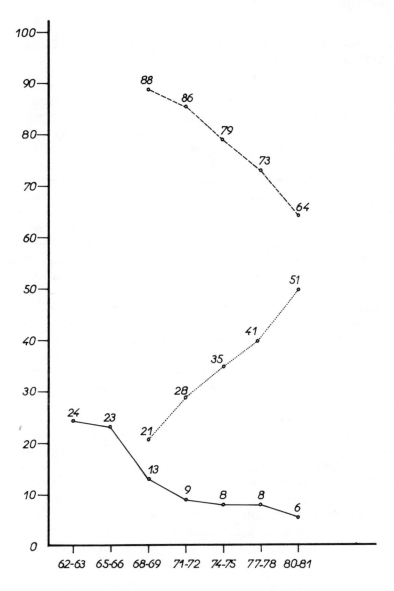

En même temps que l'on discute de nouveaux thèmes dans les Congrès de l'A.C.O.F., la pratique se modifie. Si on ne parle plus beaucoup des tests, on continue cependant à les utiliser, mais de moins en moins. En même temps que l'on parle davantage de formation des choix professionnels, on pratique davantage l'entretien. Ces évolutions nous paraissent indiquer à la fois le déclin du modèle classique de l'orientation et l'émergence d'un nouveau modèle. Nous allons maintenant chercher à préciser les contours de ce modèle en nous interrogeant sur l'objectif général poursuivi et sur les connaissances et pratiques psychologiques qu'il implique.

UN NOUVEL OBJECTIF : RENDRE LE JEUNE PLUS AUTONOME DANS SES CONDUITES D'ORIENTATION

S'agit-il vraiment d'un objectif nouveau ? Les éducateurs et les conseillers n'ont-ils pas toujours poursuivi un tel objectif ? Pourrait-on le refuser dans une société où il existe un large consensus sur les valeurs démocratiques et sur la nécessité d'un vaste secteur d'économie libérale ? Peut-être, mais en ce qui concerne l'orientation, cet objectif ne pouvait être que second dans le cadre du modèle fondé sur la théorie des aptitudes. Dans cette perspective il existe un choix professionnel optimum, le *bon choix,* et des experts sont capables de le définir. Il ne reste plus alors à l'individu, auquel on prête une certaine rationalité, qu'à suivre les conseils que les experts veulent bien lui donner. Ses capacités d'autonomie sont alors peu utilisées et pas spécialement valorisées. A l'heure actuelle, par contre, l'objectif de l'autonomie est vraiment passé au premier plan. Et l'on peut observer un très large accord sur ce point. B. Jouvin (1980), dans un rapport destiné aux ministres de l'Éducation et du travail de l'époque, note que les jeunes doivent être « *aptes à conduire de façon consciente et informée (leur) trajectoire individuelle* » et que l'orientation doit être « *la démarche autonome d'un individu responsable* » (p. 9). B. Schwartz (1981), dans son rapport au premier ministre sur l'insertion sociale et professionnelle des jeunes, affirme la nécessité de donner aux jeunes « *l'autonomie, la gestion d'eux-mêmes, de leur travail, de leur vie* » (p. 30). On peut relever des propos de même nature dans l'étude réalisée pour le Conseil de l'Europe par G. Deforge (1980) sur la préparation des jeunes à la vie de travail.

Un si large consensus mérite d'être examiné de plus près ; il pourrait très bien ne témoigner que de la banalité et de l'irréalité du propos ou être fondé sur un malentendu, l'autonomie pouvant signifier des choses très diverses. En parlant d'autonomie il nous semble que l'on peut désigner deux grands types d'attitudes : l'autonomie des individus peut être considérée comme une condition d'un fonctionnement satisfaisant du système productif à son stade de développement actuel, mais elle peut aussi être considérée comme une mise en cause de quelques-unes des formes qu'a prises ce développement.

Les profondes mutations subies par les sociétés industrielles depuis plusieurs décennies sont bien connues. Parmi celles dont les incidences sur l'orientation sont les plus directes, on peut citer le bouleversement de la structure de la population active et celui de la structure des qualifications : augmentation des qualifications requises par de nombreuses activités, déqualification pour d'autres, changements dans la nature même des qualifications. Ces transformations, cela a été souvent souligné, rendent bien sûr encore plus nécessaire que par le passé l'action des conseillers d'orientation dans la mesure où elles entraînent le développement et, au moins dans un premier temps, la complexification du système de formation. Elles ont pour conséquences une augmentation de la mobilité professionnelle, et aussi géographique, des travailleurs et la nécessité de procéder à des mises à jour des compétences. Dans ce cadre, le travailleur autonome est celui qui assume activement ces exigences de mobilité et de requalification. L'autonomie dans les conduites d'orientation est alors une préparation à cette autonomie dans la vie professionnelle. On conçoit qu'une telle autonomie soit d'autant plus valorisée que la crise de l'emploi tend à s'aggraver : elle devient un moyen, peut-être limité mais non négligeable pour autant, de lutte contre le chômage.

De cette autonomie en quelque sorte restreinte, il faut distinguer selon nous une autonomie plus radicale qui prend la forme d'une revendication. L'évolution technologique a conduit à des modifications notables des rapports sociaux. En face de nouvelles formes de domination sont apparues de nouvelles formes de contestation porteuses de valeurs nouvelles (voir Touraine, 1978, par exemple). Un peu sommairement, on peut considérer que les sociétés modernes se caractérisent par la présence de grandes organisations avec une concentration du pouvoir au sein d'une classe de gestionnaires. Ce pouvoir s'exerce au nom d'une rationalité dont certains aspects peuvent être discutés. La sphère d'exercice de pouvoir gestionnaire tend à dépasser le travail pour englober des aspects toujours plus nombreux de la vie quotidienne. Au plan du travail, la politique menée par ces gestionnaires conduit à une structuration et une hiérarchisation toujours plus poussées des activités professionnelles et à une certaine dépersonnalisation du travail qui ne permet plus, pour beaucoup, la satisfaction de besoins sociaux et de besoins d'investissement personnel. L'emprise des organisations rend également de plus en plus difficile la satisfaction de ces besoins dans la vie hors-travail*. D'où l'apparition de nouvelles luttes sociales qui se manifestent certes sur le terrain de l'entreprise : revendications du contrôle de l'organisation du travail, d'un pouvoir de décision par exemple ; mais aussi sur beaucoup d'autres terrains : revendications relatives aux conditions de vie dans les villes, à la qualité des produits de consommation, revendications dans les domaines de l'éducation ou de la vie sexuelle par exemple. Bref, à la domination des gestionnaires tend à s'opposer une contestation auto-gestionnaire, en partie fondée sur une autre rationalité, avec pour objectifs des transformations sociales permettant une vie sociale plus riche et une plus grande expression des capacités d'initiative des individus et des collectivités de base. L'autonomie dont il est question ici ne vise donc plus, ou plus seulement, à faciliter le fonctionnement du système productif : elle vise à le transformer, au même titre que le système social, à infléchir sa logique.

Dans le cadre des conduites d'orientation, l'autonomie n'est plus vue seulement dans sa fonction de faciliter les adaptations, mais elle est surtout vue comme un besoin individuel : l'individu souhaiterait définir lui-même les modalités de son insertion professionnelle. Ceci suppose une conscience claire à la fois des contraintes de la réalité et des possibilités d'in-

---

* L'élévation du niveau de vie ayant permis une meilleure satisfaction des besoins *primaires,* il est probable que les besoins *supérieurs* dont il est question ici soient plus forts à l'heure actuelle que par le passé.

tervention sur cette réalité. L'encouragement d'un tel type d'autonomie est, nous semble-t-il, un objectif qui émerge lentement dans l'orientation. L'objectif démocratique antérieur — la juste hiérarchie — subsiste, bien que le mérite ne soit plus défini par des aptitudes innées, mais est apparu un nouvel objectif démocratique — la réduction des hiérarchies — qui le relativise*.

On peut certes contester les analyses brièvement résumées ci-dessus. Ceci est d'autant plus facile que l'émergence des nouvelles valeurs se fait dans une grande confusion, et que les auteurs même du changement n'ont pas toujours conscience de la signification de leurs actions. Mais il reste alors à fournir d'autres schémas d'explication pour comprendre les comportements nouveaux qui apparaissent dans les divers secteurs de la société, notamment chez les jeunes, et les nouveaux conflits sociaux. Évoquer une poussée des modes de pensée irrationnels ou une régression vers des formes de vie sociale archaïques face aux exigences de la modernité, ou encore le laxisme et la démission des adultes peut sans doute expliquer une partie des phénomènes observés mais ne nous semble pas suffisant pour en apprécier vraiment la portée. Enfin, même si l'on admet l'existence de mouvements sociaux porteurs de valeurs nouvelles, rien n'oblige à se fonder sur ces valeurs pour définir des objectifs aux actions d'orientation. Mais alors il faut définir ou expliciter d'autres objectifs. L'orientation étant une pratique sociale, la question de sa finalité est incontournable.

Ces propositions d'objectifs, si elles ne sont pas directement opératoires, ne sont cependant pas purement formelles. Elles ont, si toutefois on veut bien les prendre au sérieux, des implications pratiques. Considérons par exemple l'information sur les métiers. Faut-il à tout prix « convaincre » les jeunes de s'engager dans certaines formations ou doit-on se contenter de les leur proposer, en leur donnant une information assimilable et aussi objective que possible, au risque de voir certaines de ces formations continuer à demeurer peu fréquentées et certains sujets s'engager dans des impasses ? Valoriser l'autonomie conduit plutôt à choisir le second terme de l'alternative et à s'interroger sur les raisons objectives des refus et des engouements. Certes la distance peut être apparemment minime entre la volonté de convaincre et la simple intention de suggérer, de proposer. Ceci témoigne de l'inconfort de la situation du conseiller et de la nécessité pour lui d'avoir une conscience aiguë de la signification de ses interventions. De même, afin d'aider les jeunes, faut-il cher-

---

* Les nouvelles valeurs — notamment dans leurs aspects relatifs au travail — s'expriment avec force chez les jeunes, non pas parce qu'ils en seraient nécessairement les créateurs, mais plutôt sans doute parce que n'ayant pas encore d'habitudes, ils sont plus disponibles pour les assimiler. On a de bonnes raisons de penser que les jeunes qui semblent refuser le travail ne refusent en fait que ses formes aliénées. Il est vrai que les jeunes se reconnaissent de moins en moins dans les idéologies religieuses ou laïques qui exaltent l'effort et le sacrifice exigés par le travail au nom d'une fin supérieure (le salut personnel ou la construction de la société future). Mais, s'il est désacralisé le travail n'est pas devenu pour autant un simple moyen de subsistance. Il est toujours source de valorisation de soi dans la mesure où il permet les échanges sociaux et l'expression des capacités d'initiative. Or il est bien évident que les formes de travail souvent offertes, et cela est encore plus vrai pour les jeunes que pour les adultes (les jeunes sont surreprésentés chez les chômeurs, les O.S., les intérimaires), du fait de leur parcellisation et des formes rigides dans lesquelles elles s'insèrent, ne permettent pas la satisfaction de ces besoins. D'où leur refus qui se manifeste notamment par l'absentéisme et l'instabilité. Pour beaucoup de jeunes l'absence d'implication dans les problèmes d'orientation n'est sans doute que la conséquence du décalage entre ce qui est offert et ce qui est vaguement souhaité (voir notamment Bachy, 1977 ; Duvignaud, 1975 ; Le Bouedec, 1982 ; Rousselet et coll. 1975).

cher à leur faire voir d'une manière positive les situations qui leur sont imposées, faut-il les aider à élaborer ce que Frémontier a appelé *le discours de la consolation* ? Valoriser l'autonomie conduit à ne pas s'engager très avant dans cette voie. On ne peut qu'être d'accord avec Jouvin lorsqu'il affirme que « l'orientation et l'information (ne doivent pas) avoir pour fonction (...) d'amortir au mieux les tensions engendrées par le système au moyen d'une *assistance psychologique* permettant aux individus de se résigner sans trop de difficultés au sort qui leur est fait » (p. 57). En d'autres termes, l'action d'orientation ne doit pas permettre de faire l'économie de réformes (relatives notamment aux conditions de travail et aux statuts des emplois) mais elle doit au contraire mettre en évidence leur nécessité.

L'objectif de favoriser l'autonomie des conduites d'orientation étant posé, on ne peut s'empêcher de s'interroger sur son réalisme. Est-il raisonnable de vouloir faire en sorte que les sujets manifestent responsabilité et esprit d'initiative dans leur orientation alors que ces qualités sont très peu sollicitées dans la vie scolaire, et que pour beaucoup elles ne le seront guère plus tard dans la vie professionnelle ? L'orientation n'est-elle pas, pour une fraction importante des élèves strictement déterminée par l'efficience scolaire et imposée précocement ? Ces objections sont tout à fait fondées, et il existe des limites assez étroites à l'action du conseiller d'orientation. Cette action peut être facilitée par des réformes tendant à accroître l'autonomie des élèves dans la vie scolaire*, à réduire les inégalités de formation en matière d'enseignement général, à diversifier les critiques d'orientation, à rendre réversibles les choix opérés (par la multiplication des passerelles entre filières dans la formation initiale, par la généralisation d'un véritable crédit-éducation dans la formation permanente).

QUELLE PSYCHOLOGIE POUR FACILITER L'AUTONOMIE ?

La pratique de l'orientation en France s'est toujours appuyée sur les acquis de la psychologie scientifique. Or, cette tradition a été contestée et dans les dernières années, on a parfois déploré la part excessive attribuée à la psychologie dans la formation des conseillers d'orientation et proposé une diminution de cette part pour renforcer les enseignements relatifs à la connaissance des situations professionnelles et à l'état de l'emploi. On a parfois aussi regretté que la pratique des conseillers fasse une part trop large à la psychologie et insuffisante à l'information. Ce type d'opposition entre, schématiquement, la psychologie et l'économie nous paraît tout à fait factice. Il est parfaitement clair qu'une information aussi complète et aussi précise que possible sur les possibilités d'orientation offertes est une condition d'une orientation autonome. Les conseillers contribuant à cette information doivent donc avoir une excellente connaissance du travail et de l'emploi. Mais il est parfaitement clair également que cette connaissance ne se confond pas avec la connaissance des modalités de sa transmission, de son assimilation et de son utilisation par les individus pour la construction d'un projet, c'est-à-dire avec une connaissance psychologique relative au fonctionnement des individus. L'orientation conçue comme une intervention éducative est nécessairement fondée sur la psychologie. La question réelle est de savoir sur quelle psychologie.

---

* L. Legrand, dans son rapport *Pour un collège démocratique* (1983), note que les méthodes pédagogiques qu'il suggère (travail autonome, auto-évaluation, projets interdisciplinaires,...) devraient conduire les élèves à des choix responsables ou non plus à subir passivement des décisions d'orientation négatives.

Dissipons peut-être une équivoque. Dire que l'orientation est fondée sur la psychologie a aussi une autre signification. Dans le cadre du modèle classique de l'orientation, cela voulait dire que les aptitudes du sujet étaient ou devaient être la cause de son orientation. Cette proposition qui souligne le poids des facteurs psychologiques dans l'orientation reste valable dans son principe. Bien que l'orientation d'un individu soit sous la dépendance de stratégies familiales ou de conjonctures économiques et de politiques éducatives locales ou plus générales, elle dépend aussi fortement de caractéristiques individuelles. Au premier plan de ces caractéristiques, il y a des aptitudes ou des capacités, aptitudes et capacités qui ne sont d'ailleurs pas forcément pertinentes relativement à des critères de satisfaction ou d'efficience professionnelle ultérieures et qui peuvent très bien être socialement et scolairement déterminées. Favoriser l'autonomie en s'appuyant sur la psychologie ne consiste nullement à ignorer les déterminants personnels de l'orientation, mais à aider le sujet à les appréhender et à les évaluer en les considérant comme des propriétés ayant une certaine plasticité, et à les intégrer à d'autres déterminants pour élaborer un projet.

Pour être efficaces et perfectibles, les interventions du conseiller doivent être fondées sur une théorie où un ensemble de théories fournissant une description précise de l'activité mentale du sujet, et des conditions de cette activité, lorsqu'il est confronté à un problème d'orientation. Comment se constituent les représentations de soi et du monde professionnel qu'il faut nécessairement confronter et coordonner ? Comment s'élaborent les attitudes et les préférences vis-à-vis des divers aspects du travail ? Comment se construisent des projets d'insertion sociale à court ou moyen terme ? Comment évoluent-ils au fur et à mesure que les instances de sélection leur donnent ou non la possibilité de se réaliser ? Chacune de ces questions générales peut éclater en questions plus spécifiques. Considérons la genèse de la représentation de soi. On peut se demander par exemple comment se mettent en place ses diverses composantes, quels rapports elle entretient avec les expériences valorisantes ou dévalorisantes du sujet. Ce n'est qu'en ayant des réponses assez précises à cet ensemble de questions que l'on peut espérer encourager l'activité spontanée du sujet ou créer les conditions pour que cette activité se déclenche. On dispose déjà d'assez nombreux éléments de réponse à ces questions (voir par exemple Kroll et al., 1970 ; Huteau, 1982). Mais il est bien évident que ces éléments de réponse auraient besoin d'être affinés et synthétisés pour mieux répondre aux interrogations des praticiens. Il ne nous semble pas que les connaissances dans ce domaine aient suffisamment progressé ces dernières années. En 1968, Super définissait quatre grandes directions de travail qu'il lui paraissait souhaitables de développer dans les 20 années à venir : 1) l'étude des « *modèles de carrières* » consistant à systématiser la description des cheminements professionnels tout au long de la vie ; 2) l'étude des comportements d'exploration des possibilités professionnelles antérieurement aux périodes où des choix doivent être opérés ; 3) la mise au point de mesures satisfaisantes de la maturité professionnelle ; 4) le développement de la théorie de la conception de soi. Les trois derniers points cités par Super correspondent à trois types de questions que l'on peut se poser quant à l'activité mentale du sujet vis-à-vis des problèmes d'orientation. Sans sous-estimer l'intérêt des travaux empiriques réalisés dans ces secteurs depuis une quinzaine d'années, il ne paraît pas qu'il y ait eu des avancées décisives. Cependant, il nous semble qu'à l'heure actuelle on peut s'attendre à un développement prometteur des connaissances dans le domaine des conduites d'orientation si toutefois on réussit à contourner certaines difficultés.

L'analyse des conduites d'orientation et de leur élaboration par le sujet, en effet, ne peut qu'être facilitée par les développements récents et prometteurs de la psychologie expérimentale cognitive (voir Fraisse, 1982). Cette psychologie cognitive qui tend, un peu abusivement peut-être, à devenir toute la psychologie a renoncé aux interdits behavioristes relatifs à l'analyse des processus internes. Toute une série de concepts et de méthodes ont été élaborés qui permettent dans certains cas et sous certaines conditions de mieux comprendre l'élaboration d'une conduite, c'est-à-dire toute l'activité mentale qui précède le comportement défini étroitement par des activités verbales ou motrices. Certains travaux fournissent des éclairages assez directs sur les conduites d'orientation ; citons par exemple les travaux réalisés dans le cadre des théories de la décision ou des théories de l'attribution. Cependant, dans l'immense majorité des cas les résultats de la psychologie cognitive ne peuvent être simplement transposés dans le domaine de l'orientation pour des raisons tenant au fait que les conduites d'orientation se déroulent en milieu *naturel*. Ces conduites doivent donc être étudiées en elles-mêmes sans que leur spécificité soit ignorée.

On peut voir plusieurs aspects dans cette spécificité qui sont autant de sources de difficulté pour l'analyse. Les conduites d'orientation sont d'abord des conduites où l'activité cognitive et les phénomènes affectifs et motivationnels sont manifestement en interaction. La psychologie cognitive expérimentale évite généralement ce problème en s'intéressant à des situations où le sujet est suffisamment motivé pour agir mais pas assez pour être perturbé. La psychologie de l'orientation si elle ne veut pas perdre son objet ne peut se permettre une telle facilité. Les conduites d'orientation sont par nature des conduites dans lesquelles le sujet est profondément impliqué, ce qui peut très bien se manifester par des réactions de fuite, des conduites qui se déroulent fréquemment dans un climat de grande anxiété. Une autre spécificité des conduites d'orientation provient des caractères du *problème* que la conduite d'orientation a pour fonction de résoudre. Ce problème est non seulement mal défini, mais surtout mal définissable, alors que la psychologie cognitive, en général, met le sujet en présence de problèmes bien définis et assez aisément formalisables. Dans les problèmes d'orientation, si on veut bien les examiner du point de vue du sujet, les notions de vrai et de faux sont souvent approximatives et il n'est pas si facile d'expliciter les critères d'une *bonne orientation*. Si le problème est mal défini, il faut encore en plus le résoudre dans des conditions peu satisfaisantes. Le sujet, compte tenu des limites de ses capacités cognitives et des contraintes temporelles qui lui sont socialement imposées, ne peut utiliser qu'une petite partie de l'information disponible, et celle dont il dispose n'est pas toujours la plus pertinente. Il faut donc décider sur des critères flous et dans un état d'incertitude, incertitude qui ne peut être que relativement réduite et qui est difficilement quantifiable. Notons enfin que les conduites d'orientation sont des conduites adaptatives à des exigences d'un contexte social (attentes des parents et des éducateurs, règles du fonctionnement institutionnel relatives aux procédures de sélection) ; elles doivent donc toujours être envisagées en fonction de ce contexte.

Une difficulté d'un autre type réside dans le choix d'un niveau de description pertinent pour la pratique. La plupart des travaux de psychologie cognitive contemporaine décrivent les processus de manière entrêmement fine. On analysera par exemple la résolution d'une analogie qui prend environ 2 secondes en 5 étapes correspondant chacune à un processus particulier, ou encore on décrira le cheminement d'un individu dans la résolution d'un problème logique, nécessitant une vingtaine de minutes par plus d'une centaine d'opérations commandées par une dizaine de règles permettant par toute une série d'états intermédiaires de passer des données du problème à sa solution. À l'opposé, les travaux classiques en psychologie de l'orientation décrivent les processus de manière très globale. On parle par exemple de processus d'exploration, de cristallisation, de réalisation. Il est nécessaire d'affiner la description de ces processus, beaucoup trop générale pour être vraiment utile, sans aller jusqu'à une analyse qui ne mettrait en évidence que les processus relatifs à des tâches très particulières et où l'on perdrait l'unité de la conduite.

La centration sur l'activité mentale spontanée du sujet-activité que l'on cherche à développer, a deux conséquences générales en matière d'orientation : elle doit conduire à des interventions plus individualisées et plus étalées dans le temps. Certes ce type d'évolution des pratiques est souhaitée depuis longtemps par les conseillers afin d'améliorer la qualité du travail d'orientation. L'orientation continue devrait être aussi, en principe, une conséquence de la prolongation de la scolarité. Mais dans la perspective éducative du développement de l'autonomie, l'individualisation et l'échelonnement des actions d'orientation deviennent des nécessités. En effet, la plus ou moins grande autonomie ne peut être qu'une conquête progressive, toujours fragile, dans une histoire strictement individuelle.

L'évolution de la psychologie de l'orientation ne se manifeste pas seulement dans le domaine de l'analyse du processus d'orientation, mais aussi dans un besoin de renouvellement des techniques. Les nouveaux objectifs appellent au moins à un usage différent les techniques anciennes et ils impliquent surtout la mise au point non seulement de nouveaux moyens de diagnostic, mais aussi de nouveaux moyens d'intervention. Ces nouvelles techniques apparaissent dans le prolongement de recherches ou sont directement inspirées par des impératifs pratiques.

Les tests d'aptitudes, techniques les plus classiques de l'orientation, peuvent être utilisés pour fournir au sujet, à sa demande, une information sur lui-même lui permettant de mieux évaluer ses chances de succès dans telle ou telle voie. Cette évaluation, qui est un déterminant majeur des préférences, se fonde souvent sur des données peu sûres (comme la comparaison de soi avec des personnes s'étant engagées dans la voie considérée) ou grossières (comme les statistiques de réussite en fonction des diplômes possédés). Mais pour être vraiment intéressant, l'usage des tests dans l'évaluation des probabilités de succès à une formation suppose que l'on dispose d'indications précises sur la validité du test pour de nombreuses formations, ce qui implique, au moins périodiquement, des opérations de testing étendues. Ces informations n'ont pas été rassemblées, du moins en France, à l'époque où le prestige des tests était bien plus grand qu'à l'heure actuelle et alors qu'elles étaient, pour d'autres raisons, tout aussi souhaitables ; on peut donc être sceptique sur les possibilités de développement de ce type d'utilisation des tests dans un avenir proche. Ces limites ne se rencontrent pas avec ces autres techniques classiques que sont les questionnaires d'intérêts. Ces questionnaires ont d'ailleurs toujours été utilisés — c'était là leur aspect *modérateur* — dans la perspective de l'élaboration des choix et ils sont fréquemment l'occasion d'un début de réflexion du sujet sur lui-même.

Mais, dans la perspective de l'aide à la formation des choix, et pour un meilleur ajustement de l'action pédagogique, on a besoin de descriptions de l'état du sujet plus détaillées que celles qui indiquent seulement son degré d'attrait pour quelques grandes classes d'activités. On souhaite appréhender, tant dans leur contenu que dans leur structure, d'autres aspects des attitudes vis-à-vis du travail, qui ont trait par exemple au statut, au prestige, au genre de vie... On juge également utile de prendre en compte l'ensemble des connaissances du sujet non seulement vis-à-vis du travail et de la vie sociale et économique, mais aussi vis-à-vis de lui-même. De tels instruments de diagnostic qui sont élaborés çà et là sous forme de questionnaires ou de grilles d'entretien, sont de toute évidence appelés à se développer, à se systématiser, à constituer de véritables batteries. Un de leur rôle serait de définir des niveaux de maturité professionnelle, niveaux qu'il vaut mieux concevoir, croyons-nous, comme des repères permettant d'estimer des distances à un objectif, plutôt que comme des stades dans un développement psycho-social universel. La distinction entre des techniques diagnostiques et des techniques d'intervention paraît nécessaire même si l'on observe souvent, qu'on le souhaite ou non, des changements à la suite d'interventions destinées simplement à fournir des descriptions (par exemple à la suite d'exercices de classification des activités professionnelles, ou après l'explication des préférences au cours d'un entretien).

Les techniques d'intervention éducative peuvent être groupées en trois catégories. Certaines, les plus anciennes, concernent l'information*, d'autres visent davantage à faciliter l'exploration des possibilités d'insertion professionnelle et à aider aux prises de décision nécessaires. L'information doit fournir à chaque jeune les connaissances de base sur le système de formation et sur le système de production. La connaissance des métiers et des études pourrait très bien être considérée comme une discipline scolaire à part entière avec son programme, ses manuels, ses tranches horaires, avec aussi ses problèmes de didactique qui sont du même type que ceux que l'on rencontre depuis longtemps dans des disciplines voisines (instruction civique, histoire et géographie notamment). Mais ces actions d'information ne sont que des conditions minimales à une pédagogie du choix. Elles doivent s'accompagner d'actions plus individualisées, requérant une compétence psychologique, et devant permettre à chacun de résoudre au mieux son problème personnel.

Il nous paraît utile de distinguer les actions visant à faciliter l'exploration de celles visant à faciliter la décision. Considérer l'exploration et la décision comme des stades est sans doute peu réaliste ; il s'agit plutôt de deux moments d'un processus de résolution qui est constamment remis en cause et recommencé. De nombreuses initiatives sont prises dans les centres d'information et d'orientation pour mettre en place des dispositifs susceptibles de favoriser l'exploration. Il s'agit de faciliter ou de provoquer l'activité mentale du sujet, ce qui suppose un ébranlement des représentations stéréotypées et des incitations pour la recherche d'informations nouvelles. On tente d'atteindre ces buts par des interventions au cours d'entretiens, en utilisant les interactions au sein des groupes (groupes de pairs ou rencontres avec des professionnels), ou encore par des exercices appropriés (suggestion de

---

* Les premières réalisations dans ce domaine datent des années 1950 (Bacquet et coll., 1957). Certes l'information est apparue beaucoup plus tôt, dès les débuts de l'orientation, mais elle se faisait alors dans un tout autre esprit.

professions correspondant à certaines descriptions de soi par exemple). C'est certainement dans ce domaine de l'exploration que les applications de l'informatique en orientation sont les plus prometteuses, bien qu'à notre connaissance les recherches préalables à l'organisation d'un *dialogue* entre l'ordinateur et le sujet n'aient jusqu'à maintenant pas été poussées très loin. Toutes les tentatives pour faciliter l'exploration se heurtent à une même difficulté : comment le jeune peut-il assimiler et intégrer dans ses esquisses de projets les éléments qui supposeraient une expérience professionnelle préalable ? Cette difficulté ne peut véritablement être contournée qu'au moyen d'une pédagogie de l'alternance ; il est alors possible de traiter dans le cadre scolaire des informations recueillies hors de ce cadre.

L'aide à la prise de décision est sans doute le type d'intervention le plus délicat. C'est au moment de la prise de décision que le sujet est le plus impliqué et pour beaucoup ce moment est celui d'un renoncement. Comment apprendre à se décider ? Là encore des exercices sont parfois proposés qui simulent les situations de choix ou qui visent à familiariser le sujet avec les opérations impliquées dans la prise de décision (et dans l'exploration également). Se pose alors le problème central du transfert : dans quelle mesure ce que l'on acquiert dans des situations peu significatives peut-il nous être utile pour nous adapter dans des situations hautement significatives ? On peut aussi penser que la prise de décision et les conduites exploratoires qui la précèdent relèvent de la maturité personnelle et que la meilleure manière de faciliter le développement personnel, pour un conseiller, est d'adopter ces attitudes congruentes, positives et empathiques qui caractérisent l'orientation non directive. Il reste alors à s'assurer, au moyen de contrôles explicites, du type de ceux préconisés par Rogers (1972) que les changements attendus se sont effectivement produits*.

Il nous a semblé que l'on pouvait caractériser l'évolution de l'orientation en France par la crise de la conception originale et par l'émergence progressive d'une conception nouvelle. La crise est celle d'une orientation qui se proposait de mettre chacun à sa place et prétendait disposer pour cela des techniques adéquates. Elle s'explique à la fois par le développement technologique avec ses incidences sur les qualifications, par les progrès de la psychologie, et par l'évolution sociale avec les changements de valeurs qui l'accompagnent. Au cours de cette crise, des professionnels de l'orientation peuvent avoir parfois perdu le sentiment de

---

* Ces remarques sur l'évolution de l'orientation ont laissé dans l'ombre tout un pan de l'activité des conseillers d'orientation qui relève de la psycho-pédagogie générale. Les préoccupations psycho-pédagogiques étaient absentes lorsque les institutions d'orientation se sont mises en place, elles ne sont apparues que dans les années 50 avec la généralisation de la scolarisation dans l'enseignement secondaire. Les interactions entre l'orientation et la scolarité sont nombreuses et évidentes : on connaît par exemple le poids (excessif) des critères scolaires dans l'orientation, ou encore les effets, généralement positifs, de la clarification des perspectives d'avenir sur les motivations scolaires. Mais les interventions du conseiller dans le domaine pédagogique ne sont pas toujours centrées sur ces interactions. Elles visent surtout à contribuer à la démocratisation de l'enseignement en luttant contre l'échec scolaire. Nous avons examiné ailleurs les problèmes que posent ces interventions et les perspectives d'évolution qui se dessinent dans ce secteur (Huteau et Lautrey, 1978). Bornons-nous à signaler que si les deux rôles du conseiller — rôle psycho-pédagogique et rôle d'orientation proprement dite — sont bien complémentaires, il n'est pas du tout évident qu'une même personne puisse les assumer avec une compétence égale. Il est probable que la nécessité d'une certaine spécialisation se fera sentir dans l'avenir.

leur identité. L'infléchissement que l'on peut observer dans les pratiques, les thèmes des débats et des discussions sur l'orientation, certaines tendances de la recherche nous conduisent à penser qu'une nouvelle conception de l'orientation est en gestation depuis longtemps et qu'elle tend à s'affirmer, à se présenter sous une forme de plus en plus structurée, malgré des hésitations et des difficultés. Dans cette conception de l'orientation, le conseiller a perdu son statut d'expert privilégié, il se propose de développer l'autonomie des jeunes dans leurs conduites d'orientation ; pour cela il s'appuie de plus en plus sur une psychologie de l'activité mentale et sur des techniques visant à la favoriser. On peut opposer cette conception éducative à la conception classique dans la mesure par exemple où elle valorise le vécu personnel ou relativise le rôle des aptitudes. Mais on peut aussi souligner le fait qu'elle repose sur les mêmes principes fondamentaux : la volonté d'utiliser les acquis de la psychologie et celle de poursuivre des objectifs en accord avec ceux des mouvements sociaux.

BIBLIOGRAPHIE

BACHY, J.P. : *Les jeunes et la société industrielle.* Sceaux, CRESST, 1977.
BACQUET, R., J. CAMBON, H. CHAUDAGNE, A. LÉON : *Pour l'information professionnelle des jeunes gens de 14 ans.* Paris, Bourrelier, 1957.
DEFORGE, G. : *Demain la vie, une étude sur la préparation des jeunes à la vie du travail en Europe.* Strasbourg, Conseil de l'Europe, 1980.
DUVIGNAUD, J. : *La planète des jeunes.* Paris, Stock, 1975.
FRAISSE, P. : *Psychologie de demain.* Paris, PUF, 1982.
FRÉMONTIER, J. : *La vie en bleu : voyage en culture ouvrière.* Paris, Fayard, 1980.
HUTEAU, M. : Les mécanismes psychologiques de l'évolution des attitudes et des préférences vis-à-vis des activités professionnelles. *L'orientation scolaire et professionnelle,* 1982, **11,** 107-125.
HUTEAU, M., J. LAUTREY : L'utilisation des tests d'intelligence et de la psychologie cognitive dans l'éducation et l'orientation. *L'orientation scolaire et professionnelle,* 1978, **7,** 99-174.
HUTEAU, M., J. LAUTREY : Les origines et la naissance du mouvement d'orientation. *L'orientation scolaire et professionnelle,* 1979, **8,** 3-43.
JOUVIN, B. : *Rapport sur les « systèmes d'information professionnelle et d'orientation qui existent actuellement au bénéfice des jeunes et des adultes ».* Paris, 1980.
KROLL, A.M., L.B. DINKLAGE et coll. : *Career development : growth and crisis.* New York, Wiley, 1970.
LE BOUEDEC, G. : L'attitude des jeunes face au travail. *L'orientation scolaire et professionnelle,* 1982, **11,** 63-78.
LÉON, A. : *Psychopédagogie de l'orientation professionnelle,* Paris, PUF, 1957.
NAVILLE, P. ; *Théorie de l'orientation professionnelle,* Paris, Gallimard, 1945.
REUCHLIN, M. : *L'enseignement de l'an 2000.* Paris, PUF, 1973.
ROGERS, C.C. : *Le développemnt de la personne.* Paris, Dunod, 1972.
ROUSSELET, J., G. BALAZS, C. MATHEY, J.P. FEGUER : *Les jeunes et l'emploi.* Paris, PUF, 1975.
SCHWARTZ, B. : *L'insertion professionnelle et sociale des jeunes.* Paris, La documentation française, 1981.
SUPER, D.E. : *Theory of vocational development in 1988,* Washington, University St Louis, 1968.
TOURAINE, A. : *La voix et le regard.* Paris, Le seuil, 1978.

NOTES

NOTES

NOTES

NOTES

Achevé d'imprimer
en novembre mil neuf cent quatre-vingt-trois
sur les presses de l'Imprimerie Gagné ltée
Louiseville - Montréal.
Imprimé au Canada